LE THÉÂTRE MODERNE

Hommes et tendances

**Volumes parus
dans la même collection**

————

MÉLANGES GEORGES JAMATI. *Création et vie intérieure : Recherches sur les Sciences et les Arts.*

VISAGES ET PERSPECTIVES DE L'ART MODERNE. *(Peinture - Poésie - Musique).* Entretiens d'Arras 1955.

LA MISE EN SCÈNE DES ŒUVRES DU PASSÉ. Entretiens d'Arras 1956.

Entretiens d'Arras, 20-24 Juin 1957

LE THEATRE MODERNE

Hommes et tendances

Etudes réunies et présentées
par Jean JACQUOT

EDITIONS DU CENTRE NATIONAL DE LA RECHERCHE SCIENTIFIQUE
13, Quai Anatole-France - PARIS VIIᵉ
MCMLVIII

AVANT-PROPOS

Les quatrièmes Entretiens d'Arras furent consacrés, comme ceux de l'année précédente, aux problèmes du théâtre. La rencontre de 1956 les abordait sous l'angle de la mise en scène des œuvres anciennes, celle de 1957 était consacrée aux modernes et aux circonstances de leur création. Un texte préliminaire dégageait les grandes lignes d'un vaste programme.

Les facteurs d'évolution

Un tel examen nécessite un certain recul et il sera nécessaire au cours des débats de tenir compte de l'évolution du théâtre depuis 1918, et même d'influences, toujours agissantes, qui remontent au début de ce siècle.

Parmi les facteurs de cette évolution — qui sont interdépendants mais qu'on peut distinguer pour l'analyse — certains résultent du milieu : les profondes transformations politiques et sociales de notre temps ont leur incidence sur la répartition et la fonction des théâtres, la composition de leur public, leur répertoire. D'autres résultent de l'orientation générale de la pensée et des arts. D'autres enfin sont particuliers à la scène : comme toujours un petit nombre de personnalités originales et fortes marquent de leur empreinte le théâtre d'une époque.

La condition du dramaturge

Un auteur — surtout un nouveau venu — doit faire face à des problèmes matériels : trouver une salle, une aide, des crédits, un auditoire. Problèmes qui ne sont matériels qu'à première vue. Par eux il fait l'expérience de la société où il vit. Et bien que l'artiste doive toujours compter avec la chance, certains succès, ou insuccès, jugent un public, une société. L'auteur atteint-il le public auquel il voudrait adresser son message ? Dans quelle mesure la liberté d'expression lui est-elle laissée ? Doit-il payer d'un conformisme ou d'un autre un minimum de sécurité ? La réponse varie selon les pays, les régimes.

Engagement ou disponibilité

L'ampleur des ébranlements que subit le monde, la menace qui pèse sur l'avenir, l'urgence des solutions ne laissent indifférents que ceux qui s'accommodent du rôle d'amuseurs. Les autres se sentent des responsabilités envers une cause : mouvement, croyance, nation, philosophie, éthique. L' « engagement » permet d'éviter l'écueil de la gratuité, et celui d'une conception abstraite et stérile de l' « humain », mais peut comporter un autre risque, celui d'un art de propagande qui conditionne les esprits, au lieu d'approfondir les consciences. Aussi le souci de l'auteur d'aujourd'hui est-il souvent de concilier la fidélité à une cause et la disponibilité nécessaire à l'artiste, qui lui permet d'embrasser une situation dramatique dans son ensemble, de ne négliger aucun aspect de la nature et de la vie.

Création et réalité. — En quel sens peut-on encore parler d'une « avant-garde » ?

Dans sa création même l'auteur doit résoudre des problèmes esthétiques. L'histoire du théâtre en ce siècle est, à beaucoup d'égards, celle d'une libération à l'égard d'une représentation photographique, terne, et en fin de compte conventionnelle de la réalité. On a cherché d'autres techniques, inspirées souvent par un théâtre très éloigné dans l'espace et dans le temps, et susceptibles de rendre à la scène son pouvoir sur l'imagination et l'émotion. On a même parfois mêlé les plans du réel et du rêve au point de les rendre indiscernables. Dans ce domaine le souci actuel paraît être de chercher à la poésie de théâtre un appui sûr dans la réalité. Un bilan de l' « avant-garde », ou une nouvelle définition de celle-ci, sont devenus nécessaires. La volonté qui se manifeste de créer un art tragique ou comique à la mesure de notre temps soulève aussi la question de la continuité des genres et de la valeur des traditions classiques.

Ce programme est en réalité celui d'un cycle d'études sur le théâtre moderne que les participants aux Entretiens n'avaient pas l'ambition d'épuiser. Ses différents points furent néanmoins abordés d'une manière concrète et qui permit, grâce à la présence d'amis étrangers et de spécialistes de diverses littératures, un large tour d'horizon international. Cet esprit de la rencontre explique l'intérêt soulevé par les deux conférences-débats organisées au Théâtre des Nations qui précédèrent et suivirent les Entretiens. Et les travaux d'Arras auront leur prolongement, dès le début de 1958, dans un cycle de conférences qui auront également pour cadre le Théâtre des Nations.

En 1957, les Entretiens coïncidaient une fois de plus avec le Festival dramatique. Les participants regrettèrent l'absence d'André Reybaz, dont ils avaient admiré en 1956 les mises en scène. Ils réservèrent un accueil très sympathique aux représentations de *Gontran de Carcassonne* d'Alexandre Arnoux, et du *Faux Frère (El Parecido en la corte)* d'Agustín Moreto, respectivement mis en scène par Robert Marcy et Jean Pignol (le troisième spectacle, *La Nuit des Rois*, monté par Douking, eut lieu après leur départ).

Une fois de plus nous remercions chaleureusement le Préfet du Pas-de-Calais et les membres du Conseil Général, la Municipalité d'Arras, le Comité du Festival, pour leur appui et leur aide. Notre reconnaissance va aussi aux amis du Festival pour leur généreux accueil. Il nous est agréable enfin d'exprimer notre gratitude qui s'accroît avec les années à M. Léonce Petitot, pour son dévouement à la cause des Entretiens et sa participation si active à leur préparation.

Le texte de M. Lucignani a été traduit par M. Paul Bedarida, ceux de MM. Murcia et Nieva par M. Robert Marrast, qui nous a aidé aussi à la correction des épreuves.

La collaboration de M. Marcel Oddon nous a été précieuse pour l'organisation des Entretiens, la prise en sténotypie et la rédaction des discussions, et la préparation de l'ouvrage pour impression.

P. S. — *Au moment de mettre sous presse, nous apprenons la mort de Gabriel-Daniel Vierge, dont la santé était déjà trop ébranlée en juin 1957 pour qu'il puisse présenter lui-même sa communication. C'est avec tristesse que nous voyons disparaître cet homme généreux dans ses amitiés et dévoué à la cause du théâtre.*

PRIMAUTÉ DU JEU [1]

par Herman TEIRLINCK
de l'Académie Royale flamande de langue et de littérature

Je m'excuse de broyer du noir, mais à mon avis, rien ne va bien au théâtre. La salle, les tréteaux, l'appareil technique, les garde-robes et jusqu'aux perruques et au maquillage, j'ai à redire contre tout. C'est qu'on laisse tout s'user dans un vaste surmoulage, où l'art survit cependant par à-coups. Tant il est vrai que le théâtre, né avec l'homme, ne saurait disparaître qu'avec lui.

Mais à pester contre les maux du temps on n'en détourne pas le cours. Et bien que les interférences internationales soient venues empirer la situation, en lardant ce corps malade de petites euphories à la mode funestes comme la cocaïne qui camoufle tout, j'ai pris le parti d'approcher le problème sans prudence, par le devant, par la porte de l'école.

Mes charges professionnelles me confient, en Flandre, le contrôle de l'enseignement dramatique dans les Conservatoires Royaux de Gand, d'Anvers et de Bruxelles. Je sais bien qu'une classe de théâtre est devenue une hérésie au sein de conservatoires de musique. Le dire déjà met les gens de chez nous en boule, car personne ne supporte d'être dérangé dans ses erreurs, petites ou grandes, si elles sont confortables. J'ai élaboré un programme basé sur une définition de l'art dramatique.

A l'issue d'une carrière, même longue comme la mienne, souvent on apprend la chose qu'il eût principalement importé de savoir au commencement. Tout le monde apparemment sait ce que c'est que le théâtre sans s'encombrer d'une définition. Mais les termes de celle-ci doivent pouvoir être énoncés par l'élève dont on entreprend la formation. Je les propose comme suit :

L'art dramatique est, comme quelques autres, un art. Qu'est-ce que l'art ? Mettons-nous d'accord sur une formule conventionnelle et admettons en vrac que c'est la communication humaine d'une image de la vie. Voilà une formule

---

(1) On trouvera plus loin une communication de M. Pierre BRACHIN sur « L'Expressionnisme dans le Théâtre d'Herman Teirlinck ».

passe-partout qui convient à tous les arts. Dès lors, qu'est-ce que l'art drama-tique ? C'est la communication d'une image de la vie en action, projetée à l'état naissant dans l'espace présent et le temps actuel, devant un rassemblement hu-main, par un imagier dénommé acteur, maître du jeu.

L'élève ne refuse pas d'admettre ces termes qui sont précis. Le propos de l'image en action peut être indifféremment une intention qui prend forme au cours du jeu, ou une composition concertée avant le jeu, mais qui ne prend for-me active et actuelle qu'au cours du jeu. L'élève ne doit évidemment pas s'éri-ger en refouleur des traditions, mais il est tenu de les analyser et de les com-prendre. Il peut être amené à ménager les pousses vertes et à écarter le bois mort.

Aux termes de la définition élémentaire il conviendra aisément du compor-tement anormal d'un texte littéraire qui s'est arrogé une autorité quasiment absolue et qui pourtant ne s'y trouve pas inscrit.

Cette anomalie ne saurait condamner la définition qui couvre toutes les disciplines dramatiques, y compris celle du mime et du danseur, celle de l'acro-bate, du sorcier et du prêtre. Et les textes par ailleurs peuvent aussi bien être le fait d'un comédien comme on voit bien chez Goldoni, chez Molière, chez Shake-speare. Un texte se répudie s'il passe outre aux impératifs de la définition, qui est proprement la doctrine du jeu.

Il y a en conséquence d'excellents textes, mais il y en a hélas ! bien d'au-tres. Le pire c'est que l'acteur doit les jouer tous. Le miraculeux c'est qu'un grand acteur y parvient. L'élève ne doit pas s'en étonner outre mesure. Jouvet ne prétendait-il pas même mettre en scène l'annuaire du commerce ou le livre du téléphone ? Et si l'acteur parvient à jouer des textes à ce point inexistants, autant dire, conclura l'élève, qu'il n'a pas besoin de texte. La boutade de Jouvet, qui est loin d'être isolée, vient de voir confirmer son principe sur un plan tout à fait supérieur. Robert Kemp, de l'Académie française, consacre dans *Le Soir* une chronique à la récente représentation par Laurence Olivier du *Titus Andro-nicus* de Shakespeare.

C'est une pièce informe et absurde, dit-il. Le sang y coule autant qu'aux abattoirs, et on dénombre dix-sept cadavres dans cette affreuse boucherie-charcuterie. Nous n'avons rien vu au Grand Guignol, ni nos ancêtres sur leur « boulevard du crime » qui approche de *Titus Andronicus,* où l'horreur rejoint, par ses excès mêmes, le ridi-cule.

Alors, se demande Robert Kemp,

Comment se fait-il que la soirée du 15 mai 1957, où cette pluie de sang tomba sur nous, soit une des plus belles de notre carrière de critique ? Que nous sachions d'avance que nous ne l'oublierons jamais ? Qu'elle rejoigne, par exemple, dans notre souvenir l'Œdipe de Mounet Sully et la Phèdre de Sarah Bernhardt ? Quel est donc cet étrange phénomène ?

Mon élève répond sans hésitation : ce phénomène n'est étrange qu'aux yeux de ceux pour qui un texte dramatique est achevé en soi et ne sollicite que subsidiairement le complément de l'incarnation par le jeu. Le meilleur texte doit encore devenir de l'art dramatique. De tout cela l'élève retient que si les textes sont nombreux, et les mauvais plus nombreux que les autres, il demeure en tout cas que l'acteur lui, doit rester bon. Non point par le petit côté, cour et jardin du cabotinage, mais par le grand mandat qui lui est confié. Car il est celui par qui naît l'image de vie dans l'actualité du spectateur. Rien n'existe avant le jeu, par où commence le phénomène dramatique. Et si le spectateur sent, ne fût-ce qu'un moment, que le texte existe cependant dans la mémoire de l'acteur, et que ce qu'on passe n'est en conséquence qu'une redite par cœur de ce qui s'est passé, la communication est totalement rompue. Ce n'eût jamais été le cas s'il avait même ânonné un texte improvisé. Un texte mal dit, mais qui naît authentiquement sur les lèvres, trouve l'oreille confiante du spectateur.

Des confrontations de ce genre relèvent aux yeux de l'élève la dignité de sa mission, mais multiplient les difficultés qu'il doit surmonter. Un texte authentique fixe un jeu. Dès lors l'acteur n'a plus qu'à s'identifier avec lui. C'est rarement le cas et l'acteur sait qu'il doit convertir une substance littéraire en une substance dramatique. Mon élève n'est pas initié à une conversion de ce genre forcément périlleuse. S'il n'abdique pas devant elle, il doit accepter que le texte abdique devant lui. Bouwmeester, le plus fameux des Shylock, en était arrivé à réduire tout le *Marchand de Venise* à une magistrale composition du Juif. Il prenait ce qui convenait à sa conception, et rendait le reste à Shakespeare.

Dans un tel gâchis, l'élève n'est pas à son aise. Il me demande : « Puis-je donc corriger Shakespeare ? » Je lui dis : « Oui, si tu en as le pouvoir. Mais peut-être peux-tu parvenir, à la longue, à jouer mieux que ton texte ». C'est à peu près le cas du *Titus Andronicus*.

Mais il n'y a pas que le texte et l'acteur au théâtre. Il y a le public, qui a le pas sur eux, car le rassemblement précède l'apparition dramatique. On ne peut — comme en d'autres arts — échapper aux exigences du rassemblement qui attend la naissance de son rêve comme un événement réel qui « devient » vérité devant lui. Un peintre, un poète, inaccessible à sa génération, peut émouvoir des générations futures. L'élève, debout dans sa définition, sait que l'art dramatique est actuel sous tous ses aspects et rejette ce qui ne peut être actualisé. Il apprend qu'on ne peut jouer ni pour hier, ni pour demain. Et ce postulat qui le domine tout entier, en fait le fourrier du public, dont les appétits ne sont pas toujours contrôlables. Il comprend en tout cas que le magma humain qui darde sur lui des yeux innombrables, attend d'être apaisé sur l'heure. Il comprend qu'il importe de cuisiner selon la faim de cet ogre, et qu'à défaut de le satisfaire, on essaiera de le tromper.

De tout cela il résulte, aux yeux de l'élève, qu'un public a le théâtre qu'il mérite. Une courte rétrospective historique lui permet de distinguer que les publics les plus accessibles au grand théâtre sont ceux qui présentent, par leur cohésion, les plus valables garanties d'unité et de réceptivité.

J'enseigne en toute conscience que les personnes engagées dans un rassemblement y perdent une partie de leur individualité critique. C'est par ce qu'elles

y perdent que le rassemblement gagne en cohésion. Ainsi l'élève finit par constater qu'un public de badauds ne vaut pas un public de « supporters », qu'un
public qui doute est le pire de tous et que le seul bon est le public qui croit, non
point dans le jeu, mais dans ce qui par le jeu traverse l'humain pour aboutir à
l'état sublime qui nivelle tout le monde.

Si le théâtre occidental actuel reflète la nature d'être de son rassemblement,
et comment pourrait-il en être autrement, l'élève devra bien convenir qu'au cœur
de l'Occident le Dieu se meurt.

Dès lors la situation, dans son ensemble, s'éclaire brusquement. Un rassemblement amorphe dont la foi est tarie, sollicite en modes divers et forcément
contradictoires un répertoire épars et sans grandeur, auquel l'acteur, ravalé au
rôle de vedette répugnant à la métamorphose, prodigue des talents divers, les
uns plus soumis que les autres.

Au fait le phénomène dramatique se décompose en trois facteurs dont les
activités se conjuguent dans l'actuel; et l'élève a déjà distingué que ces facteurs,
quoique asservis à une tâche commune, travaillent à s'isoler dans une indépendance dangereuse, visant à l'hégémonie. Cela devait aboutir à l'état de déchirement où se débat présentement le théâtre d'Occident.

Je ne manque pas de souligner les raisons que doit avoir l'élève de s'opposer à un pessimisme sans nuances. La situation n'est pas tragique en effet, mais
elle ne laisse que l'espoir d'un renversement, qu'aucun signe déterminant n'annonce encore.

L'élève constate entre temps que les tendances littéraires du texte s'accen-
tuent à la faveur d'une souveraineté qu'en face du rassemblement débridé parvient à s'arroger l'auteur dramatique, en passe de devenir le seul meneur du jeu.
L'évolution précipitera le procès de dénaturation en cours, à moins que ... A
moins que la communauté occidentale ne retrouve son unité et son équilibre
dans une mystique puissante qui rejette toute sordidité. Car nos conquêtes sur
la nature, loin de nous prêter la sérénité du Créateur, nous jettent dans une
cruelle incertitude, et nous avons peur, de cette peur grégaire qui affole l'âme au
spectacle des étoiles. Mais l'élève sait qu'une humanité ne succombe pas à ses
doutes, et qu'un Dieu est en marche qui raffermira dans nos cœurs le courage
de vivre. Nous aurons soif de héros alors. Et c'est le théâtre monumental qui les
fera surgir devant nous.

L'élève, en fin de compte, se trouve acculé à une constatation qui s'éclaire
d'elle-même : en présence d'un public en déliquescence et d'une littérature vo-
race qui se nourrit de ses maux, il reste l'acteur qui doit s'accommoder de l'un
et de l'autre.

Mais il est sain, l'acteur, tout dévoyé, tout prostitué qu'il puisse être. Il
puise aux sources les plus pures de l'humain, il rejoint d'instinct les constantes
d'un art primitif, le plus complet, le plus direct, le plus expressif de tous.

Ainsi l'élève peut tenter de deviner le cours probable des transformations
futures, et interroger l'avenir en fonction des trois états analysés. Le rassemblement occidental attend son Dieu. L'auteur profite du répit pour étendre sans

contrôle son autorité littéraire. L'élève conclut qu'il n'y a de salut qu'en l'acteur. Pour sauver donc le théâtre, sauvons provisoirement l'acteur. Dès lors le problème devient purement technique.

*
* *

Arrivé à cet endroit de ma démonstration l'élève pressent, non sans appréhension, qu'il faut maintenant passer aux actes.

J'ai pour les jeunes recrues du Studio National Flamand, qui est une manière de Théâtre d'application annexé à la grande compagnie, un programme de formation générale, et de « trainings » professionnels, dont je vous épargne le trop long exposé.

Qu'il me suffise d'en marquer les matières principales. Le programme embrasse quatre cultures : la culture générale, la culture de la voix, la culture du corps, la culture du jeu.

La culture générale doit s'exercer en profondeur et pouvoir se développer jusqu'au niveau universitaire. Le jeune acteur est enclin à ne puiser que dans ses dons innés et repousse volontiers le contrôle et l'ordonnance de l'intelligence. Il pense qu'il n'y a de vrai que ce qu'il peut sentir — et sans doute est-ce légitime. Mais il a tendance à se défendre contre l'intelligence et prétend qu'en dehors de ce qu'il sent, il n'y a pas de vérité. La confrontation de modalités artistiques éloignées des disciplines dramatiques, telles que l'architecture par exemple, peuvent contribuer à réduire cette erreur. A ce propos il est du devoir du professeur de ne pas confondre dès l'abord, comme il est courant hélas ! l'histoire du théâtre avec l'histoire de la littérature dramatique. C'est par des « trainings » de culture générale que l'élève discrimine finalement les états d'instinct et les états de composition. Les équilibres labiles, spontanément nés du pathétique, doivent demeurer contrôlables à la lumière de l'intelligence qui joue le rôle d'une sorte de « dispatching » permanent.

La culture de la voix n'intéresse pas seulement la phonétique et la diction. Elle est toute entière basée sur les développements de la tessiture, de l'articulation, de la respiration, de la volubilité et de la sonorité vocales. Les modes sonores d'un texte sont infinis. L'élève doit être capable de dégager phonétiquement ces modes, et de donner à un même texte un comportement sonore différent. Il peut arriver à changer un texte, sans en modifier un mot. Il y a une série de sonorisations qui accroche irrésistiblement l'attention, et que le camelot, le baladin connaît jusqu'à l'élever au niveau d'un art. Ce doit être aussi l'art du jeune comédien.

La culture du corps serait principale si les trois autres ne revendiquaient déjà de l'être. Le corps humain, cette sculpture qui se meut dans la lumière, est la mesure du temps et de l'espace que le jeu conquiert en naissant. L'élève sait qu'il doit se débarrasser sur ce point de toute préconception, de tout préjugé. L'acteur en jouant crée son temps et son espace, qui sont alors exactement mesurés en fonction du jeu. Il comprend à la longue et au cours de « trainings » impitoyables ce que tout le monde s'entête à ignorer — à savoir que le décor, l'accessoire, le rythme, oui le costume même n'existent pas avant le jeu et ne persistent pas après. Tous émanent de l'acteur et naissent au cours du jeu comme une sécrétion mystérieuse du corps. J'en aurais long à dire à ce propos. Je passe sur les exercices de gymnastique, d'eurythmie et de danse qui refusent d'être une fin mais acceptent d'être de vigoureux moyens d'assouplissement des muscles et des nerfs. Il n'est pas une partie du corps, il n'est pas un doigt qui ne doive être expressif. Ils n'obéiront qu'au bout d'une contrainte mille fois exercée. Mais ils le feront alors dans la perfection, comme un réflexe. Il est difficile au théâtre de s'asseoir, de s'agenouiller, de monter un gradin. Un corps indiscipliné est comme perclus de rhumatisme. Vous savez tout cela.

J'en arrive enfin à la culture du jeu.

Si j'en juge par ce qui se passe dans les conservatoires, cette culture s'acquiert au bout de différentes initiations, dont les principales sont l'analyse littéraire psychologique et dramatique du texte, la mise en place sur scène, la diction, le mouvement, le jeu collectif, etc. Je peux m'accommoder de tout cela, à condition de lever l'exclusivité de la méthode. A former un acteur dans les ornières d'une pareille routine, on ne sauvera pas le théâtre. Il faut au contraire le sortir délibérément de là — non point en l'arrachant brutalement à cette école confortable, mais en prolongeant sa formation dans le sens résolu d'une virtuosité instrumentale, capable de réaliser dans une forme physique impeccable toutes les positions dramatiques. Mais capable au surplus d'en inspirer d'inédits par l'immaculée perfection de son exécution. Sous ce rapport les prestations du Théâtre de Pékin nous ont donné à réfléchir. L'élève a bien dû convenir devant certain spectacle d'apparence acrobatique, que la perfection physique, quant elle est parvenue à se jouer des obstacles naturels, acquiert un contenu spirituel qui émeut notre pensée. Je ne prends pas Pékin comme exemple. Aussi bien Pékin est-il inaccessible à notre imagination occidentale, et son rituel symbolique demeure hermétique. Mais je refuse de repousser la leçon de Pékin. La virtuosité d'instrumentistes musicaux fameux n'a-t-elle pas ouvert aux compositeurs un mode de possibilités formelles, inconnues, où la difficulté vaincue ne joue plus ?

L'acteur est un instrument dont il joue lui-même, un instrument acquis en dehors de lui et qui s'est identifié avec lui, comme on a pu avec raison dire de la trompette d'Armstrong qu'elle était devenue matière humaine intégrante.

Il faut mener l'acteur jusque là, si l'on met en lui l'espoir de sauver le théâtre. L'avenir est dans l'acteur qui est tout, total et unité.

Alors je préconise résolument l'improvisation. Ce n'est pas sur un retour vers une Commedia dell'arte éteinte que je fonde la nouvelle formation professionnelle. C'est sur une matière vive, proche du primitif, proche du cri divin, et qu'une littérature tentaculaire s'apprête à étouffer.

Par l'improvisation entretenue au cours de « trainings » inexorables, le comédien découvre, au-delà de ses moyens techniques, le sens du devenir et le besoin de tout intégrer dans l'actualisation. Et ceci est proprement le destin de l'art dramatique, qui refuse d'être défraîchi par un texte préparé. Le comédien joue d'imagination et non de mémoire. Il puise dans une réserve d'associations innombrables qui plonge jusque dans les ténèbres de l'inconscient. Et remarquez que l'improvisateur mise moins sur les réparties de son partenaire que sur la résonnance de son public, qui de gré ou de force, entre délibérément dans le jeu. Tant il est vrai qu'une improvisation, par son authenticité et son étonnement, se continue et croît dans la sensibilité du spectateur.

Pour autant que de besoin, je souligne ici les analogies que l'on entrevoit suffisamment dans certains phénomènes du jazz virginal, né au cœur de peuples primitifs. On en parlait à peine il y a 50 ans. Depuis, le folklore musical du Mississipi est devenu un langage mondial. C'est par ses origines primitives que le jazz est neuf, exactement comme serait neuf le théâtre rendu à ses sources, déjà bien enfouies à présent. Le jazz des nègres n'est pas encore dénaturé, il exhale des spirituals improvisés, et rien n'est plus neuf que ces jaillissements à fleur d'âme.

Il ne faut pas être nègre, il ne faut pas même faire l'effort de lui ressembler, pour approcher le jazz. C'est le message du nègre. Par son authenticité il devient un message humain, capable d'émouvoir l'humanité entière. Dans leur état de pureté originelle toutes les formes d'art se rejoignent et frappent l'humain.

C'est pourquoi ces échanges d'images semblent apparaître sous le signe messianique et revêtent aux mains de l'artiste, comme aux mains du prêtre, une solennité sacerdotale. Je vous invite en toute simplicité à y réfléchir.

Et je rêve, si mon élève m'aime, d'un jeu grandiose, issu d'une inspiration collective, geste monumental de l'évangile de demain.

Or, Gordon Craig rêvait déjà de cela il y a plus d'un demi-siècle...

DISCUSSION

VEINSTEIN. — Quelles seraient selon vous les conséquences que la rééducation de l'acteur pourrait avoir sur le plan de l'architecture théâtrale, en ce qui concerne la scène, la salle ?

TEIRLINCK. — Ce n'est pas la formation de l'acteur qui peut inspirer ou commander une architecture. L'acteur peut jouer partout, sur un tréteau, dans une grange, dans un salon, dans une clairière. Il crée son espace en jouant. C'est le public, c'est le rassemblement qui ordonne l'architecture. Si le rassemblement est de cérémonie, les pompes de Louis XIV éclateront. S'il est populaire, un mur, des arènes conviendront. S'il est d'exaltation mystique c'est le temple qu'il faudra. L'architecture théâtrale est essentiellement fonctionnelle, et en fonction du public qui a non seulement les pièces, mais aussi les salles qu'il mérite. L'acteur lui ne choisit que son plateau.

Mlle MICHELSON. — On pourrait établir un rapport entre votre exposé et les théories d'Antonin Artaud, très préoccupé lui aussi par le problème d'un théâtre qui retournerait aux sources, et qui serait la manifestation des impulsions de base d'une collectivité. Et chez Artaud cela nécessite comme pour vous une communauté liée dans une sorte de foi. Mais il paraît ne pas être arrivé à retrouver ce qui pourrait constituer la base de ce théâtre, bien qu'il ait cherché un peu partout. Mais croyez-vous à la possibilité d'un tel théâtre dans une communauté sécularisée comme la nôtre ?

TEIRLINCK. — Mon appel à un dieu n'a rien à voir avec les dogmes d'une religion. Le problème, tel qu'il m'apparaît, n'est ni laïque ni confessionnel. Il intéresse l'organisation morale de l'humanité. Je n'attends pas un Messie. J'attends les appels d'une solidarité plus courageuse, le renouveau d'une foi puissante dans les destinées, dans les fins, — bref dans le bonheur des hommes. Nos prestigieuses conquêtes ne semblent pas nous y mener. Par leur caractère sensationnel même, elles nous refoulent dans l'angoisse et désagrègent notre cohésion. Malgré tout, il n'y a pas lieu, je pense, de nier à priori le message universel qui est en route et qui, au milieu des skyscrapers et des usines, fera surgir des temples. Le théâtre en sera un.

AUBRUN. — Vous faites de l'acteur le prêtre d'une foi collective et unique où communierait un seul public. Pourquoi pas plusieurs fois, et plusieurs publics ? Voulons-nous vraiment une harmonie totale et totalitaire ? L'émulation dans l'opposition des contraires nous semble plus souhaitable. La vie au théâtre et en général consiste en une sorte d'antagonisme constant. Il y aurait évidemment cohérence à l'intérieur des différents publics, mais ces publics s'opposeraient les uns aux autres, et cela enrichirait le tout.

TEIRLINCK. — Vous le dites fort bien. La coexistence de plusieurs sortes de théâtre (mais cohérentes !) est parfaitement concevable. Or, le monumental qui exalte l'âme, est précisément celui qui n'existe plus, sinon archéologiquement. On ne peut pas, à mon avis, se borner à amuser les loisirs de l'homme. Mais peut-être appréhendez-vous la tyrannie d'un retour mystique ? Cependant, c'est uniquement dans la vie que le dieu en marche prétend nous unir. Il ne saurait menacer la liberté de la pensée. Il ne prétend étancher que notre soif d'idéal, et c'est d'un idéal que surgiront les héros réclamés par le rassemblement. En somme, il s'agit pratiquement de sublimer les héros que présentement les foules acclament dans les corridas et les stades.

VILLIERS. — Monsieur Teirlinck a souligné les problèmes majeurs du théâtre actuel que l'on oublie presque toujours, et qui sont peut-être les problèmes fondamentaux de l'avant-garde : celui de l'acteur, celui de la relation entre le jeu et l'œuvre, et celui du public. Il est très important d'avoir rappelé ces problèmes avec cette force dans un temps où on les néglige.

DEMANGE. — Y-a-t-il une grande différence entre votre conception du théâtre monumental et celle de Wagner ?

TEIRLINCK. — Certes la tendance du théâtre de Wagner est monumentale. Mais il résiste à l'impérieuse actualisation dramatique. On ne va pas impunément chercher ses dieux parmi les cadavres. Il y a, dans la conception de Wagner, une grandeur évidente, et c'est pourquoi ce théâtre, survivant à ses mises en scène vétustes, a pu s'intégrer dans les régies nouvelles de Wolfgang Wagner à Bayreuth.

IVERNEL. — Pour revenir à la technique de jeu de l'acteur, n'y a-t-il pas contradiction entre le développement d'une intelligence qui irait dans le sens d'un théâtre à vertus pédagogiques et le développement du geste monumental qui irait dans le sens d'un théâtre exaltant ?

TEIRLINCK. — Je n'ai jamais compris qu'il puisse y avoir contradiction entre l'intelligence et la sensibilité. Je fais surtout appel à la première dans la formation professionnelle des jeunes recrues, que j'aiguille délibérément vers la virtuosité instrumentale. Je me garde bien d'enseigner l'art. J'enseigne la technique d'un art.

L'ART DRAMATIQUE
ET L'ÉVOLUTION ÉCONOMIQUE ET SOCIALE DEPUIS 1914

(résumé de communication)

par Gabriel Daniel VIERGE

Président de l'Association des Directeurs de Scène et Régisseurs de Théâtre de France

Un regard sur le théâtre avant 1914 nous permet de constater que, si l'on met à part l'activité d'Antoine et de Lugné-Poë, qui ouvrent largement leurs théâtres aux jeunes auteurs et aux écrivains étrangers, et suscitent, bien qu'on ne prononce pas encore le mot, de véritables mouvements d'avant-garde, les scènes parisiennes sont alors entièrement réservées aux auteurs du Boulevard. Le succès va à des auteurs chevronnés comme Victorien Sardou, Henry Bataille, Georges de Porto-Riche, Alfred Capus, Maurice Donnay, etc., ou au théâtre poétique de Jean Richepin, Henri de Bornier, Edmond Rostand. Cependant des œuvres plus mordantes, celles d'Henri Becque, d'Emile Fabre et de François de Curel, commencent à s'imposer. De nombreux écrivains comme Anatole France, Paul Bourget, Marcel Prévost, Jules Renard, Georges Courteline s'adonnent à la comédie de mœurs ou de caractères, tandis que Paul Hervieu et Henri Bernstein abordent dans des pièces à thèse les problèmes des rapports des sexes. Mais c'est la brillante floraison de la comédie légère qui caractérise le mieux ces insouciantes années et reflète les goûts de la société bourgeoise du temps : Alfred Capus, Georges Feydeau, Robert de Flers, Francis de Croisset, etc., sont servis par des troupes, celles des Variétés ou du Palais-Royal par exemple, où tous les rôles sont tenus par des acteurs de talent.

Quant aux scènes de province, elles sont seulement alimentées par les tournées qui promènent à longueur d'années les plus grands succès parisiens que l'on présente dans quelques décors standard qui équipent les théâtres municipaux.

La guerre de 1914-1918 transforma profondément la société bourgeoise. C'était la fin d'une bourgeoisie élégante et raffinée, mais décadente, éprise d'un théâtre de divertissement où lui étaient présentés avec habileté un milieu et des situations qui lui étaient familiers. Les « nouveaux riches » se sentaient dépaysés devant ces spectacles et l'on vit les théâtres des boulevards abandonner la plupart des anciens auteurs pour monter des pièces légères, plus grossièrement charpentées, écrites dans une langue moins littéraire mais plus directe et plus accessible. Ainsi s'expliquent les gros succès du genre *Mon curé chez les riches,* la série rose des comédies-opérettes nouvelle formule, les nombreux vaudevilles, et toutes les pièces mettant en scène l'éternel trio; il s'agit toujours d'un théâtre de distraction, mais d'un ton et d'un niveau différents. On doit mentionner cependant, à côté de ce théâtre facile, des pièces inspirées par les événements tragiques récents, comme celles de Paul Reynal, ou des œuvres satiriques comme celle de Pagnol.

Bientôt, une réaction se produisit. Une nouvelle élite de dramaturges, de comédiens et de metteurs en scène commença à se former. Ce fut la grande époque de l' « avant-garde », groupée autour de Jacques Copeau, Gaston Baty, Charles Dullin, Louis Jouvet, Georges Pitoëff, tandis que Lugné-Poë se maintenait à l'Œuvre. La formation du Cartel, réunissant les compagnies de Baty, Jouvet, Dullin et Pitoëff, apparaît avec le recul du temps comme un compromis entre l'avant-garde héroïque et le théâtre « régulier » des boulevards, et un effort pour établir un théâtre neuf et de qualité sur une base commerciale plus solide, et en tenant compte des aspirations du grand public.

Pour mieux comprendre le renouvellement de l'art dramatique qui se produisit après la guerre de 1914-1918 il faut se rappeler l'intérêt que suscitèrent l'exploration du subconscient entreprise par les psychanalystes et la théorie de la relativité. Elles contribuèrent à transformer la notion de personnage et par suite la conception même de l'action, et de son déroulement en des temps et des lieux divers.

L'introspection passa souvent au premier plan : seul comptait le dialogue par où s'exprimait la vie intime et tourmentée des personnages. Ils n'agissaient plus guère, ils se racontaient. Les rôles devenaient presque des confessions : ainsi dans *Martine* de Jean-Jacques Bernard, *Maya* de Simon Gantillon, *Intimité* de Jean-Victor Pellerin, *Le Voyageur* de Denys Amiel, et presque tout le théâtre de Lenormand.

En même temps le cinéma, s'il se dressait déjà en concurrent, n'allait pas sans influencer l'esthétique de la scène. S'il avait commencé par imiter le théâtre, il s'était libéré de la servitude des décors fixes, et à son exemple des auteurs comme Gantillon (*Maya*) ou Lenormand (*Les Ratés*) allaient substituer l'enchaînement de nombreux tableaux aux 3, 4, ou 5 actes traditionnels. Ne pouvant rivaliser avec le cinéma, par l'amplitude des moyens, mais reprenant à leur compte certains de ses effets, dramaturges et metteurs en scène inventèrent des passages sans aucune transition d'un lieu à l'autre, d'un monde à l'autre, allant jusqu'à matérialiser l'invisible, ou laissant au spectateur le soin d'imaginer le réel.

Cette évolution artistique allait aussi dans le sens d'une évolution économique qui imposait aux théâtres des charges toujours plus lourdes et forçait les directeurs à réduire leurs frais en incitant les auteurs à écrire des pièces comportant un nombre réduit de personnages, et des décors simplifiés.

Les années 1939-1944 constituent une deuxième « époque charnière ». Durant l'Occupation, beaucoup d'auteurs estimant qu'ils n'auraient plus la possibilité de s'exprimer librement préférèrent attendre dans l'ombre que la tourmente fût passée. D'autres crurent devoir maintenir leur activité. Ils furent soumis à une double censure, celle qui s'exerçait sur le manuscrit avant la mise en répétition, celle qui opérait sur le spectacle avant qu'il fut livré au public. Cependant, contrairement à ce qu'on aurait pu croire, ces années critiques furent pour le théâtre l'occasion d'un épanouissement inespéré. Enfermés dans un immense camp de concentration, soumis au contrôle d'une armée et d'une censure ennemies, les Français, et singulièrement les Parisiens, demandèrent au théâtre l'évasion nécessaire. Ils y cherchèrent également une raison d'espérer dans cette manifestation d'une culture demeurée vivante en dépit de toutes les traverses. Malgré les privations, les alertes, les transports difficiles ou inexistants, pendant quatre ans on se rua au théâtre. Et c'est alors que furent présentés des spectacles de qualité comme : *Léocadia, Le Rendez-Vous de Senlis, Mamouret, La Machine à écrire, Marie Stuart, Les Parents terribles, Eurydice, Jeanne avec nous, La Célestine, Deirdre des Douleurs, La Reine Morte, Les Mouches, Le Soulier de Satin.*

Au lendemain de la guerre, lorsque le théâtre retrouva dans l'euphorie de la victoire ses habitudes traditionnelles, ce vaste mouvement sembla retomber d'un seul coup, et « le théâtre du boulevard » connut à nouveau de beaux jours. C'est alors que les pouvoirs publics entreprirent, non sans une certaine audace, une action destinée à redonner au théâtre et à notre art dramatique leur place véritable dans le pays. Ils aidèrent à mettre sur pied plusieurs formations nouvelles, dont les centres dramatiques de province, auxquels furent généreusement accordés de larges financements. Furent également aidés, dans un grand souci de « faire du neuf » à tout prix, un nombre considérable de jeunes compagnies dont beaucoup étaient d'amateurs. Si plusieurs de ces troupes nées spontanément à la vie théâtrale trahirent quelque peu les espoirs qui avaient été mis en elles, il faut reconnaître qu'un certain nombre d'entre elles contribuèrent, dans l'ensemble du mouvement, à décentraliser, à rénover et à relancer l'art dramatique qui, trop souvent dans le passé, était demeuré tributaire de « l'industrie du spectacle ».

On assiste à une décentralisation étonnante du théâtre qui de Paris déborde sur les provinces. Le vieux rêve de Copeau d'abord, de Dullin ensuite : mettre le théâtre à la portée des masses, de toutes les masses, qu'elles soient de la campagne ou de la ville, se trouve réalisé.

Il n'est plus aujourd'hui une seule ville un peu importante dans notre pays qui ne possède une ou même parfois plusieurs compagnies dramatiques, souvent de réelle valeur, et qui n'héberge à la belle saison quelque Festival.

Sur le plan mondial on remarque, sous l'influence de l'idée de communauté européenne, une tendance très vive à l'internationalisation. Jamais à aucune époque nos théâtres, et singulièrement les jeunes compagnies, n'inscrivirent à leur programme autant de pièces étrangères. A Paris même, en plein cœur de la capitale, on voit s'élever de nos jours, une sorte de « Tour de Babel » de l'art dramatique : « Le Théâtre des Nations ». Que sortira-t-il de cet énorme brassage ? Seul l'avenir nous le dira.

Parallèlement à la prolifération de toutes les troupes « irrégulières », le théâtre dit « commercial » ne pouvant, lui, espérer bénéficier d'aucune subvention officielle, fut bien obligé de se plier aux circonstances nouvelles.

Les conditions économiques, la montée en flèche des prix qui alourdissaient ses charges, les concurrences de plus en plus grandes du cinéma, de la radio, de la télévision, auxquelles s'ajouta bientôt celle de l'automobile qui, surtout depuis quelques années, accapare dès la belle saison, le samedi et dimanche au détriment des recettes que les théâtres faisaient autrefois ces jours là, poussèrent rapidement les directeurs dans la voie des économies à tout prix.

Les auteurs en comprirent la nécessité, s'adaptèrent, et c'est ainsi qu'on vit peu à peu s'ouvrir bon nombre de tout petits théâtres où les frais étaient réduits à l'extrême.

Demeuré en partie fidèle à l'esthétique d'entre les deux guerres, le théâtre n'en continua pas moins, par la force des choses, à réduire au maximum les décors et le nombre des personnages. On arriva ainsi à présenter des pièces qui ne comportaient plus que 5, 4, 3, 2 et même un seul personnage. Certes il y a encore des reprises de pièces anciennes à grand spectacle. Mais il n'y a plus à proprement parler de créations. Et ces reprises sont présentées en général beaucoup moins luxueusement qu'autrefois, dans des théâtres qui ne se maintiennent en vie que grâce à de larges subventions.

Quelques théâtres encore sont demeurés indépendants et sont parvenus, en dépit de charges écrasantes, à fonder assez solidement leur exploitation régulière sur des méthodes commerciales saines et rationnelles. Mais pourrait-on les compter seulement sur les doigts de la main ? La plupart des auteurs sont obligés pour se maintenir de faire appel pour chaque création à des subventions occultes. Qu'elles soient apportées par des étrangers ou par l'auteur lui-même. Personne en effet n'ignore plus aujourd'hui qu'une pièce ne peut être montée sur un de ces théâtres que si l'auteur veut bien accompagner le manuscrit d'un financement substantiel. Ce sont là des mœurs nouvelles, nées des exigences économiques modernes, si difficiles, mais qui n'en sont pas moins déplorables, puisqu'elles sacrifient le talent à la richesse ou aux bonnes relations.

Nous ne songeons pas à nier l'intérêt et la valeur artistique d'un grand nombre d'œuvres et de mises en scènes de ces dix dernières années. Mais souvent elles n'ont pu se maintenir que grâce à l'apport de crédits extérieurs.

Et nous dont la jeunesse fut nourrie de libéralisme et d'indépendance, nous ne pouvons nous empêcher d'éprouver quelque inquiétude à la pensée que, ces méthodes se généralisant par la force des choses, le théâtre tout entier ne pourra — peut-être un jour prochain — se maintenir en vie que grâce à ces ballons d'oxygène qui lui seront insufflés par l'Etat.

Le théâtre et l'art dramatique n'auront plus ce jour là à faire de choix. Ils seront, à leur tour, nationalisés, et dependront plus que jamais des fluctuations et de l'économique et du social et de l'optique des gouvernements en place.

Si c'est un bien, bravo ! Si c'est un mal, alors on connaît des remèdes :

1° Sur le plan économique et fiscal : allégement substantiel, faute d'en pouvoir jamais espérer la suppression totale, des taxes perçues chaque soir au contrôle, que les recettes soient bénéficiaires ou déficitaires. Dans ce dernier cas cette pratique équivaut tout simplement à un impôt prélevé sur un déficit. Inutile de souligner ce que cet usage qui dure hélas ! depuis des siècles, peut avoir d'archaïque, d'injuste et d'immoral.

2° Appliquer à l'exploitation théâtrale dans son ensemble le même régime fiscal qui régit les autres commerces.

3° Application à la réception du public dans les salles de théâtre de méthodes s'inspirant de celles employées dans les cinémas (suppression des ouvreuses, des entr'actes trop longs).

4° Enfin demander aux pouvoirs publics qu'ils se montrent un peu plus circonspects dans la distribution des subventions, et ne les accordent qu'à bon escient, en les étendant à tous efforts qui valent la peine d'être soutenus.

Voilà quelques remèdes, et il y en a d'autres. Il suffirait d'avoir le courage de les appliquer pour que, dans son ensemble, le théâtre « régulier » sorte rapidement et par ses propres moyens du marasme où il se débat.

DISCUSSION (1)

Mlle MOUDOUÈS. — Si l'on en croit M. Daniel Vierge, la bourgeoisie appauvrie par la guerre de 1914-18 se serait désintéressée du théâtre et le mécénat aurait disparu. Nous pensons plutôt que les mécènes n'étaient plus les mêmes car, aussi bien l'Atelier que la Comédie des Champs Elysées, à leurs débuts durent souvent faire appel à eux.

D'autre part, pour le répertoire, nous ne partageons pas le pessimisme de M. Vierge, il ne nous semble pas que les auteurs joués par le Cartel — pour ne parler que de ceux là — aient tous été des auteurs réputés faciles et ils n'ont pas subi que des échecs; nous sommes étonnés de n'avoir pas entendu citer le nom de Giraudoux dont l'œuvre nous paraît être l'une des plus parfaites expressions du théâtre entre les deux guerres.

SANDRY. — Nous avons surtout envisagé le théâtre du côté financier, et on ne peut nier qu'il est malade.

Mlle MOUDOUÈS. — Ce que l'on peut regretter surtout c'est qu'il y ait beaucoup de comédiens qui n'aient pas de travail. Mais il faudrait considérer aussi que si la propor-

---

(1) M. G. D. VIERGE avait tenu, bien qu'alors très éprouvé dans sa santé, à présenter une communication, ce dont nous lui sommes profondément reconnaissant. Cette communication fut lue par M. G. SANDRY.

tion de comédiens a prodigieusement augmentée, les écoles d'art dramatique se sont multipliées.

SANDRY. — Le développement du cinéma, de la radio et de la télévision a multiplié le nombre des acteurs. Il faut considérer aussi que l'on fabrique quotidiennement des vedettes par des moyens qui n'ont rien à voir avec l'art dramatique. On voit également des fonctionnaires qui touchent des subventions de 3 millions pour monter un spectacle et aller le présenter dans des tournées à raison d'une ville par jour au lieu de travailler dans leur administration.

Mlle MOUDOUÈS. — Cela n'a rien à voir avec le théâtre. Il s'agit d'un service dit de la culture populaire annexé aux sports, et qui comprend des départements de musique, de cinéma, d'art dramatique, et également un service rural qui a pour but de donner à des instituteurs perdus dans des villages isolés où nul comédien ne va, une certaine formation pour leur permettre de représenter avec les jeunes gens de leur village, non une pièce de théâtre, mais l'action d'un roman, d'un livre, d'une nouvelle, et d'éduquer un public rural qui n'a pas le goût du livre. Il ne s'agit donc pas là d'une concurrence pour le théâtre.

SANDRY. — Mais on ne fait pas un tel effort pour le théâtre privé. Il faudrait peut-être que ce travail soit réalisé par des professionnels.

VILLIERS. — En France, 42.000 représentations par an sont données par des amateurs. Le mouvement est donc extrêmement important, et l'on cherche à le développer. Si parfois on peut dénoncer des faits choquants, comme celui de cette tournée de propagande à l'étranger qui n'a pu être faite par des professionnels faute de crédits et l'a été par des amateurs, c'est pour des raisons administratives; ce n'était pas la même caisse qui entrait en jeu. Certains abus viennent d'une administration à la Kafka. Mais il est certain que, rue de Chateaudun, on fait extrêmement attention pour que l'amateurisme ne gêne pas les professionnels.

Il y aurait une étude intéressante à faire sur une profession qui jusqu'alors n'existait pas chez nous : celle du « producteur ». Beaucoup de succès actuels à Paris ont été montés en participation par des producteurs, qui financent en partie les affaires. C'est là un danger pour l'art dramatique car le producteur est avant tout un homme d'affaires. Il demande bien conseil pour le choix des pièces, mais il les choisit tout de même avec d'abord le souci des fonds qui lui ont été confiés, plutôt qu'avec celui de la recherche de la qualité réelle et de l'intérêt du mouvement théâtral.

PILLEMENT. — Les pièces citées par Daniel Vierge ont peut-être eu un succès commercial, mais au point de vue théâtre elles n'existent pas; et je crois que l'exposé est un peu tendancieux et n'a rien à voir avec nos préoccupations de gens de théâtre.

JACQUOT. — Je ne suis pas absolument sûr car les mauvaises pièces, ou les pièces vulgaires, sont un indice du goût du public par le nombre de leurs représentations.

PILLEMENT. — Elles ne sont pas du théâtre, mais seulement un spectacle, comme ceux des Folies Bergère par exemple. Ce qu'il faut mettre en évidence ce sont les conditions dans lesquelles, actuellement, une pièce peut être jouée. Et je crois qu'à ce sujet il y a autre chose à dire. Par exemple lorsque Touchagues faisait un décor pour Dullin celui-ci lui disait : « Je n'ai pas d'argent, débrouille-toi avec ces quelques caisses et ces sacs qui sont là et fais-moi un décor ». Et le décor ne coûtait qu'une centaine de francs de couleurs, à peine 10.000 francs de maintenant. Et quand il n'y avait plus d'argent en caisse, Mme Dullin mettait l'argenterie au clou, le machiniste prêtait cinq cents francs, la caissière ses économies, et l'on montait un nouveau spectacle. Cette improvisation est devenue impossible parce que syndicalement le directeur de la troupe doit assurer un mois de représentations, ce qui représente tout de suite une somme importante qu'il doit avancer. Une solution vers laquelle on est obligé de se tourner de plus en plus est celle de la location des salles par un groupement, par un syndicat, comme cela se pratique couramment dans les pays de l'Est européen.

GRAVIER. — N'y a-t-il pas à ce moment-là le danger de sélection du spectacle dans un sens politique ?

VILLIERS. — C'est pour éviter ce danger qu'un projet prévoit une sorte de subvention sous forme de billets à prix réduits auxquels tous les membres des syndicats et des groupes culturels auraient droit pour *tous* les théâtres.

Mlle MOUDOUÈS. — De cette façon on pourrait aller aussi bien aux Folies-Bergère qu'à l'Opéra ou dans tel autre théâtre, et il y aurait une concurrence saine qui jouerait sans qu'entrent en ligne de compte des impératifs esthétiques ou politiques, contrairement à ce qui se produit trop souvent à l'heure actuelle. Pour que « Travail et Culture », par exemple, propose un spectacle à ses adhérents, il faut qu'il connaisse et approuve la pièce avant, pour être certain qu'elle ne risque pas de troubler les esprits et d'être en contradiction avec l'idéologie du groupement.

LA DÉCENTRALISATION DRAMATIQUE EN FRANCE

par Rose-Marie MOUDOUÈS
Secrétaire de la Société d'Histoire du Théâtre

« *L'événement qui est à l'origine de cette sorte de révolution administrative est la réunion, en 1946, à l'Hôtel de Ville de Colmar, des représentants des villes d'Alsace et de Lorraine pour fonder un syndicat intercommunal chargé de fournir à la région des spectacles de qualité au moyen d'une troupe et d'une école régionales* », a écrit Jeanne Laurent alors sous-directrice des spectacles et de la musique auprès de la Direction générale des Arts et Lettres (1).

Si la « décentralisation dramatique » a fait, ce jour là, sa première apparition dans la terminologie administrative, ce phénomène artistique et social a une origine plus lointaine et plus complexe. Nul historien du théâtre n'ignore qu'elle existait, fortement organisée, au XIXᵉ siècle. Dans les années qui suivirent la première guerre mondiale, les grandes villes virent peu à peu disparaître ou se transformer en cinémas leurs théâtres de comédie et par conséquent disparaître leurs troupes fixes, engagées à l'année. Les plus doués de leurs membres tentèrent leur chance dans les théâtres ou les studios de cinéma, certains abandonnèrent la profession ou végétèrent sur place en apportant leur concours à de médiocres et occasionnelles représentations. Quant au public, cet immense public provincial, il fut abandonné par le théâtre. Seules les grandes villes accueillirent des tournées venues de Paris sur leurs scènes d'opéra ou dans les salles de cinéma ayant conservé un assez vaste plateau.

*
* *

Copeau et ses disciples.

Or, en 1924, un grand réformateur, critique, animateur, metteur en scène, fondateur et directeur d'un modeste théâtre parisien, ayant vite acquis une renommée mondiale, annonça, en plein succès, sa décision de licencier sa troupe et de quitter Paris et « le monde du théâtre » avec ses enfants, ses élèves et

_____

(1) Jeanne LAURENT, *La République et les Beaux Arts*, Paris, Julliard, 1955.

quelques collaborateurs, disciples et amis pour fonder un centre d'étude et de création dramatique dans un village bourguignon. Cette décision de Jacques Copeau, l'installation de l'Ecole du Vieux Colombier au château de Morteuil (à Demigny, Saône-et-Loire), puis à Pernand-Vergelesses (près de Beaune), la fondation de la Compagnie des Copiaus, nous semblent à l'origine de cette décentralisation dramatique, dont nous voyons aujourd'hui les heureux résultats (2). Ce qu'on tourna alors en dérision, ce qu'on nomma « l'expérience bourguignonne » ou encore « la fuite en Bourgogne », ce qu'on a même reproché à Copeau comme une « trahison », permit d'éprouver la vérité de cet axiome qu'il avait posé : « On ne crée pas sur le champ de foire » et bientôt de comprendre que toutes les provinces françaises, du chef-lieu à la plus modeste commune, avaient toujours faim et soif de théâtre, qu'ils constituaient un réservoir de public, un public neuf (« non sophistiqué », selon l'expression même de Copeau), prêt à toutes les ferveurs, à tous les enthousiasmes et dont les réactions étaient particulièrement exaltantes pour les comédiens et les poètes, à l'écart des compromissions publicitaires d'un conformisme satisfait, d'un snobisme passager, ou d'une basse commercialisation de la notion de théâtre.

C'est en Bourgogne, son point d'attache et son lieu de création — d'abord un vieux château délabré puis une cuverie aménagée en studio — que la Compagnie des Copiaus (3) née de l'Ecole trouva son premier public, qu'elle put expérimenter ses premiers spectacles et éprouver ses jeunes forces en jouant dans les salles de bal, les salles de café, les mairies, sous des halles, puis bientôt dans les théâtres municipaux de la province pour ensuite porter son répertoire dans toute la France et à l'étranger.

Conquises à ce principe, encouragées par cette démonstration, d'autres compagnies se formèrent. En 1929, en plein accord avec son patron et ami, Léon Chancerel devait fonder la Compagnie des Comédiens Routiers qui jusqu'en 1939 parcourut toute la France dans un même esprit décentralisateur, suscitant partout où elle passait un nouvel intérêt pour le théâtre et chez les jeunes — amateurs ou professionnels — une volonté créatrice et de nouveaux espoirs. A Marseille, Louis Ducreux et André Roussin créèrent *Le Rideau Gris* dont le souvenir, toujours vivant, a certainement contribué à aider les très difficiles débuts de la Comédie de Provence. Avec Jean Dasté (ancien Copiau et Comédien Routier), Maurice Jacquemont (ancien Comédien Routier) et André Barsacq, la Compagnie des Quatre-Saisons remplit une tâche analogue. Le mouvement déclenché par ces premiers groupes devait prendre sous l'occupation un grand développement. Les jeunes troupes itinérantes se multiplièrent — dont la *Roulotte*, où An-

---

(2) Sur l'expérience bourguignonne, cf. *Revue d'Histoire du Théâtre*, I, 1950. Maurice KURTZ, *Jacques Copeau, Biographie d'un théâtre*, Paris, Nagel, 1950. Marcel DOISY, *J. C. ou l'Absolu dans l'Art*, Paris, le Cercle du Livre, 1955. Jean VILLARD-GILLES, *Mon demi-siècle*, Lausanne, Payot, 1954.

(3) Ce nom, déformation populaire du nom de leur patron avait été spontanément donné aux comédiens par les habitants de Demigny qui après une période de méfiance les avaient adoptés et aimés.

dré Clavé, futur directeur de la Comédie de l'Est, devait faire son apprentissage. Il n'est pas douteux que les troupes, plus ou moins directement issues de l'expérience bourguignonne, ont fortement contribué à ranimer dans les provinces le goût d'un théâtre de qualité, en détournant tout un jeune public des médiocres tournées et d'un non moins médiocre répertoire; elles lui ont apporté de nouvelles aspirations, de nouvelles exigences, en suscitant tout d'abord, dans des petites villes et villages isolés, des groupes d'amateurs soucieux de présenter, à leur exemple, des œuvres de valeur avec soin et respect (4).

*
* *

La décentralisation dramatique après 1945.

Dans le généreux élan qui suivit la Libération, l'Etat se préoccupa de trouver des solutions aux nombreux problèmes posés par le théâtre. Tandis que des subventions diverses étaient inscrites au budget (aide à la première pièce, aux jeunes compagnies, etc.), on songea à donner un statut légal à l'idée de décentralisation. Lors de la réunion de 1946 que nous évoquions au début de cet exposé, la Direction des Arts et Lettres (5) dota la province de son premier Centre régional à caractère permanent. A ce jour il existe cinq Centres Dramatiques Nationaux, dont la direction fut et est confiée à des hommes ayant acquis une longue expérience de ce que doit être la décentralisation dramatique (6). Ces Centres sont : *la Comédie de l'Est* (siège à Colmar puis à Strasbourg), *la Comédie de Saint-Etienne* (d'abord enracinée à Grenoble), *le Grenier de Toulouse, la Comédie de l'Ouest* (siège à Rennes) et *la Comédie de Provence* (siège à Aix-en-Provence). Chacun de ces Centres possède un statut et une structure qui lui sont propres, chacun d'eux devant travailler dans des conditions matérielles, morales, sociales différentes, s'adapter au climat, à la vie de sa région. Quatre d'entre eux sont constitués par des équipes de comédiens venus de Paris qui, après intégration

---

(4) Nous ne pouvons ici qu'attirer l'attention sur la place du théâtre amateur dans une politique générale du théâtre; c'est à lui, en bien des cas, qu'incombe la mission de maintenir le goût de la représentation, de faire l'éducation de base du spectateur et de le rendre exigeant à l'égard des comédiens professionnels qui se présentent devant lui.

(5) Sous l'impulsion de M. Jacques Jaujard, Directeur Général des Arts et Lettres assisté de Mlle Jeanne Laurent, sous-directrice des spectacles et de la musique.

(6) Comédie de l'Est : André Clavé, ancien de « la Roulotte », puis Michel Saint-Denis, neveu de Jacques Copeau, ancien membre de la compagnie des « Copiaus » et des « Quinze », puis Hubert Gignoux.

Comédie de Saint-Etienne : Jean Dasté, gendre de Jacques Copeau, ancien membre des « Copiaus », de « la Compagnie des Quinze », des « Comédiens Routiers ».

Grenier de Toulouse : Maurice Sarrazin, fondateur de la compagnie, d'abord compagnie d'amateurs.

Comédie de l'Ouest : Hubert Gignoux, ancien Comédien Routier, puis Guy Parigot ancien animateur de la compagnie d'amateurs « Les Comédiens de Rennes », membre de la Comédie de l'Ouest depuis sa fondation.

Comédie de Provence : Gaston Baty, dernier survivant du Cartel puis Georges Douking et enfin René Laforgue, ancien de « La Comédie de Saint-Etienne ».

d'éléments locaux (7), se sont peu à peu incorporés à leur province, se sont fait adopter par elle. Le Grenier de Toulouse fut à l'origine une troupe d'amateurs régionaux professionnalisée et officialisée après qu'elle eut fait ses preuves. Nous nous souvenons des répétitions passionnées qui, les dernières années de la guerre, réunissaient dans un vrai grenier : Maurice Sarrazin, Daniel Sorano, Jacques Duby, Simone Turck, Pierre Mirat, André Thorent, Jean Bousquet et quelques autres et de l'affectueuse attention que Léon Chancerel eut la joie d'apporter à leurs premiers essais. Après dix années de travail en commun quelques anciens sont partis vers la capitale, aussitôt remplacés par de jeunes comédiens que Maurice Sarrazin recrute de préférence dans la région.

Administrativement, les Centres dramatiques sont soit une coopérative de production, subventionnée par l'Etat et les municipalités, soit un syndicat intercommunal associé à l'Etat pour le financement de l'entreprise. Pour assurer l'équilibre budgétaire il est en effet indispensable d'associer la région, public et pouvoirs publics (municipalités, conseils généraux, parlementaires, etc...) à la vie de la compagnie considérée comme élément stable de la vie régionale et responsable, pour partie, de la culture de sa population. Hubert Gignoux nous disait il y a quelques années : « Un directeur de Centre est une sorte de préfet à l'art dramatique ». Si chaque Centre possède sa personnalité, tous ont ceci en commun : s'adresser à un authentique *public populaire*, c'est-à-dire un public où se côtoient tous les degrés de la culture. Et ceci entraîne une exigence : ne créer que de grandes œuvres et fixer une échelle de prix des places qui en rende la représentation accessible à tous. L'un des premiers objectifs des centres est de porter les spectacles dans des villes peu importantes où les grandes tournées ne passaient plus depuis longtemps. Certains centres ont même créé à cet effet une deuxième compagnie pourvue d'un équipement simplifié et facilement transportable qui permet de jouer en n'importe quel lieu. Ainsi la Comédie de de l'Ouest put porter le théâtre chez les pêcheurs des îles bretonnes. A la Comédie de Saint-Etienne, René Lesage et quatre ou cinq comédiens donnent des représentations de scènes classiques et lisent des poèmes dans les écoles, complétant de la manière la plus vivante l'enseignement des instituteurs et professeurs et préparant de nouvelles générations de spectateurs avertis. Prenons pour exemple de cette patiente conquête d'un public depuis longtemps éloigné du théâtre cette si courageuse Comédie de Saint-Etienne (8) : elle réussit à monter une moyenne de quatre à cinq spectacles par saison, qu'elle peut aujourd'hui donner de 40 à 50 fois chacun, contre 18 à 20 en 1947 (9). Et dans beaucoup de localités l'exiguïté des salles contraint à refuser des spectateurs. Un tiers des repré-

---

(7) La Comédie de l'Ouest a engagé ceux des Comédiens de Rennes (compagnie d'amateurs) qui désiraient devenir professionnels.
(8) Sur la Comédie de Saint-Etienne, *cf.* Léon CHANCEREL, *Jean Dasté et la comédie de Saint-Etienne* in *Cahiers d'Art dramatique*, oct.-nov. 1950. *Dix ans d'activités*, Saint-Etienne, 1955. Paul-Louis MIGNON, *Jean Dasté*, Paris, Michel Brient, 1953.
(9) 1947 : 87 représentations; 1948 : 106; 1949 : 103; 1950 : 125; 1951 : 123; 1952 : 136; 1953 : 167; 1954 : 156; 1955 : 229.

sentations est pris en charge par des organismes culturels locaux, ailleurs des correspondants bénévoles se chargent de l'affichage, de la propagande, d'où une grande économie administrative et un contact permanent avec les représentants du public. Dasté estime que sa meilleure publicité est la propagande parlée. Pour étendre ou compléter la formation du spectateur les Centres éditent des programmes où celui-ci peut trouver une documentation sur les auteurs et les œuvres présentées et des informations sur la vie de la compagnie. Cette action est complétée par des organes de liaison sous forme de bulletins ou de simples feuillets ronéotypés (10). Ainsi, en dehors des procédés d'une tapageuse publicité et de ses surenchères, se crée cet indispensable réseau d'amitié nécessaire à toute authentique vie dramatique. De par la région qui est son fief, qui le met plus particulièrement en rapport avec le public ouvrier, Jean Dasté s'est soucié, dès l'origine de son action, d'amener au théâtre un public qui a souvent tendance, par sa condition, à se sentir déplacé lorsque dans une salle de spectacle, il est mêlé aux spectateurs habituels. Pour conquérir ce public, la Comédie de Saint-Etienne joue devant des salles entières d'ouvriers et parfois même à l'intérieur de l'usine. Avant le début de la représentation, afin d'établir le contact entre la salle et la scène, le chef de troupe explique la pièce et le sens du travail des comédiens, de sorte que deux communautés ouvrières, celle de l'usine et celle du plateau, se trouvent prêtes à participer à ce que Louis Jouvet nommait « la cérémonie théâtrale ». Et non seulement Dasté réussit à initier cet auditoire peu préparé aux classiques français ou étrangers mais encore il lui fait découvrir la beauté d'œuvres qui auraient dû le déconcerter, en particulier les *Nôs* que l'on aurait pu — à tort — croire seulement accessibles à ce que l'on nomme « l'élite ». En certains cas la troupe a puisé son inspiration dans la vie même de son public, par exemple *Les Noces Noires,* action chorale, inspirée par la dure vie des mineurs, continuation des recherches et essais faits dans le même sens par l'Ecole du Vieux Colombier, les Copiaus et les Comédiens Routiers.

*
* *

Il convient de signaler en marge de la décentralisation permanente une décentralisation intermittente : nous voulons parler des *festivals.*

Si ces derniers, durant la dernière décade — depuis le premier festival d'Avignon — se sont multipliés, eux non plus ne sont pas nés par génération spontanée. Jacques Copeau, puisque décidément il faut toujours en revenir à lui lorsque l'on parle du théâtre des quarante dernières années, écrivait à Léon Chancerel, en 1924 : « Faites l'inventaire de tous les beaux lieux susceptibles de servir de cadre à des représentations dramatiques » (11), et l'on se souvient des célébrations que Copeau dirigea dans l'admirable cour de l'Hospice de Beaune, tout comme de celles qu'il donna à Florence, sur la Place de la Seigneurie, dans le

---

(10) *Courrier Dramatique de l'Ouest. Bulletin d'Information de la Comédie de Provence.*
(11) Correspondance inédite (Archives Léon Chancerel).

Cloître de Santa Croce ou dans les jardins Boboli, tandis que dans le même temps Léon Chancerel et les Comédiens Routiers organisaient à Domrémy, avec pour fonds les côteaux de Meuse, une célébration de Jeanne d'Arc pour le cinquième centenaire de sa mort.

Durant la dernière décade la Direction Générale des Arts et Lettres et les collectivités locales ont été amenées à prendre une très lourde participation financière dans ces manifestations artistiques dont il est inutile de souligner l'importance.

La majeure partie du public est un public local qui vient à la représentation comme à une fête, renouant ainsi avec une lointaine tradition. Ce public peut assister et parfois participer à la préparation des spectacles, il voit se construire le dispositif; il peut suivre les dernières répétitions et ainsi constater (et souvent découvrir) la somme de travail que doivent fournir les comédiens pour lui apporter le divertissement ou l'émotion de deux heures. Cette prise de conscience des contraintes, des disciplines d'une profession, dont la chronique plus ou moins scandaleuse des hebdomadaires spécialisés lui ont donné une image faussée, est certainement sur le plan humain et social un très grand enrichissement pour le spectateur, une garantie pour la continuité de la vérité théâtrale et la juste conception de *sa mission*.

*
* *

Le public n'est pas le seul bénéficiaire de la décentralisation permanente et des festivals. Ces derniers permettent à des créateurs qui ont travaillé pendant tout l'hiver dans de petits théâtres pour un public restreint, de s'aérer, de servir leur art, au plein air, dans de nobles et vastes architectures ou lieux naturels.

Autre intérêt non moins capital des Centres : permettre à de jeunes comédiens d'éprouver leurs dons, d'apprendre leur métier et d'aborder l'interprétation de grandes œuvres en affrontant les réalités profondes du théâtre dans la vraie tradition des siècles passés. On ne songe pas toujours assez au drame du jeune comédien au sortir d'une école d'Etat, d'un conservatoire municipal ou d'un des cours qui pullulent à Paris. A moins de chance exceptionnelle, il lui faudra « courir le cachet », en jouant n'importe quel rôle dans n'importe quelle pièce, ou se joindre à l'une de ces jeunes compagnies hâtivement formées, et dont nous savons combien le généreux effort, le plus souvent condamné d'avance, aboutit à des catastrophes financières. Dans un Centre, le jeune comédien vivra au sein d'une famille dramatique ayant une doctrine, un style, un programme et des conditions de travail souvent dures mais infiniment meilleures que celles que rencontrent ses camarades demeurés à Paris. Il fait partie d'une équipe d'où la notion « vedette » est exclue. C'est grâce à ses dons et à son travail qu'il se fera la place qui lui revient. « Figurant intelligent » un soir, rôle de premier plan le lendemain, il fera ses années d'apprentissage dans les meilleures conditions qui soient : au contact du public, sous la conduite d'un aîné prêt à l'aider de son expérience et de ses conseils, il pourra acquérir une technique et développer sa personnalité. Par ailleurs en rapport constant, en intimité de vie avec le personnel de la scène, il verra comment se construit un décor, se confectionnent costumes et accessoires, il apprendra le métier de machiniste, de régisseur ou d'administrateur, en un mot tout ce qui plus tard lui permettra, peut-être, de devenir à son tour le chef qu'il ambitionne d'être (12). Il y a aujourd'hui dans les théâtres parisiens assez de comédiens de talent venus des Centres pour que nous puissions affirmer leur valeur pédagogique. Il est regrettable que trop de jeunes conservent encore à leur égard un préjugé défavorable et demeurent hypnotisés par la capitale. C'est pourquoi les Centres ont ouvert des écoles où ils accueillent les jeunes aspirants comédiens de la région; ainsi l'enseignement dramatique va-t-il pouvoir se débarrasser quelque peu de la poussière qui règne trop souvent dans les conservatoires provinciaux (13).

Enfin — et là n'est pas le moins important — les Centres doivent être une « école des auteurs ». Ils rejoindraient ainsi la pensée qui fut celle de Copeau et de Dullin et qui demeure celle de Léon Chancerel. Nous croyons peu — et M. Van Den Esch est venu nous confirmer dans notre opinion en décrivant le désarroi d'un Armand Salacrou privé de Dullin son metteur en scène (14) —, que le dramaturge puisse créer dans l'abstrait, sans contact avec ceux qui prêtant leur corps et leur voix à ses personnages, leur donneront la vie scénique. Pouvons-nous oublier qu'une partie de l'œuvre dramatique d'André Obey, et particulièrement *Noé*, est née de son intimité avec les Copiaus et la Compagnie des Quinze et que Giraudoux n'aurait peut-être jamais écrit pour le théâtre s'il n'avait un jour rencontré Louis Jouvet ? (15) Pourquoi le — ou les — poète dramatique que notre époque appelle, celui qui saurait exprimer ses angoisses, ses aspirations, ses espoirs, ne se cacherait-il pas en quelque province de France et ne pourrait-il être révélé à lui-même au chaleureux contact d'une troupe de jeunes artistes et artisans du théâtre, liés par un commun amour de leur art et par une lente acquisition de la maîtrise d'un métier sans laquelle il n'y a pas de création dramatique valable possible ?

*
* *

Au terme de ce trop rapide et incomplet examen d'un très vaste et très complexe problème, faut-il conclure à la perfection du système actuel et penser que rien ne demeure à faire en ce domaine ? Certes non. Il existe cinq Centres

---

(12) Sur l'importance du travail avec les machinistes, *cf.* Louis Jouvet, *Découverte de Sabbattini*, préface à *Pratique pour fabriquer scènes et machines de théâtre*, par Nicola Sabbattini. Neuchâtel, Ides et Calendes, 1942.

(13) Les élèves de l'Ecole supérieure du Centre de l'Est forment « la troupe des Cadets » en attendant de rejoindre leurs aînés dans la troupe de la Comédie de l'Est.
A la Comédie de Provence, six élèves de son école sont engagés dans la compagnie pour la saison 1957-1958.

(14) Voir plus loin la communication de M. José Van Den Esch.

(15) *Cf.* Jean Giraudoux, *Visitations*, Paris, Grasset, 1952 (7ᵉ éd.).

nationaux, il en faudrait un par Académie (16). Il faudrait que des concours
locaux s'unissent à l'effort du pouvoir central pour doter la province de studios,
d'ateliers de création et de théâtres convenablement équipés. Dans combien de
villes subsistent encore des théâtres municipaux « en état de marche » laissés à
l'abandon ? Et, si l'on s'en est soucié, ne fut-ce pas trop souvent pour substituer
à une salle ancienne, mais conçue en fonction de la représentation une vaste
« salle à tout faire » qui ne satisfait plus personne, ceci faute d'avoir consulté
des scénographes qualifiés qui auraient pu construire mieux et à moindre
prix (17) ? Pour le service de petites agglomérations, où la construction d'une
salle s'avère trop onéreuse, quand se décidera-t-on à concevoir et réaliser à peu
de frais des théâtres ambulants identiques à ceux qu'exploitent encore quelques
compagnies foraines spécialistes du mélodrame ou de l'opérette ? Nous ne doutons pas que tout cela viendra et que quelques-uns de ceux qui ont indiqué le
chemin, ouvert les voies, donné l'exemple, pourront le voir réalisé. Il faut parfois de longues années pour que s'implantent, germent et fructifient les quelques vérités essentielles qui, à la lumière de l'expérience, se sont lentement imposées.

DISCUSSION

Mlle LAFFRANQUE. — On peut signaler que le Grenier de Toulouse a commencé à
fonctionner avant la Libération, et qu'il est né à la faveur d'une décentralisation for-
cée par la coupure de la France en deux parties, sous l'impulsion de l'éducation donnée par Léon Chancerel aux Comédiens Routiers.

VEINSTEIN. — Est-ce que des activités comme des conférences, des publications de
revues, la formation de groupes d'Amis du Centre entreprises par certains Centres sont
véritablement suivies par le public ?

MARRAST. — Les conférences de Gignoux — à Rennes, en tout cas — sont suivies
par un public non populaire, et assez restreint. Moins de cent personnes pour une
conférence sur Brecht par exemple.

Mlle MOUDOUÈS. — Dasté ne fait de conférences que pour des groupes fermés comme les élèves des écoles par exemple, et le Grenier n'en fait pratiquement pas. En ce
qui concerne les publications, elles sont à un prix très abordable, et il y a un bon nombre d'Amis qui les reçoivent.

---

(16) Parallèlement et à leur exemple, de jeunes compagnies professionnelles se sont formées en province. Elles sont soutenues à la fois par les municipalités et l'Etat. Exemple :
Roger Planchon qui, après de longues années de travail avec sa Comédie de Lyon, vient de se
voir confier la direction du Théâtre de la Cité de Villeurbanne.
(17) La Comédie de l'Est et l'Ecole viennent d'être dotés d'un très beau théâtre et de
ses annexes, ateliers de décoration et de costumes, salles de répétitions (Pierre Sonrel, architecte) inauguré le 1er octobre 1957. La Comédie de Provence aménage un théâtre d'essai dans
un local qu'elle vient d'acquérir mais fait appel au public pour en financer l'équipement.

PETITOT. — Le problème pour des expériences de ce genre est je crois non pas tant dans le choix du répertoire, car nous avons fait une expérience dans un coron où nous avons joué du Marivaux qui a obtenu beaucoup de succès, mais dans la difficulté d'amener ce public au spectacle. Il faut plutôt aller vers lui, car autrement il ne vient pas et je crois que c'est là ce qui est grave. Le public à qui l'on amène un spectacle chez lui est intéressé, touché, mais il retourne le lendemain au cinéma pour voir des films policiers ou des westerns car on ne passe que cela dans les cinémas, et l'on ne peut espérer une influence profonde sauf sur quelques individualités qui sont vraiment attirées par ces spectacles de qualité. Et il est inquiétant de voir le nombre de kilomètres en bicyclette que feront des hommes pour aller voir un match de boxe alors qu'ils ne se déplaceront pas pour un spectacle de théâtre. Je crois qu'actuellement il faut avoir des objectifs très modestes et essayer de préserver les élites qui se trouvent dans toutes les classes de la société. Car pour le reste c'est assez décevant.

Mlle MOUDOUÈS. — Il faut de nombreuses années, et cela est assez décevant pour ceux qui travaillent aujourd'hui. Mais voyez-vous, Dasté a commencé à jouer dans des petites villes devant des salles de 80 personnes, et actuellement il refuse du monde dans ces mêmes villes, mais au bout de dix ans d'efforts.

MARRAST. — J'ai demandé à Guy Parigot, de la Comédie de l'Ouest, pourquoi il n'allait pas jouer dans les usines à Nantes ou Saint-Nazaire; il m'a répondu : « Les comités d'entreprise nous proposent seulement 10.000 francs en nous disant que c'est le prix de location d'un film; nous ne pouvons accepter car nous avons des comédiens à faire vivre ». En ce qui concerne le répertoire, la C.D.O. est obligée de maintenir un équilibre et, après *Bérénice,* de jouer *Le Train pour Venise.* C'est une concession au public très bourgeois de Rennes et aussi une conséquence de la concurrence des tournées et du cinéma qui habituent les spectateurs à des spectacles de troisième ordre.

GRAVIER. — Y a-t-il des textes neufs ?

Mlle MOUDOUÈS. — René Laforgue a monté récemment une pièce d'un auteur local et l'a présentée dans un circuit normal de tournée. Morvan Lebesque a écrit pour Laforgue et pour Hubert Gignoux, Jean Lescure pour Dasté.

VILLIERS. — Il ne faut pas mésestimer le goût du public pour le théâtre. Je pense à ce théâtre ambulant, dans la vraie tradition des tréteaux démontables, qui venu dans une toute petite ville de Bourgogne pour quelques représentations y est resté trois mois tant il a eu de succès. Il jouait, il est vrai, du mélo ! Mais précisément s'il ne faut pas faire de viles concessions il ne faut pas non plus développer un snobisme de la qualité rare, littéraire ou d'avant-garde. Il y a des formes de spectacles que les sociologues classent tout bonnement comme divertissements pour activité de loisir, qui ne doivent pas être écartées. Il ne faut pas lasser le public en lui montrant uniquement des pièces et des spectacles difficiles.

Mlle MOUDOUÈS. — Il faut allier les deux, mais ce qu'il faut éviter, c'est la facilité et la vulgarité.

Mlle MICHELSON. — Vous avez noté, sans insister, le sentiment de dépaysement que le spectateur peut éprouver au théâtre. Je me rappelle avoir lu dans *Théâtre Populaire* un article dans lequel on disait que si le public ouvrier ne va pas dans certains théâtres, à l'Opéra par exemple, c'est parce qu'il s'y sent mal à l'aise devant tant de luxe, c'est parce que la salle n'est pas adaptée à ce public. Je crois qu'il ne faut pas exagérer ce sentiment de dépaysement qui existe pourtant, et qu'un moyen de le dissiper ou de résoudre le problème qu'il pose, serait de faire assister le public à la préparation des représentations. C'est un peu la situation du public des villes de Festival qui peut assister à la construction des décors, des dispositifs scéniques, aux répétitions. Est-ce que les Centres dramatiques font un effort pour faire assister le public à la préparation du spectacle ?

Mlle Moudouès. — Il y a là un problème difficile en ce sens que dans les Festivals les troupes amènent un spectacle déjà prêt qu'il suffit d'adapter au plateau. Le travail du comédien est terminé, il lui suffit de prendre conscience de l'espace qui lui est dévolu, et il peut le faire devant deux ou trois cents personnes, mais il lui est impossible de commencer à travailler un rôle devant des spectateurs. L'identification au personnage est une opération difficile et délicate qui doit s'accomplir devant les seuls initiés : metteur en scène et camarades. Il faut que le public prenne conscience que le comédien est un homme qui pratique un métier difficile, mais il faut aussi sauvegarder le sens de la magie, de la fête, conserver intacte pour le spectateur la part du rêve, de l'illusion.

ENGAGEMENT ET DISPONIBILITÉ
DU CRITIQUE DRAMATIQUE

par Georges LERMINIER

Critique dramatique du « Parisien libéré »

Je me propose de traiter le thème de l'engagement et de la disponibilité du critique dramatique. Ce faisant, j'ai l'ambition de définir le rôle de ce critique dramatique, d'en esquisser l'histoire, d'en préciser ce que j'appellerai la déontologie, c'est-à-dire la somme des devoirs que l'exercice de ce métier impose à celui qui le pratique et, chemin faisant, de faire quelques observations aussi concrètes que possible, car c'est un métier engagé entre tous et l'on peut difficilement le couper des conditions mêmes de son exercice.

C'est, sans jeu de mot, un métier qui a mauvaise presse. Cela remonte très loin, et je voudrais rappeler seulement le mot, assez connu dans la profession, d'un chansonnier du XVIIIᵉ siècle, Collé, qui fonda le Caveau (1729), nom que les chansonniers ont repris cent fois depuis, et qui dans son *Journal* notait : « J'entrepris de critiquer le théâtre, ne pouvant moi-même rien y produire ». C'est une phrase que l'on nous retourne toujours. Marcel Pagnol, dans son livre *La critique des critiques,* reprenait cet argument facile, en disant : « La profession de critique est certainement l'une des plus anciennes. De tout temps il y eut des gens, qui incapables d'agir ou de créer, se donnèrent pour tâche, le plus sérieusement du monde, de juger les actions et les œuvres des autres. ».

Plus tard je dirai, en examinant ce que j'appelle les faux problèmes, que cette conception du rapport de la critique et de la création, qui n'est pas propre d'ailleurs à l'exercice de notre profession, mais qui intéresse tous les rapports entre critique et créateur d'une manière générale, est superficielle et que la question me semble mal posée. J'en fais justice dès le départ, car ce n'est pas ainsi que j'entends moi-même l'aborder.

Si nous en avions le temps, je vous proposerais d'esquisser — ce qui à ma connaissance n'a pas été fait — l'histoire de la profession. Il importerait alors de distinguer sérieusement plusieurs aspects.

Il y a d'abord l'échotier, le soiriste, qui est l'héritier des gazetiers des xviie et xviiie siècles. Ces gazetiers, précieux pour l'histoire du théâtre, nous leur devons toutes sortes de témoignages directs qui ne sortent évidemment pas beaucoup de l'anecdote, mais qui fournissent à l'historien une matière tout de même intéressante, dans la mesure où l'échotier peut être considéré comme le représentant plus ou moins spontané, inconscient, d'un certain public, d'une certaine société. Il est le témoin brut de la réaction d'un certain public à une certaine époque, devant le théâtre. Il se veut avant tout spirituel et piquant.

Sans remonter à Aristote, le critique dramatique apparaît, au moins en France, dans la conception actuelle de l'exercice du métier, au début du xixe siècle. C'est Albert Thibaudet qui considérait que le fondateur de la profession, tout au moins son premier représentant le plus caractéristique, fut Geoffroy, qui débuta au *Journal des Débats* à l'âge de soixante ans, et qui y fut critique dramatique à partir de 1803 pendant 14 ans. Il a laissé un cours de littérature dramatique sur lequel je n'ai pas eu personnellement le loisir de me pencher, mais dont Thibaudet dit qu'il est encore attachant.

Au xixe siècle, on a parmi les grands noms de la critique des gens qui sont en même temps des créateurs, et qui représentent assez bien les conditions nouvelles de l'exercice de la profession. Il y a Théophile Gautier qui dans une certaine mesure a fondé la critique de music-hall, la critique de variétés, comme le faisait parallèlement à lui Théodore de Banville. Et je me demande si un des plus grands critiques dramatiques du xixe siècle, tout au moins du milieu du siècle, n'est pas finalement Baudelaire. Les critiques d'art se l'arrachent également pour en faire le fondateur de leur profession. Nous trouvons dans Baudelaire en particulier, cette analyse, cette esthétique du comique et du rire qui bien avant les théories de Brecht sur l'effet V, constitue un apport original à l'étude de la fonction du théâtre. Et, pour ma part, quand j'ai lu le *Petit Organon*, je n'ai pas manqué de le rapprocher de cette analyse du rire chez Baudelaire.

Au xixe siècle, on s'aperçoit que la critique dramatique a généralement comme origine l'Université. Les critiques dramatiques sont des universitaires. Aujourd'hui encore, l'Université fournit à la profession un certain nombre de ses membres les plus représentatifs. Je crois qu'il y a là une des explications d'une certaine ankylose du métier dans la mesure où, issu de l'Université, le critique dramatique tend à ne s'attacher qu'à la littérature dramatique. Le théâtre, pour lui, est un aspect de la création littéraire, et il a malheureusement tendance à oublier que l'art dramatique est un art beaucoup plus complexe où, certes, la création littéraire, le texte joue un rôle prépondérant, mais où la «littérature» n'est pas tout. Je crois qu'en un sens les critiques universitaires ont fait beaucoup de mal, non seulement au théâtre, mais aussi à la profession. Ils sont à la source d'un certain nombre de malentendus entre les gens du plateau, qui ne sont pas toujours des gens cultivés (ce qui leur permet de créer !) et une certaine attitude vis-à-vis de la création, qui fait que le dialogue — parce que le vocabulaire, parce que les références ne sont pas les mêmes — n'est pas possible.

Nous pourrons, si vous le voulez, débattre ce point. Je crois que, quelles que soient les qualités d'un Jules Lemaître, aussi amoureux qu'il ait été du théâtre, il est passé à côté d'un certain nombre de choses, à côté du théâtre artisanal en train de se faire, et qui n'est pas toujours absolument en coïncidence avec l'évolution de la littérature dramatique. Nous reviendrons sur cet aspect plus loin.

Aujourd'hui le métier de critique dramatique est lié à l'exercice d'une profession particulière qui s'appelle le journalisme, avec toutes les conditions qui sont aujourd'hui celles du journalisme. Est-ce un bien ? Est-ce un mal ? On peut en discuter longtemps. Je crois que cela présente un certain nombre d'avantages, que cela assure au critique dramatique une relative indépendance, dans la mesure où, professionnel, il n'apparaît plus comme un amateur distingué qui s'intéresse au théâtre. Il est payé pour faire ce métier, très mal payé comme dit Marcel Pagnol, mais payé, ce qui lui permet d'y consacrer un temps considérable, car, pour suivre la vie du théâtre, il faut un temps considérable. C'est un journaliste professionnel aux termes de la loi du 29 mars 1935. Il est détenteur de la précieuse « carte rouge », délivrée très parcimonieusement par la Direction des Impôts, qui lui permet d'être reçu en qualité de spectateur exonéré des taxes. Et cet engagement du critique dramatique dans le domaine d'une profession extrêmement organisée, qui a des servitudes plus lourdes que jamais, présente aussi l'inconvénient de le soumettre aux lois et aux mœurs, voire aux modes de l'information. J'ajouterai que le critique, si éminent soit-il, lorsqu'il exerce un autre métier (enseignement, administration, maison d'édition) a souvent du mal à faire reconnaître sa qualification professionnelle, surtout s'il est « pigiste ». C'est un des scandales du journalisme actuel que ceux qui l'honorent le plus n'ont souvent pas droit à l'appellation contrôlée. Cela a parfois pour effet, de rendre difficile l'attribution de la carte rouge, qui est liée, en principe, à la carte professionnelle. Ubu règne toujours.

Pour le directeur d'un journal — j'aborde là quelques-uns des points concrets que je signalais en commençant et qui définissent un certain aspect de l'engagement du critique dans sa vie quotidienne — le critique dramatique ressortit à l'information. C'est un monsieur qui, tout en portant des jugements (et, dans une certaine mesure, quel que soit le journal auquel il appartient, les jugements qu'il peut porter n'engagent que fort peu son journal) suit ce qui se fait au théâtre, comme le chroniqueur judiciaire suit ce qui se passe au Palais de justice. Les directeurs de journaux laissent une latitude très grande au critique, sauf dans quelques cas exceptionnels. La liberté du critique n'est pas en cause, et l'on peut dire qu'en gros ce n'est pas là que réside le danger. Je dirai plus loin quels sont les dangers qui menacent l'exercice de la critique.

Le critique est donc victime de toutes les tendances du journalisme d'aujourd'hui. D'abord il apparaît comme un survivant dans la profession. Qu'un monsieur puisse donner sous sa signature une opinion personnelle, c'est là quelque chose qui, en 1957, est tout à fait contraire aux mœurs du journalisme, où la tendance est — vous le savez comme moi — à l'anonymat. Nous avons vu d'ailleurs des journaux de qualité pratiquer l'anonymat, et même, pire, des rédac-

teurs anonymes réécrire l'article du critique dramatique. Voilà, lorsqu'on parle
de l'engagement du critique dramatique, des conditions concrètes qui ont leur
importance. Que l'on puisse penser, dans les milieux de presse, à faire « rewri-
ter », parce que cela ne correspond pas toujours au soi-disant goût du
public du journal, ou n'est pas écrit dans le style que comprend le soi-disant
public du journal — on a toujours des idées préconçues sur la manière dont
il faut écrire pour le public — l'article d'un individu que sa culture semble
qualifier pour formuler une opinion personnelle, ou que l'on puisse se permettre
de le mettre en *digest,* sous un titre accrocheur sans doute, mais qui, généralement, ne correspond pas du tout aux nuances du jugement exprimé, voilà tout
de même des choses assez graves. Et, il faut bien le dire, ce sont les mœurs
d'un certain journalisme américain qui contaminent aujourd'hui la presse
française.

D'autre part, comme je le disais, la tendance est de plus en plus à l'anonymat. Le journaliste devient quelqu'un qui débite, en changeant les virgules ou
les adjectifs, des dépêches d'agences qui lui sont apportées dans son bureau.
C'est un rond-de-cuir de l'information, c'est rarement quelqu'un qui est sur le
terrain. Les critiques de théâtre, de littérature, d'art ou de cinéma sont des
témoins. Ils partagent le dernier privilège de l'éditorialiste et du grand
reporter — quand il en existe encore — : le journal permet qu'ils signent leur
article. Signature d'ailleurs à laquelle le public ne fait pas toujours aussi attention qu'on le croirait, à quelques exceptions près. Beaucoup de lecteurs de tel
journal ignorent le nom de leur critique de cinéma ou de théâtre.

Ce qui est beaucoup plus grave — et j'en viens à ce danger principal dont je
parlais — c'est la publicité. Je ne pense pas m'avancer beaucoup en disant que
la presse d'aujourd'hui est une presse qui accorde à la publicité une importance considérable, parce qu'elle est vitale au point de vue commercial,
et que d'autre part les techniques de la publicité ont fait des progrès extraordinaires en empruntant à la psychologie des méthodes quasi scientifiques. Et
beaucoup de directeurs de théâtre eux-mêmes estiment qu'il est beaucoup
plus important de savoir bien lancer une pièce, que d'accorder crédit à l'opinion d'un critique. Pourquoi ne pas lancer une pièce comme on lance une
marque de savon ou une marque d'aspirateurs ? La publicité se prétend une
science moderne. Tout au moins une technique psychologique très avancée.
Pourquoi ne pas l'appliquer à l'œuvre d'art ? Ces méthodes que l'on applique
dans la pratique quotidienne du commerce, sont celles qui menacent le plus directement l'exercice de la profession de critique dramatique, dans la mesure où
celle-ci est encore une manifestation de vie intellectuelle. Nous verrons d'ailleurs plus loin d'autres inconvénients, qui ne viennent pas du tout du même
horizon et qui sont peut-être aussi graves.

Un autre point sur lequel je voudrais insister c'est celui de l'indépendance du critique. Il est évident que le critique dramatique, s'il s'engage
vraiment dans la vie théâtrale, s'il ne reste pas quelqu'un qui entend juger du
point de vue de Sirius et dans une tour d'ivoire, s'il veut participer à ce mou-

vement dramatique, à cette vie intense du théâtre dans la mesure où il lit des manuscrits, où il est en rapport avec des auteurs ou futurs auteurs, dans la mesure où il est en rapport avec des metteurs en scène, des comédiens, voire des comédiennes, peut être soupçonné de céder à des complaisances ou à des amitiés. Cette complaisance, cette possibilité de céder à des amitiés, me paraît un risque mineur. Elle n'est pas plus grande que dans n'importe quel autre métier, où l'on peut dire à ses amis la vérité. Le tout est de la dire sur un certain ton. Mais il est évident que, depuis dix ou vingt ans, on exige du journaliste un certain style, sous prétexte que le lecteur aujourd'hui ne sait plus lire, et n'a d'ailleurs pas le temps de lire, qu'il veut que le « papier » soit le plus percutant possible. Dans la mesure où un certain style journalistique d'aujourd'hui s'impose au chroniqueur dramatique, dans la mesure où il veut être lu, il ne peut plus vraiment exprimer sa pensée, motiver ses jugements, nuancer. Là aussi nous sommes victimes d'abord du peu de place qui souvent nous est imparti — je parle surtout pour les quotidiens — et de cette superstition, qui n'est peut-être pas une superstition, que le lecteur préfère l'image et n'a plus le goût de lire. L'art d'écrire et de lire ne sont-ils pas d'un autre âge ? Il y a une certaine critique qui aujourd'hui a complètement disparu : c'est ce que j'appellerai la critique dilettante, dont le plus caractéristique des représentants fut Maurice Boissard (Paul Léautaud). Même dans les périodiques, même dans les revues, je doute aujourd'hui qu'un Paul Léautaud, sous un aspect renouvelé, puisse encore écrire. Qui a le temps de lire, non pas une chronique entière (il disposait d'une place dont nous n'avons plus aujourd'hui la moindre idée — une chronique de Paul Léautaud comprend une douzaine de pages), mais même un passage, car pendant dix pages Paul Léautaud parle de sa maison, de ses chats, de ses amours, et, en trois lignes, il exécute une pièce. Aujourd'hui, ce dilettantisme est mort. Je ne le regrette pas, je regrette seulement qu'il ait quelquefois cédé le pas au pédantisme, à « l'écolier limousin ».

D'autre part, les conditions modernes de l'information ont ouvert au critique dramatique d'autres possibilités d'expression que la chronique. Le rez-de-chaussée des *Débats* n'existe plus aujourd'hui, mais il y a mille procédés d'expression. Il y a la radio à laquelle le critique dramatique collabore par l'intermédiaire de tribunes, de débats, ce qui est une forme extrêmement intéressante de la critique dramatique. Il a également la possibilité de participer à un certain nombre de travaux de commissions qui existent aujourd'hui depuis que l'Etat s'est intéressé — modestement — à la vie du théâtre. Un critique peut participer par exemple à la Commission d'aide à la première pièce, à la Commission des jeunes compagnies. Cela l'oblige en plus de ses obligations professionnelles (à peu près 125 spectacles en trois trimestres) à lire au moins une centaine de manuscrits pendant l'hiver. C'est une forme qui, je crois, a élargi singulièrement l'exercice du métier. Sans parler des commissions de la radio et de la télévision, sans parler de la tendance que manifestent les spectateurs à s'organiser, non seulement pour la consommation du théâtre, — c'est l'aspect économique de la question — mais aussi pour parler théâtre. Je

crois que la tradition des ciné-clubs a beaucoup influencé le spectateur de théâtre, et qu'il y a une transposition possible des techniques de ciné-clubs dans des
clubs de théâtre. Le critique de théâtre a là, comme le critique de cinéma dans
les ciné-clubs, un rôle complémentaire à jouer, et qui renforce singulièrement
l'opinion écrite qu'il peut donner tous les deux ou trois jours dans son journal
en 50 ou 100 lignes, pressé par l'actualité.

Quel est aujourd'hui l'avenir de ce que j'appellerai la critique individua-
liste, c'est-à-dire l'opinion de Monsieur X ou Y ? Je crois que c'est la question la
plus importante qui se pose, car si l'opinion de cet individu plus ou moins qualifié, plus ou moins compétent, se heurte à un certain nombre d'obstacles que
j'ai énumérés, les conditions du journalisme moderne, la concurrence de la publicité, etc., il y a une autre tendance qui tend à se manifester, qui tend à mini-
miser l'importance d'un jugement individuel, ce sont les procédés nouveaux de
contact avec le public que les directeurs de théâtre ou les animateurs de théâtre en général peuvent avoir. Lorsqu'un Roland Barthes, il y a quelques années,
se demandait comment se débarrasser d'un certain critique dont il jugeait
l'influence pernicieuse, il suggérait que les directeurs de théâtre se passent de
l'opinion des critiques conviés à une générale, et remplacent cette générale par
une série d'avant-premières réservées justement à des groupements de spectateurs, l'opinion collective de ces groupements de spectateurs finissant, au bout
de quinze jours ou trois semaines, par porter la pièce, par la faire naître, par
la faire aboutir, et par remplacer avantageusement la campagne de presse qui
suit dans les quarante-huit heures la représentation générale d'une pièce. Le
critique dramatique serait invité par exemple au bout de trois semaines quand
la chose est déjà faite, et l'on minimiserait ainsi l'influence qu'il pourrait avoir.
Il y aurait moins de dangers puisque déjà le public serait informé en quelque
sorte, et qu'il aurait pris position lui-même par rapport au spectacle.

Je suis pour ma part assez tenté d'approuver une position comme celle d'un
Roland Barthes. Mais je crois qu'il oublie un aspect du problème. Ceci n'est valable que dans la mesure où le public est organisé. Or le public organisé va à
certains spectacles et pas à d'autres. Je pense par exemple à l'organisation du
public des A.T.P., ou à certaines jeunes entreprises de théâtre comme le Théâtre d'Aujourd'hui. Mais je ne pense pas, dans la mesure où, aujourd'hui, il existe
encore un grand public, que ce public soit suffisamment organisé pour qu'on
puisse escompter un *jugement* du public qui ait une autre valeur qu'indicative.
Quelles que soient les méthodes de sondage, les tests, les enquêtes par lesquels
cette opinion moyenne s'exprimera, je ne crois pas qu'on puisse lui accorder une
valeur absolue. Consultez le *public* et c'est la *foule* qui répondra. Cette juridic-
tion-là aura tôt fait de tuer l'art. Le public actuel va au théâtre dans la mesure
où il a été informé de ce qui se joue au théâtre, et dans la mesure où il s'est
déjà fait une sorte d'opinion préconçue en lisant ce que j'appellerai son délégué naturel, qui est son critique dramatique, par l'intermédiaire de son journal.
Ce n'est peut-être pas une solution idéale, mais c'est la solution de fait. Actuellement le public considère le critique comme son informateur, comme quel-

qu'un qui lui déblaie le terrain, et lui permet de dépenser ses 500 ou 1 000 francs à bon escient.

Donc, dans la mesure où cette organisation du public se généralisera, on pourra envisager la suppression du critique dramatique, et tout au moins la transformation de son rôle. Alors, bien sûr, quelle libération pour celui qui exerce ce métier ! Il pourra jouer son véritable rôle qui sera de participer à des clubs de spectateurs, d'essayer de coordonner des opinions, de les éclairer, de porter le goût à bout de bras, en luttant contre la pesanteur naturelle au grand nombre, d'apporter son expérience personnelle, de faire la navette entre les expériences de théâtre contradictoires qui se déroulent pendant une saison, ou sur plusieurs années, et dont il est le témoin professionnel. Mais il ne sera plus astreint, dans les vingt-quatre heures, et quelquefois dans la nuit qui suit le spectacle, d'apporter un verdict sur le spectacle qui lui a été présenté, souvent dans des conditions défavorables parce que le spectacle en est à ses premières représentations.

Nous en sommes, en effet, à porter un jugement qui est quelquefois décisif, qu'on le veuille ou non, sur un spectacle qui n'est pas encore au point. Nous condamnons un spectacle dans son enfance, et beaucoup en ont conscience. C'est ce qui inquiétait profondément Roland Barthes qu'un critique, par la position de son journal, par son autorité sociale dirons-nous, puisse entraîner la mort d'une entreprise théâtrale, et je ne dis pas seulement d'un théâtre ou d'un autre, mais de tous ceux qui sont associés aux risques d'une pièce. Et cela seulement parce qu'il est appelé à juger de la pièce à un stade infantile du spectacle, et dans les conditions les plus déplorables.

Quel serait dès lors, malgré toutes les conditions que j'ai indiquées, et qui constituent l'engagement de fait de la profession actuellement, le rôle de la critique ? Je voudrais esquisser une défense de cette profession, dire combien nous sommes quelques-uns à essayer de réagir contre les conditions mêmes qui nous sont faites, à essayer, à l'intérieur même de ces conditions difficiles, de garder d'une part le plus de disponibilité possible — et cette disponibilité, c'est à la fois une lucidité qui ne va pas nécessairement jusqu'à l'indulgence systématique, (on peut parler, si l'on veut, d'un devoir de mauvaise foi du critique dans quelques cas, lorsqu'il s'agit d'entreprises théâtrales dont on connait particulièrement les difficultés, lorsqu'il s'agit de jeunes auteurs qu'un jugement trop hâtif peut paralyser dans leur pouvoir créateur pour de longues années) et un minimum d'attention au théâtre. Cela me paraît la première règle de cette déontologie dont je parlais. Définissons-la, si vous voulez, par l'attention à ce qui naît. Cela me paraît important et d'ailleurs également vrai dans l'ordre de la critique littéraire et de la critique d'art.

D'autre part, on a souvent reproché dans les milieux de théâtre au critique dramatique d'être quelqu'un qui ne sait pas ce qu'est le théâtre pratiquement. C'est ici aussi un faux problème et un dialogue de sourds. Je crois cependant que le critique dramatique doit se considérer et être considéré comme étant du bâtiment. Il doit se libérer de cette espèce de complexe de supériorité qu'il a quelquefois d'être le spectateur payé pour donner un jugement sur ce qu'il voit, en refusant de considérer les intentions de l'auteur, les intentions du metteur en scène, la maladie de la jeune première, les dettes dans lesquelles l'entrepreneur sera engagé si le spectacle ne marche pas, en refusant de connaître les tenants et aboutissants, toutes les conditions de la création dramatique.

Je crois qu'on peut noter ici un devoir d'inquiétude, l'obligation de se montrer attentif à tout ce qui constitue aujourd'hui la profession du théâtre. Bien sûr nous devons juger un spectacle, mais je crois que nous devons dans une certaine mesure, et cela apparaîtra justement dans les nuances de notre jugement (car nous devons avoir plusieurs tons de rechange, nous n'avons pas à parler de M. Pagnol comme nous parlons de M. Audiberti), tenir compte des difficultés présentes de la création théâtrale.

Mais ce que les gens de théâtre oublient quelquefois, c'est que le critique n'a pas seulement à s'intéresser à l'auteur, à l'acteur, au metteur en scène, et subsidiairement au directeur et à l'entrepreneur de théâtre. Il est d'abord un spectateur, il est, comme je le disais, le délégué du public, et dans cette mesure son troisième devoir est de faire constamment la navette de la salle au plateau, d'informer dans la mesure où il a conscience d'être le créateur des réactions du public, réactions auxquelles il doit être le plus attentif possible avec le plus de liberté d'esprit possible, le moins de préjugés possibles. D'autre part, il doit être du plateau à la salle le lien entre le créateur de théâtre et, disons, le consommateur, le spectateur. Son devoir est d'expliquer, de décrire, d'attirer l'attention en dehors même de tout jugement de valeur. On n'est pas toujours obligé, me semble-t-il, de porter des jugements de valeur; il y a un premier devoir, une première étape qui s'impose au critique en présence de nouvelles œuvres, c'est de les aborder en se plaçant cette fois sur le plateau, d'être dans la mesure du possible le délégué de Beckett ou de Ionesco par exemple et de leurs interprètes, d'expliquer au public le phénomène qui s'est passé sous ses yeux, en quoi cela consiste, en quoi cela doit et peut l'inquiéter, sauf à juger plus tard. Mais le jugement, ici, ne doit intervenir qu'après les attendus extrêmement motivés.

C'est ce que nous ne faisons pas toujours, je le reconnais, parce que nous cédons à une certaine tradition de la critique impressionniste ou d'humeur, nous cédons à l'ennui que nous avons pu éprouver au cours d'une soirée, à certains mouvements d'impatience devant une mise en scène floue, un décor mal fait, une pièce qui nous sort de nos habitudes, qui nous étonne les premiers, qui ne correspond à rien de ce que nous avions appris ou de ce que nous avions vu jusque là. Mais je crois que, dans ce cas là, le critique ne doit pas réagir comme le spectateur, qu'il doit se désolidariser du spectateur et prendre fait et cause pour le créateur, en essayant d'expliquer au spectateur ce que représente ce fait nouveau, dont il est le témoin désorienté. Et c'est en adoptant cette position de navette entre le plateau et la salle, cette position inconfortable, à califourchon sur la rampe, entre le créateur et le spectateur, que le critique peut remplir véritablement tous les devoirs de sa profession. C'est une affaire de point de vue, c'est aussi une affaire de choix personnel, et je ne nie pas qu'il n'entre là quelque parti-pris et quelque préjugé de la part du critique. Si tel critique est davantage porté vers le « boulevard », il aura tendance à se faire surtout l'interprète d'un public qui jouit profondément du spectacle de « boulevard », à exprimer cette jouissance avec plus ou moins de talent ou d'esprit. S'il est lui-même inquiet du développement du théâtre, de ses perspectives d'avenir, il aura tendance à se couper du public, à se faire injurier par le public qui dira : « Vous m'avez envoyé voir Ionesco, et vous m'avez trompé, je ne vous lirai plus ». Je crois que le critique doit accepter de se faire quelquefois reprendre par son lecteur, de se faire quelquefois reprendre par le créateur, d'être si l'on veut constamment renvoyé du spectateur au créateur. Sa position doit être foncièrement inconfortable. Et c'est peut-être sur ce point que je concluerai. Je pense que si le critique se prend pour un esthéticien qui défendrait une certaine esthétique particulière, s'il se prend pour un intellectuel dogmatique qui s'est fait du théâtre une conception bien définie, qui croit à tel ou tel rôle du théâtre, que ce soit un rôle de divertissement ou un rôle critique de révélation du public à lui-même, un rôle de libération de ce public, s'il s'enferme dans une esthétique ou un esthétisme, dans un dogmatisme, s'il s'enferme, aussi paradoxal que cela puisse paraître, dans une sorte d'éclectisme trop ouvert, je pense qu'il manque à sa tâche. Et, si on lui demande : « Quels sont vos critères ? », je crois qu'il doit répondre : « Ma position est par définition inconfortable, je suis un témoin attentif à ce qui se crée, je n'ai pas de préjugés, je n'ai pas à proprement parler de critères, je n'ai pas du théâtre telle ou telle conception, je me veux ouvert à ce qui se fait. J'ai peut-être un certain sentiment personnel plus ou moins spontané d'une certaine beauté du théâtre, mais je me garde, en tant que critique dramatique, car je ne suis ni esthéticien, ni sociologue, ni philosophe, de m'enfermer dans telle ou telle attitude, dans un *a priori*. Mon rôle est d'être provisoirement le lien entre ce qui se fait et ceux qui vont au théâtre, sans toujours bien comprendre, sans toujours bien l'aimer. En l'état présent des choses, je suis celui qui peut contribuer à faire évoluer, progresser ce public, l'amener à sortir de ses routines, à liquider ses préjugés. Pour cela, je dois être aussi disponible que possible et, peut-être, pourrais-je dire, en risquant cette formule superficielle et paradoxale, que le véritable engagement du critique dramatique, dans les conditions actuelles de l'exercice de son métier, est précisément sa disponibilité ».

DISCUSSION

Mme MERCIER-CAMPICHE. — En Suisse le critique est censuré si son article n'est pas en rapport avec les tendances politiques du journal dans lequel il écrit.

LERMINIER. — Je crois pouvoir dire qu'en France la chose est impensable. Bien des critiques n'ont aucun rapport politique concevable avec le journal dans lequel ils écrivent, et jamais une ligne de leurs articles n'est coupée, sauf pour des raisons techniques de mise en page. Bien sûr il y a une certaine harmonie préétablie entre tel critique et, si vous voulez, la « classe » de ses lecteurs. La question « Y a-t-il une critique de classe ? » appelle certainement une réponse affirmative, mais on ne peut pas pour autant mettre en doute l'indépendance esthétique et idéologique des critiques. Il se trouve seulement qu'il y a parfois coïncidence entre une certaine tendance des jugements du critique et un certain goût qui est celui de la grande majorité des lecteurs du journal. Mais, souvent aussi, on constate un décalage saisissant entre l'idéologie de tel critique et la « ligne » du journal auquel il collabore.

Mme MERCIER-CAMPICHE. — Mais c'est une critique sommaire, journalistique. Est-ce encore de la critique ?

LERMINIER. — C'est là le problème de la contamination du métier de critique par la profession journalistique. C'est une forme sommaire de la critique, et à la limite le critique dramatique qui est obligé d'écrire ses papiers immédiatement parce que le journal tombe à telle heure, devient un échotier, un soiriste, qui ne peut prétendre faire plus que donner une impression d'audience sommaire. Cela devient alors une critique impressionniste exacerbée. Avec de la culture, de la mémoire, du talent et du métier, je pense cependant que cette critique même peut avoir une grande valeur.

Mme MERCIER-CAMPICHE. — Ne pourrait-on pallier cet inconvénient en publiant immédiatement la première impression du critique et en lui permettant de revenir à loisir sur les jugements d'abord formulés ?

LERMINIER. — Dans l'état actuel du journalisme ce n'est pas possible. Une représentation de pièce est un événement. Comme tel, elle devient vite caduque en valeur d'information. Deux jours après au plus, le rédacteur en chef objectera : « Cela est du passé et n'intéresse plus personne ». A plus forte raison au bout de huit jours.

AUBRUN. — Qu'y a-t-il à craindre le plus, la censure du directeur du journal, ou l'auto-censure du critique dramatique ? Est-ce que le critique dramatique n'a pas une certaine tendance à se mettre dans la peau du public du journal dans lequel il écrit, et à défendre les pièces qui plairont à ce public, et au contraire à attaquer les pièces qui certainement ne lui plairont pas ?

LERMINIER. — Il y a là certainement un réflexe de solidarité inconsciente critique-lecteur et, dans les cas limites, il peut y avoir une certaine complaisance du critique qui sait que, s'il dit telle ou telle chose sur telle pièce, il va provoquer des drames, par exemple parce qu'il sait que le directeur du journal a subventionné la pièce. Il y a pourtant des critiques qui, sachant les tenants et aboutissants d'une entreprise, formulent leur jugement avec la plus totale liberté. Mais la tentation de la complaisance consciente ou inconsciente, du réflexe de classe entre autre, est réelle.

BRACHIN. — Est-ce que le jour où le critique cesse de plaire au directeur du journal, celui-ci peut lui dire : « Je me passerai de votre collaboration » ?

LERMINIER. — Le contrat est constamment résiliable, même s'il n'y a pas eu faute professionnelle, mais la chose est fort rare. En tout cas le syndicat intervient pour que le licencié ait le maximum d'indemnités auquel il a droit.

Mlle LAFFRANQUE. — D'où vient à votre avis la relative tolérance de journaux politiquement bien définis à l'égard de la critique théâtrale ?

LERMINIER. — Peut-être parce que, pour eux, le théâtre et la culture en général ne sont pas choses dangereuses.

VICTOROFF. — Quelle est d'ordinaire la formation des critiques ?

LERMINIER. — A l'heure actuelle la plupart sont de formation universitaire, beaucoup même enseignent encore.

AUBRUN. — J'ai pourtant l'impression que vous avez opposé la critique journalistique à la critique universitaire.

LERMINIER. — Je veux dire qu'il y a un style universitaire de la critique théâtrale qui considère dans le théâtre non le phénomène original, mais le texte littéraire. Et j'entends par critique dramatique celui pour qui le métier est de juger sur le spectacle, c'est-à-dire sur du « vivant », non sur les œuvres complètes de l'auteur, et qui, bien que portant aussi attention au texte, juge des vertus dramatiques du texte à travers sa représentation. Il doit d'abord parler de la pièce telle qu'il l'a vue avant de faire l'analyse de cette pièce, considérée comme une « pièce de musée ».

LA CONDITION DE L'AUTEUR D'AVANT-GARDE

par Georges PILLEMENT

Il conviendrait, d'abord, de définir ce qu'est un auteur d'avant-garde. On peut dire que c'est un auteur qui est en avance sur son temps, révolutionnaire par sa façon de penser, par sa façon d'écrire, par sa forme ou sa conception du théâtre.

Mais cela implique une société qui s'est figée dans une certaine conception du théâtre et qui n'admet pas qu'on puisse en avoir une autre. Les Romantiques, Alexandre Dumas père, Alfred de Vigny, Victor Hugo étaient des auteurs d'avant-garde par rapport aux tenants de la tragédie classique. Celle-ci était à l'agonie. Le drame, le mélodrame même allaient l'emporter sur l'évocation des grandes figures de l'antiquité. Des acteurs anglais qui étaient venus jouer Shakespeare en 1822 s'étaient fait siffler mais, en 1828, on les applaudissait à la Porte Saint-Martin. L'année suivante Alexandre Dumas père triomphait avec *Henri III et sa cour* et en 1830 Victor Hugo livrait à la Comédie Française la bataille d'*Hernani*. C'était bien là une pièce d'avant-garde, ainsi que nous le rappelle le récit de Théophile Gautier :

> Il suffisait de jeter les yeux sur ce public pour se convaincre qu'il ne s'agissait pas là d'une représentation ordinaire; que deux systèmes, deux partis, deux armées, deux civilisations même — ce n'est pas trop dire — étaient en présence. On s'entassa du mieux qu'on put aux places hautes, aux recoins obscurs du cintre... à tous les endroits suspects et dangereux où pouvait s'embusquer dans l'ombre une clef forée, s'abriter un claqueur furieux, un prudhomme épris de Campistron. Les autres non moins solides, mais plus sages, occupaient le parterre, rangés en bon ordre sous l'œil de leurs chefs et prêts à donner avec ensemble sur les philistins au moindre signe d'hostilité... L'orchestre et le balcon étaient pavés de crânes académiques et classiques.

Toute une jeunesse enthousiaste de poètes et de rapins formait ce public d'avant-garde prêt à échanger des coups pour le triomphe d'une nouvelle esthétique.

Ce triomphe fut, d'ailleurs, suivi d'une réaction après l'échec des *Burgraves* et l'entrée de Rachel à la Comédie-Française. Quant à Musset, autre Romantique, la plupart de ses pièces ne furent représentées que longtemps après leur publication dans la *Revue des Deux Mondes*.

Autre auteur d'avant-garde, Prosper Mérimée dont le théâtre de Clara Gazul ne fut joué qu'à notre époque. C'est Copeau qui révéla *Le Carrosse du Saint-Sacrement*.

Un autre aspect du Théâtre d'avant-garde nous est fourni par Antoine et son Théâtre Libre. Un metteur en scène entend dégager l'art dramatique des dernières conventions qui ont résisté à la poussée des Romantiques. Il fait choix, tout d'abord, de pièces dans lesquelles la vérité est exposée tout entière, sans atténuations, sans sacrifices à l'hypocrisie du spectateur. Ensuite, décors et accessoires seront ou vrais ou aussi près que possible de la vérité, un vrai poulet remplacera un poulet en carton peint. Enfin, les acteurs joueront comme on est dans la vie et n'hésiteront pas à tourner le dos au public. Les pièces qu'il choisit sont des « tranches de vie » ou des « comédies rosses ». Les naturalistes sont de la maison. Il révèle Ibsen et son répertoire va des Goncourt et François de Curel à Brieux et Courteline.

Avec Antoine apparaissent les metteurs en scène qui groupent autour d'eux des auteurs en désaccord avec le goût du grand public ou des auteurs qu'ils animent et dont ils provoquent la vocation. L'histoire du théâtre d'avant-garde des soixante dernières années est celle des metteurs en scène qui se sont donnés pour tâche de renouveler le théâtre soit par la mise en scène et le jeu des acteurs, soit par l'éclairage et les décors, soit par le choix des pièces. Gémier, Lugné-Poë, Gordon Craig, Copeau, Stanislavsky, Dullin, Jouvet, Baty, Pitoëff et tous ceux qui les ont suivi allaient, tour à tour, nous proposer une nouvelle conception du théâtre appuyée sur un choix de pièces qui en sera l'illustration.

Cette conception est, toujours, en réaction contre un goût généralement admis et les pièces choisies sont d'auteurs nouveaux qui n'ont pas encore été joués ou des pièces anciennes dont l'esprit, la forme, la langue s'apparentent à l'esthétique qu'on veut mettre en valeur.

L'auteur d'avant-garde, par conséquent, précède ou suit le metteur en scène qui le met en valeur. Il peut être un précurseur, il peut être un isolé, un indépendant, qui a écrit une pièce sans songer à qui la jouera, ou même si elle sera jouée un jour, ou qui est son propre metteur en scène. Ce sera le cas d'Alfred Jarry avec *Ubu Roi*, d'Apollinaire avec les *Mamelles de Tirésias*, de Raymond Roussel, d'Edouard Dujardin et de bien d'autres. Il peut, aussi, enthousiasmé par les spectacles d'un animateur de génie, s'inspirer de son esthétique. Copeau appartenait au milieu de la *Nouvelle Revue Française* et il a choisi généralement ses auteurs parmi les écrivains qui représentaient cette tendance de la littérature : Gide, Schlumberger, Romains, Duhamel, Roger Martin du Gard, Charles Vildrac, etc.

Mais, plus souvent, il y a concordance d'aspirations, parenté de tempéraments, les idées nouvelles sont dans l'air. L'auteur d'avant-garde sait que sa pièce ne sera pas acceptée par les directeurs des théâtres des boulevards, elle choquerait ou effraierait leur clientèle, mais il y a, parmi les jeunes de sa génération, des acteurs, des théoriciens qui subissent les mêmes préoccupations et il s'en trouvera un qui, à la lecture de sa pièce, ressentira la nécessité de la jouer. C'est parfois un accord sans lendemain, mais cela peut être aussi le départ d'une longue collaboration. Jouvet monte *Siegfried* et, par la suite, toutes les pièces de Giraudoux.

Il arrive aussi que le metteur en scène ne trouve pas de pièces correspondant absolument aux théories, aux idées esthétiques qu'il veut illustrer. Ce fut le cas de Gaston Baty, bien qu'il ait révélé Gantillon, Jean-Jacques Bernard et Jean-Victor Pellerin. Car, après avoir débuté avec un théâtre qui voulait remettre le silence en valeur dans le recueillement des spectateurs, il se donna tout entier à une somptueuse imagerie.

Tel ne fut pas le cas de Lugné-Poë qui avait fondé l'Œuvre aux environs de 1890 et qui défendit le théâtre d'avant-garde jusqu'aux dernières années de sa vie pendant plus de quarante ans et qui n'eut d'autre but que de monter des œuvres neuves et inconnues, quelles que fussent leurs tendances et sans un souci trop profond des décors et de la mise en scène. Dans son programme de la saison 1896-1897 qui comprenait *Peer Gynt, Au-dessus des forces humaines,* de Björnston, *La Motte de Terre,* de Louis Dumur, *La Cloche engloutie,* d'Hauptmann, *Ton Sang,* d'Henri Bataille, Ibsen et Tristan Bernard, il joue *Ubu Roi* de Jarry, ce qui montre bien son éclectisme. Il aimait faire un panachage de pièces poétiques et de pièces réalistes, de pièces françaises et de pièces étrangères. Après Maeterlinck, il monte Maurice Beaubourg, après Romain Rolland, Saint-Georges de Bouhélier et, plus près de nous, après Jean Sarment, Salacrou, après Stève Passeur, Jean Anouilh.

L'auteur d'avant-garde peut donc appartenir à une équipe, à une école qui luttent et triomphent ou bien, isolé, être monté au hasard des vocations et des circonstances par tel ou tel metteur en scène dont les idées ne sont pas forcément à l'unisson des siennes. Lorsque son talent s'impose, que ses pièces obtiennent le succès, les théâtres des boulevards, eux-mêmes, s'adresseront à lui. Ou, parfois, c'est lui-même qui donnera le petit coup de pouce qui permettra au public des boulevards de l'applaudir plus librement. Il cesse alors d'être un auteur d'avant-garde.

Il faut mentionner aussi le cas d'un auteur du boulevard, qui, dans certains cas, écrit une pièce qui est beaucoup plus d'avant-garde que celles qu'on représente sur les scènes qui ont cette spécialité. Ce fut le cas d'Alfred Savoir avec *Le Figurant de la Gaieté, Lui et le Dompteur,* ou celui de Jacques Deval avec *Prière pour les Vivants,* ce qui prouve combien cette dénomination de théâtre d'avant-garde est arbitraire.

Aussi, lorsque j'ai publié mon *Anthologie du Théâtre français contemporain,* dans laquelle un tome était réservé au théâtre d'avant-garde, j'ai pu écrire qu'il n'y avait plus, alors, en 1945, de théâtre d'avant-garde. En effet, les auteurs qui avaient triomphé avec Dullin, Jouvet, Pitoëff, Lugné-Poë, Herrand et Marchat étaient joués indifféremment sur les scènes des boulevards. Une génération avait triomphé.

Mais un nouveau théâtre d'avant-garde allait naître. Si Claudel, Jules Romains, Jean Sarment, Crommelynck, Cocteau, Achard, Stève Passeur, Salacrou, Anouilh, Georges Neveux et Vitrac lui-même étaient joués sur des scènes des boulevards, de nouveaux auteurs allaient susciter un nouveau théâtre d'avant-garde : Schéhadé, Ionesco, Adamov, Samuel Beckett, Jean Vauthier et les jeunes compagnies allaient en découvrir, comme Ghelderode qui, jusque là, avaient été méconnus.

Cela nous amène à cerner d'un peu plus près la condition de l'auteur d'avant-garde. Isolé, ou faisant partie d'un mouvement, il n'est pas une exception, une monstruosité, dans le mouvement intellectuel et artistique de son temps. Il peut être en avance sur le public, certes, mais son art est en rapports étroits avec les autres formes d'art. Le mouvement romantique n'intéressait pas seulement le théâtre, mais aussi la poésie, le roman, la peinture, la sculpture. Il en fut de même du Théâtre Libre d'Antoine qui était le corollaire de l'école naturaliste. L'Œuvre de Lugné-Poë, à ses débuts, était en rapports étroits avec le mouvement symboliste en poésie et avec la peinture des Nabis. N'a-t-il pas demandé à Bonnard, à Vuillard, à Sérusier, à Maurice Denis, à Valtat, à Toulouse-Lautrec de lui brosser ses décors ?

On peut donc dire que le théâtre d'avant-garde ne fait que suivre un mouvement déjà amorcé en littérature et en peinture. Il le suit et ne le précède pas. En effet, les conditions du théâtre sont beaucoup plus complexes que celles qui régissent la création d'une toile ou celle d'un poème. Le peintre est seul, dans son atelier, en face de sa toile. Lorsque sa toile est terminée, il l'expose, elle est admirée ou honnie, il a pu tenter sa chance. N'aurait-il eu qu'un seul admirateur, son but est atteint. Il n'en est pas de même pour l'auteur dramatique. Il lui faut d'abord trouver un metteur en scène pour monter sa pièce, des acteurs pour la jouer et un public pour remplir la salle. L'admiration d'un seul spectateur ne suffit pas. Il s'établit une véritable collaboration entre l'auteur, le metteur en scène, les acteurs, et le public. La pièce n'existe pas vraiment tant que cette collaboration n'est pas acquise. Le théâtre est une œuvre collective. Il faut qu'elle trouve son climat.

De même qu'en peinture nous allons vers des œuvres de plus en plus difficiles, intérieures, abstraites, informelles, de même le théâtre, de son côté, élimine tout ce qui n'était que pure réalité, anecdote, pour s'attaquer aux forces intérieures de l'être, au subconscient, au rêve, à l'inexprimé.

L'auteur d'avant-garde actuel, comme celui des différentes époques que nous avons rapidement évoquées, appartient donc à un courant bien défini, à un mouvement concerté en accord avec l'évolution du goût, avec les nouvelles tendances littéraires et artistiques. Plus son œuvre est révolutionnaire, plus elle risque de choquer le grand public et plus aussi, par contre, elle enthousiasmera un public restreint avide de nouveauté. Ce ne sera pas forcément un signe de qualité. Le public restreint peut tout aussi bien se tromper que le grand public et prendre des navets pour des chefs-d'œuvre. Mais, du moins, l'auteur d'avant-garde a le mérite de l'audace, du courage, du désintéressement, tant que son œuvre est combattue, applaudie par les uns, sifflée par les autres.

Sa condition, avons-nous dit, est bien plus difficile que celle du peintre ou du poète. En effet, le poète dispose de revues d'avant-garde, le peintre de salons et de galeries particulières. L'auteur dramatique d'avant-garde ne dispose pas, à notre époque, de salles qui puissent librement l'accueillir. De jeunes metteurs en scène en quête de formules nouvelles, d'une expression personnelle se risqueront à prendre une de ses pièces comme support. Il leur faudra beaucoup de courage et d'ardeur, de désintéressement et de conviction pour mettre sur pied un spectacle, louer une petite salle pour une série de représentations et tenter leur chance.

Nous vivons dans un monde réglementé, compartimenté, syndiqué, où les tentatives de cette sorte deviennent de plus en plus difficiles. Lorsque, avec Jean Cassou, je montai en 1919 un spectacle au Théâtre du Vieux Colombier qui comprenait une petite pièce que nous avions écrite et qui s'intitulait *Le Soleil Enchaîné ou la Dame au Champignon,* il nous avait suffi de réunir quelques centaines de francs. Avec les entrées et la vente du programme nous pûmes rentrer dans nos frais.

Il en fut de même, quelques années plus tard quand nous fondâmes, Cassou, Jane Hugard et moi, le Théâtre de la Licorne qui devint la Compagnie d'Auditions Dramatiques dont les spectacles eurent lieu dans une galerie de la rue La Boétie, puis dans la salle de Raymond Duncan et, enfin, à la Comédie des Champs-Elysées. Nous pûmes donner des spectacles importants comme *La Ronde,* de Schnitzler, *Savonarole,* de Gobineau, *Le Dieu mort et ressuscité,* de Dujardin, avec des ressources très limitées.

Il n'en est plus ainsi aujourd'hui. Ce ne sont plus des centaines de francs, mais des centaines de milliers de francs, des millions, que nécessite le moindre spectacle d'avant-garde et, de même que les théâtres des boulevards ne peuvent plus courir de risques et se bornent à jouer des auteurs dont le succès peut paraître d'emblée assuré, les jeunes compagnies doivent être elles-mêmes de plus en plus prudentes dans le choix des pièces qu'elles veulent monter.

Il existe, pourtant, un public pour les pièces les plus hermétiques, les plus difficiles. Le succès d'*En attendant Godot,* de *Fin de partie* prouve que le texte le plus obscur peut trouver des admirateurs, que la pièce la plus dépourvue d'action peut réunir un public attentif s'il sent une présence, s'il participe à une certaine atmosphère. De même que la peinture abstraite s'est imposée à des amateurs de plus en plus nombreux, de même le théâtre de larves et de fantoches de Beckett et d'Ionesco, de marionnettes et de personnages de rêve d'Adamov et de Schéhadé réunit un public parfaitement décidé qui le préfère au théâtre dit psychologique, au théâtre de mœurs, au théâtre historique, au vaudeville que l'on joue sur les scènes consacrées.

C'est un antagonisme sans cesse renaissant que celui des auteurs dits des boulevards et des auteurs dits d'avant-garde. Achard, Stève Passeur, Anouilh, Salacrou, furent des auteurs d'avant-garde avant de devenir des auteurs des boulevards et ceux qui les ont tout d'abord admirés se détournent d'eux pour saluer Ionesco, Beckett, Adamov et Schéhadé. La condition d'auteur d'avant-garde n'est donc qu'une condition provisoire, transitoire, qui disparaît avec le succès ou s'efface dans l'oubli.

DISCUSSION

Fréchet. — M. Teirlinck nous a parlé du consentement unanime que l'on peut espérer du public. Partagez-vous cet espoir, et estimez-vous qu'on puisse le concilier avec les conflits entre auteur et public que vous avez évoqués ?

Pillement. — Il faut un accord entre l'auteur et son public, et toute pièce a son public, mais l'erreur, je crois, c'est de vouloir présenter des pièces d'avant-garde à un public qui n'est pas préparé à les écouter; il faut jouer une pièce devant le public qui lui convient.

Gravier. — Je me demande même si une même personne ne s'attend pas dans des théâtres différents à trouver des spectacles d'un genre différent, parce qu'elle sait qu'on a pris l'habitude de donner tel genre de pièces dans tel théâtre.

Le Représentant du Préfet. — Je crois que l'important pour le théâtre d'avant-garde n'est pas d'avoir un public étendu, mais d'exister, car il y aura toujours un public parisien prêt à absorber toutes les nouveautés qu'on lui présente et qui permet ces expériences. Je crois que le théâtre suit actuellement deux voies : le théâtre d'avant-garde et le théâtre populaire décentralisé, l'un faisant progresser le théâtre par ses recherches et assurant sa survie, l'autre permettant au théâtre de lutter contre la télévision et le cinéma, et amenant au théâtre des gens séduits par les autres formes d'art du spectacle et formant un public.

Aubrun. — Il existe un public qui accepte volontiers qu'on lui fasse violence. Les relations entre public et gens de théâtre ne peuvent être d'harmonie, mais de lutte, le public essayant de ramener le spectacle à ce qu'il souhaitait, les acteurs tendant au contraire à amener le public à reconnaître la qualité de ce qu'il ignorait jusque là. Et c'est ce climat de tiraillements qui me semble propice à la création d'un nouvel art dramatique, plutôt qu'une atmosphère d'entente préalable.

Veinstein. — Il semble que l'utilisation du terme *avant-garde* soit le fait des critiques, des historiens, plutôt que des créateurs qui rejettent généralement ce terme évoquant pour eux une sporadicité dans l'effort qui est l'opposé de l'action obstinée entreprise par eux en vue de contribuer à un profond renouvellement du théâtre. N'est-il pas significatif que Copeau et Dullin aient violemment réagi contre l'emploi de ce terme ? Mais profitant de trouver en M. Pillement un spécialiste des arts plastiques en même temps qu'un spécialiste du théâtre, je désirerais lui poser une question précise : Le terme *avant-garde* a-t-il été adopté au théâtre après son emploi dans le domaine de la peinture ou, inversement, le terme est-il passé du théâtre à la peinture ?

Pillement. — Le terme d'avant-garde a dû être employé au théâtre vers 1914, et ensuite il a été élargi, et utilisé dans les autres domaines.

FRÉCHET. — Yeats, qui a souvent été qualifié d'auteur d'avant-garde, a toujours dit qu'il écrivait avec dans l'esprit l'idée d'un théâtre fait pour une nation entière et non pour une élite, et je voudrais savoir si ces auteurs que l'on qualifie d'avant-garde ont en vue une élite, ou un public très large.

PILLEMENT. — Le but de la plupart des animateurs de théâtre est d'avoir un grand public, et Dullin ambitionnait une salle plus grande que l'Atelier, il voulait le Sarah-Bernhardt. Aucun animateur ou auteur de théâtre n'a l'intention de se satisfaire d'un petit public.

MARRAST. — Je crois que la distinction qui a été faite entre théâtre « populaire » et théâtre « d'avant-garde » est arbitraire. Si actuellement les Centres dramatiques jouent des classiques et des auteurs modernes consacrés c'est pour faire rattraper à leur public son retard d'éducation dramatique. D'ailleurs, Planchon joue Brecht, Adamov. Je crois que malgré le caractère parfois insolite de leurs œuvres par rapport à nos habitudes, les auteurs dits d'avant-garde cherchent à faire un théâtre populaire.

Mlle MOUDOUÈS. — Je ne pense pas qu'un centre dramatique aurait pu, connaissant l'existence du manuscrit de Beckett, *Fin de partie,* et les difficultés que Beckett rencontrait, lui proposer de monter sa pièce. Je crois cependant à un poète issu du milieu du théâtre, vivant avec les comédiens, et écrivant pour eux. Il n'est pas interdit aux centres d'être des théâtres d'essai.

Mlle LAFFRANQUE. — Il semble que le théâtre populaire pourrait être parfois un ban d'essai pour les auteurs d'avant-garde existants, et pourrait susciter un nouveau genre d'avant-garde.

PERSPECTIVES OUVERTES ET FERMÉES
DE L'AVANT-GARDE

par André VILLIERS
Metteur en scène
Chargé de recherches au C.N.R.S.

Nous venons de le voir, déjà l'historien s'efforce de connaître le moment où l'expression avant-garde est entrée dans le vocabulaire; et l'esthéticien cherche de son côté à la définir. S'il en est ainsi, c'est que l'expression avant-garde recouvre un ensemble de réalités connues qui la font admettre globalement, et l'on s'entend parfaitement sans avoir à la discuter. En même temps, comme toujours lorsqu'une réalité s'est affirmée au gré des événements et dans une sorte d'exubérance contingente, on éprouve le besoin d'en cerner à la fois le sens intime et les contours. C'est ce que nous avons constaté à la fin de la discussion qui a suivi la communication de M. Pillement.

Sans doute il serait intéressant d'étudier les caractéristiques des grands courants internationaux de l'avant-garde; ce serait bien ambitieux dans le cadre limité de cet exposé, et prématuré avant d'avoir fait le tableau des caractéristiques nationales. Car les problèmes du théâtre et par conséquent de son avant-garde ne sont pas partout les mêmes. Nous nous bornerons donc à quelques-uns des problèmes de l'avant-garde qui intéressent la France.

Pourtant il n'est pas inutile de remarquer que l'expression avant-garde n'a pas de traduction équivalente dans toutes les langues. Dans beaucoup de pays on parle de « théâtre expérimental ». On saisit tout de suite la nuance. La métaphore de style militaire évoque la lutte, le combat, et même la pointe du combat avec ce que cela implique d'engagement, d'adhésion entière; car à moins d'être mercenaire on ne se bat pas contre n'importe quoi, pour n'importe qui, on se bat pour une cause et on s'y donne tout entier. Certes, la recherche expérimentale s'exerce souvent aussi selon une direction unique et avec conviction; de même, dans l'avant-garde on est en quête de quelque chose de neuf. Mais enfin l'expression théâtre expérimental fait penser au laboratoire. On utilise d'ailleurs ce mot, avec tout ce qu'il suggère d'investigations méthodiques, dans une sorte d'attitude scientifique et un peu éclectique, avec le détachement de l'homme de science; alors que l'avant-garde implique justement un engagement.

On ne voit pas Jacques Copeau faisant de l'avant-garde de cette manière, expérimentant dans son sens à lui, puis dans le sens de Meyerhold, puis de Stanislavski, etc. Il n'aurait pas pu le faire. Tandis que dans ces pays où l'on pratique beaucoup le théâtre expérimental, la recherche est conduite selon un style, puis selon un autre, un peu comme on essaie des réactifs en éprouvette.

S'il est bon de commencer par cette remarque, c'est qu'en France aussi la notion d'avant-garde s'est quelque peu pénétrée de cette conception de laboratoire. Tout ce qui est science, expérience à caractère scientifique, jouit, ici comme ailleurs, d'un tel prestige !

Tout le monde s'entend fort bien lorsqu'on parle d'avant-garde. Et l'on parle d'avant-garde à la Comédie Française, dont les metteurs en scène, dans leur maison ou ici et là, montrent autant d'audace que les plus hardis animateurs des jeunes compagnies; au Conservatoire, où certains maîtres professent fréquemment des opinions sur les œuvres, l'interprétation, la diction du vers français, assurément fort peu traditionnelles. On peut jouer Pichette dans un petit théâtre du Quartier Latin, et sur une grande scène nationale, à Chaillot. Du Théâtre d'Aujourd'hui, « théâtre d'essai », telle pièce passe avec une extrême aisance sur la scène très boulevardière de la Madeleine. La critique se déplace aussi bien pour aller au Théâtre de Poche ou au Théâtre du Tertre que pour se rendre à la Porte Saint-Martin ou au Théâtre Antoine, et avec un parti pris de sympathie qu'elle ne cache pas pour les expériences des jeunes. Même dans les ministères on est d'avant-garde. On est d'avant-garde partout.

Cela fait penser au mot d'un grand général à qui l'on disait que l'unité de doctrine s'était réalisée entre l'armée de l'air, l'armée de terre et l'armée de mer. Et ce général de s'écrier : « C'est que la doctrine est dépassée ! » Quand tout le monde est d'accord, c'est qu'il y a autre chose à trouver. Si tout le monde est d'avant-garde, c'est qu'il n'y a plus d'avant-garde; c'est que les problèmes du théâtre — qu'il s'agisse de l'expression dramatique adaptée à l'expression collective des grands auditoires, du théâtre d'adultes pour les enfants, de la formation de l'acteur et des artisans de la scène, ou de l'architecture théâtrale — ne sont pas ceux sur lesquels se fait l'unanimité de l'avant-garde; c'est qu'il y a d'autres problèmes d'avant-garde.

Cet état de fait, cet éclectisme en faveur d'un théâtre d'art assimilé globalement à l'avant-garde, est sans doute le résultat d'une double évolution historique et sociologique.

Pour ne pas remonter trop loin, depuis le Vieux Colombier et le Cartel nous avons vraiment une succession de grands maîtres qui ont affranchi la scène suivant des techniques et des ouvertures d'esprit diverses. L'esthétique de Pitoëff n'était pas celle de Baty, celle de Jouvet n'était pas celle de Dullin. La variété des expériences nous a fait acquérir une extrême liberté de pensée, nous admettons des styles différents imposés par des chercheurs différents. De plus, nous sommes à une époque de grande information; il existe des ouvrages, des revues importantes de vulgarisation, avec tous les avantages et les défauts de la vulgarisation; nous savons, par le texte et la photographie, ce qui se passe aux Etats-Unis, au Canada, en Allemagne et ailleurs... Les grands échanges internationaux, illustrés magnifiquement par le Théâtre des Nations, nous familiarisent avec des styles inhabituels, d'autres moyens d'expression et de jeu; nous applaudissons successivement Laurence Olivier, Piscator, Brecht, le Nô et le théâtre chinois... Devant nous tout un éventail de possibilités que nous admettons très bien, et par conséquent un éclectisme en matière d'avant-garde. D'autre part, la notion implicitement admise d'une investigation de laboratoire, méthodique et désintéressée, est dans le sens de l'évolution technicienne de notre civilisation.

Finalement s'est établi un concept, global, aux contours flous, mais véritable, de l'avant-garde. On sait qu'elle doit être non-commerciale, faire de la recherche et montrer de l'originalité, mais selon des critères de non-commercialisation, de recherche et d'originalité. Concept dangereux du fait même de son existence qui implique naturellement, forcément, des qualifications, même des clichés et des poncifs, des codifications et des tabous, sans exclure pour autant les équivoques en raison de ses imprécisions.

Quelques exemples. Pour encourager la « création », on a systématiquement, pendant un certain temps, donné une prime à l'originalité jusque dans les jurys des concours d'amateurs ou de jeunes compagnies. Elle devait être cotée, notée spécialement. On sait ce que cela a donné. On a obtenu du sous-Gémier, du sous-Dullin, etc..., parce que pour être original il fallait moins se soucier de jouer sur la scène que d'entrer par la salle ou par les côtés. L'originalité se bornait à celle du pastiche. On a fait rendre les recettes, comme celle du « dispositif » qui résume tout l'effort créateur de quantité de compagnies d'amateurs ou de jeunes compagnies, sans que l'on puisse discerner la moindre relation entre l'agencement scénique et une véritable conception dramatique. « Il faut si peu de chose pour avoir l'air d'avant-garde », disait Jacques Copeau.

Il existe également des codifications administratives, inévitables dans l'état actuel du théâtre. Les pouvoirs publics ont compris la nécessité de l'aider, et le législateur a bien été obligé, puisqu'il y a subventions, de délimiter les cadres de leur attribution, de cataloguer, de réglementer. Dans cet écheveau normalisé qui tient compte et des difficultés financières et de la raison artistique, l'avant-garde tire son fil, mais normalisé lui aussi. Quelque peu guidé ! Il n'est pas besoin d'être grand logicien pour se douter que ce qui est véritablement neuf et imprévu risque fort au départ de ne pas entrer dans les cadres prévus.

Par son hétérogénéité, le concept d'avant-garde crée ou entretient des équivoques. L'une d'elles concerne les rapports entre la littérature et le théâtre; sérieuse à notre sens, car aujourd'hui le départ nous semble effectif entre la littérature dramatique d'avant-garde et l'expression scénique d'avant-garde.

Cette situation succède à l'ancien divorce de la littérature et du théâtre, celui de cette époque où le directeur du *Mercure de France* se vantait de n'être jamais allé au théâtre que deux fois dans sa vie. Nous avons dépassé ce stade;

un effort couronné de succès a ramené l'écrivain à la scène. C'est là un des acquis de l'avant-garde contemporaine. Mais je ne suis pas convaincu de cette concordance dont parlait M. Pillement entre le metteur en scène et l'auteur, si ce n'est comme une rencontre occasionnelle, un désir commun, par exemple, de s'échapper des chemins battus. Ce qui n'implique nullement la concordance d'une conception dramatique et d'une conception scénique. De même, je ne suis pas sûr que le mouvement théâtral suive toujours le mouvement littéraire, si l'on ne pose pas par principe que l'avant-garde est d'abord celle de l'auteur. Certes, je vois bien à certaines époques quelque décalage entre les manifestations d'une école dans la vie littéraire et dans la vie théâtrale, mais sans doute ne faut-il pas confondre ce qui est phénomène littéraire et ce qui est phénomène de véritable essence théâtrale. En réalité et malgré les apparences, au divorce ancien s'est substituée une séparation de fait entre l'écrivain et le metteur en scène, la conception dramatique de l'un n'allant pas de pair, sinon fortuitement, avec la conception scénique de l'autre.

Il n'y a pas si longtemps une controverse passionnée s'est élevée à l'occasion d'une déclaration de Jean Vilar sur la primauté du metteur en scène et de l'animateur des temps modernes, supérieurs à l'auteur — controverse vite gâtée par l'outrance des paradoxes. Pour faire le point sans passion, nous citerons Jacques Copeau qui écrivait en 1926 :

Le point de vue de l'homme de théâtre, metteur en scène ou animateur dramatique ... est pour le moment, en avance sur le point de vue de l'écrivain. Au point où le metteur en scène est aujourd'hui parvenu, il attend l'écrivain. La réalisation scénique dépasse souvent son objet.

On peut mettre au-dessus de tout le poète, par exemple situer hors d'atteinte un Giraudoux, un Claudel, et reconnaître l'exactitude du jugement de Jacques Copeau. L'art théâtral moderne a été profondément marqué par ces animateurs, théoriciens et réalisateurs, dont l'influence a été primordiale sur le destin du théâtre.

La raison en est simple : elle tient d'abord aux circonstances historiques, à la rencontre et à la succession d'hommes remarquables qui ont pensé de manière pénétrante le fait théâtral dans l'éclosion de notre temps. Il est inutile ici d'en dresser la liste; nous connaissons tous ces maîtres qui se sont appliqués à valoriser la scène, à élever l'expression scénique à la dignité de l'art et souvent — avec un Appia, un Copeau par exemple — avec une intuition assez extraordinaire non seulement des problèmes esthétiques de l'époque mais du sens général de l'évolution.

Le phénomène est d'autre part explicable par ses causes sociologiques et techniques, par l'évolution de notre civilisation technicienne. L'instrument dramatique s'est compliqué exagérément avec les raffinements électriques, mécaniques, électroniques... Avec le développement des techniques de la scène, et les complications de mise en œuvre qu'elles entraînent, la maîtrise de l'instrument échappe au poète. Et si le nom de Brecht vient en protestation à l'esprit, c'est comme une exception qui confirme la règle. Le poète véritablement en possession de la maîtrise du théâtre et de la technique de la mise en scène n'existe pratiquement pas. Dans son propre royaume, il a cédé le pas aux grands législateurs de l'art dramatique, qu'on l'ait éloigné ou qu'il se soit de lui-même effacé.

Nous constatons l'état de fait... Voici des exemples précis : en 1948 se tient à la Sorbonne un colloque sur l'architecture dramatique : il s'agissait de savoir quel était l'instrument, le théâtre propre à l'expression d'aujourd'hui. Architectes, scénographes, metteurs en scène, parmi les plus notoires en leur spécialité, ont confronté leurs points de vue; les auteurs se sont abstenus. Inversement, lorsque les techniciens de la scène se réunissent cet été même à Paris en un congrès international et mettent à l'étude l'architecture théâtrale et son avenir, par décision, par règlement, ils s'abstiennent de convoquer les auteurs. Erreur méthodologique en un temps où l'une des préoccupations majeures de l'esthétique est l'inter-relation des arts, où devant la complexité des connaissances actuelles il n'est pas d'étude où l'on n'éprouve le besoin de confronter les disciplines diversement intéressées aux mêmes problèmes. Et péché contre le théâtre, quand elle isole le poète de l'instrument dont il devrait avoir une entière connaissance. Erreur et péché — contre lesquels il faut lutter bien entendu — mais sans mauvaise intention, résultat d'un enchaînement logique qui est conséquence de l'évolution technicienne.

Quoi qu'il en soit et peut-être parce que l'avant-garde en tant qu'expression scénique n'apporte guère de renouvellement dans l'exploitation de styles ou de formules déjà éprouvés on est assez enclin à prendre pour véritable recherche d'avant-garde celle de l'écrivain. Certes, nous ne prétendons pas faire fi de l'écrivain, loin de là, mais sa recherche peut concerner l'écriture, le style, l'expression de questions sociales ou l'angoisse métaphysique du temps, ce n'est pas forcément la recherche d'une conception dramatique, d'une dramaturgie pour une expression scénique donnée, pour un accord entre les diverses fonctions de la scène. Nos auteurs d'avant-garde se situent aujourd'hui dans un courant littéraire; leur recherche est intéressante, extrêmement valable, elle n'apporte pas une conception dramaturgique en relation avec les problèmes présents du théâtre.

Si l'on fait alors le bilan de cette avant-garde des animateurs, des jeunes compagnies, des petits théâtres d'art, on s'aperçoit qu'elle est vieille. Vieille de près de quarante ans. C'est celle dont parlait déjà Jacques Copeau et l'on ne saurait mieux faire pour en comprendre la faiblesse — qui est notre faiblesse — qu'en se reportant à ses critiques, à ses jugements maintes fois prononcés, et pris au hasard des écrits et des époques.

A André Lang qui l'interroge sur l'avenir du théâtre qu'il a créé :

Cela sera très loin, dit-il, des formes d'art que l'on applaudit actuellement dans les théâtres d'avant-garde et auxquelles, je vous le répète, je ne crois pas du tout.

Dans la *Revue Générale* il écrit :

Le théâtre d'art est à la mode. Il en naît tous les jours. J'en sais bien peu qui soient exempts de cabotinage — voire d'industrialisme — de bluff et de faux-semblants. Défiez vous-en, je voue en prie. Car rien n'est plus funeste au développement du théâtre tout court que le faux théâtre d'art... Eussions-nous à Paris, huit ou dix petits « théâtres d'art » comme à New-York, au lieu de deux ou trois, nous n'en serions pas plus riches de substance dramatique.

Non que Jacques Copeau répudie le mouvement d'avant-garde de 1919 et le travail de laboratoire de ces petits théâtres. Mais il leur manquait « un vrai public », et les plaisirs que prenait ce public de laboratoire étaient « des plaisirs de luxe, des plaisirs égoïstes. Ils n'avaient pas plus de sens que n'en ont les plaisirs vulgaires. » (*Théâtre Populaire*). Et pourquoi ? Parce qu'on devrait travailler sur le drame et l'acteur, pour une action en rapport avec une architecture, dit-il dans une étude sur Adolphe Appia.

Au lieu de tourner éternellement autour de formules décoratives plus ou moins originales, de procédés de présentation plus ou moins inédits, dont la recherche fait perdre de vue l'objectif essentiel.

Tel est le danger du concept actuel de l'avant-garde. On perd de vue les objectifs essentiels, le travail à faire sur le drame, l'architecture, l'acteur, le public. Pénétré des doctrines de Craig, d'Appia, de Copeau, on en a laissé s'envoler l'esprit pour ne retenir que des formules et des procédés, des draperies et des dispositifs. Ou l'on assaisonne le vieux plat selon un « à la manière », plus ou moins, de Brecht. On met à la gêne des instruments qui ne sont pas faits pour ça, pour le plaisir de présenter un agencement scénique, inédit ou à peu près, au lieu de chercher une architectonie, une architecture. En déployant, pas toujours mais souvent, beaucoup de talent, on recule le vrai problème : l'accord auteur-jeu-architecture-public.

En l'état actuel des choses l'avenir serait-il donc bouché ? Serions-nous à l'un de ces moments de l'histoire où il n'est d'autre ressource que de raffiner sur les formules en attendant l'émergence du génie ou le tournant de l'évolution ? Peut-être, pour ne pas se laisser aller au noir du tableau, n'est-il précisément que de se secouer un peu de l'emprise du concept. Il est assez logique que l'avant-garde ne soit pas celle des codes et des habitudes. Peut-être faut-il déjà retourner aux sources encore fraîches, où l'on s'est jeté avec une si grande soif que l'on en a négligé toute la saveur.

Il n'est pas mauvais précisément, de revenir à Appia et Copeau dont on croyait avoir assimilé les vues profondes alors qu'on les laissait dégénérer. L'une des plus importantes, à notre sens, concerne l'architecture théâtrale. Nous ferions échec à notre propre pensée si nous prétendions à notre tour codifier les termes de la recherche d'avant-garde. Ils sont multiples sans doute (qui échappent même au catalogue consacré) mais nous en désignons spécialement un qui nous paraît primordial, d'autant plus essentiel que jusqu'ici on n'en a saisi que l'aspect négatif : on a mis à la torture, démoli l'instrument, malmenant cadre et proscenium dans la quête d'un nouvel agencement scénique, et parvenu à ce stade de bouleversement qui, à beaucoup, est apparu comme une fin, on ne l'a pas encore reconstruit. La démarche est nécessaire pourtant. Pour qui serait surpris de l'importance que nous attribuons à l'architecture théâtrale, dans la recherche d'avant-garde, comme condition du renouvellement de l'art dramatique, nous invoquerons encore Jacques Copeau :

Cette subordination du renouvellement des genres dramatiques à celui de l'architecture scénique surprendra sans doute. C'est pourtant une question essentielle et parfaitement fondée, vers la solution de laquelle le mouvement théâtral est en marche.

Certes, il est en marche; dans le monde entier. Une enquête internationale de Norman Marshall, il y a deux ans, l'attesterait s'il en était besoin. Mais encore que l'on soit convaincu des influences réciproques exercées les uns sur les autres par l'architecte, l'auteur, le metteur en scène, l'acteur, le public, par une habitude de cloisonnement on maintient la création de chacun dans sa spécialité : l'architecte sera d'avant-garde par sa provocation, comme le sont de leur côté et bien à part, bien indépendants, le metteur en scène ou l'auteur. Et l'on pense rarement à ce qu'une architecture qui n'est pas le fait isolé d'un caprice de scénographe, représente comme contraction des divers indices de l'évolution, comme plus petit commun multiple des diverses expressions qui traduisent les aspirations et les tendances, conscientes et insconscientes de l'époque.

À côté de la scène traditionnelle à l'italienne que l'on continue à doter de toutes les acquisitions techniques, à perfectionner et finalement à malmener par les distorsions, les contrefaçons apportées aux principes fondamentaux qui en assuraient le prestige, la « scène ouverte » et la « scène centrale » laissent entrevoir de nouveaux horizons. En elles, avec leurs parentés et leurs divergences, et chacune d'elles postulant chaque fois par des différences minimes mais importantes des positions esthétiques originales, se résume l'avant-garde de l'expression scénique.

Ce qui en fait l'intérêt considérable, c'est leur correspondance avec un fait de civilisation. Tout de même que la scène issue de la Renaissance humaniste a, dans sa position historique, répondu à un courant de pensée, une structure sociale, une modification du comportement perceptif, une expression de l'inconscient collectif... à un fait de civilisation.

Les transformations de la scène à l'italienne aboutissant à l'altération du front de contact sont bien le résultat des techniques diverses : rideau de fer, etc...; de la fortune de certains genres dramatiques : l'opéra, avec sa fosse d'orchestre s'élargissant avec le développement de celui-ci; comme aussi de l'autorité des novateurs modifiant l'économie interne du plateau ou s'évadant résolument du cadre, de Georg Fuchs, Reinhardt, Taïroff, Meyerhold, Okhlopkov à Copeau, Gémier, Dullin... Mais ce qui frappe, hors de toute préoccupation purement théâtrale, c'est la convergence de toutes ces lignes de force avec celles qui traduisent les phénomènes modernes de l'évolution.

Est-il besoin de dire, et quelle que soit notre préférence en matière d'art plastique, que depuis le cubisme et l'expérience non-figurative, nous n'avons plus le même besoin de voir en perpective. Nous n'avons plus le même besoin de la « boîte d'optique » à l'italienne. Nous réclamons si peu cette magie ancienne que lorsqu'on croit remettre à neuf très fidèlement le théâtre du château de Versailles, on sacrifie sans gêne quelques plans de la « boîte d'optique » : on n'en comprend plus le sens. Nous ne voyons plus de la même façon. Avec le cinéma, nous sommes au reste abreuvés de représentations, tant dans le domaine de l'imaginaire que dans celui du réel, d'une magnificence et d'une perfection que ne peut pas nous donner le théâtre. Avec le cinéma, la radio, la télévision, dont l'empreinte est quotidienne, pénétrante, térébrante, nous connaissons d'autres moyens d'appréhender, de sentir, de percevoir. Nous avons un nouveau comportement perceptif.

Par contre nous souffrons, parmi ces impositions nouvelles, d'une frustration de la présence réelle. Ces artistes de la radio que nous écoutons dans la solitude de notre chambre, nous ne les voyons pas. Ces images des écrans de cinéma ou de télévision ne sont pas des personnes; nous ne sommes pas avec elles dans un rapport humain. Ces artistes, dont on nous transmet la figure glacée et sans épaisseur, nous les applaudirions vainement, ils ne sont pas là pour répondre; nous ne pouvons pas faire que nos applaudissements rompent leur débit, nous ne pouvons pas les rappeler après le spectacle pour leur témoigner notre sympathie. C'est ce rapport humain que nous demandons d'abord au théâtre, plus intensément que jamais et sans guère nous soucier des autres mirages; nous avons besoin d'un échange avec l'acteur en personne, et d'un échange avec les autres spectateurs. La participation que nous donne le cinéma, qui va parfois jusqu'à l'altération névrotique du comportement individuel, n'est pas, ne peut plus être celle dont nous voulons jouir au théâtre, comme l'a fort bien vu Bertolt Brecht.

Evoqués ici, ces phénomènes ont l'air de ne concerner que le théâtre, mais ce sont des phénomènes généraux. Ce n'est pas par hasard que l'homme moderne frustré de présence par le développement des techniques recherche les grands rassemblements du sport, que l'Eglise sans souci de théâtralité pose le problème de l'autel central. Si l'on parle de « théâtre en rond », des architectes, sans nul souci dramatique, construisent déjà des « églises en rond ». Phénomène d'évolution, fait de civilisation.

La « scène ouverte » et la « scène centrale » — celle-ci mieux encore que la première — réalisent justement cette extension du front de contact, cette amplification du sentiment de présence, cet échange avec l'acteur et avec les autres. C'est pourquoi nous croyons à leur importance majeure dans les problèmes actuels de l'avant-garde. La scène centrale affirme dans toute sa rigueur la spécificité du théâtre : l'acteur, seul truchement de l'auteur, en relation immédiate avec le cercle uni des spectateurs, dans des conditions de participation conformes aux besoins actuels. L'insertion des styles d'expression dramaturgique et scénique, sous l'inflexion des éléments purement esthétiques ou sociologiques, s'opère ou s'opèrera progressivement en un lieu de réponse à l'inconscient collectif.

Si les perspectives d'une avant-garde qui piétine en raffinant et subtilisant les acquisitions des législateurs de l'art dramatique d'il y a trente ans, sont fermées, d'autres par conséquent sont largement ouvertes. Peut-être pour s'y engager faut-il, encore une fois, se débarrasser d'un certain nombre de poncifs et d'habitudes qui se sclérosent dans un conformisme du non-conformisme; mais les ouvertures sont grandes pour une recherche nouvelle dont dépend, à notre sens, l'heureux destin du théâtre.

DISCUSSION

Mlle Moudouès. — André Villiers a raison de dire que la scène à l'italienne, conservée dans sa pureté, correspond à un fait de civilisation et à des œuvres données. Antonio Battistella, qui joue au Piccolo Teatro de Milan le rôle de Pantalone, m'a dit que le Piccolo Teatro avait été invité à jouer au théâtre de Drottningholm, en Suède, théâtre du XVIIIe siècle conservé en état de marche avec les décors du temps, ses bougies électriques donnant exactement le même éclairage que les anciennes bougies. Et il m'a confié qu'après un moment de dépaysement d'homme moderne, dans ce théâtre du XVIIIe siècle, il s'était rendu compte pour la première fois de ce que c'était que jouer une comédie de Goldoni, parce qu'il avait joué dans un instrument qui correspondait exactement, sans aucun truquage, à l'architecture des théâtres pour lesquels Goldoni avait écrit.

Marrast. — Ce problème de l'architecture est crucial pour les compagnies d'amateurs. On construit maintenant des salles de fêtes conçues pour servir à la fois de salle de bal, de salle de conférences, de théâtre, qui finalement remplissent très mal chacune de ces fonctions. Peut-être pourrait-on envisager d'imposer aux architectes un modèle général de salle de théâtre.

Mlle Moudouès. — De jeunes architectes, connaissant bien la question, ont mis au point des projets très intéressants; mais leur réalisation demande des crédits très importants, et lorsqu'il s'agit d'utiliser les crédits, toute une vieille garde en prend possession.

Villiers. — Le problème est sérieux : il s'agit de construire des instruments qui n'engagent pas l'avenir. Prenons par exemple le cas du théâtre en rond. Le théâtre en rond, ce n'est pas forcément celui de Paris, quelle que soit sa réussite. Il existe actuellement trois ou quatre théâtres en rond que l'on peut considérer comme des prototypes, construits vraiment pour cela, sur des centaines d'adaptations expérimentales, et ces prototypes présentent des différences. Il ne suffit pas de situer une aire de jeu centrale avec des gens autour pour avoir un théâtre en rond. Le théâtre Sant' Erasmo de Milan par exemple est constitué par deux amphithéâtres qui s'opposent, l'enveloppement n'est pas homogène, cela change tout. Le théâtre en rond de Seattle est une ellipse, le premier rang de fauteuils est de 15 cm environ au-dessus de la scène, cela suppose une mise en œuvre et des principes particuliers. Un metteur en scène américain venu voir le Théâtre en Rond de Paris nous disait qu'il était pour la scène rectangulaire. Son expérience se référait à celle de la scène circulaire de Houston. Cependant, au Théâtre en Rond de Paris, où la scène est également circulaire, il trouvait un

5

autre climat, une autre impression qui lui faisaient remettre son jugement en cause. Mais le théâtre en rond de Houston est un cylindre parfait dont on subit confusément l'encerclement oppressant; le contact, divers partis-pris de technique et de jeu ont leurs caractéristiques propres. On voit ainsi que des éléments subtils en apparence impliquent de profondes différences. Les différentes conceptions du théâtre en rond postulent des esthétiques différentes. Il ne faut donc pas s'engager trop vite. Il en est de même pour les scènes à l'italienne où de petites modifications changent l'esprit fondamental. Ainsi les Allemands croient reconstruire de belles salles à l'italienne dans la région de la Ruhr, alors que les principes fonciers de contact et de communion sont pervertis.

SANDRY. — Pour jouer un mélo sur une piste de cirque il faut procéder à tout un truquage, sinon cela est impossible.

VILLIERS. — Du fait du grand volume voulu pour les trapèzes, les agrès... vous vous trouvez dans un cirque, non dans un théâtre, et votre instrument n'est pas adapté à ce que vous y jouez.

LES ŒUVRES RÉCENTES D'ARMAND SALACROU

par José VAN DEN ESCH

On a déjà beaucoup écrit sur Salacrou, Salacrou a beaucoup écrit sur lui-même, tout cela est très connu. Je n'ai donc pas besoin de revenir longuement sur les idées maîtresses de son théâtre. A travers vingt-cinq pièces, échelonnées sur trente années, sans fin revient chez lui l'obsession de la Mort, celle de la jeunesse et de la pureté perdues, et aussi, bizarrement, une passion vindicative à l'égard de Dieu, un Dieu tout à la fois nécessaire et improbable. On sait aussi que le dramaturge n'a jamais su très bien se gouverner, qu'il a cédé presque toujours à la tentation de tout dire chaque fois, en une seule fois. En ce sens Pierre Brisson l'a traité de « prodigieux tricotteur de phrases ». Chaque pièce contient tous ses thèmes, brodés autour de l'intrigue qui sert de prétexte. Pourtant, il lui est arrivé de concentrer son attention, et celle du public, sur un thème fondamental, et d'atteindre à ses meilleures réussites. *L'Inconnue d'Arras* — qu'il me paraîtrait bien injuste de ne pas évoquer ici — c'est sa *Recherche du temps perdu; La Terre est Ronde*, son *Soulier de Satin;* et *L'Archipel Lenoir,* en un certain sens, sa *Danse de mort.*

La place de cet homme remuant dans le théâtre de notre temps n'appartient qu'à lui. Il n'y est pas toujours à l'aise. Je relisais, voici peu, *Le Miroir. Le Miroir* n'a pas obtenu, l'hiver dernier, un énorme succès. Les critiques ont crié au mélodrame, comme s'ils n'étaient pas capables d'en avaler d'autres, et de moins bon goût ! Il y eut pourtant du vrai dans leur jugement. La pièce est belle, noble par son sujet. Salacrou présente un couple d'artistes de théâtre et de cinéma figé, passé la quarantaine, et pour la publicité, dans un amour incomparable. Un amour dont on discute dans les magazines spécialisés et dans les James Dean Clubs. L'auteur montre ce qu'il y a sous le masque, sous le manteau : deux ruines, presque deux morts. La pièce brille de tous les feux des sunlights. Nous sommes priés de vivre trois heures durant avec une troupe de cinéma en pleine action. Un film s'enfante dans la pagaille : c'est la règle. Mais le long des trois actes se déroule un carnaval funèbre qui s'achève par un suicide.

Quand il écrivait cette pièce, Salacrou ne savait pas qui la jouerait, ni quel théâtre la recevrait. Le hasard voulut qu'elle fût montée aux Ambassadeurs, avec Maria Mauban, Lucienne Bogaert, André Luguet et Jean Brochard, mise en scène par Henri Rollan.

C'était une bonne troupe de comédiens rompus à leur métier, mais habitués à un certain style, disons « de boulevard ». Et puis, le lieu dramatique importe aussi. Dans le cadre confortable des Ambassadeurs s'attardent, irrémédiablement, des échos de Bernstein. Nous avons entendu les interprètes, et à travers eux les personnages, raffiner sur leurs états d'âme, tout à fait dans le style du *Voleur* ou du *Secret*. De telle sorte que les intentions tragiques de l'auteur s'affadissaient en exercice de psychologie rance.

Le pis est que Salacrou n'avait pas franchement choisi. Les comédiens, après tout, jouaient le texte. Salacrou était bien responsable d'un certain excès d'analyse : mon cœur, ton cœur, son cœur, nos fautes, nos remords. Les comédiens ont seulement accusé, et aggravé, ce qu'il y avait de bernsteinien dans *Le Miroir*, jusqu'au titre !

Un incident le prouve. Salacrou avait conçu un prologue, un prologue qui, à vingt-cinq ans de distance, reliait *Le Miroir* à *L'Inconnue d'Arras*, c'est-à-dire à son plus pur essai tragique.

Au début du *Miroir*, les comédiens sont alignés, en rang d'oignons, à l'avant-scène. L'un d'eux, qui sera dans la pièce le Journaliste, présente ses camarades et *annonce* le drame qui va les opposer en tant que personnages. A mesure qu'il parle, les comédiens entrent dans leur rôle, le vivent déjà, se dressent les uns contre les autres. Quand le Journaliste s'efface en rejoignant son propre emploi, l'action est « en route ».

De même, au début de *L'Inconnue d'Arras*, un domestique, cette fois, *annonçait* comment et pourquoi son maître venait de se tirer une balle dans la tête, et quelle était dans ce suicide la responsabilité de la femme qui pleurnichait au lever du rideau sur le moribond.

Deux prologues à l'intention identique et évidente : dresser, derrière les héros, le mur de la tragédie.

Et voici l'incident. Après la générale du *Miroir*, Salacrou avait regagné les Pyrénées, Luchon où il passe la moitié de l'année. Il avait laissé à Henri Rollan toute latitude pour couper ce qui paraîtrait inutile à la représentation. Il devait apprendre très vite que les comédiens avaient renoncé à jouer le prologue; que, pour la satisfaction du public, le rideau se levait tout simplement sur la première scène, où il n'est pas question de destin, ni de mort, ni de fins dernières, mais où l'on voit une candidate starlette proposer à Lucien Cazarilh, le grand homme de cinéma, de jouer et de coucher avec lui. Le prologue empêchait le public, qui paie mille francs sa place et en veut pour son argent quand il va aux Ambassadeurs, de goûter tranquillement cette exhibition suggestive et digestive. L'auteur n'a pas protesté. Au théâtre, ne vaut-il pas mieux, d'abord, passer la rampe ?

Salacrou aura bientôt cinquante-sept ans. Il a connu la consécration du dramaturge bien avant sa quarantaine, après une jeunesse difficile et quatre ou cinq fours indiscutables. *Une Femme Libre* l'a imposé, mais *Une Femme Libre* date de 1934, soit dix ans après que Lugné-Poë ait offert *Tour à Terre* à une dizaine de spectateurs, et quatre ans après que Dullin ait tenté en vain d'imposer *Patchouli*.

Au début des années 30, encore, *Atlas-Hôtel*, à l'Atelier, n'avait pas été le triomphe qui rend un auteur tabou, et *Les Frénétiques* avaient échoué. Même après *Une Femme Libre, L'Inconnue d'Arras*, en 1935, ne rencontra pas tout de suite son public. Le succès, le franc succès, ne salua qu'à partir de 1936 : *Un Homme comme les autres, La Terre est Ronde, Histoire de Rire*, et après la guerre, *L'Archipel Lenoir*. Un peu en retrait dans la faveur du public, il faut citer *Les Nuits de la Colère*, montées par Jean-Louis Barrault, *Les Fiancés du Hâvre*, à la Comédie Française, et *Le Soldat et la Sorcière*, chez Dullin encore à Sarah-Bernhardt.

Les œuvres plus récentes proposées à notre entretien ont été ouvertement discutées. *Une Femme trop honnête*, qui fit le plein au théâtre Edouard VII, l'hiver passé, traîne le souvenir d'une générale et d'une critique désastreuses.

J'entends bien que la recette ne signifie rien. Sinon, il faudrait placer au sommet de notre théâtre telle aimable histoire de cocuage qui a tenu quatre ans à l'affiche. Pourtant l'insuccès ou le demi-succès créent un malaise. Le théâtre qui meurt en scène est vite oublié. Il n'y a guère de dramaturges maudits. On n'exhume pas des chefs-d'œuvre dédaignés. Le cas de Musset est exceptionnel. Encore ne fut-il pas, tant s'en faut, un poète maudit.

L'œuvre théâtrale n'existe que par sa rencontre avec un public vivant. Or si, pour Salacrou, la rencontre n'a pas vraiment eu lieu, dans les années d'après guerre, quand il fit représenter *Dieu le savait* ou *Les Invités du Bon Dieu*, nous sommes immanquablement induits à penser que l'auteur s'est trompé.

Quant à la seconde des deux pièces que je viens de citer, Salacrou ne conteste pas son échec :

Avec *Les Invités du Bon Dieu*, j'ai voulu faire un vaudeville à la Feydeau. J'avais imaginé un jeu de correspondance, de parentés, d'interaction entre les personnages, où je me suis perdu. J'aboutissais à une comédie qui aurait duré six heures.

Et l'auteur a raté son choix, des répliques et des épisodes, quand il s'est appliqué à réduire et à élaguer.

Le grossissement scénique est impitoyable. Il ne manque pas de romans encombrés de digressions, voire de passages morts, que le lecteur feuillette avec ennui, à la recherche des instants de plénitude. Le livre refermé, nous gardons le souvenir de notre acquiescement, s'il n'a pas été trop rare. Le spectateur ne pardonne pas. Un quart d'heure d'incompréhension ou d'ennui le font sortir de la convention scénique, il n'y rentre plus, il n'y croit plus. Il en conserve une espèce de rancune tenace, jusqu'à la fin.

Le théâtre est fertile en hasards effrayants. J'ai suivi de près le drame — car c'en fut un ! — des débuts d'*Une femme trop honnête*. Les représentations commencèrent au Théâtre Edouard VII à bureau ouvert. Climat chaleureux. Il y avait, bien sûr, dans la salle le traditionnel contingent d'invités, mais il y avait aussi, en grand nombre, du public payant. Ces bonnes gens, attirés par l'affiche où figurait non seulement le nom de Salacrou, mais aussi celui de Sophie Desmarets, acceptaient avec beaucoup d'amusement l'histoire farfelue d'une femme qui, pour sauver sa pureté, incite son amant à tuer son mari. Cette femme ne peut vraiment redevenir honnête que si l'un des deux disparaît. Tant vaut que ce soit le mari ! Ou : de l'assassinat considéré comme un moyen d'élévation morale. Quelques paradoxes à l'appui, la thèse se défend. Il s'agit d'un divertissement, d'un exercice intellectuel à la mode de Saint-Germain-des-Prés. Un cadavre ici n'afflige personne. On n'en fait pas un drame. Inutile de déranger le Procureur qui n'y comprendrait rien.

Salacrou a écrit cette pièce en même temps que *Le Miroir*. C'en est l'antithèse. La femme « trop honnête » fait perpétrer sur son mari une tentative d'assassinat pour les mêmes raisons qui amènent Cécile, la quatrième héroïne du *Miroir,* au suicide. Ni l'une ni l'autre ne veulent demeurer la femme de deux hommes.

Au long de toute son œuvre, Salacrou condamne la trahison charnelle avec la même véhémence. Il conçut *Le Miroir* avec un souci de rigueur morale qui l'apparente, lui, le Normand très content de vivre et très indulgent, aux Dominicains fous de pureté et fous de Dieu qu'il ressuscita dans *La Terre est Ronde.* A la même époque, il écrivait, pour se délasser, le texte réjouissant d'*Une Femme trop honnête.* Ses deux héroïnes hantaient Saint-Germain-des-Prés. Mais l'une à l'église, l'autre au Café de Flore.

Je reviens aux hasards du théâtre. Tout le poids de la pièce jouée à Edouard VII reposait sur Sophie Desmarets. Elle prodigua, au cours des premières représentations, une fantaisie irrésistible. Les spectateurs, ravis, envoyaient leurs amis. La location affluait.

Mais il y avait une date toute proche arrêtée pour la générale devant la Presse. La directrice du théâtre, Elisabeth Hijar, eut un pressentiment. Elle proposa à l'auteur d'invoquer n'importe quel prétexte pour renvoyer la séance de Presse d'une quinzaine de jours. Une indisposition de Mademoiselle Desmarets aurait masqué la manœuvre. Le spectacle aurait eu le temps de se roder. Salacrou refusa. Il ne voulait pas tricher.

La Presse vint donc, à la date convenue. Messieurs les Critiques étaient de mauvaise humeur. Mon confrère Georges Lerminier a dit ici ce qu'est la vocation du critique, ce qu'elle exige, à quoi elle engage. Je ne crois pas apporter de contradiction grave en évoquant une autre critique, plus attachée à l'attrait extérieur des soirées parisiennes qu'aux mystères de la création scénique. Ce qu'on nomme par tradition la répétition générale est une institution dont la vraie raison d'être s'est estompée. Il ne s'agit plus d'une avant-première, entre gens de métier, les comédiens invitant la Presse à examiner, avant le public, le résultat de leur travail.

Parlons très crûment : ce qu'un directeur de théâtre attend de la générale, c'est une publicité gratuite de lancement pour un spectacle dans lequel deux ou trois millions ont été investis. Une « bonne presse » le lendemain, et la pièce est assurée de trente ou quarante salles pleines, au départ. D'une mauvaise presse, l'entreprise se relève très rarement.

Trois cents personnes, trois cents « généraleux », comme on dit, se trouvent au centre d'un jeu complexe. Bon gré, mal gré, ils établissent les rapports, qui sont en définitive des rapports chiffrés, entre les journaux, le public, l'auteur, les comédiens, le Tout-Paris, et, qu'on me permette l'expression, l'entrepreneur du spectacle. Le miracle, c'est que la Critique, la vraie, non pas les échotiers à gages, ait pu garder une belle indépendance. Le théâtre demeure la foire aux chimères, les mœurs de la Bourse y ont pénétré, elles n'ont pas encore tout gangrené.

Les drames qui surgissent entre la critique et la scène paraissent d'ordre psychologique. On ne sait jamais pourquoi la salle de Presse se montre certains soirs réceptive, d'autres soirs rétive. Question de fatigue, sûrement. Nos généraleux déambulent cinq ou six fois par semaine dans Paris à la nuit tombée. Leur tâche est d'écouter et de juger, tous les soirs, une œuvre nouvelle. Besogne inhumaine. Quel critique littéraire lit, vraiment lit, de la première à la dernière ligne un roman par jour, et qui pis est : d'une traite ? Aucun à ma connaissance. Le critique littéraire garde la liberté de son choix, d'après le « prière d'insérer » et le sondage que permet l'exploration d'un ou deux chapitres. Le chroniqueur dramatique ne dispose d'aucune échappatoire. Il doit subir, jusqu'au bout !

Tous les comédiens et tous les auteurs reprochent au parterre des générales sa froideur. Ce public donne rarement un signe d'intérêt ou d'émoi, ou de contentement. Bien sûr, il y a des générales bénies, des générales qui ressemblent à une représentation normale. C'est la rare exception.

De l'autre côté du manteau d'Arlequin, l'épreuve est d'autant plus sévère qu'elle succède presque toujours à l'euphorie de la séance dite « des couturières », avec son assistance de parents et d'amis, heureux, enthousiastes même si la pièce est mauvaise. Le comédien le moins sensible au trac perd une partie de ses moyens quand il ne « sent » pas la salle. Faut-il faire grief à la Presse de ne pas jouer le jeu, son jeu de public, aussi nécessaire à la représentation théâtrale que le jeu des comédiens ? Je crois le procès inutile, mieux vaut s'accommoder de l'usage établi.

On a essayé de répartir la Presse sur plusieurs représentations. Mais comme, en pleine saison, une pièce nouvelle naît tous les soirs, il est apparu vite impossible d'organiser le quadrille de messieurs les critiques à travers Paris. A leur décharge, il faut sûrement ajouter ceci : le public payant va au théâtre comme à un divertissement exceptionnel, auquel il se prépare, la mémoire débarrassée du spectacle précédent, avec une émotivité neuve. Pour le critique, les représentations juxtaposées forment un puzzle bizarre et cacophonique.

J'insiste un peu sur ce problème des générales, parce qu'il a tenu dans la carrière d'Armand Salacrou une place importante. N'écrivait-il pas, en 1943, ces lignes qui livrent tant de lui-même :

Ce que je demande aux auteurs, à la critique, au public, c'est, à la naissance d'une œuvre nouvelle, de s'engager honnêtement, c'est-à-dire sans tricherie, non comme à un passe-temps, mais avec l'angoisse de jouer son âme. Pour moi, c'est au théâtre, qu'en certains instants de grande pureté, je me suis senti le plus près d'aborder à la rive inaccessible. Et c'est dans les grandes œuvres théâtrales que j'ai cru parfois trouver mon salut.

Ses échecs du début l'avaient désemparé. Après le désastre de *Tour à Terre*, et pressentant celui du *Pont de l'Europe*, il écrivait : « Oh ! Toute cette salle, je la vois qui hurle après moi ! » Cédant au découragement, il notait : « Quatre pièces, cette interview testamentaire et c'est tout; une vie nouvelle commence pour moi; je préfère désormais regarder le ciel se mirer dans les yeux gris-bleu de ma fille que sur l'encre lisse de mon encrier ». Il avait vingt-cinq ans.

Trente ans plus tard, c'est-à-dire l'hiver dernier, après un début mieux que prometteur, la générale d'*Une femme trop honnête* tournait elle aussi à la défaite. Le parterre était un bloc de glace et de silence. Des rires déferlaient du balcon, parce que le poulailler était, en un certain sens, populaire. Ces rires renfrognaient davantage encore les visages, à l'orchestre.

Sur scène, Mademoiselle Sophie Desmarets perdait le contrôle de son personnage. Puisque ses répliques ne passaient pas la rampe, elle crut bon de changer de jeu, de voix. Elle se mit à crier, à gesticuler, improvisant une héroïne non plus fantaisiste mais frénétique, non plus charmante mais tonitruante.

Il y avait maldonne d'autant plus dommageable qu'*Une femme trop honnête* est dans l'œuvre de Salacrou une pièce tout à fait particulière, par son origine et par sa composition. Le mieux est encore de laisser ici la parole à l'auteur, qui a écrit pour *Une femme trop honnête* une préface, un avertissement antérieur à la représentation :

Ce n'est pas pour donner des précisions d'un intérêt discutable sur ma façon d'écrire que je veux dire la naissance d'*Une femme trop honnête,* mais pour indiquer à ses futurs interprètes un certain style de jeu qui doit, je crois, se rapprocher de la manière dont s'est composée cette comédie. Bien que je l'ai travaillée et retravaillée durant deux années, cette pièce est improvisée. Elle devrait être jouée, me semble-t-il, « comme au canevas ».

A mes lecteurs habituels, j'offre déjà cette remarque : pour la première fois mes personnages n'ont pas de nom de famille. A l'ordinaire, avant d'écrire une réplique, la plupart de mes héros ont leur dossier, leur fiche avec date de naissance. Je sais ce qu'ils ont fait et pensé avant la crise qui les jette sur la scène du théâtre et c'est même de toutes ces connaissances qui s'entrecroisent et s'accumulent qu'un jour leur nom de famille jaillit et que la pièce commence à vivre entre mon encrier et mon papier.

Une femme trop honnête a une tout autre histoire. En juin 1952, j'étais parti pour Luchon avec une pièce prête à écrire et qui deviendra deux ans plus tard *Le Miroir*. Mais alors, les personnages que l'on rencontrera dans *Le Miroir* habitaient sous Napoléon III dans la petite ville de Mazamet.

La première version du premier acte étant terminée, j'étais, fort allègre, en plein deuxième acte, quand ma femme et ma fille cadette, de passage dans les Pyrénées, vinrent vivre près de moi plusieurs jours.

Salacrou raconte les « instants parfaits » qu'il vécut alors avec les siens, puis le déchirement de la séparation, « la solitude qui lui était imposée comme un médicament ». Il note :

Au retour de la gare ne retrouverais-je pas pour me distraire tous mes personnages dressés au bord de leur futur, en plein deuxième acte ? Je me jetai, coudes sur la table, la tête entre les mains, dans mon manuscrit. A midi, c'était le désespoir. Ma lecture avait tourné à la catastrophe. Mes personnages me parlaient une langue que je n'avais plus envie d'entendre. Cette histoire Napoléon III m'ennuyait comme une salle à manger Henri II. A propos, je devais quand même descendre déjeuner. Mais après le déjeuner qu'allais-je devenir, égaré entre des souvenirs trop charmants et un manuscrit effondré ? Seul, je lis à table le journal appuyé sur la carafe. Et dans le journal, je tombe sur un fait divers italien : une femme apprend à son mari qu'elle a payé un homme pour le tuer et qu'il ne veut pas rendre l'argent bien qu'il ait raté l'assassinat, et le mari va réclamer l'argent à l'assassin manqué... (...) Je n'achevai pas même le repas, je remontai dans ma chambre et, prenant à peine le temps de mouiller d'encre ma plume, je commençai une pièce sans savoir où j'allais, sinon essayer de raconter ce fait divers; sans savoir avec qui je le raconterais, — chipant des prénoms à mes amis et connaissances, — et allant d'heure en heure de l'avant, m'amusant d'un dialogue que j'entendais naître sans l'avoir inconsciemment prémédité, poussant ma comédie comme une partie de cartes quand les joueurs ne savent pas jouer, ou à peine, et ne peuvent combiner la partie dès la première levée. En trois semaines, la pièce était finie. J'étais ahuri. Je la montrai à Jean-Louis Barrault qui me répondit : C'est peut-être ta meilleure pièce. — Alors, lui répondis-je, c'était bien la peine depuis trente ans de tant travailler.

Mais cette pièce ne fut pas jouée toute chaude. Elle attend depuis plus de deux ans la liberté d'une actrice emberlificotée d'abord dans un succès de théâtre, puis dans des films. Ce qui m'a donné le temps de relire plusieurs fois *Une Femme trop honnête* et chaque fois j'ai essayé, à force de corrections et de coupures, de dégager de plus en plus son caractère d'impromptu. Je veux dire : nous n'avons pas affaire à une étude psychologique, à des caractères remplis d'intentions; Italien, je donnerais des exemples célèbres; Français, je dirai : ce sont des héros très proches de Guignol. Et l'on rit sans la plaindre quand Guignol bat sa femme. Ces personnages joués dans un style de comédie seraient tous sordides. Ils ne sont que légers, légers comme des bulles; des bulles qui, je le voudrais bien, s'irriseront peut-être dans le regard du public.

... S'irriseront peut-être, un impromptu, un canevas ... De fait, Mademoiselle Desmarets, prise d'un trac épouvantable, se trompa de canevas devant les critiques, et décala d'autant le jeu de ses partenaires. La Presse n'a pas *vu Une femme trop honnête*. Tous comptes faits, malgré une carrière qui fit durer la pièce jusqu'au printemps, il manqua la quarantaine de salles qu'envoie au théâtre une critique honorable. Qu'on me permette une comparaison, parce qu'il s'agit, dans les deux cas, de théâtre léger, de théâtre « bulle » : Jean Anouilh à ses débuts aurait attendu plus longtemps le succès si son *Bal des Voleurs*, et Marcel Achard, si *Voulez-vous jouer avec moâ* avaient subi une telle mésaventure à la représentation.

L'histoire de cette épreuve manquée ébauche la thèse que me suggère une

certaine fréquentation de l'œuvre et de l'auteur : Salacrou n'a que bien rarement été représenté dans le style qui eût convenu à sa véritable inspiration.
Certes, il y eut de très belles rencontres, comme celles de Charles Dullin avec
Savonarole et avec le Père Lenoir, de Jacques Dumesnil avec *Un Homme
comme les autres,* de Jean-Louis Barrault avec *Les Nuits de la Colère,* plus
récemment d'Yves Robert avec *Poof,* cette fantaisie de haut vol et de haut goût
sur le métier publicitaire. Mais quatre ou cinq ou six hasards heureux pour
vingt-cinq pièces ne consolent pas les vrais amis de Salacrou de trop d'erreurs.
On le joue « bourgeois », et il est baroque, en ce sens que sa liberté d'écriture
et le chantournement de sa pensée défient les classements communs; on le
joue « boulevard », et il n'a jamais renié le surréalisme !

Car il a commencé par là. Toutes ses œuvres de début, qu'il s'agisse de *La
Boule de Verre,* du *Casseur d'Assiettes,* de *Magasin d'Accessoires,* des *Trente
Tombes de Judas,* de *Tour à Terre,* du *Pont de l'Europe* et de *Patchouli,* sont
sorties des émois du jeune Salacrou découvrant l'art à travers la fumée des
pipes, au sein d'un petit groupe qui tenait ses assises rue Blomet. Il suffit de
citer les noms de Michel Leiris, de Juan Gris, d'André Masson, de Robert Desnos
pour situer les origines mêmes de la Centrale Surréaliste.

S'est-il assagi, tenté par l'audience d'un plus vaste public ? Sans nul doute.
Il a délaissé la veine poétique, veine sans issue, de *Tour à Terre* et du *Pont
de l'Europe,* pour faire comme tout le monde, mieux que tout le monde en son
temps, de la dramaturgie de caractères. Ainsi, cette excellente pièce qu'est *Un
Homme comme les autres.* Mais *Une femme libre,* c'est déjà du « boulevard ».
Histoire de Rire, dix ans plus tard, c'est absolument du « boulevard ». C'est
même ce que Robert Kemp en a dit : « Une bonne crème légèrement tournée ».
Seulement la critique la plus consciencieuse et la mieux avertie n'a rien compris
en 1935 à *L'Inconnue d'Arras,* qui n'est peut-être pas, si l'on juge d'après les
lois du métier, sa meilleure pièce, mais qui exprime l'authentique, le plus pur
Salacrou. Un Salacrou qui s'accomplit en son âge mûr sans rien oublier de sa
jeunesse. Un Salacrou qui libère le théâtre de la contingence du lieu et du temps,
qui ramène la tragédie à sa source, dans l'âme même de son Ulysse, à l'instant
où, suicidé, il bascule dans la mort.

Les thèmes qui s'entrelacent d'œuvre en œuvre, de 1935 à 1957, ne sont pas
des thèmes de « boulevard » : interrogation sans fin d'un Dieu absent, angoisse
devant un univers incompréhensible, recours à une morale de la vérité et de la
pureté contre le désespoir, ce sont les matériaux de la tragédie. Et les mêmes
mouvements s'expriment aussi bien dans les monologues abrupts du Savonarole de *La Terre est Ronde,* que par l'âpre comique de l'*Archipel Lenoir.* Question d'Art.

C'est sur l'Art que je veux insister en illustrant mon propos d'un exemple.

Rien n'est plus commun aujourd'hui, du moins au cinéma, que le procédé
du retour en arrière. Deux, ou plusieurs personnages vivent une aventure, et
tout à coup une tranche de leur passé nous est offerte, qui explique le présent.
Le procédé n'est certes pas neuf en littérature. Mais personne ne songeait, il y

a trente ans, à le réinventer pour le théâtre. Si ! Un inconnu nommé Salacrou qui écrivait en 1929 une pièce intitulée précisément *Cinéma*, une comédie dramatique inspirée à l'auteur par les personnages de producteurs et de stars qu'il avait sous les yeux. Armand Salacrou assistait alors un metteur en scène. La mode était aux films, encore muets, mais résolument russes. Tous les grands ducs et tous les scandales de la cour des tsars y passaient. Le public y prenait un plaisir inlassable. Cela paraît aujourd'hui extravagant. Mais imaginons qu'un cataclysme anéantisse la Cour d'Angleterre, ce qu'à Dieu ne plaise ! Combien de films nous conteraient l'histoire de Margaret et de Townsend ?

Donc, Salacrou cherchait, comme il l'a noté, « des paysages russes au bord de la Marne » et il observait la jungle du cinéma. L'œuvre qu'il en tira s'appela finalement *Les Frénétiques*. Elle était si cruelle, et les portraits si transparents que Jouvet, d'abord séduit, recula par crainte du scandale : « Fais de ton héros un marchand de sardines en gros et je joue ta pièce ! » dit-il à Salacrou. *Les Frénétiques* attendirent cinq ans la représentation. La première n'eut lieu que le 5 décembre 1934, au Daunou, mise en scène par Raymond Rouleau, avec Dullin dans le rôle principal. Plusieurs scènes sont décalées de dix ans dans le passé, sans autre justification que la volonté de l'auteur et la nécessité interne de l'œuvre.

Il me paraît utile de pointer quelques dates, parce qu'une contestation s'est élevée ces derniers temps, à la suite d'un article de Pierre Bost paru dans *L'Express*. De la meilleure foi du monde, Pierre Bost attribue à Marcel Achard la paternité du procédé du « retour en arrière » que l'auteur de *Patate* utilisa dans une comédie représentée en 1933. Or, dès 1929, avec l'édition de *Tour à Terre*, Salacrou déclarait dans une note jointe que, s'il devait refaire cette pièce, il y inclurait un deuxième acte antérieur de six mois aux autres, et il annonçait qu'il ferait l'expérience du procédé dans *Cinéma*, alias *Les Frénétiques*. Il commençait d'ailleurs en 1930 à écrire *L'Inconnue d'Arras*, qui est tout entière un retour sur le passé. En 1931, il jetait les répliques de *La Vie en Rose*, un impromptu destiné à Michel Saint-Denis et au Vieux-Colombier. Dans *La Vie en Rose*, la réduction du temps apparaît double, sans la moindre concession à la vraisemblance. En vingt-cinq minutes, les personnages, empruntés à la rue de Paris, vivent une journée, laquelle condense les événements arrivés en vingt-cinq années de vie internationale, avant l'autre guerre. La bataille de Tsoushima voisine avec la visite de Loubet en Angleterre, le coup d'Agadir avec les expériences du Docteur Carrel. On dirait d'un montage, aux ciseaux et à la colle, de coupures de journaux. Salacrou avec une verve allègre, affranchit le théâtre de cette obsession si commune aux dramaturges : la justification du temps scénique. Un souci auquel Shakespeare a tout à fait échappé, mais son secret est perdu, et si notre théâtre s'est à peu près libéré de l'unité de lieu, celle de l'action et celle du temps demeurent des règles dont la transgression déconcerte le public.

Sur la petite scène du Théâtre du Quartier Latin, l'autre hiver, — soit en 1953 —, Michel de Ré donnait un Salacrou inédit. L'affiche portait : *Sens In-*

terdit, psychodrame. Le sous-titre sentait le canular. Ce n'en était pas un ! Le
public découvrit en même temps la signification du vocable « psychodrame »,
méthode de traitement psychanalytique par le moyen du théâtre, et l'humour
d'un texte emprunté à Platon, lequel dans sa *Politique* imagina que les êtres
vivants, tout à coup, se mettaient à vivre à l'envers, c'est-à-dire à retourner par
tous les stades de la jeunesse jusqu'à leur naissance pour s'effacer dans l'inef-
fable nirvâna de l'embryon.

Voilà bien le *sens interdit* : naître vieux, mourir jeune. Sur ce thème, Salacrou s'en est donné à cœur joie. Il a repris, pour les faire jouer devant nous
comme des marionnettes, les personnages de plusieurs de ses œuvres antérieures.
Un Homme comme les autres, Une Femme Libre, Histoire de Rire, c'étaient des
pièces où les événements se déroulaient comme il faut, dans le bon sens, à l'endroit, de la naissance à la mort. Mais voici vivant à l'envers, de la mort à la
naissance, Yveline et Raoul, le couple déchiré d'*Un Homme comme les autres,*
Paul, l'amant raté d'*Une Femme Libre,* Gérard et Adé, évadés d'*Histoire de Rire.*
Sens Interdit révèle toute l'ironie, très normande, que Salacrou met volontiers en
ses recherches.

Mais il n'y a pas d'art plus figé dans la tradition que le théâtre. Chez nous,
la pièce en trois actes, à six ou huit personnages, vidant entre eux le contenu
d'une seule situation, comique ou tragique, c'est ce qu'attend le public, ce qu'il
aime, le jeu mental auquel il est habitué. Nul n'ignore ce que toute la critique
entend par « pièce bien faite ». Elle n'a d'ailleurs pas tort de saluer le « métier »,
préférable aux balbutiements de l'inexpérience.

Du « métier », Salacrou s'est toujours défié, même quand il s'est donné la
liberté d'en utiliser avec brio les recettes. Il partageait, il partage encore l'inquiétude qui est la nôtre devant la sclérose d'un Art, déchu précisément au
rang de « métier ».

Je me demande dans quelle mesure la mort de Dullin et l'éloignement de
Barrault n'ont pas privé Salacrou de l'instrument dramatique dont l'auteur a
besoin, tout comme le compositeur a besoin de l'orchestre.

Un manuscrit de théâtre, c'est aussi une partition, dont la marge d'interprétation est infiniment plus vaste, plus floue que celle d'un texte musical. Racine
travaillait pour la Champmeslé, Molière et Shakespeare pour eux-mêmes et leur
troupe. Les comédiens demeurent, autant qu'autrefois, les inspirateurs des dramaturges. Nous savons, par toutes les notes que Salacrou a jointes à ses œuvres, que les interprètes auxquels il pensait prêtaient d'avance leur voix et
leurs attitudes aux personnages qu'il créait. De même le metteur en scène, dont
la vision coïncidait avec celle de l'auteur.

Dullin était comme Salacrou installé à mi-chemin du classicisme et de
l'avant-garde. L'intelligence aiguë de Barrault, une certaine sensibilité amère,
rencontraient celles de l'auteur des *Nuits de la Colère.*

Ce double accord est aujourd'hui du passé, et je ne sache pas que Salacrou
en ait noué d'autres, aussi profonds, aussi féconds.

Pas plus qu'il n'a trouvé d'interprètes aussi proches des héros qui le hantent que Pierre Renoir ou Jacques Dumesnil. Le premier est mort bien trop tôt; le second n'a plus guère paru que dans les reprises des œuvres de l'entre deux guerres.

Il me semble qu'Armand Salacrou est, depuis quelques années, dans le monde indécis du théâtre, un auteur à la recherche de ses personnages.

DISCUSSION

Mlle MICHELSON. — Pourriez-vous préciser ce que vous appelez le baroque de Salacrou ?

VAN DEN ESCH. — On peut faire beaucoup de réserves quant à la définition du baroque que j'ai donnée. Mais je crois que Salacrou est baroque en ce sens que par le foisonnement de son inspiration, par la divergence de ses styles dramatiques, par l'excès de générosité de son écriture, il s'éloigne de notre classicisme et rejoint peut-être une certaine incontinence stylistique que l'on trouve justement dans le baroque d'Europe centrale.

ODDON. — Dans l'étude que vous avez consacrée à Salacrou, et qui s'arrêtait à l'*Archipel Lenoir,* vous notiez une tendance de Salacrou vers le théâtre de boulevard; vous vous demandiez si dans l'avenir il continuerait dans ce sens ou changerait de direction. Pensez-vous que cette tendance se soit accentuée depuis lors ?

VAN DEN ESCH. — Quand j'ai écrit cette étude, en 1947, Salacrou hésitait sur la suite à donner à son œuvre. Mais Dullin vivait encore, et il était son inspirateur numéro un, de telle sorte que les questions qui se posaient à lui, alors, pouvaient être résolues dans plusieurs sens différents. La mort de Dullin l'a laissé désemparé. Pourtant, je ne sais pas si c'est un excès de « boulevardisme » qui a condamné les dernières pièces de Salacrou à la sévérité de la critique, puisque cette même critique accueille volontiers toutes les veines du Boulevard. D'autre part, je crois que le public auquel ces pièces sont destinées, ne s'avère pas capable de comprendre ces grands thèmes autrement que sous la forme du Boulevard.

VILLIERS. — Je vous rejoins dans votre jugement brutal sur la nécessité actuelle d'avoir un public. La critique n'est pas seule en cause. C'est un problème que l'on pourrait appeler de « public-relations ». Quand on dit que la critique décide du sort d'une pièce il faut s'entendre; il serait plus exact de dire que celle-ci dépend d'un journal ou deux. Et ce serait plutôt le public qui serait à condamner. Car si la critique ne dit pas en termes superlatifs : voilà le spectacle qu'il faut voir, mais honnêtement pèse le pour et le contre du spectacle, le public ne se dérange pas. Pour ce qui concerne le public populaire qui vient par les services sociaux et culturels, sa réaction est souvent de dire : pourquoi n'aurions-nous pas le droit de voir les spectacles en vogue sous prétexte que nous payons à tarif réduit ? Ce qui en définitive amène à constater que c'est le public bourgeois qui fait le public d'une pièce, car s'il ne « rend » pas, l'autre public ne suit pas. Ainsi, très souvent, ce public à tarif réduit ne va pas voir des tentatives intéressantes.

VAN DEN ESCH. — Mais avant d'en arriver là encore faut-il trouver un théâtre qui

fasse jouer la pièce. Et si vous n'apportez pas d'argent, vous avez bien des chances de
ne pas trouver de scène.

VILLIERS. — Il y a beaucoup de vrai dans la brutalité de vos paroles mais je
connais heureusement des théâtres sans « combinaisons » et où l'on ne paye pas. Il
faut admettre aussi qu'il y a nécessité à limiter les pertes pour un théâtre et qu'il
suffit d'une mauvaise générale pour mettre tout par terre. D'autre part un auteur
arrivé à un certain niveau de réputation, a besoin le plus souvent d'être interprété
par des vedettes, et cela tient au public non aux critiques. Les entrepreneurs de spectacles « vendent » leurs vedettes. C'est presque une nécessité; la partie serait encore
plus difficile à jouer sans noms à l'affiche, même si la pièce était interprétée par de
très bons acteurs mais inconnus. C'est le cinéma qui a créé ce besoin de vedettes.

MARRAST. — En ce qui concerne le prologue explicatif du *Miroir,* je me demande
s'il ne marque pas une hésitation entre le « boulevard » qui dit son nom et une
forme de théâtre qui serait autre chose, et que Salacrou voudrait faire. Et si la pièce
après ce prologue n'est qu'une pièce de boulevard, au fond ce hors-d'œuvre n'était
pas nécessaire. Je trouve le procédé un peu factice.

VAN DEN ESCH. — J'ai vu disparaître avec regret du début du *Miroir* ce qui en
faisait à mes yeux la justification, parce que ce prologue relève l'œuvre jusqu'au plus
vrai Salacrou. Il faut dire que Salacrou n'a jamais écrit tout à fait les pièces dont il
a rêvé.

MARRAST. — C'est peut-être pour cette raison qu'il les entoure de post-faces, de
notes d'explication.

HUISMAN. — M. van den Esch nous a parlé de Salacrou à Paris, mais pourrait-il
nous parler de Salacrou dans le théâtre mondial et pas seulement dans le théâtre
parisien ?

VAN DEN ESCH. — Salacrou a été abondamment traduit et joué dans le reste du
monde. Il a même eu des mésaventures. En Tchécoslovaquie il avait envoyé par
erreur la première version d'*Un Homme comme les autres* où s'exprimait par la bouche
de la vieille Madame Berthe, quantité de jugements désespérés sur la condition humaine, passages qu'il avait supprimés pour les représentations parisiennes. Et ce
texte a eu beaucoup de succès.

KUMBATOVIC. — A Ljubljana nous avons joué *Un Homme comme les autres* avec
beaucoup de succès, en lui donnant un visage tragique, comme à un texte de Dostoïevski. D'autres pièces ont été jouées à Zagreb et ont été accueillies avec intérêt,
mais la critique n'y a pas compris grand chose, sauf un professeur de notre Académie.

VAN DEN ESCH. — Claude Etienne à Bruxelles a monté presque toutes les pièces
de Salacrou dans un style plus dépouillé que celui des représentations parisiennes, et
qui ressemble un peu à celui de Pitoëff, et très peu à notre style de boulevard. Ces
représentations de Salacrou à Bruxelles ont toujours eu une autre qualité que les
représentations parisiennes.

L'HÉROÏNE DANS LE THÉÂTRE DE GIRAUDOUX

par Marianne MERCIER-CAMPICHE

Giraudoux a écrit pour le théâtre, de 1928, date de *Siegfried*, à 1943, création de *Sodome et Gomorrhe*, neuf grandes pièces et quatre pièces en un acte. *La Folle de Chaillot* a été créée par Jouvet en 1945, après la mort de Giraudoux. Je ne parlerai pas de *Pour Lucrèce*, publiée et jouée en 1953, neuf ans après la mort de l'auteur. Cette œuvre, en bien des endroits, ne correspond ni par le style, ni par la pensée, à l'ensemble de la création giralducienne. Elle est d'une affligeante médiocrité. J'estime que *Pour Lucrèce* soulève des problèmes qui ne peuvent être résolus que par l'étude des manuscrits authentiques.

L'héroïne dans le théâtre de Giraudoux est typiquement femme, avec les qualités et les défauts que l'on prête d'ordinaire aux femmes. Giraudoux met en scène des femmes qui sont sensibles à l'aspect concret de la vie plutôt qu'à l'abstraction. C'est ainsi qu'aucune héroïne de *La guerre de Troie n'aura pas lieu* ne sera touchée par les sophismes poétiques ou juridiques élaborés par les bellicistes pour justifier la guerre (1). Les Troyennes, sans exception, voient la guerre telle qu'elle est, dans son horreur et sa cruauté, et cette vision réaliste l'emporte sur toute autre considération, si habilement présentée soit-elle. Dans un esprit semblable, Alcmène, la jeune femme que Jupiter veut séduire, empêche son mari Amphitryon de parler au maître des dieux pour la défendre :

Un colloque entre Jupiter et toi, c'est tout ce que je redoute. Tu en sortirais désespéré, mais me donnant aussi à Mercure. (*Amphitryon 38*, A. III, sc. 3).

Alcmène, sur qui la dialectique céleste a passé sans laisser la moindre trace, craint, non sans raison, qu'il n'en soit pas de même avec un homme. Même très épris, son mari ne resterait peut-être pas sourd à certains raisonnements spécieux !

L'héroïne de Giraudoux, femme encore sur ce point, obéit de préférence à son intuition. Celle de Lia, dans *Sodome et Gomorrhe,* en est un exemple frappant. Lia devine les menaces dont le ciel est chargé, alors que son compagnon

---

(1) Scène VI de l'acte I. *Cf.* les interventions d'Hécube et d'Andromaque.

n'y voit rien de particulier. L'ange, appelé comme arbitre, donnera tort à Jean. C'est Lia qui est dans le vrai, et le ciel n'est bleu que pour des aveugles : en réalité, il fait peser sur la ville l'imminence de la catastrophe.

Un autre trait de caractère bien féminin, c'est l'obstination et Giraudoux l'a fréquemment mis en valeur. Pour reprendre l'exemple de Lia, le sentiment d'une supériorité sur son compagnon fait naître chez elle une attitude intolérante. L'intuition seule ne peut servir de boussole, si elle est contrecarrée par de telles dispositions. C'est ce que, à côté de Lia, nous enseignent encore Electre et Judith. Par intransigeance, la première précipite sa cité dans la ruine; la seconde sauve la sienne, mais tue un amant. Toutes deux mettent un orgueil intraitable au service d'une cause officielle, à laquelle elles sacrifient leur bonheur véritable et celui de leur entourage.

L'héroïne giralducienne manifestera une spontanéité, une rapidité de décision, une passion, dont seront moins prodigues les héros, plus réfléchis et plus pondérés. En un instant, Ondine aime le chevalier Hans; en un tournemain, elle lui enlève la cuirasse défensive de ses habitudes et de ses préjugés.

La fonction maternelle de la femme ne tient qu'une place effacée dans le théâtre de Giraudoux, parce que, comme nous allons le voir plus loin, cet auteur s'est surtout attaché à dépeindre l'amour.

La pièce d'*Ondine* nous en offre un exemple très significatif. Dans cette œuvre, Giraudoux est très proche du thème classique qui consiste à identifier la nature à une mère. Mais il l'a écarté entièrement. C'est l'alliance de la nature et de l'amour que le personnage féérique d'Ondine représente. La nature n'est pas imaginée comme une mère, mais comme une amoureuse. Cette identification de l'amour et de la nature constitue même, croyons-nous, une des clés de cette œuvre difficile. Néanmoins, quand Giraudoux décrit l'amour maternel, c'est avec sensibilité et vérité. Il a su dire l'angoisse d'Andromaque à la pensée que le fils qu'elle porte pourrait être mêlé à une guerre. Bertha, la rivale d'Ondine devenue la femme de Hans, prononce, lorsqu'elle attend un enfant, des paroles qui méritent d'être relevées. Elle voit dans les pas « larges et profonds » qu'elle a laissés dans la neige la marque de sa « fatigue », de sa « détresse » et de son « amour » mêlés. (*Ondine*, A. III, sc. 1).

Cette évocation de la maternité rejoint les termes dans lesquels Rilke oppose la femme mûrie par son expérience maternelle à « l'homme léger que nul fruit de chair n'entraîne sous la surface de la vie... » (2). Ce rapprochement n'est pas fortuit, car les idées de Rilke sur les femmes s'apparentent, à bien des égards et dans maints passages, à celles de Giraudoux.

Giraudoux fait de la plupart de ses héroïnes des femmes belles et gracieuses, habiles à user d'une gamme de séductions qui vont de la perfection intellectuelle et mondaine de Judith, Bertha ou Florence, à l'ignorance pleine de sagesse de la turbulente Ondine. Lorsqu'elles ont pris de l'âge, les femmes de ce théâtre se distinguent par une lucidité et une autorité qu'elles expriment

---

(2) *Lettres à un jeune poète*. Trad. Gustave Roud. Ed. Mermod, 1947, p. 89.

avec verdeur : Hécube, forte en langue, et La Folle de Chaillot, au parler tout en saillies.

Aucune des héroïnes giralduciennes n'est virilisée. Toutes cherchent à plaire, même la Folle, qui se pavane au Café Francis en grande dame de la misère; même Judith qui, pour vaincre un homme redoutable, songe plus à aiguiser son sourire que le tranchant de son poignard.

Le caractère féminin des héroïnes se fait jour jusque dans les moindres détails de leur comportement. Chacune est une ménagère accomplie. Citons parmi d'autres Alcmène qui, tout en se riant, abandonne Jupiter à ses propos métaphysiques pour s'occuper de la conduite de ses bonnes.

*
* *

La connaissance des femmes dont l'écrivain donne de constantes preuves suffirait déjà à attirer l'attention sur le monde féminin de ce théâtre. On peut dire que Giraudoux a placé sur la tête de ses héroïnes la couronne de la féminité. Cependant il a fait plus encore : il a mis entre les mains de la femme le sceptre d'un pouvoir égal et parfois même supérieur à celui du héros. Le premier signe de ce pouvoir, c'est que le champ d'action et les responsabilités de l'héroïne sont aussi étendus que ceux du héros. Il n'est pas rare de la voir devenir l'unique meneur du jeu; et même, par l'influence considérable qu'elle exerce sur les événements, il arrive que d'elle seule dépende non seulement le sort de son entourage, mais celui de la société tout entière.

Précisons que l'influence du personnage féminin n'est jamais en rapport avec son rang ou son état, mais uniquement avec sa personnalité. Rien de moins politique que les conceptions de l'écrivain en ce domaine.

Le pouvoir féminin est tantôt maléfique, tantôt bénéfique. J'en donnerai deux des exemples les plus remarquables : d'une part Electre, d'autre part Alcmène, dans *Amphitryon 38*.

Giraudoux s'est inspiré des tragiques grecs, en écrivant *Electre*, non sans s'éloigner de ses modèles sur plusieurs points essentiels. Son Electre ne sait pas que sa mère Clytemnestre, et l'amant de celle-ci, Egisthe, sont coupables du meurtre d'Agamemnon. Elle ne sait même pas s'il y a eu crime; pourtant, guidée par la haine qu'elle éprouve pour sa mère, elle flaire la vérité et finit par découvrir le meurtre et les meurtriers.

Le crime une fois connu, aucun oracle divin n'ordonne à Electre de tuer Clytemnestre et Egisthe, comme c'était le cas chez les auteurs grecs. Des personnages surnaturels, à la fois oracle et chœur — le Mendiant, les Euménides — se mêlent bien au drame, mais ils ne poussent pas la jeune fille à la vengeance. Aucun conseil de ses proches ne l'encourage non plus. Oreste même, qui est le soutien d'Electre dans les tragédies antiques, ne devient parricide, dans la pièce de Giraudoux, qu'après avoir désespérément tenté d'échapper à l'emprise de sa sœur.

La liberté d'option, et par suite la responsabilité d'Electre dans la catastrophe finale, sont encore accrues par l'évolution de l'attitude d'Egisthe. Grâce

6

à l'ennoblissement moral que Giraudoux a prêté à celui-ci, une occasion exceptionnelle est offerte à la vengeresse de sortir de la voie du sang où elle s'est
engagée en dépit des avertissements. Egisthe accepte de se livrer à la justice
d'Electre, à condition que la jeune fille le laisse au préalable sauver la cité de
l'attaque corinthienne. Mais Electre reste inflexible. Dans sa fureur, elle lance
son frère contre Clytemnestre et Egisthe, et, pour punir deux coupables, elle
sacrifie un peuple entier.

Electre nous montre comment l'action d'une seule femme peut aboutir à
un désastre général. Dans *Amphitryon 38,* c'est au contraire une situation perdue
d'avance qui sera sauvée par le pouvoir de l'héroïne.

Nous quittons le triste palais des Atrides pour la riante demeure du jeune
couple formé par Alcmène et par son mari Amphitryon. C'est dans le cadre
d'un conte spirituel et voluptueux que Giraudoux présente ses personnages.
Profitant d'une absence du mari, Jupiter passe une nuit avec Alcmène et engendre Hercule, futur demi-dieu. Tout semble ainsi accompli, tout semble perdu
pour Alcmène, qui avait décidé qu'elle se tuerait si elle était infidèle à son
mari (A. I, sc. 6).

Et pourtant non, rien n'est perdu, car, à son grand déplaisir, Jupiter a dû
revêtir la forme d'Amphitryon pour obtenir Alcmène. C'est sous l'apparence du
mari qu'il entendait berner que le maître des dieux a dû se glisser... L'humiliation est grande. Ainsi, la jeune femme n'a pas été infidèle à son mari, puisque
c'est lui qu'elle a cru accueillir. A l'intérieur même de la fatalité, Alcmène se
trouve avoir préservé son amour.

Cette victoire paradoxale sera suivie de plusieurs autres. Jupiter, toujours
sous l'apparence d'Amphitryon, mais désireux d'être aimé pour lui-même,
essaiera de tenter la jeune femme avec des cadeaux divins : la connaissance
suprême, l'immortalité. Le dieu en est pour ses frais. L'amour d'Alcmène pour
Amphitryon s'étend en effet à tout ce qui compose la vie sur la terre : imper-
fections, souffrances, mort y comprises. « Il n'est pas une péripétie de la vie
humaine que je n'admette, de la naissance à la mort. » « Je ne crains pas la
mort. C'est l'enjeu de la vie. » (A. II, sc. 2). Et Alcmène se « solidarise avec
son astre », comme elle le dit joliment, refusant l'immortalité, qu'elle considère
comme une trahison vis-à-vis des êtres périssables dont elle est entourée, à
commencer par son mari. Jupiter, vaincu à nouveau, s'incline pourtant avec
respect devant cette mortelle si sage et mesurée, « le premier être vraiment
humain » que, dit-il, il rencontre *(ibid.).*

Lorsqu'enfin Jupiter se révèlera dans sa gloire à la jeune femme, celle-ci
ne faiblira pas non plus. Alcmène, à elle seule, est parvenue à préserver le bonheur du couple. Elle a eu elle-même le soin de son amour, et Amphitryon peut
dire avec raison que sa femme représente ses « armes » contre Jupiter, des
« armes égales » à celles du dieu lui-même (A. III, sc. 4). D'une action qui pouvait devenir une tragédie, Alcmène a pu faire, selon un mot de la pièce, « un
petit divertissement pour femmes » ! (A. II, sc. 6).

Une Electre, une Alcmène ne sont pas isolées dans le théâtre de Giraudoux, où l'influence féminine se retrouve partout, à divers degrés. L'écrivain, dans sa dernière pièce, nous montrera encore comment la vieille Folle de Chaillot tient tête aux affairistes qui menacent de détruire les beautés de Paris. Elle les enferme à jamais dans un égoût : « Il suffit d'une femme de sens pour que la folie du monde sur elle casse ses dents », dit la Folle dans la dernière scène de cette œuvre.

Les effets bienfaisants ou négatifs qui accompagnent l'action féminine s'expliquent-ils par le seul fait du hasard ? Il n'est pas douteux que Giraudoux a établi un lien entre la tournure heureuse ou malheureuse de l'influence des femmes et l'amour. L'influence féminine aboutit à des résultats bénéfiques quand elle a pour mobile l'amour véritable; à des résultats maléfiques quand l'héroïne se raidit dans l'orgueil ou se livre à un amour qui n'est qu'un simulacre, comme celui d'Hélène dans *La guerre de Troie*. C'est qu'en effet, pour Giraudoux, l'amour véritable n'est pas une passion désorganisatrice, mais au contraire une force qui établit un équilibre dans les êtres et stimule leurs meilleures possibilités. L'amour authentique a selon lui pour corollaires des qualités éminentes et fécondes. « Peut-être, si vous vous aimiez, dit Andromaque à Hélène, indifférente à l'angoisse des Troyens devant la guerre menaçante, peut-être l'amour appellerait-il à son secours l'un de ses égaux, la générosité, l'intelligence... Personne, même le destin, ne s'attaque d'un cœur léger à la passion... » (*La guerre de Troie n'aura pas lieu*, A. II, sc. 8).

Dans *Ondine*, l'attitude des comparses est révélatrice. Seuls ceux qui sont capables d'élan et de désintéressement, le vieux pêcheur et sa femme, des serviteurs, Bertram le chevalier courtois, le roi et la reine, devinent et aiment Ondine; en revanche, les personnages bornés et conventionnels, comme les courtisans et les juges, la méconnaissent et la persécutent.

On comprend l'importance que peut revêtir l'amour tel que le conçoit Giraudoux : l'écrivain en fait, non seulement la condition de l'accord entre l'homme et la femme, mais aussi la condition de l'harmonie générale entre les êtres. L'amour, puissance constructrice, n'enferme pas le couple dans une cellule égoïste, mais il répand autour de lui un rayonnement dont la société bénéficie largement.

Il va sans dire que Giraudoux n'a pas exposé dogmatiquement ses pensées sur l'amour, mais les vues que j'indique se trouvent sous-jacentes à toute son œuvre. Bien plus, Giraudoux nous a donné ça et là de discrètes indications qui confirment les interprétations proposées plus haut. « L'amour est encore la plus grande mission que Dieu ait confiée aux hommes ! » (3) affirme un personnage. Tel autre se demande ce que serait le monde « si les vrais mariages avaient eu lieu » (4). Dans une conférence à l'Université des Annales (5), Giraudoux a

---

(3) *Film de la Duchesse de Langeais*, p. 169, éd. Grasset.
(4) *Judith* (A. I, sc. 5).
(5) « La Femme », 1934, p. 45, dans *La Française et la France*, éd. Gallimard, 1951.

donné à sa pensée la forme d'une véritable thèse où s'exprime de manière théorique ce que nous avons vu illustré par mainte situation dramatique :

Les civilisations, quelles qu'elles soient, sont déterminées avant tout par un facteur : les rapports de l'homme et de la femme.

Voilà une réflexion d'allure doctrinale, comme on en chercherait en vain l'équivalent sur les lèvres des personnages giralduciens, qui vivent et s'inspirent des secrets de l'auteur sans les afficher bruyamment. Les paroles de Giraudoux à la conférence des Annales sont l'un des textes les plus révélateurs des intentions véritables de l'écrivain dans son théâtre.

Rien n'illustre mieux cette affirmation que *Sodome et Gomorrhe*, créée en 1943. Giraudoux a donné à cette œuvre le ton ardent d'un avertissement. Il a dédaigné la tradition biblique selon laquelle la présence de dix justes dans Sodome aurait suffi à sauver la ville de l'anéantissement. C'est un couple qui seul peut sauver les hommes, et ce couple devra être conforme à l'image que s'en fait le dieu giralducien de Sodome; il devra être fondé sur la « tendresse », « l'harmonie », la « liberté », la « constance et l'intimité » (A. II, sc. 7). Bien que cette œuvre soit amère et se termine par la destruction de la ville, le thème du couple y brille par endroits d'un éclat poétique exceptionnel et l'on pourrait presque dire que dans telle page de *Sodome et Gomorrhe* la vision du couple l'emporte sur la vision de la catastrophe finale. L'ange dit à Lia :

De là-haut, nous voyons surtout le désert qui tient les trois-quarts du monde, et il reste le désert si c'est un homme seul ou une femme seule qui s'y risque. Mais le couple qui y chemine le change en oasis et en campagne. Et le couple peut être égaré à vingt lieues du douar, chaque grain de sable par sa présence devient peuplé, chaque rocher moussu, chaque mirage réel.

Plus loin, à la mort du couple, le poète écrit :

Et tous deux meurent de soif, et leurs ossements ne sont pas des objets de mauvais os et de mauvaise chaux, ce sont les ossements du couple, les côtes en sont d'ivoire, les orbites sont des émeraudes, les vides sont les pleins de la vie, et ils brillent à travers la nuit éternelle. (*Sodome et Gomorrhe*, A. II, sc. 7).

*
**

J'ai cherché jusqu'ici à décrire les différents traits de l'héroïne giralducienne : sa vérité psychologique, ses pouvoirs étendus, le rôle actif qu'elle joue auprès du héros dans l'aménagement de la condition humaine. L'intérêt d'un théâtre qui met en valeur de pareils thèmes sans que la poésie, le merveilleux, l'esprit, aient à en souffrir, me paraît évident. Giraudoux dit beaucoup de choses sans avoir l'air d'y toucher, mais il semble, d'après ce qu'il faut bien appeler la légende de Giraudoux, que cette manière de faire soit restée lettre close pour nombre de critiques. L'adolescent nonchalant entouré de jeunes filles transparentes, le Normalien et ses canulars, l'écrivain précieux qui n'a rien compris à son époque, ou même, chose surprenante, un homme fanatiquement épris d'absolu, prennent régulièrement le pas sur le vrai Giraudoux, jusque dans les écrits les plus récents. C'est là sans doute la rançon que doit payer un écrivain pudique et secret à des lecteurs trop pressés. Traiter le théâtre de Giraudoux de superficiel ou de vieilli, c'est méconnaître un auteur dont l'œuvre généreuse n'a guère sa pareille dans le théâtre français de ce demi-siècle, objet de nos entretiens.

Jetons un bref coup d'œil sur le personnage féminin et sur l'amour, tels qu'ils apparaissent dans quelques œuvres dramatiques marquantes, contemporaines de Giraudoux ou postérieures à lui.

Chez Montherlant, la femme est plus souvent objet que sujet, et objet soumis aux caprices des hommes dont elle dépend. Son action ne sort guère des limites d'un gynécée moral où la tient enfermée un écrivain dédaigneux. L'amour doit compter ici avec un facteur irréductible, qui est le manque d'estime de l'homme pour sa partenaire.

La femme dans le théâtre de Sartre subit le contrecoup des idées de l'auteur. Sa tendresse et son intérêt sont surtout acquis aux hommes qui ont su accomplir, comme un signe de liberté, un acte violent. La nature féminine tolère mal l'étroit corset des concepts philosophiques, aussi l'héroïne de Sartre paraît-elle moins vivante que son compagnon.

Les femmes imaginées par Claudel gagnent en bizarrerie ce qu'elles ont perdu en vérité. Rarement, il faut le dire, un auteur français a manifesté plus d'incompréhension vis-à-vis de la femme. On peut malaxer à sa guise un être aussi peu fondé psychologiquement. C'est de quoi Claudel ne s'est point privé, tantôt exaltant et sauvant, tantôt abaissant et perdant ses créatures, selon l'interprétation très personnelle qu'il se faisait du catholicisme. Rien d'étonnant à ce qu'une entente entre l'homme et la femme soit jugée impossible sur cette terre par un homme aussi enfoncé dans ses partis-pris. Pourtant Claudel, malgré qu'il en ait, s'intéresse à l'amour. Il en est réduit à ne l'admettre qu'après la mort, quand ses personnages auront atteint le maximum d'irréalité...

Enfin, ce n'est pas dans le théâtre français dit d'avant-garde que nous pourrons découvrir des personnages féminins capables de rivaliser avec ceux de Giraudoux. Il me semble que Beckett, Ionesco ou Adamov nous présentent trop souvent des êtres inachevés ou déformés, inaptes à ressentir et à exprimer un sentiment aussi complexe que le sentiment amoureux.

Les auteurs que je viens de mentionner ont tendance à voir la femme, en partie ou en totalité, non pas telle qu'elle est, mais telle que l'optique masculine se l'imagine. A en croire le récit de la Genèse, Dieu a créé la femme à partir d'une côte d'Adam. L'opération eut lieu pendant le sommeil magique où fut alors plongé le premier homme. On pourrait dire que ce sommeil s'est prolongé chez certains fils d'Adam, qui continuent à voir la femme selon leurs rêves et non dans sa réalité... Il s'est prolongé jusque dans la littérature, où abondent des images de la femme qui doivent plus à l'imagination masculine qu'à la réalité féminine. A tel point que certains psychologues vont jusqu'à nous assurer qu'il existe chez les hommes de véritables mythes de la femme.

L'originalité de Giraudoux dans son théâtre est certainement d'avoir pressenti qu'il y avait derrière la vision masculine une réalité différente, et c'est cette réalité qu'il a essayé de surprendre. Il y a dans *La guerre de Troie* une scène qui traduirait bien l'orientation générale de tout le théâtre giralducien à cet égard : c'est la scène où les hommes, par la bouche de Demokos, reconnaissent vouloir imposer aux femmes ce qu'ils appellent une « forme idéale » (A.I, sc. 6). Entendez par là leur vision particulière de la femme. La prétention de Demokos provoque dans la troupe des femmes un beau tollé de protestation !

Le souci de laisser la femme se manifester dans sa vérité propre est visible aussi chez Giraudoux quand il s'occupe de certains problèmes de la Française pendant l'entre-deux guerres. Dans l'une de ses conférences, il parle de la femme comme d'un « être jumeau » de l'homme, « nouvellement révélé à lui-même ». Il ajoute que l'homme a «sournoisement éliminé cet être jumeau vers le domaine inférieur, en faisant d'elle une servante, ou vers le domaine supérieur, en la déclarant déesse, mais toujours en se refusant à la parité et au plain-pied avec elle » (6).

Je ne crois pas me tromper quand je vois les idées du conférencier coïncider avec celles du créateur de figures féminines.

L'héroïne giralducienne, proche de chaque femme par sa psychologie exacte, libérée au maximum des contraintes exercées par les doctrines et les croyances, atteint, par delà ses diverses incarnations scéniques, à une sorte de stylisation qui est la marque des œuvres durables. L'œuvre théâtrale de Giraudoux présente une contribution au problème d'équilibre entre les sexes, dont l'intérêt est universel.

DISCUSSION

IVERNEL. — Vous avez défini l'héroïne de Giraudoux comme un être qui a avant tout le sens du concret et de la vie, alors que généralement les hommes verraient la femme selon leurs rêves et non selon la réalité, et cela me semble en contradiction avec *Intermezzo*. Dans cette pièce, c'est l'héroïne qui trahit les êtres périssables dont elle est entourée.

Mᵐᵉ MERCIER-CAMPICHE. — Isabelle est un cas particulier. Mais, par l'amour, elle rejoint, à la fin de la pièce, la ligne des héroïnes giralduciennes.

IVERNEL. — L'alliance de la nature et de l'amour que vous avez soulignée serait en contradiction, en apparence tout au moins, avec la fin d'*Intermezzo* où l'amour s'allie à la bureaucratie, qui est le contraire de la nature. Ce qui me semble synthétiser les deux points de vue, c'est que l'amour respecte l'ordre et même le consacre, que ce soit celui de la nature ou de la bureaucratie.

---

(6) « La relève de la femme », dans *La Française et la France*, pp. 112 et 130, éd. Gallimard, 1951.

Mme MERCIER-CAMPICHE. — On ne peut pas mettre sur le même plan *Intermezzo*, qui dans la pensée de Giraudoux est un intermède, et *Ondine* dont les thèmes sont beaucoup plus importants. Quant à la bureaucratie, elle est représentée par deux types complétement opposés : l'inspecteur, qui est ennemi de la nature, et le contrôleur, qui en est l'ami.

JACQUOT. — Il semble que nous comprenions différemment *Electre,* vous-même estimant qu'Electre est mue par un désir de vengeance non nécessaire et moi que pour une part elle revendique vers la fin une justice idéale. Je crois que ces interprétations résultent d'une ambiguïté qui est dans la composition du personnage même et de la manière indirecte, allusive, dont Giraudoux traite les problèmes. Il me semble que dans cette pièce il y ait contamination des personnages d'Antigone et d'Electre.

Mme MERCIER-CAMPICHE. — Antigone est plus sympathique car elle paie de sa personne, tandis qu'Electre prétend pouvoir rendre la justice alors qu'elle-même par son caractère haineux, par l'amour teinté d'inceste qu'elle a pour son frère, n'est pas digne de prononcer ces paroles si nobles et si belles de la fin.

JACQUOT. — Deux personnages et deux problèmes différents paraissent confondus dans la pièce : la tragédie familiale d'Electre (sa vengeance) et le problème de la politique et de la morale, posé dans le dialogue entre Electre et Egisthe. Pourquoi Egisthe lorsqu'il prend conscience de ses responsabilités devant le danger que court la patrie demande-t-il cette justification, ce consentement d'Electre, si elle ne représente pas à ce moment un principe de justice qui veut qu'il paie le prix du meurtre d'Agamemnon ?

Mme MERCIER-CAMPICHE. — Il y a un décalage entre les paroles et les actes d'Electre qui prétend représenter la justice absolue et qui accepte le repentir d'Egisthe à condition qu'il tue Clytemnestre. Giraudoux a voulu montrer que la haine effroyable d'Electre pour sa mère domine toutes les idées de justice qu'elle se fait. Elle est prête à pardonner à l'un des meurtriers à condition qu'il abatte l'autre, ce qui est la négation de toute justice.

JACQUOT. — Sur le plan de la politique et de la morale il y a deux conceptions qui s'affrontent, l'une faite de compromis, d'oubli qui vise à laisser dormir les dieux, l'autre de justice intransigeante, de devoir, et c'est cette dernière qui ruine l'Etat car elle comporte le seul élément fatal à l'humanité, l'acharnement.

Mme MERCIER-CAMPICHE. — Giraudoux se méfiait sans doute de toute attitude obstinée, fanatique, de cet acharnement qui est, je crois, le fonds du personnage d'Electre.

JACQUOT. — Pourtant, lorsque fut écrite la pièce, on abordait une période de l'histoire où, avec le déferlement de la vague totalitaire, l'obstination et l'intransigeance allaient en devenir vertus maîtresses.

Mme MERCIER-CAMPICHE. — D'après les propres paroles de Giraudoux, pour lui l'essentiel est la moralité de l'individu. Il est un moraliste, et c'est sous cet angle, à travers la poésie, le merveilleux de son œuvre, que sa pensée acquiert son unité la plus grande. Il a d'ailleurs dit dans une conférence : « à mon avis il n'y a pas de problèmes de l'heure, le problème, c'est l'état moral de l'individu. »

LES TRAGIQUES GRECS AU GOÛT DU JOUR

I. — L'ORESTIE

par Jean JACQUOT

(C.N.R.S.)

Nous avons pensé qu'en examinant la série des pièces modernes inspirées par les tragédies d'Eschyle, de Sophocle ou d'Euripide, nous serions à même de saisir certains traits révélateurs du théâtre d'aujourd'hui. Il nous est apparu tout de suite qu'il y avait intérêt à se limiter aux deux grands cycles que constituaient l'Orestie et l'Œdipodie et, puisqu'une division du travail était nécessaire, nous avons choisi de parler, moi du premier et M. Gillibert du second.

Le recours aux tragiques grecs, dont nous voyons tant d'exemples, est un signe de dépendance. Il suppose un travail au second degré, non seulement sur une matière, mais sur une structure déjà existante. Mais il admet aussi qu'une histoire comme celle d'Oreste ou d'Œdipe, qui nous est transmise dans une œuvre qui est le produit d'une civilisation donnée, possède la valeur d'un mythe dont le contenu peut sans cesse être réinterprété, et doté d'une signification nouvelle. La possibilité de renouvellement réside soit dans le développement d'aspects de la situation tragique dont les Grecs n'ont pas su ou voulu tirer parti, soit surtout dans l'attribution d'un sens différent — voire un sens opposé — à l'aventure du héros argien ou thébain. Cette transformation du mythe s'opère même dans l'esprit d'un traducteur comme Claudel qui, dans sa « Note sur les Euménides », s'efforce de montrer que l'*Orestie* est une préfiguration des dogmes catholiques :

> Au-dessus de l'insoluble réversibilité des meurtres réciproques, apparaît le Père à qui seul appartient la Vengeance. C'est lui qu'Athéna et Apollon désignent en phrases mystérieuses et étonnamment prophétiques, où déjà l'on reconnaît les ombres de la Vérité future, la Résurrection, le Verbe, l'éternelle Génération. Athéna elle-même n'est-

elle pas comme une préfigure de la Sophia et de l'Immaculée Conception ? Apollon n'a-t-il pas une ressemblance avec l'Ange Gardien ? (1).

La théorie classique de l'imitation suppose aussi une modification du contenu et une adaptation aux valeurs d'une civilisation toute différente. On sait ce qui sépare des Grecs un Racine, aussi profonde qu'ait pu être son expérience de leurs œuvres. D'ailleurs, dans l'*Orestie*, Eschyle lui-même ne transforme-t-il pas pour le public d'Athènes et ne charge-t-il pas d'un sens nouveau les données d'un récit semi-légendaire, récit que Sophocle et Euripide modifient à leur tour dans leur *Electre* ? L'histoire des métamorphoses d'un thème tragique comme celui-ci, à travers les âges, serait fort instructive. Il reste qu'il a trouvé avec Eschyle, en 458 avant notre ère, son expression définitive, et que ce qu'on a pu composer par la suite, en s'en inspirant, fait figure de variation, voire même de glose.

Les dramaturges venant à sa suite sont contraints de se définir par rapport au vieil Eschyle. Et c'est pourquoi il nous faut d'abord porter nos regards sur sa trilogie. Nous y sommes témoins, à l'occasion d'une série de crimes et de vengeances ébranlant les fondements de la cité, d'un long débat avec les dieux et d'une recherche passionnée de la justice. Le chœur des vieillards d'*Agamemnon* loue Zeus d'avoir châtié les Troyens qui ont violé, par le rapt d'Hélène, les lois de l'hospitalité. Mais le vainqueur, Agamemnon, n'a pas les mains pures, il a immolé sa fille pour obtenir des vents favorables. Les Grecs se sont livrés aux excès dans la victoire, et c'est une armée décimée et longtemps éprouvée qui rentre aux foyers. Clytemnestre prétend venger Iphigénie, et se vante de sa justice, mais son crime est celui d'une épouse adultère. Egisthe déclare punir sur le fils d'Atrée les forfaits commis sur Thyeste et ses enfants, qui sont à l'origine de la malédiction qui pèse sur le palais d'Argos. Mais, complice de la reine, il tient le langage d'un tyran. Les prophéties de Cassandre, les commentaires du Chœur pris lui-même dans le remous des événements, nous font connaître qu'un démon de discorde est le fléau de ce palais, que la vapeur qui y règne est celle des tombeaux, et qu'avant que cette dernière plaie soit refermée une autre va s'ouvrir.

L'obligation du meurtre s'impose en effet à Oreste et à Electre dans les *Choéphores*. Cependant ils s'interrogent. « La mort des assassins, puis-je sans impiété la demander aux dieux ? » s'écrie Electre. Mais la réponse paraît claire. Apollon, porte-parole de Zeus, prédit à Oreste un mal terrible s'il ne venge pas son père. L'antique loi du talion est répétée comme un *leit-motiv* : le sang demande un autre sang; l'outrage pour l'outrage, c'est le cri de l'équité. Cependant le chœur exprime l'espoir que la mort n'engendrera plus la mort, et que les derniers coups seront justes. Mais malgré le climat de culte fervent du père, de haine pour la mère adultère dans lequel se déroule cette partie de l'œuvre, Oreste doit se faire à lui-même violence pour frapper Clytemnestre. Un dialo

---

(1) Paul CLAUDEL, *Les Choéphores et les Euménides d'Eschyle*, éd. Gallimard, Paris, pp. 113-114.

gue terrible s'engage entre lui et sa mère, avant qu'il trouve la force de frapper le sein qui l'a nourri. Et il déclare, l'acte accompli : « Je gémis à la fois sur le forfait et sur le châtiment, et sur ma race entière; car de cette victoire je ne garde pour moi qu'une atroce souillure ».

Dans les *Euménides,* Eschyle nous donne la mesure de sa puissance d'invention. Bien que les événements dramatiques s'enchaînent, cette pièce n'est plus comme les précédentes une évocation des temps anciens, elle nous montre l'origine de temps nouveaux, marqués par de nouvelles institutions. Elle nous plonge beaucoup plus directement dans la réalité sociale d'Athènes et nous met en présence, d'une façon plus précise, de manières de penser et de sentir qui s'accordent malaisément avec les nôtres. Ici nous avons besoin, plus que jamais, du secours de l'historien pour comprendre qu'il s'agit du passage d'une société dont la cellule est la tribu, où la mère joue un rôle éminent, à une autre dont la cellule est la famille privée qui a pour chef le père. Certes le thème de la subordination de la femme est présent dans toute l'œuvre. Clytemnestre y paraît comme une usurpatrice arrogante de l'autorité, Egisthe comme un homme qui se trouve dans la dépendance d'une femme, qui s'abrite derrière le pouvoir de la reine. Mais cette fois le conflit entre l'autorité du père et de la mère prend la forme d'un débat juridique où les dieux soutiennent des thèses opposées.

Sans doute viendra-t-on nous dire que lorsque Apollon soutient que « ce n'est pas la mère qui enfante celui qu'on nomme son enfant », qu'elle est seulement « la nourrice du germe en elle semé », il se fait l'avocat du progrès. On peut en effet discuter pour savoir si à tel moment de l'histoire le renforcement de l'autorité paternelle a pu jouer en faveur d'un progrès économique ou social. Il reste qu'un argument de cet ordre en faveur de la subordination de la femme ne peut exercer aujourd'hui aucune séduction sur notre intelligence ou notre sensibilité. A ce point précis nous ne pouvons porter au drame qu'un intérêt purement archéologique. Mais ce n'est là qu'une de ses multiples facettes.

Dans les *Euménides* la perspective paraît avoir changé. En effet les pièces précédentes mettaient bien en évidence le thème du crime appelant le crime, de la vengeance engendrant la vengeance. Ici les Furies sont d'anciennes déesses qui poursuivent seulement celui qui a versé le sang de sa race, c'est-à-dire le sang de la mère, mais non celui du père ou de l'époux, qui s'acharnent donc contre Oreste mais n'ont pas inquiété Clytemnestre. Cependant l'idée maîtresse de toute l'œuvre me paraît bien être la recherche d'un moyen d'échapper à cette fatalité du sang versé, recherche qui trouve enfin son objet dans les *Euménides,* grâce à la sagesse d'Athéna qui arbitre le différend entre les vieilles déesses et les dieux nouveaux, qui édicte des lois moins arbitraires que celle du talion, qui remet la décision de la vengeance non plus à des personnes privées, mais à un tribunal, qui assigne une limite au pouvoir des antiques Furies en faisant d'elles les ministres du châtiment des criminels qui enfreignent les lois, et les protectrices de la cité. Et si nous replaçons dans cet ensemble les aspects de l'œuvre qui causent de notre temps le plus grand dépaysement moral, nous pouvons

nous abandonner aussi, nous spectateurs modernes, à l'émotion qui soulève tout
un peuple tandis que s'organise sous la conduite d'Athéna le cortège solennel
qui termine le drame. Et il ne servirait à rien d'admirer ici la grandeur de la
conception poétique si l'on ne la sentait nourrie d'un bout à l'autre par une
pensée exigeante, avide de justice, qui cherche à comprendre l'ordre universel
et la nature de l'homme et des dieux.

    Avec l'*Electre* de Sophocle et celle d'Euripide, nous ne sommes plus en pré-
sence d'un aussi vaste ensemble, ni d'une pensée aussi héroïque. Nous n'avons
plus ici que le panneau central, celui des *Choéphores*. Ce qui change d'abord,
avec Sophocle, c'est qu'Electre est promue au rôle de protagoniste. Les personnages, moins subordonnés à une pensée qui marche à la découverte d'une conciliation et d'une synthèse, existent davantage par eux-mêmes. Certes Oreste ne
vit que pour remplir la mission dont il se sent chargé : « ... palais de mes ancêtres, c'est toi qu'ici je viens purifier, au nom des dieux, suivant le droit ».
Electre invoque la justice de Jupiter. Elle subordonne tout au culte du mort et
au souci de le venger. Dans son inflexibilité même, car sa volonté est tendue
sans une hésitation vers le meurtre de la mère, elle apparaît comme l'incarnation d'un principe. Mais il y a d'abord un facteur de durée, dont on est à peine
conscient chez Eschyle, qui contribue à individualiser le personnage. Nous nous
trouvons devant une vie, depuis l'enfance abreuvée d'humiliations, dont les seules joies sont la haine, et le deuil, et l'attente du frère vengeur. Le problème de
la justice prend un aspect différent. Chez Eschyle il est considéré surtout par
rapport au crime. Mais l'injustice dans Sophocle résulte de l'oppression. Oreste
et Electre sont mus par un impératif d'honneur et de vengeance, mais aussi par
le souci de restaurer leurs droits, et de recouvrer leurs biens. Il y a aussi l'antagonisme de la mère et de la fille, et l'on se demande parfois si ce n'est pas la
haine de Clytemnestre qui exaspère en Electre le sentiment du devoir, plutôt que
l'inverse. Le culte du père, l'amour pour le frère, l'indignation vertueuse à l'é-
gard de l'inconduite de la mère, tout dans l'attitude d'Electre paraît déterminé
par une situation de famille et par les attachements et les conflits qui en résultent. Nous sommes déjà dans le théâtre psychologique qui s'intéresse aux individus ou aux types plus encore qu'aux idées.

    Notons aussi que des *Choéphores* à *Electre* le rapport de la jeune fille avec
le Chœur s'est modifié. Elle n'est plus soutenue par un groupe qui l'aide à porter l'exaltation à son comble dans la scène des libations, elle s'oppose à lui.
L'émotion n'est plus ritualisée, et se libère sous une forme quasi hystérique
dans de violentes querelles avec la mère. Mais son opposition au groupe est
aussi celle de la révolte qui refuse les compromis et la résignation qu'on lui
conseille. Elle s'oppose pour la même raison à sa sœur Chrysothémis avec laquelle elle se trouve dans le même rapport qu'Antigone avec Ismène. On peut
être tenté de rapprocher les deux figures. Il y a aussi chez Antigone cette exigence, cette fierté du devoir à accomplir. Mais la situation est autre, elle demande à Antigone la piété et l'amour, et le sacrifice de soi, mais non la haine,
la violence.

Le thème de la vengeance qui appelle la vengeance est indiqué, mais il n'est pas développé. Clytemnestre invoque la justice de sa cause : elle a tué le meurtrier d'Iphigénie. Electre lui répond qu'elle sera la première victime de la loi du talion : « On doit donc tuer un homme pour un autre ? Mais tu serais alors la première à mourir, si tu étais punie comme tu le mérites ». C'est là un effet d'éloquence, car Electre est raisonneuse. Mais le problème évoqué n'est pas débattu. Nous avons une péripétie, la fausse nouvelle de la mort d'Oreste, avec le morceau de bravoure qu'est le récit de la course de chars, qui fait éclater la haine de Clytemnestre pour ses enfants, et l'amour fraternel d'Electre qui passe du désespoir à la résolution désespérée, puis à l'exaltation de la victoire, mais cette péripétie soutient assez artificiellement l'intérêt dramatique. Après quoi nous en venons à l'exécution de la vengeance. Le Chœur fait bien allusion aux Furies : « Elles viennent à l'instant même de pénétrer dans ce palais : elles sont sur la piste des traîtrises méchantes, les chiennes à qui l'on n'échappe pas ». Mais elles ne poursuivent pas Oreste, au contraire elles sont censées le seconder dans sa vengeance. Il tue sa mère avec un sang-froid imperturbable tandis qu'Electre et le Chœur crient à la curée. L'*Electre* de Sophocle est une tragédie de la vengeance : celle-ci est assouvie avec délectation sur la personne d'Egisthe que l'on expédie avec un raffinement de tortures morales, après l'avoir fait tomber dans un piège. Sophocle fournit un modèle à Sénèque qui le transmettra aux dramaturges de la Renaissance, et notamment aux Elisabéthains.

On sait qu'Euripide fait d'Electre l'épouse d'un laboureur. On l'a contrainte à cette mésalliance, après s'être débarrassé d'Oreste, pour éviter qu'un de ses enfants ne devienne un jour le vengeur d'Agamemnon. Mais l'homme du peuple au grand cœur a respecté la princesse, et leur union n'a pas été consommée. C'est là l'une des inventions d'Euripide, mais bien qu'il ait voulu rivaliser avec Sophocle, son Electre ne diffère pas beaucoup de celle de son aîné. Il semble même qu'il y ait encore un rapetissement des mobiles par rapport à Eschyle. Oreste présente à Electre le cadavre d'Egisthe pour qu'elle choisisse le sort à lui réserver, comme de le livrer en pâture aux bêtes sauvages. Si Electre hésite à outrager la dépouille, c'est uniquement parce qu'elle craint les critiques de la cité. Elle se répand cependant en longues invectives, énumérant tous ses griefs. Quand Clytemnestre est mise à mort, nous croyons d'abord assister à un retour aux *Choéphores*. Electre reste implacable mais Oreste, devant sa mère, est en proie à une lutte terrible. Le meurtre accompli, le Chœur, sans cesser d'y voir une juste rétribution, se sent rempli de pitié pour cette mère égorgée, et pleure le destin de cette malheureuse maison. Oreste et Electre sont accablés de remords et d'horreur. Oreste reproche à Apollon d'avoir dans un oracle proclamé la justice d'une vengeance terrible, et il reproche à sa sœur d'avoir changé, et d'éprouver tardivement de la pitié, elle qui l'exhortait à frapper. C'est alors qu'apparaissent les Dioscures, frères divins de Clytemnestre. « Son châtiment est juste », déclarent-ils à Oreste, « mais ton action ne l'est pas, et Apollon a prononcé un oracle qui manquait de sagesse ». Et ils lui prédisent un destin identique à celui qu'Eschyle nous fait connaître dans les *Euménides*. Mais dans cette brève évocation il ne reste rien de l'admirable débat de cette dernière pièce à l'issue duquel la loi du talion se trouve reléguée dans le passé. Euripide a recours à quelque *deus ex machina* auquel il ne croit guère car d'un bout à l'autre de la pièce on discerne un courant d'incrédulité à l'égard des dieux, et de leur bienveillance envers les humains. Toute autre est l'attitude d'Eschyle, qui s'efforce d'embrasser dans leur ensemble les événements et leurs causes, afin de reconnaître une cohérence dans l'univers et dans l'histoire, et une raison dans la volonté des dieux. Des dieux qui ne sont pas immuables, mais semblent pris dans le mouvement d'une humanité en marche, et capable de tirer des leçons de l'erreur et de la souffrance. Des dieux susceptibles de donner des conseils de sagesse comme la radieuse Athéna, qui protège la cité.

*
* *

Eugène O'Neill est le seul dramaturge moderne qui ait osé, avec *Le deuil sied à Electre,* donner une réplique de la trilogie eschyléenne. Le premier mérite de l'œuvre est de présenter un ensemble satisfaisant, même pour ceux qui ignorent tout de la tragédie grecque. Pour les autres elle acquiert, grâce au jeu des allusions et des correspondances, une dimension nouvelle. L'action se situe au lendemain de la Guerre de Sécession qui, pour le passé de l'Amérique, est un équivalent de la guerre de Troie dans le passé grec. Dans le style architectural de l'époque, le portique de la résidence des Mannon peut sans anachronisme évoquer les colonnes d'un palais ou d'un temple. Des gens de la ville représentant divers types sociaux forment le chœur dans chacune des parties. Un vieux serviteur fidèle à la famille, mais dont il connait les secrets, est tout à fait à sa place dans une tragédie renouvelée des Grecs. Enfin O'Neill demande à ses interprètes que leur visage à certains moments prenne la rigidité d'un masque, qui devient le symbole du souci qu'ont les Mannon de dissimuler ce que leur conduite peut avoir de répréhensible ou de criminel. Il tire aussi des effets de la ressemblance qu'ont entre eux, ou avec des portraits, les personnages, et aussi de leur comportement, surtout chez les enfants lorsqu'ils s'identifient au père ou à la mère.

Avant d'aller plus loin, rappelons que dans une œuvre précédente, *L'étrange interlude,* où il fait un usage des méthodes psychanalytiques assez analogue à celui de Lenormand en France, O'Neill se sert du monologue intérieur à voix haute pour révéler les pensées secrètes de ses personnages. Sentant probablement qu'il ne saurait sans monotonie recourir de nouveau à une telle convention, il recourt cette fois aux moyens visuels que je viens de décrire pour suggérer ce qui ne peut s'exprimer directement par le dialogue. Il emploie aussi le lapsus révélateur, ou la répétition de certaines phrases, prononcées dans un moment de crise, pour marquer qu'un autre personnage se trouve dans la même situation que celui qui les a d'abord dites. Mais cette méthode allusive ne lui suffit pas toujours. Les personnages expliquent eux-mêmes les rapports dans lesquels ils se trouvent entre eux. Et, certes, l'on veut bien admettre que dans des moments de conflit aigu les masques tombent, et que chacun devienne plus conscient de ses mobiles profonds comme de ceux des autres. Mais lorsque par exemple la mère dit à la fille : « Tu as essayé de devenir la femme de ton père et la mère de ton frère. Tu as toujours intrigué pour prendre ma place », nous avons un peu trop l'impression que le professeur Freud parle par la bouche de Christine Mannon. Je sais bien que Sophocle et Euripide fournissent au psychologue moderne assez de matière pour qu'il puisse donner le nom d'Electre à un complexe. Mais ces références à la psychanalyse auraient gagné à demeurer sous-entendues. Nettement formulées elles datent l'œuvre, et déjà la vieillissent.

C'est l'une des critiques importantes qu'on peut faire à O'Neill; l'autre concerne son style. Trop souvent il s'applique à reproduire la conversation courante, dans une langue triviale et relâchée. Ouvrant le livre à une page quelconque on trouve un dialogue de ce genre :

ORIN. — Qu'est-ce que tu m'as raconté dans tes lettres qu'un certain capitaine Brant venait voir ma Mère ? Veux-tu dire qu'il y a déjà eu des racontars sur son compte ? Bon Dieu, s'il ose remettre les pieds ici, je te jure qu'il s'en repentira !

LAVINIA. — J'suis contente que tu sois ainsi disposé à son égard. Mais c'est pas le moment de bavarder. Je voulais seulement te prévenir de te tenir sur tes gardes. Ne la laisse plus te dorloter comme avant et te remettre sous sa coupe... (2).

Je sais qu'O'Neill veut faire « réaliste », mais la trivialité elle-même a besoin d'être décantée pour s'intégrer dans un langage artistique, à plus forte raison dans un langage tragique, et dans une œuvre qui se réfère au théâtre grec afin d'atteindre, au-delà d'un réalisme à courte vue, une réalité primordiale. Nous savons que ce théâtre grec n'a point les pudeurs d'un néo-classicisme qui n'ose parler d'un mouchoir. Mais son réalisme procède par touches hardies, et ne s'étale pas en une uniforme grisaille.

Soyons justes d'ailleurs, O'Neill s'élève à un certain niveau de poésie — ici comme ailleurs — lorsqu'il parle de la mort, ou de la mer. Tout ce qui relève de l'expérience de la mort au cours d'une guerre est exprimé avec force. Et la mer, les navires, les Iles Bienheureuses deviennent les symboles, d'un bout à l'autre de l'œuvre, de l'amour maternel, de la nostalgie d'une vie antérieure, d'une innocence impossible à retrouver. Il y a chez O'Neill — sa dernière pièce nous le confirme — un marin qui s'est enivré de la lecture de Baudelaire. Le thème de l'invitation au voyage est formulé dès le début, lorsque le vieux serviteur Seth fredonne « Shenandoah », chanson de marins émouvante entre toutes.

Malgré les réserves qu'on peut faire sur le style, et sur l'usage trop évident de la psychanalyse, Le deuil sied à Electre est une œuvre riche et puissante. Pour nous en convaincre — sans tenir compte de l'ordre dans lequel nous sont

---

(2) Eugene O'NEILL, Mourning Becomes Electra, part. II, p. 127, Jonathan Cape, London (first published 1932).

révélés les secrets de la famille — voyons comment O'Neill transpose les données d'Eschyle, de Sophocle et d'Euripide. Les Mannon sont une riche famille d'armateurs. Une malédiction pèse sur leur maison, qui semble résulter de leur orgueil, de leur volonté de puissance, du puritanisme inflexible avec lequel ils confondent la justice. Le crime initial — analogue à celui d'Atrée dont Thyeste est victime — est celui d'Abe Mannon, père d'Ezra Mannon qui est l'Agamemnon de cette tragédie américaine. Abe a chassé, et ruiné, son frère cadet, David, à cause de sa liaison avec une gouvernante, Marie Brantôme. David, devenu alcoolique, a fini par se pendre et le fils de son union avec Marie a renié le sang des Mannon. Son nom d'emprunt, Brant, est en réalité la première syllabe du nom de sa mère dont il révère la mémoire. Les raisons de sa vocation de marin, après ce que nous avons dit du symbolisme de l'œuvre, sont évidentes. Comme Egisthe, le capitaine Brant satisfera à la fois l'amour et la vengeance en faisant de Christine, épouse d'Ezra Mannon, sa maîtresse. Comment cette Clytemnestre de la Nouvelle-Angleterre a-t-elle pu en arriver là ? A cause de l'atmosphère de cette maison, fatale à sa nature sensuelle, à son appétit de vivre. A cause d'Ezra incapable, comme tout Mannon, d'un véritable don de soi dans l'amour. Elle en est venue à haïr sa fille, Lavinia, fruit de ces étreintes sans joie, puis à reporter son affection sur son fils Orin. Sa passion pour Brant (qui est un Mannon) est née de la ressemblance du capitaine avec Orin. Ezra lui-même, devenu un étranger pour sa femme, s'est tourné vers sa fille, et s'est réfugié dans le travail, devenant tour à tour juge, maire de la cité, général dans l'armée du Nord. Lavinia, malgré sa ressemblance avec sa mère, affecte inconsciemment la raideur militaire du père. Mais rivale de sa mère elle est jalouse d'elle à la fois comme maîtresse de Brant et comme épouse d'Ezra. Elle est jalouse aussi de son frère qu'elle a poussé à partir pour l'armée tandis que sa mère voulait le retenir à la maison. Lavinia a réussi à découvrir la véritable identité de Brant, et les rendez-vous de sa mère avec lui, à New-York. Elle utilise ce secret qu'elle peut révéler au père (mais qui, cardiaque, doit éviter les émotions fortes) comme d'un moyen de chantage auprès de la mère, pour l'obliger à rompre avec Brant. Il ne paraît y avoir d'évasion possible pour les amants, car Ezra pourrait, en tant qu'armateur, priver Brant de son emploi. C'est ainsi que germe l'idée du meurtre.

Mais la familiarité avec la mort a transformé le héros vieillissant, lui a inspiré des vues nouvelles sur la vie, lui a fait considérer comme un culte de la mort celui auquel il se rendait jadis chaque dimanche, au temple. Il revient aussi rempli de désir, mais il est trop tard. Christine ne se donne que pour mieux fatiguer ce cœur déjà surmené, pour mieux lui faire sentir après qu'il a agi comme une brute dont elle est l'esclave, et pour mieux lui jeter au visage son amour pour Brant. Lorsque la crise arrive elle a sous la main le poison que lui a procuré Brant, pour l'administrer sous forme de potion. Le crime serait parfait si Mannon ne trouvait la force d'appeler sa fille, et si Christine, en s'évanouissant, ne laissait s'échapper la boîte de poison qui deviendra, entre les mains de Lavinia, une pièce à conviction.

Mais il n'est pas question de livrer Christine devant les tribunaux, la réputation des Mannon s'y oppose. Les deux femmes vont se disputer l'influence sur Orin qui rentre au foyer, convalescent d'une blessure, pour y trouver son père mort, mais qui se sent beaucoup mieux disposé à retrouver la tendresse maternelle qu'à prendre part à une veillée funèbre. Cependant Lavinia, implacable, qui assume maintenant l'autorité du père, lui révèle tout et le pousse à tuer Brant, son rival dans l'affection de sa mère. Orin assassine le capitaine alors qu'il s'apprête à fuir avec Christine sur un navire qu'il est parvenu à fréter. Orin a un moment l'intuition qu'il s'est identifié avec Brant, complice du meurtre de son père, et qu'il vient de tuer sa propre image. Cependant il croit que tout va s'arranger et qu'il va pouvoir remplacer Brant dans le cœur de sa mère. Une mise en scène de cambriolage dans la cabine de Brant a donné le change à la police : l'honneur des Mannon est sauf. Il croit pouvoir partir — sans sa sœur — avec sa mère vers les Iles Bienheureuses. Mais il ne peut s'empêcher de se vanter auprès de Christine d'avoir tué Brant, révélation qui précipite le suicide de la mère. Cette fois tout paraît s'arranger pour Lavinia, qui peut enfin prendre la place de Christine. Et comme il est bon de changer d'air le voyage aux Iles tant vantées par le capitaine Brant a bien lieu; Lavinia y emmène son frère.

Quand nous assistons au retour, une transformation s'est accompli. Lavinia s'est épanouie et ressemble plus que jamais à sa mère, l'atmosphère païenne des Iles lui a inspiré une vive aversion pour les portraits de famille et elle estime avoir accompli tout son devoir envers les Mannon, et acquis le droit de jouir de la vie. Elle prépare un double mariage dont Christine se promettait déjà les plus grands avantages, le sien et celui d'Orin avec Peter et Hazel, le frère et la sœur, dont la simplicité et la santé morale font contraste avec cet enfer des Mannon. Mais Orin se voue maintenant au culte du père, et prétend porter sur ses seules épaules le fardeau de la culpabilité familiale. Cependant il ne cesse d'être jaloux du bonheur de sa sœur qui est devenue belle comme sa mère, belle comme Marie Brantôme, et s'il s'enferme pour écrire l'histoire criminelle de la famille, sous les regards d'Ezra Mannon en robe de juge, c'est pour la remettre à Hazel afin qu'elle l'ouvre au cas où Lavinia voudrait épouser Peter. Et le suicide auquel il se sent acculé, pour expier le suicide de sa mère, il fera en sorte que sa sœur s'en sente coupable. Celle-ci n'échappera pas davantage à la Némésis, et après une tentative folle pour brusquer son mariage avec Peter, elle fera vider la maison des Mannon de toutes ses fleurs, fermer tous les volets, et s'enfermera à tout jamais avec ses remords.

On ne peut rendre compte de cette pièce qu'en montrant avec quelque détail comment le crime y engendre le crime et comment s'opèrent, chez les membres de cette famille maudite, ce que Jung a appelé les métamorphoses de la libido. Il serait futile de dénombrer les ressemblances et les différences entre l'œuvre et ses modèles. Que le dramaturge américain soit parvenu, dans la première partie, à créer un climat d'horreur tragique, on s'en rend compte en voyant la grande tragédienne Katina Praxinou interpréter à l'écran le rôle de Christine.

Quant au personnage d'Electre, il est évident qu'O'Neill a trouvé en lui bien des éléments pour son étude de Lavinia. L'antagonisme de la mère et de la fille, surtout chez Sophocle et Euripide, semble avoir des racines plus profondes encore que les circonstances de l'adultère et du meurtre qui ont permis à une haine plus ancienne de s'épanouir. De même, la révolte de l'épouse contre l'époux, nous la supposons latente chez Clytemnestre, et liée à sa condition de femme, même avant la rencontre d'Egisthe ou le sacrifice d'Iphigénie. Que les Grecs aient eu conscience de l'ambivalence des affections familiales nous n'en doutons pas lorsqu'après le meurtre de sa mère l'Electre d'Euripide s'écrie : « Ainsi, nous te couvrons de ces voiles, toi qui nous es à la fois chère et odieuse ». Mais O'Neill entasse complexe sur complexe, comme le Pélion sur l'Ossa. Il s'inspire, pour la structure générale de l'œuvre, de la trilogie d'Eschyle. Mais comme il ne possède pas l'optimisme lucide et têtu du vieux poète dévoué à sa cité, et que le théâtre américain ne possède pas la fonction civique du théâtre d'Athènes, il ne peut nous donner un équivalent des *Euménides*. Dans cette dernière partie où il est davantage livré à lui-même, nous avons le sentiment qu'il devient prisonnier de sa thèse, et peine pour mener la tragédie des Mannon à sa consommation. Le conflit qui éclate entre le frère et la sœur, après la vengeance, dans Euripide, lui fournit des indications, mais cela ne peut le mener très loin.

Et en fin de compte quelle est la pensée qui anime cette œuvre ? O'Neill veut-il montrer que cet *hubris* propre à la bourgeoisie américaine de souche puritaine porte en lui-même son châtiment ? Ou bien s'attache-t-il en pessimiste à mettre en évidence les mécanismes qui pervertissent l'amour humain, dans toutes ses manifestations ? Accuse-t-il une classe ? une société ? ou la vie tout entière ? Peut-être trouverons-nous un commencement de réponse en examinant ce que devient l'idée de justice et de responsabilité au cours de l'œuvre. Christine ne semble pas aller après le meurtre de son mari au-delà du regret de l'innocence perdue et de l'accusation d'un Dieu qui ne veut pas nous laisser tranquilles, qui torture notre vie en la mêlant à d'autres vies et nous contraint à nous infliger les uns aux autres le poison et la mort. L'attitude des enfants est plus odieuse en ce sens qu'ils prétendent s'ériger en justiciers. La rectitude grâce à laquelle ils cherchent à s'identifier au père est hypocrite, elle ne s'élève jamais au-dessus de l'esprit de clan, et leur permet le plus souvent d'assouvir leurs mobiles égoïstes avec une bonne conscience. « Puissent *vos* péchés trouver grâce auprès du Seigneur ! » s'écrie Lavinia devant le cadavre de Brant. Cependant ils n'échappent pour autant ni à de douloureux examens de conscience, ni à l'envahissement du remords et du besoin d'expiation. Finalement Orin se tue parce que c'est justice, parce qu'il se sent coupable du suicide de sa mère. Mais il s'arrange pour qu'à son tour sa sœur se sente coupable de son propre suicide et demeure sans personne d'autre à faire souffrir qu'elle-même. Et pour lui comme pour Christine la mort est moins un châtiment qu'un refuge et la véritable Ile Bienheureuse. Le mécanisme de la culpabilité les conduit tous à se détruire car le secret de famille à garder, autant que le désir de fuite, les empêche de se livrer aux autorités et de comparaître devant un tribunal. Un dénouement tel que nous le propose Dostoïevsky dans *Crime et châtiment* ou Faulkner dans *Requiem pour une nonne* est ici impensable. La vie n'est qu'une agitation cruelle entre le rêve de paradis illusoires et la certitude de la mort.

*
* *

Tandis que *Le deuil sied à Electre* se situe dans un milieu historique et social bien défini, l'*Electre* de Giraudoux et *Les Mouches* de Sartre nous mènent dans une Argos qui n'est ni d'aucun temps ni d'aucun lieu. Ici s'arrête la ressemblance entre ces deux dernières œuvres, si l'on excepte le cri du jardinier de Giraudoux aux petites Euménides : « Allez-vous nous laisser ! On dirait des mouches ». Il n'est d'ailleurs pas tout à fait exact de dire que cette *Electre* n'est d'aucun lieu puisque toute la faune et la flore de la Haute-Vienne sont évoquées, avec les chemins d'intérêt communal, le prix du beurre et les cigares qu'on fume par le bout allumé, dans les interminables digressions du mendiant et le lamento du jardinier fier de ses tomates qui veut greffer les Atrides sur les saisons. Giraudoux brode d'assez jolies variations sur la réunion du frère et de la sœur, ou la confrontation du fils avec la mère, mais c'est très tard, dans cette pièce fort longue, que l'on atteint un certain degré de concentration dramatique, dans les scènes finales qui opposent Electre à Egisthe.

Avec eux ce sont deux conceptions du monde qui s'affrontent dans un débat sur la justice. La thèse d'Egisthe, au début de la pièce (et celle de son subordonné Théocathoclès) c'est qu'ici bas tout a plutôt tendance à s'arranger, grâce à la vertu cicatrisante du temps et de l'oubli. De deux groupes humains où le crime est réparti dans des proportions égales, l'un mène une vie douce, l'existence de l'autre est un enfer. C'est parce que dans le second il y a un redresseur de torts qui veille, et rêve d'une justice impossible. Car c'est avec la justice, la générosité, le devoir qu'on ruine l'Etat, parce que ces vertus « comportent le seul élément fatal à l'humanité, l'acharnement ». Ceci, saupoudré d'ironie et de paradoxe comme à l'ordinaire, paraît bien représenter cependant le fond de la pensée de l'auteur, puisque tout dans un dénouement qui, sauf en ce qui concerne la mort d'Egisthe et de Clytemnestre, est entièrement fabriqué, tend à prouver qu'Electre est un de ces êtres d'autant plus dangereux pour le bonheur d'un peuple qu'ils sont plus purs et exaltés.

Il semble d'ailleurs qu'il ait quelque peu mêlé la figure d'Electre et celle d'une autre femme à histoires, Antigone. Car tantôt son Electre parle en rivale de sa mère, et tantôt elle paraît inspirée seulement par la piété et l'amour intransigeant de la justice. Il semble que Giraudoux ait eu devant les yeux, pour travailler, avec les pièces du cycle des Atrides, l'*Antigone* de Sophocle. Ainsi au début les propos d'Egisthe sur les dieux endormis dans leur béatitude, et qu'il ne faut point réveiller, doivent sans doute quelque chose à Lucrèce et à Epicure, mais aussi au Chœur d'*Antigone* où il est dit : « Quand les dieux ont une fois ébranlé une maison, il n'est point de désastre qui n'y vienne frapper les générations tour à tour. ... Ils remontent loin, les maux que je vois, sous le toit des

Labdacides, toujours, après les morts, s'abattre sur les vivants, sans qu'aucune
génération jamais libère la suivante : pour les abattre un dieu est là qui ne leur
laisse aucun répit », ce qui donne, traduit en giralducien : les dieux « sont des
boxeurs aveugles, des fesseurs aveugles, tout satisfaits de retrouver les mêmes
joues à gifle et les mêmes fesses ». De même je ne vois rien dans les tragédies où
il figure qui suggère cette vocation soudaine de l'Egisthe de Giraudoux pour le
service de la patrie. Mais Créon déclare, lorsque lui échoit la souveraineté après
la mort des fils d'Œdipe : « Est-il possible... de bien connaître l'âme, les sentiments, les principes d'un homme quelconque, s'il ne s'est pas montré encore
dans l'exercice du pouvoir, gouvernant et dictant des lois ? »

Peu importe d'ailleurs de savoir comment Giraudoux trouve ses idées. S'il
y a quelque grandeur dans cette pièce, elle réside dans ce mouvement qui porte
Egisthe à obtenir d'Electre la consécration de son pouvoir. Il n'est pas poussé
alors par un calcul, mais par l'espoir de concilier les deux principes qu'ils représentent, ceux de la politique réaliste et de la justice idéale. Le geste paraît
d'autant plus désintéressé que c'est lui qui tient Oreste et Electre à sa merci, et
non le contraire. Mais peut-être entrevoit-il ce que sera sa carrière si elle commence par l'exécution de ceux qui réclament la justice. Quoiqu'il en soit l'abîme
qui les sépare semble à Giraudoux impossible à combler. Et c'est pour le prouver
en mettant en relief l'intransigeance d'Electre qu'il invente de toutes pièces la
situation que l'on sait : Argos soudain attaquée par les Corinthiens, les maux
de la guerre civile s'ajoutant à ceux de l'invasion, les émeutiers prenant le parti
d'Oreste, le principe d'Electre triomphant à la lueur des incendies, avec la ruine
d'Argos. Outre que ces scènes ont encore moins de rapport que les autres avec
l'*Orestie*, leur éclairage est par trop factice. Et il est trop facile d'imaginer des
répliques comme celles-ci : « Il est des vérités qui peuvent tuer un peuple, Electre » — « Il est des regards de peuple mort qui pour toujours étincellent » ; ou
bien: « La ville va périr » — « Qu'elle périsse. Je vois déjà mon amour pour
Argos incendié et vaincu ! »

Electre est de 1937. Certains passages comme celui-ci ont dû prendre, pendant l'Occupation, une bien étrange résonance : « Si les coupables n'oublient
pas leurs fautes, si les vaincus n'oublient pas leurs défaites, les vainqueurs leurs
victoires, s'il y a des malédictions, des brouilles, des haines, la faute n'en revient
pas à la conscience de l'humanité, qui est toute propension vers le compromis
et l'oubli, mais à dix ou quinze femmes à histoires ! »

*
* *

La pièce de Sartre est d'un philosophe doublé d'un artiste, qui connaît sa
tragédie grecque et sa pensée grecque, mais préoccupé uniquement de faire un
théâtre d'idées qui soit en même temps un théâtre d'action. Il expose dans *Les
Mouches* sa théorie de la liberté et de l'engagement, et démonte le mécanisme
des croyances qui perpétuent le consentement à l'oppression. La vigueur et la

clarté du style, l'économie de la composition, le sens des effets dramatiques assurent son efficacité à la scène, ce qu'avait su voir Charles Dullin qui l'a créée.

Bien entendu on nous demande d'admettre, au départ, un Oreste qui ne soit pas mû par le désir de venger son père et de rentrer dans la possession de ses biens. Le précepteur qui chez Sophocle l'assiste dans sa besogne de justicier n'est plus ici qu'un pédagogue qui a appris au jeune homme « la diversité des opinions humaines », qui l'a affranchi de toutes les servitudes et de toutes les croyances, sans famille, sans patrie, sans religion, sans métier, libre pour tous les engagements et sachant qu'il ne faut jamais s'engager ». On voit de quelle culture universitaire Sartre fait ici le procès. Cette liberté Oreste devrait l'apprécier tout particulièrement lorsqu'il visite Argos, ville accablée sous le poids d'un remords collectif habilement exploité. Personne ne s'est opposé au meurtre d'Agamemnon, n'a mis en garde la victime. On se souvient que dans *L'Orestie* le chœur des vieillards, en proie au désarroi, laisse s'accomplir le crime : cette stupeur, cette inaction, s'expliquent, chez Eschyle, par la malédiction qui pèse sur Cassandre dont les prédictions ne sont jamais comprises. Mais Sartre prête aux Argiens une complicité voluptueuse dans l'acte sanglant. Jupiter n'est pas intervenu non plus. Il a préféré envoyer sur Argos le fléau des mouches, et faire tourner l'assassinat au profit de l'ordre moral, avec l'aide du meurtrier qui parvenu au pouvoir ritualise le repentir et institue le Jour des Morts. Un tel séjour devrait faire horreur au jeune Oreste, cependant il envie les Argiens car il traîne avec lui le sentiment du vide de son existence et souffre de ne posséder des souvenirs, fussent-ils douloureux, qui lui appartiennent vraiment. Cependant il ne déciderait pas d'adopter Argos, et de partager sa misère, afin de l'en délivrer, si avec Electre ne s'offrait à lui le spectacle de l'oppression et de la révolte. Le thème des offrandes hypocrites ou lâches de Clytemnestre aux mânes d'Agamemnon est amplement traité dans les *Choéphores* et dans les deux *Electre*. Mais ici la fille d'Agamemnon refuse de porter le deuil, même de son père que son bonheur aurait réjoui, et parle au nom de la jeunesse et de la vie, suprême outrage en ce Jour des Morts.

Mais les paroles ne suffisent pas à convaincre les Argiens, qui chérissent leur mal. Il faut passer aux actes. Ce qu'Oreste accepte en toute lucidité, lui que tout un passé d'humiliation ne pousse pas à la colère. C'est le moment du don de soi, le moment du choix, mais non pas entre un Bien et un Mal absolus car le Bien que lui propose Jupiter est le consentement à l'abjection et la seule alternative est celle du meurtre des oppresseurs. Cependant Electre recule devant l'horreur de l'acte qu'elle a appelé de tous ses vœux durant quinze ans, et cette horreur pèse maintenant sur elle comme une fatalité. Mais Oreste reconnaît cet acte pour sien, il se sent libre et Jupiter n'a plus aucun pouvoir sur lui, tandis que le dieu reconquiert son empire sur Electre en lui arrachant des paroles de reniement. Oreste refuse de payer de ce prix le trône d'Argos où il assumerait désormais le rôle d'Egisthe. Il préfère quitter Argos, délivrant le pays des Erynnies qui le suivent comme le troupeau de rats suivait le joueur de flûte de la légende.

Sartre rejette donc comme impossible l'entreprise d'Eschyle qui cherchait à établir une harmonie entre l'ordre universel et celui de la cité. Jupiter, roi de la nature, n'est pas le roi des hommes. Jupiter et la nature ont horreur de l'homme; celui-ci, pour oublier son exil et son angoisse, peut imaginer le contraire, il peut choisir aussi l'amère et lucide liberté.

*
* *

Une dernière pièce mérite d'être mentionnée ici, bien que son protagoniste n'ait guère d'autre rapport avec Oreste que celui de la culpabilité. Dans *La Réunion de famille,* les Euménides apparaissent à deux reprises à Harry, Lord Monchensey, et T.S. Eliot utilise les références à la tragédie grecque un peu comme dans *The Waste land* (*Terres vaines*) les allusions à l'Angleterre élisabéthaine. L'arrière plan antique est destiné ici à faire prendre conscience aux hommes modernes du caractère éphémère et fragile de leur civilisation, et de l'inéluctabilité de ce sens du péché dont ils croient s'être délivrés avec les croyances religieuses. Il sert aussi à donner un semblant de vie dramatique à une œuvre dont les développements essentiels pourraient être aisément dégagés de leur contexte et assemblés pour former un poème analogue à ceux des *Quatuors*. Il semble qu'à l'origine de la pièce il y ait une méditation sur une expérience qu'il faut qualifier de mystique, bien qu'elle ne débouche sur aucune vision d'un monde divin, mais consiste en l'approfondissement d'un sentiment de malaise et d'absence. A la fin de la pièce une étape est cependant franchie en ce sens qu'une issue est entrevue à ce tourment qui menaçait de n'avoir point de fin.

Eliot a voulu que cette expérience devienne communicable à un public de théâtre qu'il se montre avant tout soucieux de faire sortir d'un sentiment de fausse sécurité. Il a imaginé une situation concrète, un milieu social défini, mais l'aristocratie qu'il nous présente se survit à elle-même, les traditions qu'elle est censée représenter — et dont Eliot lui-même éprouve la nostalgie — se sont appauvries au point de n'être plus que des habitudes vides de sens. Les oncles et les tantes du héros, qui composent une sorte de chœur des vieillards, se cramponnent à ces habitudes qui sont toute leur réalité, pour se protéger d'une angoisse qui cependant parle à travers eux et fait d'eux les commentateurs d'un drame dont pourtant la signification leur échappe.

Harry, le fils qui vient revisiter le foyer où l'attend la mère, est traqué par un remords fixé sur la disparition de son épouse dont on ne saura jamais s'il est ou non responsable. Mais l'on s'apercevra assez vite que ce souvenir obsédant agit comme une sorte d'écran qui cache une culpabilité plus profonde, et que la pièce a pour thème non le crime et le châtiment mais le péché et l'expiation. Le retour à la maison natale correspondait à l'espoir de trouver un refuge, mais les Euménides sont là qui l'attendent. Et ce retour au lieu d'origine contraint le jeune Lord à une enquête qui rappelle un peu celle d'Œdipe. Voulant savoir d'où il vient, et qui il est, il découvre un drame ancien, qui s'est joué au moment de sa conception et de sa naissance et qui a opposé sa mère et la plus jeune de ses tantes, Agatha. Si nous restons imparfaitement renseignés sur la nature de ce drame passionnel nous apprenons pourtant que ces deux dernières — par opposition aux êtres creux qui forment le chœur — sont des êtres de chair dont les conflits et les souffrances ont une réalité. La mère s'est raidie dans un effort pour maintenir la maison, et la tradition de famille, tandis qu'apparemment l'expérience du péché et de l'expiation a été pour sa jeune sœur l'origine d'un développement spirituel. Bien qu'Agatha, raidie elle aussi dans le devoir, soit une femme vieillissante et lasse, c'est elle qui aidera Harry à trouver sa voie et même sa vocation car nous apprenons que le jeune Lord qui voyageait avec ses Euménides et son chauffeur n'aura bientôt plus besoin du chauffeur. Le cœur malade de la mère ne résiste pas aux émotions du retour, bientôt suivi d'un départ, de ce fils qui se conduit en égaré et en étranger.

Mais le fils aura appris le bon usage des Euménides. Du sentiment de la culpabilité individuelle il passe à celui de la culpabilité familiale puisque, dit Agatha, il assume et expie les péchés des siens, les erreurs des uns et l'égoïsme étroit des autres. Mais, plus profondément, il prend conscience de la culpabilité en soi, du péché originel qui est avant tout privation d'un bien spirituel inestimable. Et le dénouement consiste en la découverte, par le protagoniste, que le tourment infligé par les Euménides est le moyen d'une purification. Ne les appelle-t-il pas « mes anges brillants » ? Ne sont-elles pas, paradoxalement, la meute d'une chasse spirituelle, et de poursuivantes ne deviennent-elles pas celles qui attirent, les instruments d'une conversion ? Ainsi Eliot suggère qu'il existe une justification de la souffrance, et qu'une raison providentielle se dissimule derrière ce qui paraît situé sous le signe de la confusion et du malheur.

On ne peut nier qu'il y ait un accent de sincérité dans tout cela. Mais on ne peut s'empêcher de reconnaître une certaine parenté d'Eliot avec tous les Monchensey d'Angleterre, ni de douter que son message puisse dépasser le cercle de ceux qui ont reçu l' « éducation » convenable. Il suffit de comparer la robuste vitalité, le langage dru du vieux serviteur des Mannon, dans *Le Deuil sied à Electre*, avec le domestique compréhensif mais bien stylé qu'est le chauffeur du jeune Lord, pour se convaincre qu'Eliot n'aura jamais la moindre idée de ce qu'est un type populaire. Il s'applique laborieusement à faire parler ici le bon sens du peuple, supposé plus proche par l'intuition de la réalité religieuse. Mais à quel poncif nous aboutissons, où les défaillances de la syntaxe trahissent l'effort de pensée et l'émotion contenue chez l'homme de la plèbe : « You mean them ghosts, Miss !... Of course, I knew they was to do with his Lordship ».

Il y a de la condescendance, ici. De même il y a une pointe de pharisaïsme dans les jugements de Lord Monchensey sur les membres de sa famille qui lui paraissent dépourvus de toute étincelle de vie spirituelle. Comme si le fait d'entretenir dans l'oisiveté un beau mal lui assurait une supériorité incontestable sur l'oncle un peu obtus qui a fait une carrière militaire aux Indes. L'honnête chauffeur devine d'ailleurs fort bien que le jeune Lord n'aura bientôt plus besoin de lui ni de personne. C'est avec la seule Agatha que celui-ci conserve encore des rapports humains, à cause d'une communauté d'expérience, et c'est elle qui le pousse vers le chemin de la solitude et de la réclusion, ou sans doute il se mortifiera pour la rédemption de tous les Monchensey.

La pièce a pour thème le refus du monde et il n'est pas surprenant que le milieu reconstitué par Eliot en vue d'une communication sur le plan dramatique tende à se dissoudre. De même que la notion de responsabilité précise et de la réalité même des actes tend à s'effacer devant le sentiment d'une faute originelle inhérente à la nature de l'homme. Tout dans l'œuvre revêt une signification allégorique, y compris la mort de l'épouse de Harry, et celle de sa mère. L'effort du jeune homme pour éclaircir le mystère de sa naissance, la mort de la mère, l'enfantement du printemps, l'évocation de la saison pascale qui constitue l'un des arrière-plans poétiques de l'œuvre, tous ces éléments se fondent en un seul symbole, celui d'une nouvelle naissance.

Si l'œuvre parvient à se soutenir sur le plan dramatique, c'est grâce à un art très consciencieux, notamment un maniement adroit du vers qui confère une unité à des scènes où l'on passe par gradations, ou abruptement, du relâchement à la tension, du prosaïsme trivial à l'exaltation. L'ensemble malgré cette probité artisanale et des dons poétiques certains, donne l'impression d'une réussite laborieusement obtenue. Eliot ne visait à rien moins qu'à la résurrection d'un théâtre poétique dont la tradition s'était depuis longtemps perdue. Ceci explique la référence aux « classiques » grecs sur le plan formel (il y a quelques échos élisabéthains : par exemple la « roue de feu » image de la torture morale du roi Lear). Pour le fond Eliot cherche à interpréter dans le sens de la mystique chrétienne (d'une manière plus allusive, moins dogmatique que Claudel annotant les *Euménides*) le sentiment de la culpabilité dans la tragédie grecque.

Mais les situations ne sont pas seulement différentes, elles sont sans commune mesure, Oreste ou Œdipe sont soumis à de rigoureux impératifs religieux et sociaux. Leurs responsabilités sont précises, le choix qu'ils ont à faire, et qu'ils n'éludent pas, est terrible. Le débat sur la justice des dieux qui s'instaure à propos du destin de ces héros intéresse la cité tout entière. Le héros d'Eliot, quelle que soit la réalité de son mal, demeure étranger au seul milieu humain qu'il connaisse, et qui est d'ailleurs plus qu'à demi fossilisé : il meurt au monde avant d'y être vraiment né.

*
**

Il est évidemment difficile de découvrir un lien entre ces diverses œuvres. Chaque auteur paraît avoir cherché dans le modèle grec une structure d'abord, ensuite un système de références toujours stimulant pour l'esprit du spectateur cultivé, enfin un potentiel tragique demeuré considérable qu'il a voulu capter pour renforcer celui de sa pièce. Sur cette base chacun a interprété le sujet grec selon ses croyances, sa philosophie et son tempérament. O'Neill a cherché à fonder la tragédie américaine de même qu'Eliot a cherché à faire renaître la tragédie anglaise. Le premier a empreint son œuvre d'un profond pessimisme, le second a placé au centre de la sienne sa propre expérience religieuse. Par contre, à travers la religion grecque, c'est à la religion chrétienne que Sartre intente un procès. Giraudoux enfin fait preuve d'un scepticisme ironique et plaide la cause de l'indulgence et du compromis, voyant dans le fanatisme justicier d'Electre la cause du malheur des Argiens.

Devant tant de diversité les généralisations ne sont guère valables et l'on ne peut que juger indépendamment chaque œuvre, ce que nous avons essayé de faire. Nous reviendrons seulement sur le fait qu'Eugène O'Neill est le seul qui ait cherché à transposer dans une société moderne la série des conflits familiaux et toute la chaîne de crimes et de vengeances dont se compose *L'Orestie*. A tort ou à raison il a discerné une constante, valable pour des civilisations très éloignées les unes des autres, dans cette ambivalence des passions au sein de la famille. Or il écrivait sa trilogie sous l'influence des théories de Freud, au moment où celles-ci connaissaient leur plus grand retentissement. Ceci pourrait donner matière à discussion (3).

---

(3) Voir la discussion de cet exposé et de celui de Jean Gillibert à la fin du texte de Jean Gillibert.

LES TRAGIQUES GRECS AU GOÛT DU JOUR

II. — L'ŒDIPODIE

par Jean GILLIBERT

Comme l'exposé de Jean Jacquot concernait *L'Orestie* d'Eschyle, ce qui nous intéressera ici est le second cycle légendaire, aussi fertile que celui des Atrides : *L'Œdipodie* — à savoir, plus particulièrement, *Œdipe Roi* et *Antigone* de Sophocle.

Ces deux tragédies grecques ont toujours inspiré les dramaturges et, avec insistance, les auteurs modernes.

Vertu et fécondité du mythe ?

Enracinement et « retour éternel » comme le voulait Nietzsche ?

Les deux questions qui se poseront au terme de ce rapide exposé seront donc les suivantes :

En premier lieu, les auteurs modernes ont-ils réexploité ces mythes tragiques dans une perspective tenant compte de problèmes réels, en ont-ils permis la « redécouverte » ? Y-a-t-il trompe-l'œil ou réalité ? L'*Antigone* d'Anouilh, l'*Œdipe* de Gide, la *Machine infernale* de Cocteau — toute question de talent mise à part — nous permettent-elles cette compréhension, cet apprentissage et cette délivrance des maux humains que nous permet encore la simple lecture des deux tragédies de Sophocle ?

Ensuite, deuxième question qui intéresse l'existence propre du mythe, son éternité ou sa pérennité.

Epouser sa mère et tuer son père, sont-ce des faits entachés de fatalité et ressortissant à une nature humaine ? La situation triangulaire, si bien mise en évidence et sur un plan exhaustif par l'école freudienne était exposée sur la scène grecque au su et au vu de tout le monde. Elle devenait un mythe explicite intégrant à la fois le social, l'économique et le religieux.

Cocteau, Gide, Anouilh ont écrit après Freud. Ce qu'ils entendent savoir du freudisme n'est-il là que pour répondre à des problèmes personnels ?

*
* *

Sans étudier ici les conditions économiques et culturelles de l'art tragique grec, sans en envisager non plus les problèmes de forme, il faut cependant essayer de circonscrire, à l'aide des deux pièces de Sophocle précédemment citées, le sens de ce tragique.

Ce que nous révèle admirablement la tragédie grecque, c'est qu'elle ne peut pas être indéfiniment recommencée. Pleine à craquer de son « histoire » elle peut la déverser à travers les siècles jusqu'à nous, à travers notre culture, mais elle ne peut pas, au sens propre du terme, la récupérer. Si elle nous demeure cohérente ce n'est pas parce qu'elle traite de situations dites « éternelles » mais bien parce que sa mythologie renvoie directement à son histoire et que c'est à travers cette histoire, contée et racontée, que nous accédons à sa mythologie. Les thèmes mêmes de la tragédie grecque sont étroitement circonstanciés et arracher ces thèmes à leurs motivations c'est altérer le réel de leur survie. C'est mystifier le concret.

L'expérience tragique originale, authentique, d'Antigone ou d'Œdipe chez Sophocle montre le caractère existentiel de ce tragique.

L'être n'est pas tragique. C'est l'être à travers le paraître qui l'est ; et c'est justement cette quête de l'être, cette recherche de la vérité, cet appel au savoir, à la connaissance qui justifient l'authenticité de leur vie.

A l'opposé les Œdipe de Gide et de Cocteau, l'Antigone d'Anouilh sont installés immédiatement dans une postulation. Ils sont tragiques, avant de l'être — avant de l'être devenus. Le savoir y devient impossible à acquérir. Il n'y a plus cet écolage, cet apprentissage de la vérité, ce « savoir pour comprendre enfin ». La finitude humaine ne peut plus y être connue car la confrontation entre les hommes et ce qui n'est pas les hommes, — les Dieux chez les Grecs — est détériorée, rendue abstraite. Il existe plutôt une complicité du héros et des faits qu'il subit ou qu'il fait naître — quelquefois une délectation — plus souvent un alibi.

Sous la plume de Cocteau, de Gide, d'Anouilh, ni le monde, ni l'homme ne bougent ni n'apprennent.

*
* *

Œdipe, dans la tragédie grecque entre en faute comme on entre en existence : faute et existence indivises aux Dieux et aux hommes.

A travers l'énigme policière que lui pose sa propre vie, Œdipe confère au spectateur l'attitude du psychanalyste derrière son patient. Ce que Sophocle ne nous ravit pas c'est notre pouvoir d'objectivité. Il nous permet à nous spectateurs, de donner un sens à la souffrance d'Œdipe. A la fin de la pièce celui-ci parvient à la connaissance de soi et ainsi le dernier mot de la tragédie n'est pas la souffrance comme non-sens mais comme découverte de sens. La volonté d'Œdipe n'a de cesse de coopérer à l'accomplissement du malheur qui le brise. Aveugle et excommunié, il meurt au soleil et à la cité. A ce prix il sait quel il est. Il s'est élevé de la soumission à la lucidité, des ténèbres de l'existence à la lumière du savoir. Se refusant la lumière du jour en se mutilant, c'est à la vérité qu'il adresse ses yeux crevés.

*
* *

L'Antigone de Sophocle fait appel, elle, à la religion des morts et de la terre : « laissez les morts enterrer les morts » dit-elle. Cette souterraine unité des enfers, du tombeau, du sang, du sein maternel, de la famille valent comme autant de puissances chtoniennes, comme principes féminins. Ces attributions ne nous sont plus familières. Les impératifs familiaux ont changé d'orientation et même d'objet.

Si Sophocle oppose une loi politique à une loi naturelle — c'est qu'il confère l'exécutif à l'homme, au mâle. Si nous voyons un fasciste en Créon, c'est que nous avons appris depuis avec quelle facilité les ambitions patriotiques pouvaient se confondre avec les ambitions personnelles.

Créon prend à charge une raison d'état mais cet Etat c'est lui-même. Le césarisme méditerranéen a toujours fait directement appel à cette confusion du législatif et de l'exécutif.

Ainsi, tu as osé passer outre à ma loi ?

dit Créon. Et plus loin :

L'ennemi, même mort, n'est jamais un ami.

On comprend pourquoi devant la témérité d'Antigone, devant la force de l'appel qu'elle entend irrésistiblement, il ne peut que proclamer, au comble de la fureur :

Désormais, ce n'est plus moi, c'est elle qui est l'homme.

Au dogme de l'ordre politique représenté par Créon s'oppose dans l'autre plateau des forces en présence « l'ordre moral » d'Antigone que nous avons dit naître de tout cet assemblage de puissances telluriques. Cette loi, « non écrite mais immuable » — ou du moins qu'elle subit comme telle — Antigone n'en est jamais maîtresse. Si Antigone ignore le sacrifice, au sens chrétien du terme, elle n'en rencontre pas moins la mort au bout de son exigeante passion.

On n'outrage pas « l'argile insensible » comme dit Homère. Les morts sont sacrés et forte de ce dogme, aussi intangible que celui de Créon, et aussi « tabou », c'est à travers lui qu'elle prend la connaissance d'elle-même :

Je suis de ceux qui aiment et non de ceux qui haïssent.

Ce droit qui règne chez les morts, l'hommage que leur doivent les vivants, on sait comment Antigone en parle :

Et voilà comment aujourd'hui, pour avoir, Polynice, pris soin de ton cadavre, voilà comment je suis payée ! Les honneurs funèbres pourtant, j'avais raison de te les rendre, aux yeux de tous les gens de sens. Si j'avais eu des enfants, si c'était mon mari mort qui se fût trouvé là à pourrir sur le sol, je n'eusse certes pas assuré cette charge contre le gré de ma cité. Quel est donc le principe auquel je prétends avoir obéi ? Comprends-le bien : un mari mort, je pouvais en trouver un autre et avoir de lui un enfant, si j'avais perdu mon premier époux. Mais, mon père et ma mère une fois dans la tombe, nul autre frère ne me fût jamais né. Le voilà, le principe pour lequel je t'ai fait passer avant tout autre.

L'amour familial pour Antigone est donc de droit divin. Il l'était pour tous les Grecs contemporains de Sophocle. Pour Créon, aussi il l'est et s'il le transgresse il ne l'ignore pas. C'est ce que signifie l'avertissement que lui adresse in extremis Tirésias :

Va, cède au mort; ne cherche pas à atteindre ce qui n'est plus. Serait-ce donc une prouesse que de tuer un mort une seconde fois ?

*
* *

Nous ne ferons pas une analyse des pièces de Cocteau, d'Anouilh et de Gide, mais à travers ce que nous venons de dire nous les examinerons comme on examine l'emprunt à travers l'original.

Anouilh, dès l'abord, jette les dés. Pour Antigone,

Elle pense qu'elle va mourir... mais il n'y a rien à faire. Elle s'appelle Antigone et il va falloir qu'elle joue son rôle jusqu'au bout...

La référence mythologique suffit à l'économie de la pièce. Anouilh pourra couler dans le personnage — qui restera un personnage et non une personne — toute la rancœur et l'absolu de pureté de la petite bourgeoisie de l'entre-deux guerres.

Ce qui d'ailleurs est appliqué à Antigone s'applique de même aux autres personnages. Ainsi d'Eurydice, femme de Créon :

Elle tricotera pendant toute la tragédie jusqu'à ce que son tour vienne de se lever et de mourir.

Sous le procédé théâtral il y a la justification d'un pessimisme essentiel qui renvoie à un monde inerte et immuable.

C'est d'ailleurs de ce monde, donné une fois pour toutes et inconséquent que naîtra la révolte d'Antigone, comme une excroissance, à la fois gratuite et nécessaire. Gratuite comme idéalisme, ou du moins comme subjectivisme, nécessaire pour justifier, tout en le fuyant, le monde d'où elle vient.

Ce formalisme se retrouve pleinement dans l'antinomie de personnages Créon-Antigone. Cette antinomie repose sur le volontarisme de Créon (il interdit purement et simplement) et le négativisme anarchique d'Antigone. Antigone dit « non » en proie à un thème (?) sentimental de la négation. Le monde est laid. Le monde est sale. Seul, le « non » est héroïque et pur. La thématique de l'anarchie — aussi politique — gravite autour de ce non, toujours et violemment anti-intellectualiste.

Comprendre. Toujours comprendre. Moi, je ne veux pas comprendre. Je comprendrai quand je serai vieille..., si je deviens vieille.

La souffrance se réduit ici à une aliénation passagère. « Mal dans sa peau », Antigone colore sa douleur de rancœur, d'amertume, d'aigreur. Ces sentiments d'incomplétude auraient leur grandeur et leur beauté s'ils renvoyaient à un univers moins sommaire, moins mystifié. La virginité et la jeunesse peuvent racheter la laideur du monde mais il faut admettre alors que ce qui n'est plus jeune et ce qui n'est plus vierge est laid. C'est ce que pense Anouilh. La vie altère les hommes dans le sens d'une compromission. Seuls les très vieux et les très impurs, peut-être, recouvrent ce qu'ils avaient perdu.

Tout ce qui peut altérer la pureté d'Antigone — pureté figée, pétrifiée et pleine de complaisance malgré les apparences — est repoussé violemment. En premier, l'amour d'Hémon. C'est après qu'Antigone s'est assurée qu'Hémon l'aimait, comme on aime une femme, qu'elle le refuse. Ce refus lui facilite ainsi la marche au sacrifice et le motive psychologiquement.

C'est ainsi qu'on peut disposer, toujours dans le même schéma, cette prise de position manichéenne de l'auteur qui fait croire à la réalité d'un dialogue.

> ANTIGONE. — Je le devais !
> CRÉON. — Je l'avais interdit.

Ou encore :

> Il y en a qui disent oui pour Créon
> Il y en a qui disent non pour Antigone.

Ou encore selon Créon lui-même :

> Tu as le beau rôle, j'ai le mauvais.

Cette opposition vivra tout le long de la pièce de l'habileté, de la ruse du politique, du réaliste Créon comme de l'obstination d'Antigone. A plus de saleté, elle opposera plus de pureté et à chaque découverte de sordide ou de laideur, son « non » montera d'un ton. Si la laideur du monde n'a pas de mesure, son héroïsme non plus. Tout sera enfin dénoncé — c'est bien d'ailleurs d'une dénonciation qu'il s'agit quand au terme de ce martyrologue petit-bourgeois, Antigone révèle son essence et sa nécessité :

> Sans la petite Antigone, vous auriez été tranquilles.

*
* *

Revenons à l'*Œdipe Roi*. Sophocle a su ramasser sur le seul personnage d'Œdipe les thèmes du folklore et de la légende préexistante, à savoir :
— l'enfant exposé,
— le découvreur d'énigmes,
— le parricide inconscient,
— le fils incestueux.

Nous avons dit précédemment qu'Œdipe faisait lui-même sa propre psychanalyse, du moins que Sophocle nous permettait, lecteur ou spectateur, d'être dans l'attitude idéale et cognitive de l'analyste à l'égard de l'analysé : dans le jeu et hors du jeu.

Eh bien ! je reprendrai l'affaire à son début et l'éclairerai, moi.

avait proclamé Œdipe. L'Œdipe ignorant, qui vivait dans et de cette ignorance même. Mais l'ignorance s'entame et le savoir se découvre dans une des visions les plus tragiques de l'être qui se dévoile à lui-même.

Hélas ! hélas ! ainsi tout serait vrai ! Ah ! lumière du jour, que je te voie ici pour la dernière fois, puisqu'aujourd'hui je me révèle le fils de qui je ne devais pas naître, l'époux de qui je ne devais pas l'être, le meurtrier de qui je ne devais pas tuer !

C'est alors qu'Œdipe peut dire de lui-même qu'il est sous le coup de sa propre imprécation.

On ne retrouve rien de cette longue ascension, de ce lent passage du tragique subi au tragique surmonté dans l'*Œdipe* de Gide comme dans la *Machine infernale* de Cocteau.

La dérision et l'ironie — le persiflage même — de Gide auraient toute leur efficacité s'ils ne s'adressaient pas qu'à des préjugés sociaux et religieux élevés par la souffrance de l'auteur au rang d'entités morales. Le niveau de partage des eaux se situe toujours chez Gide à l'étiage du moralisme, celui qui traite de la possibilité de bonheur des hommes. Ainsi revendique Œdipe dans une insolence superbe, dès le début de la pièce :

... je suis surtout heureux de ne devoir rien qu'à moi-même. Le bonheur ne me fut pas donné ; je l'ai conquis...

On comprend que le thème antique d'Œdipe ait tenté Gide. Si Œdipe tue son père et qu'il épouse sa mère c'est qu'il est vraiment subversif. Cette bravade peut et doit se payer chèrement, quitte à ce que « Dieu tisse un lien mystérieux entre la postérité de quelques-uns et la misère du plus grand nombre ».

C'est donc d'un homme heureux qu'il s'agit ici mais engourdi dans son bonheur. Un bonheur confortable. Et pour Gide, le confort intellectuel et moral est la source de tous les maux. En chaque homme est un monstre que la jouissance endort mais que le désir réveille.

« Œdipe, réveille-toi de ton bonheur », crie Œdipe lui-même. Et se réveiller c'est savoir à nouveau. Il se félicitait de ne pas connaître ses parents — d'où il tirait sa vaillance — parce qu'il ignorait son passé. Son passé ne l'empêchait pas de vivre, sa mère-femme Jocaste le tirait en arrière. C'est pourquoi l'avenir l'appelait en vain, n'avait pas de nom, c'est pourquoi son désir dormait. En somme l'Œdipe de Gide n'est plus en plein « Œdipe » comme disent les psychanalistes mais a tranché le nœud gordien. Oh ! tout intellectuellement, et c'est bien pourquoi l'œuvre de Gide reste froide et compassée.

Œdipe, l'anti-puritain par principe, va-t-il devenir le fils du péché ? Mais c'est plutôt parce qu'il était né fils du péché qu'il est devenu anti-puritain ou a-puritain et c'est de cet amoralisme qu'il va risquer de retourner au péché.

Ce n'est cependant dans l'économie de la pièce qu'un risque et c'est autour de ce risque que la pièce bascule.

« Je me sentais assez fort pour résister même à Dieu », dit Œdipe. « Le serais-je encore maintenant ? » semble-t-il dire après. Eh bien oui, il le sera; il paiera mais il le sera; il a châtié ses yeux qui n'ont pas été assez vigilants. « C'est volontiers que je m'immole. J'étais parvenu à ce point que je ne pouvais plus dépasser qu'en prenant élan contre moi-même ».

C'est de la contrainte que naissent le difficile et le meilleur. De l'hédonisme pur et simple, Gide est passé au parti-pris esthétique. L'art naît de la contrainte et la vie est l'art.

Sans foyer, sans patrie, sans nom, sans biens, sans gloire, Œdipe renonce à tout sauf à soi-même.

Ce soi-même est celui de Gide, et l'enseignement qu'il nous donne ne concerne que lui-même, lui, Gide, ses goûts, ses contraintes. Comme toute l'œuvre gidienne, *Œdipe* renvoie à l'auto-justification de cette morale qu'on pourrait appeler « ipséiste ».

*
* *

La Machine infernale de Cocteau ne nourrit pas des prétentions de moralisme. Elle semble être de l'ordre du divertissement avec des préoccupations métaphysiques à l'arrière-plan, bien entendu.

Il faut croire Cocteau quand il dit dans son prologue qu'il va s'agir d'un « anéantissement mathématique d'un mortel ». On ne doute pas un seul instant, au cours des quatre actes — le fantôme, la rencontre d'Œdipe et du Sphinx, la nuit de noces, Œdipe-roi — que la mathématique a affaire là-dedans. En effet, dans tout le bric-à-brac, de charmes, de prémonitions, d'occultisme, de jeux de miroir, de magie noire (très timide) tout est « fait exprès », comme dit Jocaste :

— la boucle dont Œdipe se crèvera les yeux,

— l'écharpe dont Jocaste se servira pour s'étrangler,

— les fausses reconnaissances, les similitudes (le jeune soldat qui laisse présager l'arrivée d'Œdipe), etc., etc.

Voyances, illusions, tarots, la pièce aguiche par son pittoresque clinquant, le tragique en est absent ou alors on accepte comme tragique ce qu'en définit lui-même Cocteau :

, Le tragique c'est ce qui vous tombe dessus.

Un trompe l'œil aussi grossier, des superstitions aussi romanesques, une sécrétion verbeuse de soi-disant philtres, charmes et autres artifices renvoie à un imaginaire infantile qui fatigue vite l'intérêt.

Ce jeu, appelé poétique, peut s'étudier au sein même de l'œuvre entière de Cocteau. Elle dépasse le cadre de cet exposé et si *La Machine infernale* fait appel à l'Œdipodie, la légende du Tasse l'a aussi bien remplacée.

*
* *

Au terme de cette sommaire confrontation, du grec et du moderne (en France) on ne peut revenir qu'à notre point de départ. L'art tragique grec n'est pas récupérable. Les thèmes engagent la forme et la forme l'histoire.

Les thèmes de l'Œdipodie ont été les plus malchanceux. On a refait en stuc Œdipe et Antigone, c'était le droit de leurs auteurs. C'est notre droit de les dénoncer comme des contrefaçons.

DISCUSSION DES COMMUNICATIONS DE J. JACQUOT ET J. GILLIBERT

Jacquot. — Percevez-vous des divergences ou des rapports entre ce que nous avons dit l'un et l'autre ?

Gillibert. — Je crois que les divergences peuvent venir seulement du choix des pièces : il est certain que Giraudoux, Sartre, O'Neill sont d'une qualité supérieure à Cocteau et Anouilh. Je suis d'accord avec vous pour penser que *Le deuil sied à Electre* d'O'Neill est authentique, bien structuré, qu'il se situe socialement dans un cadre donné, et qu'il répond à des exigences profondes de son auteur.

Jacquot. — Mais si O'Neill a transposé dans une civilisation très différente les conflits familiaux d'où naissent les situations tragiques de l'*Orestie*, c'est qu'il pensait que, malgré la transformation des mœurs, des croyances, et même de la structure de la famille, persistaient dans les rapports des parents et des enfants certaines constantes liées aux conditions même de la procréation. Ce n'est pas là l'unique postulat de cette trilogie. Bien entendu les Mannon ne sont pas une quelconque famille américaine et O'Neill prend soin d'établir une relation entre leur puissance orgueilleuse, et celle des Atrides. Il décrit des liens conjugaux et familiaux dont les conflits latents sont aggravés par le puritanisme et l'argent. Mais, comme je l'ai indiqué, il subit fortement l'influence des théories de Freud. Or Freud, comme chacun sait, croyait pouvoir se référer utilement aux conflits de la famille grecque, tels que nous les connaissons par les poètes tragiques, pour éclairer ceux de la famille moderne. Il discernait même une analogie entre la fonction cathartique du spectacle tragique et celle du traitement psychanalytique. Et il aurait pu parler d'un « complexe d'Electre » aussi bien que d'un « complexe d'Œdipe ».

En effet, chez Eschyle, l'antagonisme entre la fille et la mère — de même que l'antagonisme entre l'épouse et l'époux — préexistent aux circonstances qui précipitent le meurtre et la vengeance. Et dans l'*Electre* de Sophocle et celle d'Euripide, le thème du sang et des conflits de parenté tend à prendre une plus grande importance que le débat sur la volonté des dieux et le fondement de la justice. Dans quelle mesure est valable cette psychologie d'O'Neill, qui se réfère aux données de la tragédie grecque aussi bien qu'à celles de la psychanalyse, c'est ce que j'aimerais vous demander, puisque vous pouvez parler en homme de théâtre aussi bien qu'en médecin spécialiste.

GILLIBERT. — Je crois que le thème de la culpabilité ne recouvre absolument pas chez O'Neill le thème de la culpabilité chez les Grecs. Chez lui la culpabilité naît sous le signe du puritanisme. Et je crois en fin de compte que pour expliciter la tragédie grecque et les auteurs modernes qui se sont servis d'elle il faut revenir à une analyse purement sociologique et culturelle des conditions. Cette analyse nous aide à comprendre les différences que vous relevez entre Eschyle et ses successeurs. Il y a chez Eschyle une théologie présupposée, une lutte entre Dieu et l'homme, tandis que le théâtre de Sophocle est plus existentiel, les dieux sont plus cachés et il y a des malédictions plus occultes. J'ai voulu montrer que toutes les notions d'où est née la tragédie grecque étaient contingentes, et il me semble que Brecht a bousculé certaines idées reçues dans son *Cercle de Craie* où pour lui le fils n'appartient pas à la mère par le sang, mais à la mère qui l'a élevé et qui a souffert et travaillé pour lui.

Il reste cependant qu'avec son analyse de la situation d'Œdipe Freud a mis le doigts sur un thème majeur qui allait devenir le fondement de toute sa théorie.

Mlle LAFFRANQUE. — Freud pense-t-il que le conflit familial d'Œdipe est éternel, et l'identifie-t-il avec les conflits familiaux qu'il soigne ?

GILLIBERT. — Freud a fait ses découvertes en soignant des malades, mais il a été frappé en lisant *Œdipe Roi* de retrouver des thèmes qui lui apparaissaient si évidents dans son travail, et s'il ne dit pas qu'il s'agit d'un conflit éternel on sent que c'est pour lui une des structures affectives de la famille. Je pense que ce conflit est lié à des conditions sociales de la famille qui sont contingentes, et que si les relations affectives entre les parents et les enfants sont obligatoires, absolues, la façon dont elles se manifestent dans la vie sociale et culturelle change. Et ce que je reproche à des auteurs comme Cocteau, Anouilh, c'est de s'être servi d'une expression purement grecque de ce conflit et de l'avoir exploité telle quelle alors que pour nous l'Œdipe se présente autrement.

Mlle LAFFRANQUE. — Vous reconnaissez que les résultats de tout essai d'utilisation des thèmes grecs dépendent beaucoup de la qualité de l'auteur. Ces thèmes ont-ils ou non une valeur dans la création d'écrivains d'autres périodes ? La question se pose pour les dramaturges du XVIIe siècle aussi bien que pour les modernes.

GILLIBERT. — Je ne pense pas. Racine a repris les thèmes antiques, mais il les a assimilés, remaniés, et il y a fait rentrer ses thèmes à lui, homme du XVIIe siècle, en faisant éclater les thèmes antiques. Tout dépend des conditions de culture données. Et je ne vois pas comment pour nous les thèmes grecs pourraient servir d'une façon authentique alors que cela a été possible pour Racine par exemple. D'ailleurs entre le personnage de Racine et celui d'Euripide il n'y a que le nom de commun.

Mlle LAFFRANQUE. — Pourquoi alors a-t-il éprouvé le besoin de s'y référer ?

GILLIBERT. — Parce qu'il y a là un théâtre aristocratique qui puisait sa source dans des notions culturelles très spéciales.

JACQUOT. — Je ne vois pas pourquoi une interprétation chrétienne des thèmes grecs serait valable dans le cas de Racine et non dans celui d'Eliot, par exemple. Si l'on estime qu'un classique français peut valablement utiliser ces thèmes, on doit l'admettre aussi pour d'autres époques. Le seul critère sera en effet la qualité de l'auteur et sa capacité de revêtir le mythe ancien d'un sens nouveau, qui s'accorde avec les préoccupations de son milieu et de son temps. Que les modernes y soient parvenus ou non est un autre problème. Mais la question de Mlle Laffranque en soulève une autre plus générale, celle du retour aux sources et de la transmission de la culture. L'homme est souvent, sinon toujours, créateur au second degré. Homère lui-même travaille sur des récits plus anciens.

Mlle LAFFRANQUE. — Mais pourquoi y a-t-il durant les années 1920-1940 toute une série de pièces sur des thèmes grecs ?

GILLIBERT. — Je me suis posé la question, et j'avoue que je n'y ai pas répondu entièrement. On a l'impression qu'il y a dans la littérature une fuite dans les thèmes classiques connus à l'intérieur desquels on pourra jouer tranquillement. Il semble qu'il y ait eu un refus de traiter les problèmes qui se posaient.

Mlle LAFFRANQUE. — Et quelle est pour Brecht la valeur d'un thème ancien comme celui des Horaces et des Curiaces ?

IVERNEL. — Il reprend des thèmes comme celui-ci en les bousculant, car sa méthode est celle de l'irrespect, de l'adaptation à la situation sociale, politique, du jour.

Mlle LAFFRANQUE. — Si Brecht a repris le thème des Horaces et des Curiaces c'est parce qu'il pensait que cela préoccuperait son public car ce thème faisait partie de ses habitudes de pensée, et aussi peut-être de sa culture.

IVERNEL. — Cela s'explique par la méthode de création de Brecht. Toute son œuvre n'est qu'une citation perpétuelle, et il cite Schiller, Goethe, il se cite lui-même. Chez lui c'est un procédé de création littéraire, une façon de se distancer de la littérature en la citant, de la manier ironiquement, donc de faire voir dans la littérature autre chose qu'elle-même, d'en faire une simple forme qui a un contenu réel.

J'ai essayé de déterminer le moment où cette méthode de citation fait son apparition dans l'art moderne. Manet paraît en être l'initiateur : dans sa peinture il cite par exemple les Espagnols.

JACQUOT. — Ceci nous ramène à la question plus générale d'une création au second degré, dont l'imitation des classiques n'est qu'un des aspects. En donnant un numéro d'ordre à son *Amphytrion*, Giraudoux a rappelé ce principe. L'entre-deux-guerres, période où se multiplient les pièces renouvelées des Grecs, est aussi celle du « néo-classicisme » et du « retour à Bach » dans lesquels s'installent beaucoup d'artistes médiocres, tandis que Picasso et Stravinsky réemploient et ploient à leur gré, d'une manière parfois géniale, des structures déjà données.

LES HÉROS DU DRAME EXPRESSIONNISTE

par Maurice GRAVIER

Professeur à la Sorbonne

Quand on prononce devant un public français le mot « expressionnisme », les personnes non initiées qui entendent ce terme ont tendance à se représenter seulement certain style décoratif, celui des ballets Joos par exemple, au lieu de songer à un certain type de littérature. Et le public français est tout à fait excusable sans doute parce que l'on a très rarement présenté en France des œuvres expressionnistes allemandes de la génération qui a lancé cette formule, aussi bien que des textes du père de l'expressionnisme, de l'expressionnisme avant la lettre, Strindberg, puisqu'on joue en France toujours les mêmes pièces de Strindberg, *La Danse de Mort* par exemple et jamais (ou tout au moins une seule fois, et dans des circonstances malheureuses) (1), *Le Songe*. Et l'on n'a jamais joué aucun des drames des allemands qui sont les premiers expressionnistes, Sorge, Hasenclever, Unruh, Toller (2), ni de leurs disciples scandinaves, Pär Lagerkvist le Suédois, Svend Borberg le Danois, pour ne citer que ceux-là. Ce qui fait que, quand Adamov, il y a une dizaine d'années, a présenté à Paris quelques-unes de ses créations, les gens ont ouvert de grands yeux devant une littérature dramatique qui avait une grande affinité avec ce qui se jouait en Allemagne vers 1920 (3).

Pour centrer cet exposé autour d'un thème plus concret, j'essayerai seulement de définir ce qu'est le héros du drame expressionniste.

---

(1) On sait que la présentation du *Songe* par Antonin Artaud au Théâtre de l'Avenue (1931), fut accompagnée d'incidents fâcheux provoqués par le mécontentement de certains clans surréalistes. Après un début de bagarre, les Suédois présents quittèrent ostensiblement la salle.

(2) Sur le théâtre expressionniste allemand considéré dans ses rapports avec Strindberg, voir mon étude *Strindberg et le théâtre moderne, I : L'Allemagne*, Paris, 1949.

(3) Il faut bien distinguer entre les textes expressionnistes et la mise en scène expressionniste. Des animateurs allemands ont mis en scène, dans le style expressionniste, toutes sortes de textes. Jeszner, par exemple, présentant le *Wilhelm Tell* de Schiller dans le style expressionniste. En France, on avait vu un certain nombre de mises en scène qui tendaient vers ce même style, mais peu de textes expressionnistes.

On sait ce qu'est un héros racinien, ce qu'est un héros cornélien; on voit aussi, quand on parle d'un héros romantique, se dessiner la figure d'Hernani. Peut-on définir de la même manière le héros d'un drame expressionniste ? Je vais essayer de donner le signalement de ce héros, mais comme je l'emprunte à différents auteurs et même à différents pays, nous nous trouverons devant un de ces « portraits-robots » comme la police en communique aux principales stations d'Interpol. Mais peut-être ma description nous aidera-t-elle à identifier un personnage de cette famille et à le reconnaître quand vous vous trouverez en présence d'un drame expressionniste.

Je fonderai cet exposé sur l'étude des textes de la première génération expressionniste, Hasenclever, Sorge, et des auteurs allemands de 1918 à 1922, de Toller à Werfel et aussi, bien entendu, sur le drame de Strindberg et ses disciples scandinaves. Et sans doute pourrons-nous pousser de temps en temps une pointe vers les Latins qui, de façon plus ou moins indirecte, sont en relation avec ce théâtre. Je pense à H. R. Lenormand, disciple de Strindberg (4), — et disciple conscient de sa dette — et peut-être nous tournerons-nous aussi, avec beaucoup de circonspection, vers Pirandello.

Le théâtre expressionniste présente non pas des caractères, mais des âmes. Pour saisir l'importance de la distinction, il faut se référer aux noms que portent les personnages. Un personnage de comédie classique porte un nom qui quelquefois indique son défaut dominant : le héros de la comédie classique, c'est Harpagon, celui qui se saisit avidement de l'argent. Le héros du drame naturaliste est caractérisé par le fait qu'il a un nom et un prénom. S'il porte un nom de famille, c'est parce qu'il a une hérédité, son prénom précise son identité, l'individualise, il possède en quelque sorte sa fiche de police, il est déterminé par ses ancêtres et par son milieu. Et cela suppose de la part de l'auteur qu'il croit à l'Evangile selon Saint Hippolyte Taine, qu'il détermine son personnage par l'extérieur, qu'il le cerne du dehors.

Au contraire, pour les expressionnistes, un personnage de théâtre est essentiellement une *âme*. Il faut donc renoncer à cerner la conscience par une stratégie extérieure, il faut renoncer à la psychologie traditionnelle. Et nous voyons, dès la fin de la période naturaliste, Strindberg, constatant les excès d'un effort d'analyse qui morcelle de plus en plus la conscience, désespérer, et renoncer en somme à découvrir le noyau central de cette conscience. Il critique la conception classique, et il le fait de façon très dure. Il veut que l'on dépasse la notion de caractère, il dit :

Le mot caractère a pris, au cours des temps, de multiples significations. Il signifiait sans doute à l'origine le trait fondamental et dominant dans le complexe individuel et se confondait avec le tempérament. Il devint ensuite l'expression bourgeoise équivalent à « automate », de la sorte un individu qui, une fois pour toutes, restait attaché à son naturel, qui s'était adapté à un certain rôle dans la vie, qui, en un mot,

---

(4) Voir le chapitre consacré à Strindberg dans les *Confidences d'un auteur dramatique.* On pourrait aussi songer à Simon Gantillon et à J.V. Pellerin.

avait cessé de grandir était appelé un caractère, et l'être en plein développement, le navigateur sur le fleuve de la vie, celui qui ne navigue pas avec les écoutes dormantes, mais s'adapte à toutes les sautes de vent, pour ensuite aller au vent de nouveau, celui-là on le déclarait « dénué de caractère ». Avec une nuance péjorative, bien entendu, puisqu'il semblait insaisissable et qu'il échappait à la classification et à la surveillance. Cette conception bourgeoise de l'immobilité de l'âme passe ensuite sur la scène où a toujours régné l'ordre bourgeois. Un caractère, ce fut alors un monsieur aux traits à jamais fixés qui invariablement se montrait ivrogne, farceur, lamentable; et, pour caractériser, il suffisait d'ajouter une infirmité physique, un pied bot, une jambe de bois, un nez rouge, ou bien de faire répéter au personnage en question une phrase telle que : « C'est galant », « Barkis accepte de tout cœur », etc. Cette manière de voir simplement les hommes subsiste chez le grand Molière. Harpagon n'est qu'avare, alors qu'il aurait pu être à la fois avare, excellent financier, père magnifique, bon citoyen de la ville et, ce qui est plus grave, son travers est tout à fait avantageux pour son gendre et pour sa fille précisément, qui héritent de lui, quand bien même il les oblige à attendre un peu avant de convoler. C'est pourquoi je ne crois pas aux caractères simples au théâtre (5).

Et l'idée dominante chez le Strindberg de la dernière période, c'est l'idée de l'instabilité de la conscience. Dans une des pièces du *Théâtre Intime* (Kammarspel), *Orage (Oväder)*, à un moment donné, un père rencontre sa fille, et il se met à lui dire « vous ». Il ne l'a pas vue depuis cinq ans, et sa fille lui demande pourquoi il ne la tutoie plus. Elle lui demande aussi si elle a vieilli. Il répond :

Je ne sais pas. — On dit qu'au bout de trois ans, il ne reste plus un atome du corps humain. — En cinq ans, tout est renouvelé, et c'est pourquoi vous qui êtes là, vous êtes tout autre que celle qui a vécu et souffert ici. — Je puis à peine vous tutoyer, tant je vous suis violemment étranger ! Et je pense qu'il doit en être de même pour vous, ma fille ! (6).

Et du fait de cette instabilité de l'enveloppe extérieure chez l'être humain, l'auteur cherche à atteindre des profondeurs de la conscience. Et c'est pourquoi, alors que le freudisme est presque totalement inconnu au moment où Strindberg a commencé à écrire ses drames mystiques ou intimes, on peut noter une convergence étonnante entre la « psychologie des profondeurs » et l'effort d'analyse, de pénétration au-delà de la couche des automatismes pour ouvrir « la porte secrète » et atteindre les couches profondes de la conscience. On relèvera dans le théâtre de Strindberg quelques passages extraordinairement préfreudiens. A un moment donné nous assistons à une transformation brusque d'une femme en une figure typique de mère. Il faudrait citer aussi certaines réflexions sur le rêve qui sont tout à fait caractéristiques. Mais nous voyons surtout se manifester une haine ardente contre la psychologie traditionnelle

---

(5) Préface à *Mademoiselle Julie* (1888), éd. Landquist, t. XXIII, p. 102. La préface à *Mademoiselle Julie*, par G. BJURSTROM a été publiée en français dans *La Revue Théâtrale* en 1955.

(6) Ed. Landquist, t. LIV, p. 50.

aussi bien chez Strindberg que chez ses disciples allemands, en particulier chez Kornfeld qui parle une langue prophétique (mais c'est le ton de l'époque) :

Si l'homme est le centre du monde, ce n'est pas à cause de ses talents, il l'est, parce qu'il est le miroir et l'ombre de l'Eternel, parce qu'il est, bien que né sur cette terre, intendant du Divin. Son âme est vase de sagesse et d'amour, vase de conscience, de bonté et de connaissance, vase de la piété et de la connaissance du Bien et du Mal, est source de fureur et de paix infinies. Mais le caractère de l'homme sert d'abri à mille et mille choses : à la ruse et à l'astuce, à la bienveillance et à l'humanité, à l'arrogance et à l'aversion, il sert d'abri à mille et mille choses : aux qualités et aux défauts et aux émotions qu'ils provoquent... Pour vraiment s'y connaître en hommes, il faut savoir déceler le divin, à proprement parler l'inhumain chez autrui, dans les détours et les labyrinthes de son caractère. De même pour la connaissance de soi : au lieu d'examiner et d'analyser les complications du « par trop temporel », il s'agit de prendre conscience de ce qui en nous est intemporel, c'est-à-dire de l'éprouver au sens le plus élevé du terme, et non de nous épier bassement. Car nous ne voulons pas sombrer dans la fange du caractère, nous ne voulons pas nous perdre dans le chaos de nos défauts et de leurs convulsions, nous voulons seulement sentir que souvent, dans nos moments les plus saints, notre enveloppe s'ouvre et un rayonnement plus saint émane de nous.

Abandonnons à la vie quotidienne le souci du caractère, dans nos moments les meilleurs, soyons tout âme. Car l'âme appartient au ciel, le caractère, lui, n'est que trop terrestre.

La psychologie n'enseigne rien de plus sur l'essence de l'homme que l'anatomie (7).

Je pourrais également citer le Danois Svend Borberg dont le ton est encore plus emphatique et quelque peu teinté de bergsonisme :

... les hommes ne sont ni des « silhouettes », ni des « figures », ni des « rôles ». Rien n'est sûr, le *moi* doute de lui-même, de sa propre indivisibilité. Tout est mouvant et l'âme humaine n'est pas un rocher, mais une arabesque de tourbillons au milieu du fleuve. De même qu'il s'est créé un nouvel art plastique qui, en dissolvant les formes et même les vibrations colorées, crée de nouvelles harmonies, de même il faut créer un nouveau drame qui pénètre, par delà les « masques » et les « caractères », jusqu'au tréfonds du chaos qu'est notre âme et nous montre comment l'influx nerveux, sous l'action des courants induits créés par la vie, modifie constamment son évolution, comment ces sables mouvants que nous appelons les hommes, vibrant sous chaque coup d'archet donné par le destin, s'ordonnent pour former de nouvelles structures sonores, belles et mystérieuses (8).

Il est difficile d'apercevoir l'âme d'autrui. Chez autrui, nous avons plutôt tendance à voir le caractère, nous sommes plus sensibles à l'aspect caricatural,

---

(7) Le texte de Kornfeld intitulé « Uber den beseelten und psychologischen Menschen » (« L'homme de l'âme et l'homme de la psychologie) est paru dans la revue *Das junge Deutschland*. Nous citons d'après Sœrgel, *Dichtung und Dichter der Zeit II, Im Banne des Expressionnismus*, Berlin, 1925, p. 636.
(8) Svend Borberg, « *Skuespillets Forfald* » (« La décadence du Drame ») in *Litteraturen II*, 478 (année 1919-20).

ce qui après tout est normal. Et les expressionnistes sont bien d'accord avec nous pour constater le fait, puisque Strindberg a dit quelque part : « On ne connaît vraiment qu'une vie, la sienne; on ne connaît qu'une âme, la sienne ». Il en résulte que le drame expressionniste sera un drame autobiographique, et même, plus exactement, un drame *confessant*.

Un autre trait essentiel de ce théâtre, c'est que, puisque le moi de l'auteur est au centre, par voie de conséquence, le théâtre prend très facilement une allure onirique. En effet, dans le rêve, automatiquement le rêveur est au centre de ce qu'il imagine du monde qu'il crée autour de soi. Ceci relie encore plus étroitement la notion de *Drömspel,* (jeu de rêve) au développement du freudisme.

Essayons maintenant de cerner le héros central. J'ai déjà attiré votre attention sur l'importance du nom du personnage. Comment s'appellent les personnages des drames expressionnistes ? Le personnage numéro 1, dans le *Chemin de Damas*, s'appelle *l'Inconnu*. Un autre personnage, allemand celui-là, s'appelle *der Namenlose* ou « celui qui n'a pas de nom ». Un personnage connu de Toller c'est *Masse-Mensch*, l'homme en face de la masse. Le comble est certainement atteint par le héros du drame danois qui porte ce nom : *Ingen*, c'est-à-dire *Personne*. Il faut avouer qu'il n'est pas banal de voir un héros s'appeler « personne ». Mais ce dernier nom a une signification particulière. Le héros du drame danois (9) ne sait pas qui il est. Il se cherche. Le héros expressionniste se cherche, il est inconnu, mais surtout à lui-même. Ingen n'a pas de nom mais il dit (citant le texte évangélique) : « Mon nom est Légion ». C'est-à-dire je suis quantité de choses, je n'arrive pas à me cerner, à me définir.

Non seulement il n'est personne, mais il est plusieurs personnages, il se dédouble, il est saisi par une série d'effroyables hallucinations. L'Inconnu dit quelque part dans le *Chemin de Damas :*

> Ce n'est pas la mort, c'est l'isolement que je redoute, car dans la solitude on rencontre toujours quelqu'un. Je ne sais pas si c'est moi-même que je perçois, mais dans la solitude, on n'est pas seul. L'air s'épaissit, l'air se gonfle, et des êtres prennent naissance qui restent invisibles, mais qui sont vivants (10).

L'Inconnu apparaît donc dans le drame du *Chemin de Damas* comme se dédoublant. Et il est en général placé entre deux êtres qui sont lui-même à d'autres moments de sa vie. Nous trouvons d'abord le Dominicain ou le Confesseur, (le personnage porte différents noms suivant les moments de l'action) qui est le moi supérieur, le moi de la conscience morale, le moi qui dicte son devoir, qui amène le pêcheur à se repentir, qui amène l'incroyant à s'élever vers les sphères spirituelles. Symétriquement nous trouvons ce malheureux qu'il a

---

(9) Svend BORBERG, *Ingen*, pièce en huit phases (*sic*), Copenhague, 1920.
(10) *Le chemin de Damas* (1ʳᵉ Partie) (*Till Damaskus I*), Acte I, p. 21 de la traduction Jolivet-Gravier (Paris, 1949). La première partie de cette grande trilogie a été écrite en 1897-1898.

appelé le Mendiant (que nous appellerions peut-être le Clochard), et qui est le moi que Strindberg risque de devenir s'il continue à prendre plusieurs fois par jour deux ou trois absinthes comme il en avait l'habitude, dit-on, pendant les crises d'*Inferno* (11).

On voit donc cet encadrement, ces personnages qui se dédoublent quelquefois de façon inexplicable, quelquefois de façon expliquée, magiquement. Chez Werfel le personnage de Thamal qui se regarde dans un miroir et qui, excédé, veut détruire sa propre image, tire un coup de pistolet dans la glace, et son double sort du miroir, c'est *Spiegelmensch* (12), un double un peu grimaçant et ridicule qui sans cesse parodie le personnage principal. Chez Lenormand, dans *L'homme et ses fantômes*, même dédoublement et il n'est pas difficile de retrouver des réminiscences textuelles du *Chemin de Damas*.

C'est donc un théâtre du dédoublement. Et l'on sait que le dédoublement n'est pas en soi un phénomène qui rassure. C'est donc un théâtre de l'angoisse : le moi saisit dans toute sa plénitude et dans toute son horreur la charge écrasante de la vie individuelle, de la vie isolée. C'est évidemment un théâtre qui se déplace dans une perspective existentielle. Et cette marque existentielle se développera tout particulièrement dans le théâtre suédois des années 1920 dans le théâtre de Pär Lagerkvist. Dans le *Dernier Homme (Sista människan)* on voit les derniers habitants de notre planète s'effaçant peu à peu les uns après les autres, et il en reste un seul. Il en faut un qui souffre sur une planète qui se refroidit définitivement. Image écrasante de l'effroi qu'a pu ressentir un neutre devant les ravages de la guerre de 1914-1918. Et, plus personnellement, image de l'angoisse qu'éprouvait Pär Lagerkvist et de sa solitude, un être d'une autre espèce au milieu d'individus qui ne pouvaient pas le comprendre. Un autre drame du même auteur, *Le Roi*, soulève le problème des contradictions internes du moi actif luttant contre le moi sceptique et douloureux.

Le dédoublement, on l'accordera facilement, n'est pas un phénomène quotidien, ce phénomène suppose tout de même, chez l'individu qui l'éprouve, certaines prédispositions pathologiques. Et ce théâtre est un théâtre *pathologique*.

Ici se pose un problème que je place dans une sorte de parenthèse. Il existe, croyons-nous, un théâtre expressionniste authentique, et il y a un théâtre expressionniste frelaté. Il faut distinguer ce qui est spontané des produits que l'on fabrique industriellement. A certains moments de l'histoire littéraire il est bon d'être fou, et chacun fait de son mieux pour le devenir ou tout au moins pour le paraître. On connaît des périodes où l'infantilisme est à la mode, et où l'on essaie de faire l'enfant. L'excellent psychiâtre Charcot a inventé l'hystérie et créé les hystériques. A force d'aller voir des pièces de Strindberg, on s'est « strindberguisé ». Et, sous l'effet du « Strindberg-Taumel » (vertige strindbergien), toute l'Allemagne a dansé entre 1910 et 1923 cette « ballade de la folie et de la mort »

(11) C'est du moins ce que racontait le Docteur Reja qui aida Strindberg à établir le texte français d'*Inferno*.
(12) Franz WERFEL, *Spiegelmensch*, trilogie magique, 1923 (?).

(*die Ballade von Wahn und Tod*, la célèbre et magnifique ballade de Werfel) mais c'était une danse provoquée un peu par les événements et beaucoup par la littérature. Maint auteur a tenté de faire mûrir en lui-même une certaine psychose pour mieux ressembler aux créatures de l'expressionnisme strindbergien. Voilà un premier aspect sur lequel il ne faut pas trop insister, mais il serait intéressant malgré tout de faire un jour des études statistiques sur la proportion entre les vraies œuvres expressionnistes et les pièces frelatées.

Il reste le cas curieux de Pirandello. C'est peut-être ici que le monde latin intervient de façon assez saine dans le domaine de la folie. Il y a aussi des fous chez Pirandello. Pirandello a aussi lu Strindberg. Je pourrais même, mais ce n'est pas mon sujet, vous montrer la demi-page du *Chemin de Damas,* troisième partie, qui a peut-être fourni à Pirandello l'idée d'*Henri IV* (13).

Pirandello a étudié du dehors les problèmes de pathologie. Car il y a une grande différence entre Strindberg et Pirandello. Strindberg était fou, d'une folie consciente et magnifique. Mais c'était Madame Pirandello qui était folle, et Pirandello voyait les choses du dehors. Il a analysé les mécanismes tout autrement. Il ne faisait pas d'auto-analyse. C'est pourquoi il y a un décalage extrêmement important entre les deux auteurs, bien que quelquefois les sujets qu'ils traitent se ressemblent.

Un dernier aspect de la psychologie du héros expressionniste, c'est que ce héros n'est pas un être fort, « une force qui va », il ne s'apparente ni au héros baroque ni au héros romantique (à la française). Son drame est celui de la faute. Il a peut-être commis une faute et il n'a jamais été capable de définir cette faute, et de ce fait il est en proie à des persécutions. Strindberg pense que ces persécutions sont le fait des puissances démoniaques *(Makterna).* Quelquefois ces puissances sont commandées par un Dieu vengeur, semblable au Jéhovah de l'Ancien Testament. Chez les Allemands d'inspiration plus politique, ces puissances peuvent devenir l'oppression de la société. L'individu est écrasé par la masse. C'est le drame de *Masse-Mensch.* Mais, de toute manière, pour qu'il y ait drame expressionniste, il faut qu'il y ait persécution, et il faut qu'autour du héros central, qui est comme cloué au pilori, gesticulent des êtres méchants qui n'ont été créés et mis au monde que pour le torturer.

Ce qui fait que, au total, on pourrait établir comme un système solaire des personnages du drame expressionniste. Au centre, source de toute lumière, le héros qui est le double du poète, autour de lui ses diffractions, les personnages qui émanent directement de lui, qui sont lui-même mais décalés soit moralement soit dans le temps, puis d'autres personnages-reflets, en particulier la Femme. La Femme jouit d'un singulier privilège dans le théâtre expressionniste, celui de n'exister que par la grâce du héros. Il lui donne son nom, son âge, il lui dit ce qu'elle doit être, ce qu'elle doit faire. Et elle joue un rôle très particulier. Chez Strindberg, elle doit séduire le héros et le torturer, et, en le torturant, l'amener

_____

(13) STRINDBERG, *Le chemin de Damas,* IIIe partie, « Un carrefour dans les Montagnes », trad. Jolivet-Gravier, pp. 249 et s.

vers le ciel. Elle joue un peu le rôle du Méphisto de Goethe, avec moins de génie. Et à côté de ces personnages qui ont droit au titre de *personer* (personnes),
il y a chez Strindberg ce qu'il appelle *bifigurer* (figures secondaires) ou les ombres *(Skugger)*. On ne sait pas trop si ces personnages là existent ou n'existent
pas, si ce sont des phantasmes du cauchemar, en tout cas ils ne sont là
que pour tourmenter. Ce sont d'affreux robots. Ils dansent comme un ballet
atroce autour du personnage. D'ailleurs l'évolution vers le ballet est très nette
dans le *Songe* : l'on y voit un gymnase médical où un certain nombre d'individus
sont rééduqués. Ils sont accrochés à des instruments et on les tire en cadence.
Il y a une anticipation sur le ballet des machines où l'être humain lui-même est
réduit à l'état de pièce ou d'élément mécanique. Et ce tableau a été admiré et
copié un assez grand nombre de fois en Allemagne et au Danemark dans des
scènes d'hôpitaux militaires, de trains sanitaires, images atroces et proches du
réel inspirées par la dernière guerre (chez Toller et chez Svend Borberg en particulier).

Comment s'établissent les rapports entre le personnage et l'action dans le
drame expressionniste ? On pourrait poser autrement la question : une action
est-elle possible dans un tel drame ? Ici intervient une heureuse coïncidence : le
héros expressionniste n'est pas porté à l'action et l'auteur expressionniste, esthétiquement parlant, n'aime pas l'action. Cela se comprend du reste puisque l'auteur se confond pratiquement avec le héros et le héros avec l'auteur. Le héros est
incapable d'agir. L'Inconnu se heurte à une série d'infimes obstacles matériels.
Il veut aller toucher un mandat à la poste, mais elle est fermée : persécution des
« Puissances ». Il voudrait alors se reposer au café, mais celui-ci n'est pas encore
ouvert : coup du destin. Une série de ces infimes désagréments font souffrir indéfiniment l'Homme. D'autre part, comme je le disais, les auteurs expressionnistes, surtout après Strindberg, ont manifesté leur dédain de l'action au sens
traditionnel du terme. En particulier, voici comment chez Sorge, le Poète se
lamente en relisant son manuscrit :

Comme un hippopotame : massive, claironnante, l'action se vautre ici dans ses
eaux troubles. Qu'est-ce que l'action ? Qu'est-ce véritablement que l'action ? Elle ne re-
cèle aucune expression ni dans ses paroles, car elle est silencieuse, ni dans le geste, car
elle a bien le geste, mais inimitable, ni dans le tableau, car elle présente bien une image, mais elle est faite de rapports éternels et d'éternels élans. Elle est faite de mille
âmes impossibles à représenter. Voilà la malédiction (14).

Une action intérieure serait indispensable, or qui dit « action », dit « tension ». Mais il faudrait pour cela une volonté qui ne soit pas orientée vers des
manifestations extérieures, mais vers une transformation de soi-même. Qui
dit « action » dit aussi antagonismes. Et certains antagonismes se manifestent
sans doute dans le théâtre de Strindberg et chez les expressionnistes, mais, à

---

(14) Reinhard SORGE, *Der Bettler* (*Le Mendiant*) (1912), 5ᵉ éd., Munich, 1919, p. 152.

part le problème de l'amour qui se transforme très rapidement en haine, ces tensions sont surtout des tensions spirituelles. En particulier le drame expressionniste, surtout allemand, repose en grande partie sur l'opposition des générations : les pères contre les fils, les fils contre les pères. Et cette opposition, c'est celle d'une attitude néo-religieuse contre le positivisme de l'âge précédent.

Un des personnages de l'expressionnisme allemand présente son père comme un vieillard horrible qui a acheté une énorme longue-vue pour scruter la planète Mars. Et que veut-il trouver dans la planète Mars ? Des mines de différents métaux à exploiter. Ce vieillard gâteux, c'est l'image du positivisme, du scientisme, de l'utilitarisme. Il possède une longue-vue extraordinaire, des moyens techniques inouïs, et il les tourne vers une planète, mais ce n'est pas pour se donner une idée de l'infini, c'est simplement pour voir s'il ne s'y trouverait pas du métal à exploiter. Positivisme sordide qui répugnait à la génération de 1920.

Donc tension, mais tension spirituelle. Et, en somme, on peut dire que le héros expressionniste a une âme, tandis que les personnages auxquels il s'oppose n'ont pas d'âme. Il existe d'ailleurs une pièce de Pär Lagerkvist qui s'appelle *L'Homme sans âme* (15).

L'ambition des expressionnistes, c'est de rendre une âme au public, c'est de provoquer une conversion. Et le drame expressionniste est essentiellement un drame de la conversion. Et les titres sont suffisamment éloquents. C'est d'abord le *Chemin de Damas*, ensuite chez Toller *Die Wandlung* qui veut dire « la transformation », « la conversion ».

Donc ce drame peut paraître immobile, surchargé de lyrisme, de déclamations. On a parlé de « drame-cri » *(Schreidrama)*, mais c'est essentiellement un drame de l'itinéraire spirituel. Il veut engager le spectateur à s'identifier avec le héros principal qui a une chance exceptionnelle — il possède une âme — et inviter le spectateur à retrouver son âme. On pourrait donc parler aussi de « drame-conversion », mais encore faudrait-il définir ce que l'on entend par « conversion » dans un drame expressionniste. Généralement, quand nous parlons de conversion, nous avons dans l'esprit un personnage qui aboutit à une transformation socialement définie. Il était protestant, il devient catholique, il était M.R.P., il s'inscrit au parti radical, il change sans doute d'étiquette mais il se déclare nettement pour une certaine étiquette. Il n'en va pas de même du héros expressionniste. Il ressemblerait à un individu qui monte sur un bateau en partance; le bateau quitte la côte, mais il n'aborde jamais nulle part. On voit toujours le point de départ, on cerne l'erreur, on la rejette et on part, mais le rideau tombe avant qu'on arrive. Dans le *Chemin de Damas*, au dernier tableau de la première partie, la Dame emmène le héros, l'Inconnu, vers la chapelle, mais le rideau tombe avant qu'ils pénètrent dans le sanctuaire (17).

C'est le problème que s'est posé André Gide il y a quelques années, quand

---

(15) Pär LAGERKVIST, *Mannen utan Själ*, Stockolm, 1932.
(16) *Le chemin de Damas*, traduction Jolivet-Gravier, p. 122.

il préfaçait le récit expressionniste de Pär Lagerkvist, *Barrabas* (17). Pär Lagerkvist fait dire à Barrabas « je remets mon âme entre vos mains », mais on ne dit pas de qui. S'agit-il du Christ ? S'agit-il des ténèbres qui étaient en train de tomber sur le lieu du supplice, l'auteur, à dessein, ne précise pas, on n'en sait rien. C'est le type même de la conversion expressionniste. Le héros expressionniste remet son âme à qui ? On ne sait pas. Probablement entre les mains des ténèbres. Et jamais le drame expressionniste n'aboutit à une conversion précise. Strindberg est mort avec l'Evangile sur sa table de nuit et un livre consacré à la sagesse de Bouddha sur son cœur. Dans le *Songe,* la fille d'Indra monte à l'orgue (il s'agit de la grotte de Fingall qui subit une transformation magique) et cette déesse des Indes se met à jouer un *Kyrie Eleison.* Nous assistons toujours à une symbiose des différentes philosophies spiritualistes, mais le poète n'aboutit jamais à aucune conclusion précise.

A ma connaissance, parmi les dramaturges de la grande période expressionniste, un seul s'est converti de façon nette au catholicisme, et c'est R. Sorge. C'est peut-être le seul aussi qui n'ait jamais parlé de religion dans ses pièces. Il faut peut-être voir là un signe très précis. Quand un auteur abuse des images et symboles chrétiens, cela signifie que la religion ne représente plus pour lui qu'un élément décoratif, une figure, un ensemble de paraboles. On rejette donc le positivisme, le culte de la science mais le plus souvent on n'aboutit pas à une conclusion ferme et concrète.

Tous les efforts que nous avons tentés pour définir la conversion de l'expressionnisme nous ramènent peut-être à la formule de Spinoza : « toute détermination est négation. »

De la même manière, si nous voulons essayer de caractériser le héros expressionniste, et, par delà le héros, le drame expressionniste, nous ne pouvons procéder que par quelques approximations et négations successives.

L'expressionnisme fut à l'origine un terme créé par et pour les peintres. Il s'agissait de renoncer à l'impressionnisme qui avait épuisé avec Monet ses dernières possibilités, et poussé la dissociation des vibrations lumineuses jusqu'à supprimer totalement les contours des choses. En réaction Matisse soulignera les contours eux-mêmes avec des traits bien noirs et nettement marqués. De même le drame naturaliste allait à la dérive à force de décomposer à l'infini les éléments de la personnalité humaine et de jouer avec ces éléments à un extravagant jeu de puzzle. On finissait par ne plus trouver le noyau de l'âme, et c'est ce noyau que désespérément, et souvent maladroitement les expressionnistes cherchent à retrouver, à cerner. Portés à faire naïvement confiance aux médecins et aux psychiatres, et platement matérialistes, les naturalistes avaient traité la matière humaine comme une combinaison de substances chimiques, ils l'avaient étudiée avec je ne sais quel esprit suprêmement ou supérieurement

---

(17) Voir la préface de Gide à la traduction de *Barabbas* et mon étude « Pär Lagerkvist et la conversion de Barabbas », *Etudes germaniques,* avril-juin 1955.

scientifique. L'expressionniste peindra dans son drame l'Homme dans ce qu'il a de plus personnel, de plus central, et aussi de plus divin. Il ne se fondera plus sur des impressions, chaque poète voudra donner ce qu'il y a de plus profond en soi-même, et chacun d'eux ne parlera que de soi-même. Et au lieu d'impression il y a expression, mouvement directement opposé, jaillissement du dedans vers le dehors.

Le poète s'exprimera presque exclusivement dans le personnage central, et il sacrifiera à ce personnage le monde des comparses. Nous avons donc affaire à un art dramatique poussé vers l'individualisme jusqu'à l'extrême limite du possible, un art de la confession qui est à la fois touchant et ambitieux, un art qui souffre de grandes servitudes, donc un art incertain, instable. Il est évident que l'expressionnisme a été et devait être plus heureux dans le domaine du lyrisme ou même du roman, car nous sommes ici très près de Kafka bien que ce romancier ne se soit jamais rattaché formellement à l'expressionnisme. Il appartient à cette époque sinon à cette école et c'est un disciple avoué de Strindberg (18). D'ailleurs Strindberg aussi a écrit de magnifiques romans. Il était beaucoup plus facile pour un expressionniste d'écrire des romans et des poèmes lyriques que des drames. Et l'expressionnisme qui a bouleversé l'art dramatique sur le plan décoratif n'a pas produit d'œuvre, de texte, devant lequel on puisse s'arrêter ou qui méritent d'être lus ou joués sur les grandes scènes mondiales. Mais le drame expressionniste a tué le naturalisme dramatique et c'est là un grand mérite. Pour le psychologue le drame expressionniste constitue un document de premier ordre. L'homme de théâtre, de nos jours, hésiterait sans doute à monter ces œuvres trop lyriques, trop statiques à son gré, à l'exception sans doute du *Chemin de Damas*. Mais comment s'en étonner, après tout, puisque le drame expressionniste est le drame de l'individu isolé, refermé sur lui-même, qui ne veut connaître que soi-même ? C'est par définition même un extraordinaire paradoxe.

DISCUSSION

PILLEMENT. — Ne croyez-vous pas que les pièces expressionnistes qui ont le plus d'audience auprès du public sont souvent les moins représentatives ?

GRAVIER. — Je suis tout à fait de votre avis, en ce sens que le drame expressionniste est un paradoxe et qu'il faut diluer les thèmes expressionnistes pour les porter à la scène. De ce fait les documents les plus typiques ne sont pas viables sur la scène.

MURCIA. — Le théâtre expressionniste a eu un grand succès en Espagne. Il y a une lignée de théâtre expressionniste qui pourrait commencer avec Azorín et qui donne une pièce assez intéressante d'Alberti, *L'homme Inhabité*.

---

(18) Voir son *Journal* et mon étude « Strindberg et Kafka » in *Etudes germaniques*, mars-juin 1953.

MARRAST. — Je crois que les Espagnols ont connu l'expressionnisme à travers les traductions, mais surtout d'après l'usage qu'en ont fait Pirandello et Lenormand. Lenormand est plus connu aujourd'hui en Espagne et en Argentine qu'en France.

GRAVIER. — Il semble qu'il y ait là un filtrage latin des formes trop prononcées de l'expressionnisme, et ce filtrage a été utile.

Mlle LAFFRANQUE. — En 1920, Lorca connaissait déjà Wedekind et en a parlé avec éloge dans une conférence.

GRAVIER. — Strindberg et Wedekind sont comme les deux parrains de l'expressionnisme, et Wedekind représente une volonté de « désocialisation » des personnages. Il veut trouver des personnages qui ne soient pas éternellement des bourgeois en tant que bourgeois, et des ouvriers qui soient des ouvriers en tant que tels. Il veut faire éclater les cadres sociaux, et il va chercher des aventuriers, les hommes du « cinquième état », comme il les appelle.

DEMANGE. — C'est chez Wedekind qu'il faut chercher les personnages secondaires de l'expressionnisme, et les effets de théâtre que l'on a fini par appeler trop facilement expressionnistes.

MARRAST. — Il faut signaler qu'il y avait beaucoup de germanisants en Espagne dans les années 1920-30. Dans la définition que M. Gravier a donné du personnage du drame expressionniste, de son comportement dans l'intrigue, j'ai été frappé de l'identité complète qu'il y a entre ce personnage et celui créé par Alberti dans *L'Homme Inhabité*. Il s'agit d'une transposition de l'auto-sacramental dans le monde moderne dont j'ai eu l'occasion de parler au cours des *Entretiens d'Arras 1956* (1).

Je ne sais s'il y a eu influence d'œuvres allemandes qu'Alberti a pu connaître grâce aux traductions, ou d'œuvres de O'Neill, de Synge, qui participent d'une esthétique semblable.

GRAVIER. — O'Neill est un disciple avoué de Strindberg.

Mlle LAFFRANQUE. — Quels sont les rapports entre le nihilisme et l'expressionnisme ? Est-ce que l'on peut dire que dans certains cas l'expressionnisme est un état pré-révolutionnaire ?

GRAVIER. — Les rapports du nihilisme et de l'expressionnisme se ramènent à ceux de l'existentialisme et du nihilisme, car l'œuvre expressionniste est dans une très large mesure un drame existentialiste. Et l'existentialisme s'oriente vers un Dieu ou bien il s'ouvre sur la bouche d'égoût. L'action révolutionnaire est animée au départ par une idée de conversion mais l'expressionnisme se heurte à un obstacle dans ce domaine car il est avant tout un drame de l'individu. Et, quand on voit un Toller devenir spartakiste, on a un peu le frisson car on se dit qu'il était surtout l'homme qui avait peur des masses, et s'afficher spartakiste c'était se mettre en contradiction avec cette peur. Il est difficile d'arriver à une action sociale dans le cadre d'une orientation expressionniste. Vous avez raison, tout ce que l'on peut dire, c'est que c'est un état préparatoire.

---

(1) *Cf.* Robert MARRAST, « Esthétique théâtrale d'Alberti » dans *La Mise en Scène des œuvres du passé*, p. 53 (Editions du Centre National de la Recherche Scientifique).

FRÉCHET. — Peut-être pourriez-vous préciser dans quelle mesure l'expressionnisme est un mouvement qui a eu conscience de lui-même et de ses limites, et dans quelle mesure il fait partie d'un mouvement plus large. Je pense par exemple à Yeats, car bien des choses que vous avez dites du théâtre expressionniste sont vraies de Yeats. Mais je ne crois pas que Yeats se soit lui-même senti expressionniste, et d'ailleurs bien qu'il n'ait pas conclu dans sa vie, il laisse dans ses pièces une impression positive.

GRAVIER. — Je crois que l'expressionnisme est quelque chose qui se situe dans l'esprit du temps, et que, sans qu'il y ait de communication visible, sans qu'il y ait de filiation matérielle en quelque sorte, les mêmes courants de dessinent un peu partout.

JACQUOT. — Ne pourrait-on pas faire un rapprochement entre expressionnisme et symbolisme ? Je pense au théâtre symboliste représenté en langue française par Maeterlinck ou Saint-Pol-Roux.

PILLEMENT. — Cette parenté est en effet très grande en France. C'est le cas par exemple des pièces d'Edouard Dujardin.

VICTOROFF. — Ce que vous avez dit du personnage expressionniste pourrait s'appliquer au héros de Kafka.

GRAVIER. — Kafka a écrit tous ses textes importants entre 1917 et 1922, et il dit dans son journal : « ce Strindberg qui me nourrit » : Et Le Château est une sorte de transposition d'un roman de Strindberg qui s'appelle Au bord de la mer (I Havsbandet). Kafka a écrit son œuvre au moment où l'Allemagne subissait une véritable épidémie strindbergienne (Strindberg-Taumel). On jouait Strindberg sur toutes les scènes allemandes.

VILLIERS. — N'a-t-on pas développé considérablement les techniques de mise en scène dans le drame expressionniste parce que la pièce, sans ce support, n'aurait pas été jouable ?

GRAVIER. — Il a fallu créer un élément visuel autour du drame expressionniste qui est essentiellement intérieur, et, comme il y avait des peintres parmi les expressionnistes, ils ont aidé à créer cet élément qui paraissait aussi important que le texte parce que le texte avait besoin de ce support.

VILLIERS. — On continue à faire de la mise en scène expressionniste, quand vraiment il faut sauver l'œuvre.

GRAVIER. — C'est Jeszner qui, l'un des premiers, a joué en style expressionniste des pièces qui n'avaient rien à voir avec l'expressionnisme (Guillaume Tell, de Schiller, par exemple).

JACQUOT. — Cette conception de la mise en scène et du décor se retrouve dans le cinéma expressionniste.

GRAVIER. — Celui-ci s'est développé à peu près indépendamment des textes dramatiques expressionnistes. Et il me semble étonnant qu'aucun metteur en scène de cinéma n'ait essayé de porter à l'écran Le Songe de Strindberg qui n'est réalisable que par le film.

Mlle MICHELSON. — Ne croyez-vous pas que chez les expressionnistes cette incapacité d'aboutir, cette ambiguïté finale de leurs œuvres qui ne concluent pas est due
à une confusion intellectuelle qui était déterminée par l'intransigeance avec laquelle
ils refusaient la science ? Je crois que cela est visible chez O'Neill.

GRAVIER. — Je distinguerais tout de même entre science et scientisme car ils ne
rejettent pas exactement la science, mais le dogmatisme de la science, c'est-à-dire
cette volonté du romancier par exemple qui prétend résoudre tous les problèmes à
partir de telle ou telle théorie scientifique (voyez Zola et le darwinisme).

DEMANGE. — Dans l'expressionnisme allemand il y a une nette protestation contre
le machinisme.

Mlle LAFFRANQUE. — Il y a une protestation contre un déterminisme social considéré comme fatal. L'objection de conscience me paraît typique de cette réaction contre
un mécanisme de la guerre devant laquelle on est impuissant socialement et contre
laquelle on réagit individuellement.

GRAVIER. — Il faut dire aussi que beaucoup des directions prises par l'expressionnisme vers 1917 ou 1918 ont été indiquées par des circonstances particulières que
Strindberg ne soupçonnait pas.

MARRAST. — C'est justement, en effet, pour éviter les foudres de la censure dicta-
toriale — qui certes n'existait plus dans l'Espagne républicaine de 1931, mais se ma-
nifestait à l'époque où Alberti concevait son *auto* de *L'Homme Inhabité,* deux ou trois
ans plus tôt — que le dramaturge espagnol a eu recours à une forme traditionnelle,
donc sans danger, pour exprimer son refus, sa négation de la métaphysique catholique. Je crois que cet exemple illustre bien ce que vient de dire M. Gravier.

L'EXPRESSIONNISME
DANS LE THÉATRE DE HERMAN TEIRLINCK

par Pierre BRACHIN
Professeur à la Sorbonne

Il y a quelques mois était décerné pour la première fois le « Grand Prix des Lettres néerlandaises ». Destiné à consacrer l'unité linguistique de la Flandre et de la Hollande, ce prix doit revenir alternativement à un écrivain du Sud et à un écrivain du Nord. Le choix du jury s'est porté sur Herman Teirlinck, et cette décision a reçu une approbation unanime. Si en effet, malgré son âge, Teirlinck n'est pas le doyen des écrivains d'expression néerlandaise — puisque l'illustre romancier Stijn Streuvels, né en 1871, a huit ans de plus que lui — il apparaît sans rival par la diversité et la fécondité de son talent. En 1929 déjà, Lodewijk van Deyssel, un des principaux artisans du renouveau de « Quatre-vingt », notait à l'occasion du 50ᵉ anniversaire de Teirlinck que « personne, ni en Flandre ni en Hollande, n'a écrit en un style si varié... C'est le *maître*, entendons par là un homme maître de son art, et qui dispose du plus vaste éventail » (1). Pour le caractériser, le terme de « Protée » a été bien souvent employé : il s'impose presque. D'autres ont préféré parler d'un « caméléon », dire qu'il réalise le mouvement perpétuel, ou encore que c'est l'enfant prodige de la Flandre. Il a pratiqué avec bonheur tous les genres. Après avoir débuté par un recueil de vers, il aborde le roman, et c'est une série ininterrompue de chefs-d'œuvre, depuis *Mijnheer Serjanszoon*, paru en 1908, jusqu'à *Portrait de l'artiste, ou Le repas du condamné*, qui date de l'an passé. Et dans le genre romanesque même, quelle richesse ! Il n'est, pour s'en convaincre, que de rapprocher son avant-dernier ouvrage, *La lutte avec l'ange*, du dernier : là, une large fresque épique, avec à l'arrière-plan l'épaisse forêt de Soignes, ici une analyse psychologique d'une extrême délicatesse.

---

(1) *Herman Teirlinck-Gedenkboek 1879-1929*, Anvers, 1930, p. 7.

Les premiers romans de Teirlinck avaient connu un tel succès qu'on fut tout étonné, et même dérouté, de le voir, au lendemain de l'autre guerre, se tourner vers la scène. Or l' « homme de théâtre » qui, selon sa propre expression, avait toujours sommeillé en lui, ne cessera désormais de se manifester par une activité débordante. En dehors même de son œuvre dramatique, Teirlinck donna une vigoureuse impulsion à ce *Vlaams Toneel* dont on se rappelle les triomphes dans le Paris de 1927, et plus récemment au *Nationaal Toneel*. Le roi Albert Ier l'ayant en son temps chargé d'enseigner le néerlandais au prince héritier, il profita de sa présence au palais de Laeken pour ressusciter ces concours nationaux pour Compagnies d'amateurs que l'histoire littéraire connaît sous le nom de *Landjuwelen*. Dix ans durant il enseigna l'art dramatique à l'Institut des Arts décoratifs de Bruxelles, dont il devint ensuite directeur. Il est actuellement responsable de la formation des acteurs dans les différents Conservatoires de Belgique. Ses nombreux articles et essais sur le théâtre sont, pour une part, réunis dans le recueil qu'il vient de publier sous le titre de *Pour une troisième naissance*.

Avant de vous donner un résumé — bien pâle, mais qui, je l'espère, s'enrichira un peu au fur et à mesure de mon développement — des cinq principales pièces de Teirlinck, je tiens à souligner le mot « principal ». Cette liste n'est nullement exhaustive. Il a, entre autres choses, écrit plusieurs scénarios pour le théâtre de plein air, et traduit l'*Orestie* d'Eschyle. Il a (j'aurai à y revenir) modernisé une « moralité » bien connue du xve siècle, *Elckerlyc*, et mis en scène l'unique et fameuse nouvelle de Karel van de Woestijne, *La mort du paysan*. Il s'est même essayé à la comédie.

Mais venons-en à sa première grande pièce, *Le film au ralenti,* jouée en 1922. Un jeune couple, par désespoir, se jette à l'eau. On dit que les noyés, à l'instant suprême, revoient en raccourci toute leur vie. Ici l'homme et la femme revivent la naissance et l'apogée de leur amour. Mais ce qui dans la réalité dure au plus quelques secondes, s'étire ici sur une demi-heure. Finalement, le vouloir-vivre reprend le dessus, les deux partenaires échangent des propos de plus en plus aigres, et quand on les a repêchés ils s'en vont chacun de son côté. Cela se passe dans une banlieue, au soir de la fête des Rois, et l'acte central est entouré de scènes populaires, dans une atmosphère plutôt lugubre de carnaval et de bamboche.

Je sers, de 1924, est une œuvre très différente. Ici Teirlinck s'inspire, comme Maeterlinck, Boutens et plusieurs autres auteurs modernes, de ce petit bijou de la littérature médiévale néerlandaise qu'est *Béatrice*. C'est l'histoire, on se le rappelle, d'une religieuse qui, ne pouvant résister à l'appel du monde, quitte son couvent; elle vit ainsi plusieurs années dans le péché, mais, abandonnée par son amant et pleine de remords, elle revient au monastère, où nul n'a remarqué son absence, la Vierge Marie, compatissante, ayant pris pendant tout ce temps les traits et les fonctions de la fugitive. La pièce se compose, comme la précédente, de trois actes : le 1er et le 3e se passent au couvent, tandis que le second nous montre les multiples et douloureuses épreuves que subit Béatrice, dans son désir de « servir » la vie. A la différence de son modèle, c'est manifestement là-dessus que l'auteur insiste.

Un an après *Je sers,* Teirlinck faisait jouer *L'homme sans corps ou la Farce des sosies.* L'acte I et l'acte III nous transportent dans la maisonnette d'un garde-barrière. Là vivent deux frères, Jacques le Sage et Jacques le Fou. Celui-ci s'en va courir le monde, il se débarrasse même de son corps, et après avoir connu mainte aventure et poursuivi mainte chimère — ce qui fait l'objet de l'acte II — il revient calmé. Il trouve son frère qui jouit d'un tranquille bonheur familial, mais Jacques le Sage, soudain, se sent inquiet, prend le large à son tour, et « tout recommence ».

Ave, paru en 1928, se passe tout à la fois dans le ciel, d'où un chœur se fait entendre de temps à autre, et sur terre, où interviennent d'abord « la vieille mère », « le jeune homme son fils » et « la jeune femme ». La vieille mère incite le fils à abandonner femme et enfant afin de connaître librement « les trésors de la terre, la gloire des hommes, l'orgueil et la volupté de son être ». La même chose se reproduit à la génération suivante entre « la mère », c'est-à-dire la jeune femme d'autrefois, le fils et l' « autre jeune femme ». Les uns et les autres rencontrent sur leur route un figure muette, la Lumière, tandis que dans une région intermédiaire, supra-terrestre, s'agitent et parlent et se querellent trois « Puissances ».

Entre *Ave* et la pièce suivante, *La pie au gibet,* huit ans se sont écoulés, et cela se sent : j'aurai occasion de le redire. Voici en tout cas le thème, qui est d'une grande simplicité apparente. Un savant sexagénaire, jusque-là mari rangé et bon père de famille, succombe un beau jour aux charmes pervers d'une jeune assistante, Goele. Ni les exhortations de sa femme Marthe, ni les intrigues d'une bande de vieilles filles jalouses, conduites par sa belle-sœur Hortense, ne peuvent le détourner de cette passion sans espoir, qui s'exaspère rapidement et le laisse en fin de compte hébété.

« Depuis une semaine, écrivait un critique à propos de *Je sers,* la nouvelle œuvre de Teirlinck est le sujet de toutes les conversations, on en discute comme d'un champion. Nous sommes témoins de cet événement qu'une création de l'esprit aiguillonne tous les esprits. Et cela est déjà, de soi, un succès remarquable » (2). A vrai dire, *Je sers* devait particulièrement susciter la polémique, en raison et du renouvellement complet d'un thème classique et de l'audace des procédés techniques. Mais il est incontestable que toutes les pièces de Teirlinck ont fait du bruit, et au-delà même du milieu flamand. *Le Film au ralenti* et *L'homme sans corps* ont été joués en Hollande. C'est Teirlinck qui révéla à ses compatriotes francophones le théâtre flamand, où ils affectaient jusque-là de ne voir qu' « une scène fréquentée par les gens du peuple, avides de sombres drames et de vaudevilles vulgaires » (3). Mais en France, et bien que Gémier ait

(2) Em. DE BOM, *Nieuw Vlaanderen, Kunst en Leven,* Bruxelles, p. 269.
(3) G. PULINGS, in *Gedenkboek,* 95.

envisagé, dit-on, de monter à l'Odéon *Le Film au ralenti,* Teirlinck est trop peu connu, et c'est pourquoi je suis particulièrement heureux de pouvoir vous le présenter aujourd'hui.

L'occasion est, me semble-t-il, d'autant plus favorable que les Entretiens d'Arras se trouvent cette année assez largement placés, en fait sinon officiellement, sous le signe de *l'expressionnisme.* Les pièces de Teirlinck furent conçues et représentées à cette époque où le mouvement expressionniste, préparé par Strindberg seconde manière d'une part, par la psychanalyse d'autre part, et défini par Hermann Bahr dès avant 1914, triomphe, grâce à la crise d'après-guerre, en Allemagne et se répand largement à l'étranger. Les expériences expressionnistes perdent de leur intérêt à partir de 1928, pour n'être plus, dix ans après, que des curiosités (4). C'est aussi le moment où Teirlinck écrit sa dernière pièce. Cette double coïncidence ne saurait être l'effet du hasard. Reste à voir en quel sens et jusqu'à quel point le théâtre de Herman Teirlinck peut être qualifié d'expressionniste.

I

« Ce qu'il nous faut, déclarait Teirlinck vers 1926, c'est un art qui ne vaille pas seulement pour aujourd'hui, mais qui, étant un reflet de l'homme en général, vaille pour tous les temps » (5). Cette critique du naturalisme est assez difficile à interpréter : elle pouvait impliquer un retour à l'esprit classique. En réalité, c'est sans nul doute à l'expressionnisme que Teirlinck entendait se rallier. Foin de la psychologie, « cette discipline, disait Kornfeld, qui, à en croire son nom, est la science de l'âme, et qui néanmoins s'est dégradée au point de devenir la science du caractère et des rapports de causalité qui unissent les fonctions et instincts de l'homme » (6). Au caractère, il faut substituer le *type,* et de préférence le type anonyme. Les personnages s'appelleront le Maudit, le Poète ou le Tailleur de pierres.

C'est exactement ce que nous trouvons dans Teirlinck. Les deux protagonistes du *Film au ralenti* sont l'Homme et la Femme. Dans *Ave,* voici encore l'Homme et la Femme, mais aussi et surtout la Mère. Et si dans *La pie au gibet* le héros a un nom, ou tout au moins un prénom, Benoît, peu nous importe : il est le Vieillard. Ailleurs, ce ne sont pas des types que nous présente Teirlinck, mais c'est l'humanité, vue sous tel ou tel angle. Béatrice, au cours de ses diverses pérégrinations, assume symboliquement toute l'expérience humaine. Rien de plus expressionniste que le thème de *L'homme sans corps,* cette manière de représenter par deux personnages différents deux tendances qui coexistent dans

---

(4) W. Putman, *Toneeldagboek 1928-1938,* Anvers, 1939, p. 216. — Il convient de faire ici une réserve. Putman ne pouvait prévoir que l'expressionnisme allait connaître un renouveau en Flandre avec le théâtre de Johan Daisne (*La Charade de l'Avent,* 1943, etc.).

(5) Cité dans L. Monteyne, *Kritische bijdragen over toneel,* Anvers, 1926, p. 10.

(6) Cité dans Soergel, *Dichtung und Dichter der Zeit,* II, Berlin, 1925, p. 638.

un même individu, ou plutôt dans l'Homme : le besoin d'idéal et le sens du réel, Jacques le Fou et Jacques le Sage. Malgré le sous-titre, il y a là tout autre chose qu'une farce.

Sans doute il convient de nuancer. Teirlinck ne montre pas dans toutes ses pièces un égal mépris de la psychologie. Celle-ci est entièrement absente de *L'homme sans corps*, qui est fondé sur une idée abstraite : si la pièce n'est cependant pas dépourvue d'action et de couleur, c'est pour de tout autres raisons, que je tâcherai de discerner plus tard. Par contre, lorsque dans *Le film au ralenti*, l'homme apparaît impatient d'activité, soucieux de l'avenir, et par là même égoïste, tandis que la femme, plus affective, plus sensible au souvenir du bonheur passé, est moins lâche devant la mort, on peut juger cette opposition exagérée, mais non pas lui contester une certaine base objective, et le dialogue entre les deux amants, en dépit d'un style parfois rhétorique, se déroule selon un processus parfaitement admissible. De même, si de toutes les pièces de Teirlinck la plus prenante est la dernière, cela tient à ce que le personnage de l'astronome *vit*. Pourtant ce n'est pas un « caractère ». Son métier ou ses travers ne comptent pas : il est très loin des vieillards mis en scène par Plaute, Hooft ou Molière. C'est *le* vieillard, qui sent la vie s'en aller et s'accroche à elle en un ultime et pathétique sursaut. Peut-être même, en dernière analyse, incarne-t-il purement et simplement l'instinct de conservation.

Quoi qu'il en soit, l'influence expressionniste apparaît clairement dans l'emploi que Teirlinck fait de l'allégorie. Absente de *La pie au gibet*, celle-ci tient une place non négligeable dans l'acte central de *Je sers*, où les événements sont abondamment commentés par les bavardages de Langue et les gestes de Regard. Son rôle est important dans *Le film au ralenti*, où interviennent non seulement la Mort et les Quatre Dragons (la Peste, la Guerre, la Faim, le Péché), mais aussi la Mémoire et l'Oubli, — et dans *L'Homme sans corps*, où le héros rencontre, outre la Charité, un être décapité, c'est-à-dire la Justice, un bourreau, c'est-à-dire la Conscience, une pièce anatomique, c'est-à-dire le besoin de savoir, et enfin un colosse préhistorique en qui nous reconnaissons la Force. L'allégorie est tout à fait essentielle dans *Ave*, où les Puissances, notons-le bien, n'ont rien de commun avec les êtres que la Bible désigne de ce terme, mais représentent respectivement la Chair, la Gloire et la Richesse, de même que le personnage muet qui a nom Lumière pourrait tout aussi bien s'appeler Conscience ou Responsabilité.

*
* *

A propos d'*Ave*, précisément, un commentateur (7) rappelait à l'époque ce mot de l'auteur : « Guerre à la réalité ! Point de vues photographiques de l'existence. Tendre à la synthèse. Travailler sur des valeurs spirituelles ». Ici encore, comment ne pas songer à Kornfeld, qui voyait dans le dramaturge le « repré-

---

(7) PUTMAN, 217.

sentant de la pensée, du sentiment ou du destin » ? Ou aux avertissements caté-
goriques de Goll : « La scène ne se contentera pas de travailler avec la vie *réelle*
et elle deviendra *supra-réelle* quand elle connaîtra les choses qui sont derrière
les choses. Le pur réalisme a été la pierre d'achoppement de toutes les littératures » (8) ?

Les expressionnistes aiment donc le fantastique, non certes que celui-ci soit,
en lui-même, un moyen sûr d'atteindre au spirituel, mais parce qu'il permet du
moins de briser la tyrannie du réalisme. Chez Teirlinck, le fantastique se trouve
parfois dans l'atmosphère. L'acte II du *Film au ralenti* est introduit par un monologue de la Mort qui paraîtrait un hors-d'œuvre si justement il n'avait pour
but de préparer l'ambiance singulière dans laquelle va se dérouler ce dialogue
de moribonds, sous l'eau, parmi les « plantes singulières » aux « fleurs mer-
veilleuses », et les reflets d'une sorte de clair de lune verdâtre. Ou bien c'est tel
ou tel épisode qui arrache le spectateur à la réalité banale. Plutôt que le « miracle » sur lequel s'achève *Je sers,* et qui n'est guère qu'une concession au thème
traditionnel, je citerai ici la scène de la poupée dans *La pie au Gibet.* Pour
convaincre Marthe de la trahison de son époux, les vieilles filles ont envoyé
au savant un billet signé du nom de Goele, la jeune assistante, et lui donnant
rendez-vous dans un endroit du jardin où elles ont disposé une poupée grandeur
nature. Benoît, au crépuscule, se rend au jardin, et tombe bien entendu dans le
piège. Il adresse à la poupée des discours enflammés. Et voici que celle-ci,
comme si c'était la chose la plus naturelle du monde, s'anime et répond. Aucune des personnes qui sont là dans l'ombre et qui — avec quelle curiosité ! —
suivent la scène, n'en paraît surprise : elles ne se manifesteront que quand
l'intimité deviendra intolérable entre le vieillard et la « poupée ».

Enfin le fantastique peut être dans le sujet même. C'est le cas dans *L'homme
sans corps,* avec ce dédoublement sur quoi tout repose et ce deuxième acte qui
se meut de bout en bout dans un monde de symboles, ou plus exactement d'allégories. Mais même les scènes qui ont pour cadre la maisonnette sont étranges
par plus d'un trait. Sans insister pour le moment sur l'intervention (ou plutôt
la présence, car ils n'interviennent pas à proprement parler) des deux fantômes,
Feu le Père et Feu la Mère, dont les doux entretiens encadrent la pièce, on
notera une foule de détails suggestifs, l'isolement de la maison, le sifflement des
grands express qui passent dans la nuit, et surtout le rôle du montreur d'ombres
chinoises, avec son coffre mystérieux, et qui se flatte de donner forme aux impressions les plus vagues, et de mettre en lumière les secrets les mieux enfouis.

*
* *

Depuis les origines du théâtre on avait toujours tenu pour évident qu'il
n'est point de drame sans conflit : conflit du héros avec le Destin, avec d'autres

---

(8) Dans SOERGEL, II, 640 s.

hommes, ou avec lui-même. La grande hardiesse de Strindberg fut d'effacer la pluralité des volontés, « et même la pluralité des personnages, puisqu'un seul d'entre eux, reflet du moi confessant, image de l'auteur, envahit toute la scène et la peuple de ses doubles et de ses ombres » (9).

Au premier abord, on peut se demander si ce schéma s'applique bien aux pièces de Teirlinck. N'y a-t-il pas des heurts violents, dans *Le film au ralenti*, entre les deux amants, dans *Je sers* entre Béatrice et la foule grouillante des méchants et des sots, dans *Ave* entre la mère, le fils et la « jeune femme », dans *La pie au gibet* entre Benoît et l'incompréhension totale de son entourage ? Les choses, à mon sens, ne se présentent pas ainsi. Dans *Le film au ralenti*, sans doute, il y a deux personnages principaux. Mais chacun évolue dans sa propre sphère; ils parlent, comme on dit en néerlandais, « langs elkaar heen »; si chacun passe des transports amoureux aux déchaînements de la haine, c'est en vertu de son évolution propre, et non de ce que l'autre peut dire ou faire. La mort de l'enfant, accueillie avec désespoir par la mère, avec indifférence par le père, ne fait que mettre en évidence le fait que ces deux êtres, qui s'imaginaient faits de toute éternité l'un pour l'autre, se sont toujours ignorés. Dans les autres pièces, où il semble y avoir conflit avec le monde extérieur, nous voyons en réalité un personnage éclipser tous les autres. La kermesse qui, dans *Je sers,* symbolise la bassesse et les vanités du monde, mène assurément grand tapage; Béatrice parle peu, elle se laisse ballotter par les événements. Or — et voilà bien le paradoxe — nous ne perdons pas un instant de vue que tout le vacarme et toute l'agitation qui l'entourent ne sont là qu'en fonction d'elle, nous la sentons au-dessus de tout cela, et nous ne sommes pas surpris qu'à la fin il lui suffise de parler haut pour qu'immédiatement le diable se sauve bien loin et que la populace terrorisée reflue jusqu'au fond de la salle. Entre Benoît, dans *La pie au gibet,* et sa femme Marthe, ce sont des dialogues de sourds. Il se préoccupe moins encore de sa belle-sœur et des autres vieilles filles. Il s'emporte bien parfois contre elles, mais leurs manigances ne sont pour rien dans son ultime effondrement, — de même que la présence de Goele avait été l'occasion fortuite, et non pas du tout la cause, de son délire sénile.

Il n'est, dans tout le théâtre de Teirlinck, qu'*un* cas de lutte véritable entre le héros et le monde ambiant. C'est la scène où Jacques le Fou se lance à la conquête de la Princesse, point culminant de sa quête, et déception suprême qui entraînera son retour à la vie quotidienne. Mais, vu la nature de *L'homme sans corps,* il est clair que le conflit est tout intérieur. Encore faut-il bien voir en quoi il consiste. Sauf précisément dans cette scène-charnière, Jacques ne connaît aucune hésitation : il y a *alternance* entre le Sage et le Fou; c'est, et ce sera toujours, un mouvement de va-et-vient. On ne constate pas davantage d'hésitation dans *Le film au ralenti.* A aucun moment, l'homme ni la femme n'est partagé

---

(9) M. GRAVIER, *Strindberg et le théâtre moderne, I : L'Allemagne,* Lyon, 1949, p. 169. — Je profite de l'occasion pour dire tout ce que je dois à cette étude si fouillée. *Cf.* aussi B. DIEBOLD, *Anarchie im Drama,* Francfort, 1925, pp. 248 ss.

entre plusieurs sentiments. Mais ici le changement est aussi définitif que brusque. À l'amour se substitue la haine, sans transition et sans retour, avec une égale exaspération. Dans *Ave,* la mère est une force qui va. Le cas de l'héroïne de *Je sers* peut paraître moins clair. Son sort rappelle — en pire — celui de Marguerite : rejetée par son amant, chassée de chez sa mère, meurtrière de ses enfants, elle finit par racoler les passants. Son triomphe final serait-il donc une victoire sur elle-même, l'aboutissement d'un long effort qui, à travers le désespoir et le crime, l'aurait amenée jusqu'aux sommets de la sainteté ? Il n'en est rien : c'est « une autre voix » que nous entendons tout à coup, c'est par une sorte d'illumination subite que Béatrice découvre en elle-même le « miroir » de l'humanité et dans l'Amour la seule consolation authentique. Le thème de *La pie au gibet,* enfin, offrait tous les éléments d'un drame. On pouvait imaginer les affres d'un être pris entre sa nouvelle et dévorante passion d'une part, et d'autre part ses scrupules d'ordre moral ou social. Or, Teirlinck n'a manifestement pas voulu en profiter. *Tantôt* — le plus souvent — c'est l'amoureux qui parle, et *tantôt,* c'est le mari, le père ou le savant. On a noté, avec raison, que l'action ne progresse pas, et que toute la pièce n'est qu'une amplification de la situation initiale (10).

*
* *

N'étant plus « dramatique », le théâtre expressionniste devait donner dans le lyrisme. L'âme « chante sa joie ou sa nostalgie, la détresse du monde ou la vocation de l'homme au bonheur et à l'amour ». Noble et familier tout à la fois chez Strindberg, doux et uni chez Sorge, éclatant chez Werfel ou chez Unruh, le chant finira par se réduire quelquefois au cri dans le *Schreidrama* (11). Or le lyrisme est partout dans l'œuvre de Teirlinck. Subjuguée et comme ensorcelée par Gratien, l'héroïne de *Je sers,* à la fin du premier acte, s'écrie :

O nous ! O nous ensemble ! O suave harmonie de deux en un, douce comme un nid ! ... Je connais cet appel de tonnerre dans le lointain. Mon corps devient soumission sacrée. La vie commande. Je sers.

La même spontanéité, la même fraîcheur se retrouvent au dénouement, quand Béatrice, rentrant au monastère, s'adresse à la mère supérieure :

Mère ! Mère ! Mon âme ternie implore vos lumières ! Elle est devenue si petite. Je la portais dans mes mains en accourant ici... Hélas ! Hélas ! L'ai-je perdue en route ? Je sens mes paumes nues. Il n'y a plus qu'un peu de boue sur mes doigts...

Si, avec beaucoup de critiques, on tient à employer à propos du théâtre expressionniste le mot d' « extase », il ne saurait mieux s'appliquer qu'à la scène où Benoît, avant de s'écrouler, apostrophe Goele en ces termes :

_____

(10) PUTMAN, 224.
(11) GRAVIER, 159 s. *Cf.* DIEBOLD, 235 ss., 292 ss.

Te voici donc, aurore ! Tu ris. L'air, autour de toi, bourdonne avec des sonorités de flûte. Il y a partout des couleurs. Tes flots s'avancent vers moi. Vois comme ils me recouvrent ! Je suis l'horizon. L'or de tes yeux embrase les cîmes de mes hautes montagnes. Le monde, avidemment, se déploie.

Tout différent, mais non moins émouvant dans sa simplicité, est le dialogue entre les ombres du Père et de la Mère, dans *L'homme sans corps*. Le couple défunt évoque ce que fut son humble et profond bonheur, fait de tendresse calme et de mille prévenances. Deux fois, tout au début et tout à la fin, ils apparaissent, et deux fois, pour conclure, ils se disent l'un à l'autre :

Je te remercie de ton attention, et de ton courage, et de ta patience. Je te remercie de la paix de notre vie. Je n'ai point, à ton côté, connu la vieillesse.

Ce qu'aucune traduction ne rendra jamais, c'est la musique d'une telle prose poétique. Certains ont même estimé que Teirlinck allait trop loin dans cette voie, que ses pièces étaient « des spectacles qui présentent de çi de là des passages touchants et de très haute qualité littéraire, mais qui sont gâtés par un culte idôlatrique de la langue, un abus du mot pour des fins exclusivement musicales » (12). S'agit-il vraiment d'un abus ? Disons plutôt que Teirlinck refuse de limiter le sens des mots à leur contenu intellectuel. Il y a même des circonstances où *toute* parole s'avère impuissante. « Si j'avais su que tu viendrais », dit l'Homme du *Film au ralenti* à sa bien-aimée en revivant un rendez-vous d'autrefois,

... que de belles paroles n'aurais-je pas préparées pour toi. Et pourtant j'en ai de prêtes, des milliers et des milliers. Je voudrais y suspendre des perles et des diamants, user d'un charme à la manière des fées et faire surgir du sol mon bonheur. Hélas, ils sont morts sur ma langue et tombent à tes pieds comme des cailloux. Je n'ai à te dire qu'un seul mot. Combien de mots n'y faut-il pas ? Tu sais le mot et je ne trouve pas le moyen de le prononcer.

Il est alors nécessaire de recourir à d'autres procédés, de « construire un nouveau théâtre avec des lignes, des couleurs, du jeu » (13). Ce mot d'ordre de Teirlinck rejoint Strindberg qui, sans lever l'étendard de la révolte contre Sire le Mot, « se représente le livret du drame comme une sorte de partition, le metteur en scène tient en somme la baguette de chef d'orchestre » (14). Métaphore d'autant plus exacte que la musique proprement dite va jouer un rôle important : on se rappelle cette marche funèbre qui revient sans cesse au long du *Chemin de Damas*. Teirlinck définit lui-même son *Ave*, où le texte est dit en sourdine et souvent recouvert par la musique, comme un oratorio. Dans *Le film au ralenti*, la musique stylisée a pour effet de souligner la joie ou l'affliction qui

---

(12) M. GIJSEN, *De literatuur in Zuid-Nederland sedert 1830*, 4ᵉ éd., Anvers 1951, p. 122.
(13) Cité dans PUTMAN, 217.
(14) GRAVIER, 162.

s'emparent des deux protagonistes. L'auteur s'est ingénié à constituer, selon sa propre expression, « des coulisses de sons, de danses et de lumières ». La musique, en effet, n'est pas seule en cause. Tel Werfel utilisant les demi-teintes ou recherchant le clair-obscur à la Rembrandt, Teirlinck fait largement appel au concours de l'électricien. Au début d'*Ave* la scène est entièrement plongée dans les ténèbres. Puis les trois Puissances surgissent dans un demi-jour bleuâtre, qui va s'accentuant. L'une d'elles ouvre alors son manteau noir, faisant apparaître un corps aux reflets d'or. Mais elle est bousculée par une deuxième Puissance, aux voiles verts celle-ci, à la poitrine d'argent. Quand Benoît, dans *La pie au gibet*, s'effondre, « aussitôt le soir tombe. On voit, à travers les arbres du jardin, l'embrasement du couchant. Ce feu de pourpre illumine la salle de séjour ». Dans cette dernière pièce l'éclairage est d'autant plus soigné que le reste de la mise en scène, par exception, a un caractère assez classique.

Teirlinck a parlé, à propos de son *Film au ralenti*, d'un « mimodrame parlé, chanté et dansé, soutenu par la musique et la lumière ». Les personnages, ajoute-t-il, « sont comme des poupées : les acteurs grecs, dans l'Antiquité, n'allaient-ils pas jusqu'à porter des masques ? » (15). D'où, dans le *Film* même, la Mémoire, solennelle et quasi hiératique; dans *Ave,* la Lumière, impassible, silencieuse, et d'autant plus impressionnante; dans *Je sers,* les deux inséparables, Regard, un adolescent tout vêtu d'argent, souple et vif, et Langue, la fille au costume de feu, aux cheveux ardents.

Strindberg souhaitait qu'acteurs, machinistes, décorateurs et musiciens joignissent leurs efforts à ceux de l'auteur. Teirlinck réalise ce vœu en réunissant en sa personne toutes les fonctions, sauf celle d'acteur : « Teirlinck régisseur, Teirlinck machiniste, Teirlinck réglant lui-même l'éclairage, concevant lui-même les décors, obtenant des effets inouïs avec de simples bouts d'étoffe... dans lesquels notre imagination voit s'agiter un monde kaléidoscopique » (16).

Tout cela contribue à donner à son théâtre quelque chose de hautement poétique. La romancière et critique hollandaise Top Naeff en était tellement frappée qu'elle y voyait l'essentiel, regrettait le « symbolisme charlatanesque » qui selon elle s'y surajoute par une sorte de concession à la mode, et exprimait le vœu qu'une pièce de Teirlinck fût jouée « en tant que vision pure » (17). Autant l'hommage rendu à la poésie de Teirlinck est justifié, autant la conclusion de Top Naeff paraît contestable. L'étroite combinaison de la poésie et du symbole n'est-elle pas justement caractéristique de l'expressionnisme ?

---

(15) Dans Monteyne, 12.
(16) De Bom, 281.
(17) *Gedenkboek,* 17 ss.

II

Mais gardons-nous des classifications simplistes, et surtout exclusives. Certains des traits qui apparentent Teirlinck à l'expressionnisme peuvent avoir *aussi* d'autres origines.

D'abord, bien entendu, l'influence de l'expressionnisme sur Teirlinck n'a été possible que par suite d'une espèce d'harmonie préétablie. S'il a si aisément suivi et fait siennes tant de hardiesses de la nouvelle école, c'est qu'il disposait d'une puissante imagination. « Vous êtes parmi nous, comme homme et comme écrivain, la plus parfaite personnification de la Fantaisie », s'écriait en 1930 son ami Vermeylen, et dans le même volume de Mélanges, Toussaint van Boelaere voyait en Teirlinck « une sorte de miracle : compliqué à l'intérieur, simple à l'extérieur ; d'un réalisme aigu dans ses conceptions, avec de brusques accès de romantisme oratoire », — l'ensemble étant « dominé par une fantaisie particulièrement active, par une fantaisie qui envahit tout » (18).

D'autre part, Teirlinck est Flamand. Or la vie en Flandre est toute pénétrée de Moyen Age. Qu'on cultive avec enthousiasme le souvenir de la bataille des Eperons d'Or ou qu'on réprouve au contraire cette fidélité fanatique au passé local, nul ne saurait nier l'éclat de la civilisation médiévale en Flandre. L'influence du Moyen Age est évidente dans l'œuvre de Teirlinck. N'insistons pas sur le drame *Je sers* : Teirlinck a traité l'histoire de Béatrice dans un esprit si nouveau qu'il n'en reste pour ainsi dire plus rien d'essentiel. Mais le théâtre avait été florissant au Moyen Age dans les Pays-Bas méridionaux, en particulier à l'époque des Rhétoriqueurs. Or le triomphe des Rhétoriqueurs, c'était le *spel van sinne*, la « moralité », dont l'exemple le plus notoire est *Elckerlyc*. Elckerlyc, c'est-à-dire Tout Chacun, voyant la mort approcher, se tourne en vain vers Société, Amis, Parents et Fortune. Il trouve bien quelque secours auprès de Vertu, mais celle-ci est fort affaiblie, et ne retrouvera vigueur que quand Tout Chacun aura été conduit par Connaissance chez Confession. Alors il pourra être accompagné un bout de chemin par Sagesse, Force, Beauté et Cinq-Sens, mais finalement Vertu seule descend avec lui dans la tombe. La similitude avec le théâtre de Teirlinck saute aux yeux. Si celui-ci a su « simplifier les structures, donner aux caractères, supports du contenu spirituel, quelque chose de général et, grâce à l'emploi de procédés comme l'allégorie, concrétiser et animer sous nos yeux, autant que possible, tous les éléments de l'action », c'est qu'il s'est « mis à l'école du théâtre médiéval » (19), — et non pas seulement parce que cette manière de faire se trouvait être dans le goût de l'expressionnisme.

A cela s'ajoute un facteur d'un tout autre ordre : le cinéma. Plus récent — quant à la diffusion, sinon dans le principe — que l'expressionnisme, le cinéma

---

(18) *Ibid.*, 9 et 33 s.
(19) A. Vᴇʀᴍᴇʏʟᴇɴ, *De Vlaamse letteren van Gezelle tot heden*, 4ᵉ éd., Bruxelles, 1949, p. 136.

devait apporter de l'eau au même moulin. Le cinéma permet de jouer avec le temps, d'accélérer ou de ralentir : il suffit de rappeler ici le titre et l'idée de la première grande pièce de Teirlinck. Le cinéma, en braquant l'objectif à bon escient, en utilisant les gros plans, concentre l'attention sur tel ou tel détail : « Les quatre ou cinq petites *tranches de vie* magistrales, au second acte [de *Je sers*], sont comme des films parlés. » (20). En ce sens, Teirlinck anticipe même, puisqu'à l'époque existait seul le cinéma muet. Certes, les opinions de Teirlinck sur les rapports entre théâtre et cinéma ont été assez variables, mais son intérêt pour le septième art ne fait aucun doute. En portant sur les planches la *Mort du paysan,* il se plaisait à reconnaître que Karel van de Woestijne l'avait devancé, et que la technique de cette nouvelle était déjà celle du *Film au ralenti.*

*
* *

Là même où Teirlinck se rattache indubitablement à l'expressionnisme, il le fait avec mesure. C'est ainsi que, mettant fortement en relief la figure centrale, il ne se croit pas obligé pour autant de ne l'entourer que de pantins ou de schèmes sans vie. Voyez ce délicieux tableau que l'homme sans corps surprend en rentrant dans la maisonnette, la jeune mère qui joue avec ses trois enfants tout en préparant le souper : cela est pris sur le vif. Le représentant, dans cette même pièce, de la jouissance vulgaire, Lekmenlip, rappelle moins Sancho Pança que Lamme Goedzak : ce n'est ni un être abstrait ni un Espagnol, mais un Flamand. La marchande d'escargots, le gars du milieu, la fille, voire l'allumeur de réverbères, bref tous les personnages pittoresques qui peuplent le 1er et le 3e acte du *Film au ralenti* ont chacun son individualité, et l'atmosphère est celle des faubourgs de Bruxelles. A-t-on jamais plus heureusement évoqué une fête flamande, avec ses vendeuses de macarons et de coco, ses arracheurs de dents et ses dompteurs de puces que Teirlinck à l'acte II de *Je sers* ? Ces scènes hautes en couleur font manifestement sa joie, — même si elles prennent parfois une place un peu excessive.

Le décor, chez Teirlinck est singulièrement moins révolutionnaire que chez les expressionnistes. Sauf dans *Ave,* il ne cherche pas à « dématérialiser » systématiquement la mise en scène. On ne trouve chez lui ni ces décors sommaires — une toile de fond, une pancarte — chers à la « Tribune », ni ces décors glissants ou ces changements à vue devenus nécessaires depuis que Strindberg avait supprimé les entr'actes (21). Il y a d'ailleurs dans ses œuvres, en général, une nette coupure entre éléments « réels » et éléments « fantastiques ». Ceux-ci occupent l'acte II, le centre de la pièce par conséquent, dans *Le film au ralenti* et

---

(20) DE BOM, 274.
(21) GRAVIER, 163.

dans *L'homme sans corps;* dans *Je sers*, au contraire, ils en constituent le cadre. Pour *La pie au gibet*, le principe de la distinction n'est plus dans la répartition des actes, mais plutôt dans le fait, déjà noté tout à l'heure, que le héros vit tour à tour dans deux « mondes » différents. Ces juxtapositions que Strindberg avait su éviter, et qui chez Toller ou chez Hasenclever font souvent l'impression d'une maladresse, sont ici délibérément voulues. Non seulement elles ne nous gênent pas, mais nous sentons qu'entre les éléments ainsi séparés en apparence, il existe un lien. Il peut y avoir un effet d'opposition : évident dans le cas de *L'homme sans corps,* qui nous présente les deux volets d'un diptyque, cet effet finit par s'imposer aussi à la fin du *Film au ralenti*, où « le côté populaire appa- raît d'une telle ironie à côté du drame » que l'on comprend « le parti exception- nel » qu'en tire l'auteur (22). D'autres sont plus sensibles au souci qu'il a eu de replacer le fait-divers banal dans un ensemble, en nous faisant entendre au loin les trams et les klaxons, et plus près l'orgue de Barbarie du dancing, et d'indi- quer discrètement le sens de l'action en faisant dire à la marchande d'escargots, à propos de sa fille :

Toutes de la même race... Et est-ce que j'ai été comme ça, moi aussi ? (23).

Dans *La pie au gibet* règne une véritable atmosphère obsidionale : grâce à cer- tains bruits de fond, grâce surtout aux allusions d'Hortense et de ses amies, nous nous représentons toute la ville aux aguets du scandale. Art subtil, dont Teirlinck connaît les moindres secrets !

*
* *

Et nous ajouterons : qu'il ne cesse jamais de dominer, parce qu'il ne s'iden- tifie pas à son œuvre. Le théâtre expressionniste se composait de *Ich-Dramen*. La tendance au monologue, le besoin de traduire en une foule de rôles le « moi psycho-biographique » de l'auteur, voilà ce que les expressionnistes avaient appris de Strindberg (24). Il y avait identité, non seulement entre le dramaturge et son personnage principal, mais entre ce personnage et toutes les figures épiso- diques, qui concrétisaient tel aspect de son être, ou rappelaient telle phase de son passé. Or à aucun moment l'idée ne nous effleure que Teirlinck pourrait s'être mis tout entier dans un de ses héros ou dans une de ses pièces.

Il garde vis-à-vis de son œuvre toute la distance et toute la supériorité du créateur vis-à-vis de ses créatures. Alors que le théâtre expressionniste, même dans ses réussites, a toujours quelque chose de tendu, et par conséquent de mo- notone, Teirlinck sait user de toutes les ressources de la scène avec une inéga- lable virtuosité. Il semble parfois défier le spectateur à la manière d'un impré-

---

(22) PULINGS, *Ged.*, 98.
(23) MONTEYNE, 18 s.
(24) DIEBOLD, 235.

sario américain. Ici son style a toute la naïveté du folklore, là il est recouvert de sauces piquantes les plus modernes. Teirlinck est un être fantasmagorique, un vrai marchand de surprises (25). Sa langue, en particulier, est extrêmement riche. Nuancée ou éthérée par endroits, elle est ailleurs toute empreinte de rudesse. Encore cela se justifie-t-il dans une pièce comme *Je sers,* où « on voit à l'œuvre une étrange combinaison de forces contradictoires issues du monde du sentiment et de la pensée » (26). Mais souvent Teirlinck varie son style sans raison apparente, et pour le simple plaisir de montrer l'étendue de son clavier, ou de dérouter le spectateur. Il arrive aux Puissances semi-célestes, dans *Ave,* de s'exprimer comme des palefreniers. Les épanchements de Benoît, dans *La pie au gibet,* sont interrompus de temps à autre par une sortie vulgaire ou un incident stupide, qui nuisent non pas peut-être au tragique, mais certainement à la noblesse de l'ensemble. Pas plus là qu'ailleurs, Teirlinck ne résiste au plaisir de « faire devant vous une intéressante culbute, de vous entraîner subrepticement dans quelque acrobatie intellectuelle qui ne vous apparaît plus que comme l'éclatement d'un feu d'artifice ou le doux murmure d'une fontaine » (27).

D'où aussi, chez Teirlinck, une forme d'humour qui me semble inconcevable dans la perspective de l'expressionnisme. Certes, celui-ci nous présente parfois des personnages ridicules, mais ils sont d'un ridicule affreux ou sinistre, comme les vieillards qui prennent part à la mascarade de Skamsund dans *Le Songe* de Strindberg, ou comme ce ballet d'estropiés que Toller, dans son drame *Wandlung,* fait défiler sous nos yeux (28). Rien de plus opposé au burlesque où se complaît Teirlinck, à ces deux agents de police par exemple qui, à l'acte I et III du *Film au ralenti,* font alterner les considérations pseudo-philosophiques avec les remarques les plus plates, et quittent la scène en esquissant un joyeux pas de danse. On devine l'éclat malicieux qui dut passer dans le regard de Teirlinck le jour où l'idée lui vint de mettre entre les mains d'Hortense et de ses trois amies un cor de chasse : les vieilles filles ennemies de Benoît s'entraînent à manier ces instruments inattendus, dont le vigoureux éclat accompagnera le déroulement de la tragédie (et qui sont ainsi, en même temps, un symbole de l'acharnement avec lequel Hortense, et toute la ville après elle, poursuivent leur victime). Les seules figures grotesques qui, dans ce théâtre, rappellent en quelque manière l'expressionnisme, sont celles du professeur Fierlefijn, dans *L'homme sans corps,* et de son ami le conservateur du Musée des Anomalies. Ils sont la caricature de l'esprit positiviste. Mais le contraste entre la gravité de leurs propos et l'étroitesse de leurs vues produit en fin de compte un effet beaucoup plus comique qu'affligeant.

L'œuvre dramatique de Teirlinck manquerait-elle donc de sérieux ? « Teirlinck a toujours été un artiste cérébral; cependant la cérébralité, à elle seule, ne

(25) DE BOM, 273, 281.
(26) MONTEYNE, 28.
(27) PUTMAN, 223.
(28) *Cf.* GRAVIER, 146 ss.

suffit point à créer un art vivant ...Là où la ferveur, le cœur, l'âme font défaut, l'œuvre d'art n'est que le produit d'un savoir-faire mécanique. Mais là où l'entendement ordonnateur intervient pour maîtriser et guider le sentiment profond, on peut s'attendre à voir naître l'œuvre supérieure, l'œuvre durable » (29). Beaucoup ont douté que Teirlinck y soit parvenu : son théâtre n'offrirait qu'une combinaison de « couleur » flamande, de fantaisie romantique et d'ingénieuse virtuosité (30). S'il en était ainsi, Teirlinck ne serait pas seulement différent des expressionnistes, il serait tout à l'opposé, puisque pour eux la scène n'a d'autre fonction que de mettre l' « âme » en évidence. En fait, il me paraît difficile de contester que du théâtre de Teirlinck se dégage une certaine émotion. Celle-ci peut être directement exprimée. Au second acte du *Film au ralenti*, « brusquement les illusions, la mémoire s'évanouissent, les deux noyés luttent contre la mort, le drame s'élève à une haute densité d'émotion, la salle est prise par ces cris si humains et si réalistes. Le public est conquis » (31). Il l'est aussi, dans *Je sers*, par l'apostrophe indignée de Béatrice à la multitude. L'émotion, ailleurs, n'est que suggérée : ainsi, dans *La pie au gibet*, elle jaillit implicitement de l'opposition entre la misère physique où se débat Benoît et l'exaltation de son sentiment. Le lecteur de *L'homme sans corps* se doute que l'auteur a voulu y faire passer quelque chose de sa propre inquiétude. Mais assurément il n'y a pas *que* cela, et même il n'y a peut-être pas *surtout* cela.

Si Teirlinck, sans poser à l'artiste marmoréen, maintient toujours ses distances entre lui-même et son œuvre, c'est aussi que pour lui, au fond, il s'agit moins de métaphysique que de sagesse. « Les expressionnistes ... sont partis en quête du substrat commun à toute l'humanité, ils veulent descendre assez profondément pour atteindre aux racines même de l'Etre, ils ont soif d'absolu » (32). Le but poursuivi par Teirlinck est, je pense, d'un autre ordre. Quel est le « sens » de ses pièces ? Si nous laissons de côté *La pie au gibet*, la plus tardive et la moins « philosophique » de ses œuvres dramatiques, celles-ci se répartissent assez naturellement en deux groupes. Les pièces pessimistes sont *Le film au ralenti*, où nous est montrée l'incompatibilité des sexes, et *L'homme sans corps*, d'où ressort cette conclusion, moins amère et plutôt résignée, qu'indéfiniment l'être humain sera tiraillé entre les aspirations idéales et les nécessités pratiques. Au contraire, dans *Je sers*, les épreuves de l'héroïne s'achèvent en triomphe : elle est heureuse et fière d'avoir « servi ». Dans *Ave*, aux malédictions de la jeune femme un chœur répond :

Sois bénie, o Mère, vase mystérieux qui, en dépit du désespoir et des tourments, garde la tremblante lumière issue de ton âme, la protège de ses flancs fragiles et l'élève toujours plus haut !

---

(29) De Bom, 262.
(30) *Cf.* Toussaint van Boelaere, dans *Ged*, 33 ss. Jugement très atténué un peu plus loin, p. 40.
(31) Pulings, *ibid.*, 98.
(32) Gravier, 110.

Et le même chœur, à la fin de la pièce, entonne un hymne qui culmine dans ce
cri trois fois répété : « Notre Mère vit ! ». Certes, cela ne veut pas dire que l'interprétation de la pensée de Teirlinck soit simple. « J'ai servi », dans la bouche
de Béatrice, est-ce un cri de satisfaction ou de soulagement ? Est-elle ravie
d'avoir enfin découvert dans l'Amour le seul objet digne de son dévouement, ou
bien se félicite-t-elle d'avoir fait malgré tout l'expérience du monde ? S'il est
dit quelque part, dans *Ave*, que la cruauté de la mère n'est pas « aveugle », ce
n'en est pas moins de la cruauté. Il s'agit d'instinct maternel, et non pas de
noblesse de cœur. Dans la lutte qui oppose aux suggestions perfides des Puissances les silencieuses exhortations de la Lumière, celle-ci n'a-t-elle pas sans
cesse le dessous ? Mais peu nous importe ici. L'essentiel est que le contenu de
ces pièces, de quelque manière qu'on l'envisage, soit *exprimable*. Teirlinck n'entend pas nous faire descendre — ou monter — jusqu'aux régions accessibles à
la seule intuition : nous restons avec lui sur le plan conceptuel.

De là vient pour une part, chez plus d'un spectateur ou lecteur, le sentiment
d'une certaine disproportion entre les immenses ressources dont dispose l'art
de Teirlinck et le caractère relativement modeste de son inspiration. « Nous savons à coup sûr, disait Auguste Vermeylen, que l'œuvre de Teirlinck est irri-
guée du meilleur de son sang, mais il n'en reste pas moins un déséquilibre entre
l'âme et la fantaisie littéraire; l'intérieur ne s'avère pas toujours en mesure
d'animer l'extérieur de façon totale et régulière » (33). Ce qui, appliqué au problème qui nous intéresse, reviendrait à dire que, s'il y a chez la plupart des
expressionnistes plus d'ambition que de talent, on trouve inversement, chez Teirlinck, plus de talent que d'ambition.

L'expressionnisme, comme l'observait récemment un professeur de Liège,
« est depuis longtemps devenu un phénomène historique. Les pièces qu'il a inspirées ne vivent plus que dans les manuels de littérature. Pas une seule ne figure
plus à l'affiche de nos scènes actuelles » (34). Mis à part évidemment Strindberg
— que d'ailleurs le professeur Vandenrath ne vise pas —, la remarque est d'une
vérité incontestable : non seulement on ne joue plus les expressionnistes, mais
on ne les lit plus guère. Teirlinck, lui, reste très goûté dans son pays, et il serait
grandement à souhaiter que l'étranger le connût davantage. *Le film au ralenti*
et *La pie au gibet*, en particulier, resteront. Pourquoi ? C'est que le théâtre expressionniste répondait aux besoins spirituels et aux goûts esthétiques d'une
époque précise, et qu'il n'avait de sens que par rapport à ces besoins et à ces
goûts. Teirlinck a su n'emprunter à l'expressionnisme que ce qui répondait à sa
personnalité, adapter ce qu'il adoptait, et faire bon marché du reste. L'expres-

---

(33) *o. c.*, 137.
(34) J. Vandenrath, *Carl Zuckmayers expressionistischer Erstling « Kreuzweg »*, in *Revue
(belge) des langues vivantes*, 1957, II, p. 37.

sionnisme a été pour lui une *occasion privilégiée* de manifester son génie propre : rien de moins, et rien de plus.

En 1925, après *L'homme sans corps*, le célèbre critique Emmanuel de Bom exprimait le souhait que Teirlinck, qui avait déjà fait de si grandes choses, saurait se renouveler. « Personne, ajoutait-il, ne sait où Till l'Espiègle chantera sa dernière chanson, ni comment roulera le dé » (jeu de mots sur « Teirlinck » et « teerling ») (35). Ce vœu s'est réalisé en ce qu'à l'intérieur même de la période expressionniste, Teirlinck, tout en restant fidèle à son style, a encore écrit deux pièces, *Ave* et *La pie au gibet*, bien différentes des premières, et fort dissemblables entre elles. Ensuite, il est vrai, son activité d'auteur dramatique s'est arrêtée : je l'ai signalé dès le début. Mais avec un homme comme Teirlinck, qui dans le passé a réservé à ses admirateurs tant de surprises, mieux vaudrait sans doute dire « interrompue ». Le bruit court, à l'heure actuelle, qu'il travaille à une nouvelle pièce, nouvelle par la date, mais aussi et surtout par l'esprit. Acceptons-en l'augure, et faisons confiance à Protée. *Ad multos annos !*

DISCUSSION

BRACHIN. — Avez-vous l'impression que la lecture des expressionnistes allemands ait exercé une certaine influence sur votre œuvre ?

TEIRLINCK. — Ce sont les peintres expressionnistes flamands, avec lesquels j'ai vécu au temps de ma jeunesse, qui ont eu cette influence sur moi. Nos discussions assez fumeuses n'y ont pas contribué. Mais nous baignions tous dans un même climat de sensibilité et de pensée, qui bien sûr était expressionniste.

VICTOROFF. — Est-ce que parmi les sources où vous avez puisé, à côté du conte populaire, et même du conte littéraire, ne pourraient pas êtres citées des sources médiévales ?

TEIRLINCK. — Je suis flamand. L'*hinterland* historique des Flamands est principalement médiéval, la Flandre ayant, depuis l'occupation espagnole, cessé de participer durant deux siècles et demi à la culture européenne. Les images ancestrales (telles qu'ont pu les fixer tant de Van Eyck, de Sluter, et de Recus Groee) continuent à vibrer en moi. Comme elles vibrent d'ailleurs chez Maeterlinck, qui n'écrivit cependant qu'en français. Le français des Flamands francophones n'est qu'un visage derrière lequel pense la vieille Flandre.

VILLIERS. — L'emploi des allégories dans le théâtre de M. Teirlinck fait tout de suite penser aux moralités anciennes et également au reproche que l'on adressait à ces moralités de mettre en scène des abstractions plutôt que des êtres vivants. Du point de vue technique cela m'intéresserait de savoir comment M. Teirlinck a pu éviter cet inconvénient de la moralité.

---

(35) *o. c.*, 284.

TEIRLINCK. — En effet, mon théâtre rappelle les vieilles moralités. Par mes affinités médiévales, et comme mes ancêtres, j'évite l'abstraction que l'art dramatique est, par définition, incapable d'incarner. Mes personnages allégoriques sont franchement anthropomorphes et se conduisent en humains, à l'exemple de ceux de la plus célèbre moralité du xvᵉ siècle dont l'original flamand est *Elckerlyc*, et dont on joue encore une version anglaise, *Everyman*, et une adaptation de Hoffmansthal, *Jedermann*.

LE THÉÂTRE D'EUGENE O'NEILL
par Annette MICHELSON

Ce n'est pas sans un certain sentiment de résignation que l'on se rend compte que toute exploration dans le domaine du théâtre américain doit inexorablement avoir pour point de départ l'œuvre d'Eugène O'Neill, ou se concentrer sur elle. C'est que, dans le paysage encore un peu clairsemé du théâtre américain, l'œuvre d'O'Neill apparaît comme une espèce de cathédrale. Son volume, sa masse, ses proportions, sa portée, son envergure, la nature de son dessein servent non seulement à la distinguer de tout ce qui l'environne, mais à définir, à donner à l'ensemble du paysage sa forme, ses traits essentiels, l'échelle qui permet de l'apprécier dans ses proportions.

Pour pousser un peu plus avant cette comparaison, nous dirons que le caractère de ce monument théâtral, si on l'examine de plus près, apparaît un peu déroutant. C'est que son style et sa fonction rappellent le souvenir d'un autre monument, inachevé, mais extraordinaire, inoubliable, aujourd'hui familier à toute la génération des touristes d'après-guerre, et qui est l'église de la Sainte Famille, à Barcelone. Ce monument et l'œuvre d'O'Neill représentent, en effet, chacun à sa manière, un effort solitaire et sans précédent pour ériger un édifice destiné, par le moyen de l'ordonnance formelle de matériaux proprement indigènes, à porter témoignage de la vitalité d'une nation. L'œuvre d'O'Neill, comme l'église de Gaudi, fut, en outre, une tentative pour accomplir, seul, et au cours d'une seule existence, ce qui jusque là avait été l'entreprise organisée d'une communauté au cours des siècles. Comparé à l'ampleur d'une telle ambition, l'orgueil de Beauvais pâlit et redevient d'une intention presque docile.

L'intérêt nouveau porté à l'œuvre d'O'Neill, qui aujourd'hui succède à vingt années d'une obscurité relative, suggère en nous l'idée que le moment est venu d'évaluer à nouveau cette architecture. Trois ans après sa mort, O'Neill se voit joué deux fois avec succès dans Broadway, avec *Le marchand de glace est passé* et avec *Long day's Journey into Night,* et il reçoit cette consécration suspecte sans doute, mais définitive, d'une grandeur particulière au théâtre américain : l'adaptation de deux de ses œuvres anciennes : *Ah ! Solitude !* et (choix plus étonnant) *Anna Christie,* pour en faire des opérettes.

Il est tentant de réfléchir à la signification générale de cette intense intérêt qu'on lui porte actuellement. Si l'on se réfère aux comptes-rendus récents de la critique, on recueille, on éprouve, après cette longue période d'obscurité relative, l'impression d'assister à une recrudescence d'intérêt consécutive à un déclin qui s'expliquait par le ralentissement de l'activité créatrice d'O'Neill à cause de la maladie et, finalement, par sa mort. Ce renouveau prend ainsi l'aspect d'un transport au panthéon des cendres de l'auteur, de son intégration définitive dans l'héritage culturel de la nation. Ce geste de célébration rituelle, il va sans dire qu'il n'est nullement en désaccord avec l'effort grandissant pour affirmer l'existence d'une culture américaine autonome, qui serait le reflet de la sécurité, de la prééminence de la position politique et économique de la nation.

On ne peut toutefois négliger le fait d'une désaffection à l'égard d'O'Neill de la part des éléments les plus indépendants et les plus créateurs. En opposition avec George Jean Nathan, avec H. L. Mencken, avec Joseph Wood Krutch, avec toute la génération d'O'Neill et avec ceux qui sont liés à lui par fidélité à sa personne et par un passé commun, les deux plus remarquables des jeunes critiques, Mary Mc Carthy et Eric Bentley, ont rejeté ce qu'ils appellent « le mythe de la grandeur d'O'Neill » avec une sévérité qui n'a été ni plus ni moins que brutale.

Comme chaque fois, dans les cas de cette espèce, les raisons d'une telle désaffection sont complexes. Nous voudrions les examiner ici en détail. Nous pensons qu'elles procèdent d'un sentiment général de divergences profondes, opérant à la fois sur trois plans différents. D'abord : divergence entre le dessein et la réalisation, entre l'aspiration et l'exécution, qui se reflète dans un déséquilibre formel, dans une dissonance entre la langue et la composition dramatique. En second lieu, un sentiment croissant de disparité entre le tableau que fait O'Neill de la société américaine et l'évolution des institutions de cette société, de sa contexture sociale, avec cette conséquence que cette œuvre, qui traite, ou qui vise à traiter chaque problème fondamental de la vie américaine a perdu un peu de sa pertinence dans l'immédiat, son réalisme prenant peu à peu un caractère archaïsant de mélodrame. Enfin, il y a eu un sentiment croissant de l'insuffisance d'O'Neill pour formuler un théâtre philosophique indigène.

Nous avons dit qu'O'Neill avait tenté d'accomplir seul, au cours de sa seule existence, ce qui avait été l'entreprise organique, lente et progressive, d'une communauté au cours des siècles. L'héroïsme, en même temps que le caractère artificiel d'une telle entreprise ne peuvent que paraître évidents aux yeux de l'observateur le plus désinvolte. Il va sans dire que cela fournira aux futurs étudiants et aux historiens du théâtre une occasion rare de redéterminer avec une précision ponctuelle et une compréhension relative, l'évolution, à l'intérieur d'une culture donnée, d'une forme d'art, le théâtre, depuis ses débuts précipités, depuis son émersion hors de ce qui, pratiquement parlant, n'était encore que néant. Car l'histoire du théâtre américain peut presque littéralement être datée de 1916, c'est-à-dire de l'année où O'Neill rencontra pour la première fois les acteurs de Provincetown et où il leur porta le manuscrit de *En mer vers Cardiff;*

donc, de l'instant où ce groupement d'intellectuels qui luttaient pour instituer un théâtre indépendant, découvrit soudain, comme l'a dit Mary Heaton Vorse, « où nous voulions en venir ». Quatre ans plus tard, la représentation de *Par delà l'horizon* établissait d'un seul coup, pour le théâtre américain, un étiage nouveau des aspirations nationales. Au cri de cette découverte tout ce qui était sérieusement occupé ou soucieux de la question fit écho sur le champ.

Or, un coup d'œil rapide sur les trente-cinq pièces d'O'Neill donne à penser que ce théâtre, qui utilise des techniques et des procédés empruntés au répertoire entier du théâtre occidental ou tout au moins recréés d'après lui, fut quelque chose de plus que l'œuvre d'une vie humaine. Il suggère l'idée d'une tentative pour créer tout un théâtre national, une tradition, on voudrait dire : un passé. L'utilisation du masque, du « double », du chœur, de la chorégraphie rythmée du théâtre grec, des formes tirées des mystères et des moralités, du mélodrame, de l'expressionnisme et du monodrame, pour n'en citer que quelques-uns, suggère une mobilisation extraordinaire de formes historiques dans l'intérêt de quelque chose de plus qu'un simple éclectisme expérimental. C'est un peu comme si l'ontogénie (c'est-à-dire, ici, la fusion du réalisme ibsénien et de l'expressionnisme de Strindberg, fusion qui caractérise l'orientation stylistique fondamentale d'O'Neill) récapitulait la philogénie dans l'espoir un peu frénétique d'aboutir à « quelque chose de mieux ». Par opposition à une réadaptation des formes classiques et primitives au néo-classicisme et au néo-primitivisme d'un Stravinsky ou d'un Picasso, le pillage systématique par O'Neill des traditions théâtrales de l'Europe suggère l'idée d'une stratégie concertée visant à doter le théâtre américain de la profondeur et de la densité d'une tradition qui n'avait pas encore pris racine aux Etats-Unis.

Or, le fait central et déterminant, pour le théâtre d'aujourd'hui en Amérique et pour l'œuvre d'O'Neill, c'est l'absence, non seulement d'une tradition théâtrale profondément enracinée, mais d'un lien entre le théâtre et tout autre aspect de la vie artistique et intellectuelle de la nation. Il suffit de comparer la situation en 1920 (et il faut dire, malheureusement, qu'en dépit du développement du théâtre à l'Université et de l'apparition après la guerre du théâtre en marge de Broadway, qui reste essentiellement une vitrine de produits importés, la situation n'a pas radicalement changé depuis lors) avec l'état du théâtre en France, où presque tous les hommes de lettres de qualité (à l'exception de Malraux et Valéry) ont travaillé pour le théâtre. C'est en vain que l'on chercherait, même simplement à titre d'exemple, antérieurement à O'Neill, une carrière soutenue d'auteur dramatique chez un homme de lettres américain de qualité. C'est même à peine si le moment est venu de discuter de la valeur d'un « théâtre littéraire ». Nous ne nous occupons ici que de la différence entre l'attitude qui considère le théâtre comme un domaine légitime et fécond d'entreprise créatrice et celle qui exclut une telle préoccupation. Les tentatives isolées, un peu fortuites, d'un Hemingway et d'un Faulkner confirment ce point de vue plutôt qu'elles ne le démentent. L'Amérique ne peut revendiquer, tout au plus, que deux figures de premier plan qui aient entretenu des relations prolongées avec

le théâtre; encore cette revendication n'est-elle, dans les deux cas, qu'extrêmement ténue. L'œuvre dramatique d'un Henry James, fâcheusement inspirée du
théâtre de salon d'Augier et de Sardou, a été écrite longtemps après sa trans-
plantation d'Amérique en Angleterre. En tout cas, elle ne culmine que pour
aboutir à un désastre qui semble avoir été traumatisant, non seulement pour
lui, mais pour sa postérité. Quant à la qualité du théâtre d'Eliot (également écrit
après son départ d'Amérique), elle est plus significative encore. J'aurai l'occasion de revenir là-dessus.

    (Les raisons du développement tardif du théâtre américain et de cet inter-
valle qui le sépare des principaux courants de la culture américaine, sont
obscures. Je ne sache pas qu'elles aient jamais été suffisamment définies. Bien
qu'elles ne puissent, de toute évidence, être développées ici tout au long, et je
ne pense pas être en situation de le faire, je puis dire que j'hésiterais beaucoup à les attribuer automatiquement et complètement à la prohibition singulière du théâtre du temps de la théocratie puritaine, car la mise en accusation
de Cotton Mather, pour ne prendre que cet exemple de la *Maneductio ad Minis-
terium,* étendait aussi cette prohibition au roman. Et il n'est que trop évident
que cela n'a pas suffi à interdire le développement du roman à partir du début
du XIXᵉ siècle. Je pense que la première question à laquelle il faudrait répondre,
est la suivante : pourquoi une bourgeoisie américaine croissante a-t-elle choisi
d'encourager le roman et non l'œuvre dramatique ?)

    O'Neill a donc œuvré dans un climat particulièrement dangereux, pénible,
gêné par un isolement, une aliénation qui était double. Il partageait avec ses
compagnons, écrivains, peintres, musiciens, l'ostracisme général de l'Amérique
du début du XXᵉ siècle à l'égard de tous les artistes. Mais en outre, il était privé
de l'appui et de la discipline qui eussent pu lui venir des relations avec les
créateurs, ses contemporains. Qu'O'Neill n'ait jamais été pleinement conscient
de cette deuxième source d'hostilité, la chose apparaît, croyons-nous, clairement dans son œuvre. Que les effets de cette aliénation sur la qualité de cette
œuvre furent malheureux, pour ne pas dire désastreux, nous pensons qu'une
analyse un peu serrée de son théâtre ne le démentirait pas.

    J'ai défini brièvement les raisons qui expliquent l'indifférence des artistes
et des intellectuels américains à l'égard du théâtre d'O'Neill. Examinons-les
maintenant de plus près.

    La première impression, immédiate, que l'on éprouve quand on lit et qu'on
examine n'importe quelle œuvre de ce vaste ensemble, est celle de l'extraordinaire divergence, d'une part, entre la rigueur et l'intensité de l'architecture
dramatique, le déroulement de l'intrigue et de l'action, et, d'autre part, la langue,
le dialogue qui leur servent de véhicule. Dans une œuvre réaliste du début,
comme *Anna Christie,* et une pièce plus tardive comme la parabole de schizophrénie morale et sociale contemporaine, *Le grand dieu Brown,* on est frappé
par l'absence de relief du discours, l'uniformité banale du vocabulaire, la monotonie des cadences et des idiotismes. Ces répliques se lisent parfois comme une
traduction (par exemple les premières versions guindées d'Ibsen par William

Archer), ou, d'autres fois, comme des sous-titres tirés des films muets du temps de Griffith. On est choqué de découvrir que les dialogues de pièces prodigieusement ambitieuses sur le plan intellectuel comme *Le Grand dieu Brown*, et comme *Dynamo* sont écrits dans un style dangereusement voisin de celui du merveilleux pastiche *The Boyfriend* où la langue artificielle et l'absurdité des années vingt sont impitoyablement conservées d'une manière si hilarante dans une salade où se mêlent les conventions théâtrales et un langage issu du mélodrame et de l'opérette.

Si les rythmes d'Anna Christie et de Dion, de la prostituée et de l'artiste-saint sont singulièrement semblables, leurs idiomes ne le sont pas moins. Sans doute O'Neill cherche-t-il à exploiter les vastes ressources du langage populaire, l'argot vigoureux et piquant de son époque. Mais il s'en est servi d'une manière curieusement littérale, le transcrivant presque phonétiquement, ou plutôt, le déchiffrant avec peine, comme dans *Le Singe velu*, dans *Anna Christie*, dans *Le Marchand de glace est passé* et dans d'autres de ses pièces, un peu comme dans la tradition des *Bigelow Papers* de James Russell Lowell, et non en choisissant, en retissant l'argot pour en faire une trame pleinement expressive. Que cette approximation essentiellement poétique du langage ne soit pas seulement admissible mais théâtralement saisissante, est prouvé par les fragments d'Eliot pour *Sweeney Agonistes,* où le choix et la mise en valeur, la reconstruction de l'argot, produisent un effet d'une grande puissance : l'utilisation critique, ironique, du langage (de l'argot) y renforce le tonus dramatique de la pièce, sert à en articuler l'architecture compliquée.

La couleur monotone, l'absence de toute distinction entre le style de chaque personnage, qui se retrouve à travers l'œuvre presque entière d'O'Neill contrastent donc avec sa constante préoccupation en matière d'invention dramatique, allant parfois jusqu'à lui nuire. Que l'on songe à *L'Etrange Intermède*, dans lequel le tour du monologue est censé servir à exprimer « les mobiles secrets » des personnages. Mais, en lisant la pièce, on découvre que ces monologues, non seulement sont écrits de la même encre que les dialogues (ils n'ont que le caractère des propos censurés) mais que leur forme primitive, télégraphique et monotone, ne peut convenir à exprimer n'importe quelle autre humeur. Une tentative vraiment sérieuse pour présenter des mobiles inconscients ou subconscients dans un dessein dramatique, aurait de toute évidence exigé l'invention d'un nouveau langage; elle aurait eu aussi pour effet de modifier radicalement la structure de la pièce, de même que Joyce et Virginia Woolf (dans *The Waves*) furent amenés à modifier l'architecture du roman.

Un petit livre de Barrett H. Clark, première étude détaillée de l'œuvre d'O'Neill, et aussi la moins intéressante, nous fournit une explication plausible de cette non-convenance. Clark écrit :

La vérité, c'est que O'Neill n'était pas taillé pour faire une carrière littéraire; il n'a jamais été un littérateur. La recherche du « mot juste » a peu compté pour lui au regard de la recherche de la vie, et de l'explication de la vie.

Passons sur l'éloge qu'implique un tel jugement, sur la naïveté un peu affectée qu'entraîne un tel éloge. Clark disait vrai, plus vrai qu'il ne s'en rendait compte, bien que ce qu'il voulait dire eût été mieux dit par R.P. Blackmur, parlant de D. H. Lawrence : « Il œuvra dans la pauvreté d'une apparente richesse et ne connut point de besoin. Il y avait dans son appréhension de l'expérience, qui l'obsédait, une qualité qui suffisait à faire passer la réalité de l'expérience dans les mots de son exposé, pour lui, toujours, et, parfois, pour le lecteur. »

Il est hautement significatif de l'isolement artistique et intellectuel d'O'Neill qu'il ait cédé à cette dissociation essentiellement romantique du « fond » et de « la forme ». O'Neill est demeuré en marge de la tentative concertée de ses contemporains pour sonder le fond et la forme au niveau du langage, pour réaliser une réconciliation par le moyen de nouvelles techniques, de nouveaux styles. La période comprise entre 1915 et 1935, au cours de laquelle la majeure partie de l'œuvre importante d'O'Neill fut jouée et publiée, fut, pour la poésie, pour le roman et pour la critique d'une fécondité presque sans précédent. Période d'ascèse et de révolution, dont le résultat fut un refleurissement remarquable de la langue, dans les poèmes d'Eliot, de Pound, de Marianne Moore, de Wallace Stevens, de John Crowe Ransome, et de E. E. Cummings, dans la prose de Faulkner, de Dos Passos, de Hemingway et de Stein. O'Neill n'a été nullement touché par ce mouvement; ses personnages ont continué à dialoguer dans leur rhétorique rassise du mélo du xixᵉ siècle.

Dans une de ses lettres, O'Neill en convient lui-même quand il avoue que l'élément qui fait défaut à sa pièce *Le Deuil sied à Electre,* c'est un langage qui serait « digne de la tragédie ». Toutefois il poursuit en disant qu'il ne croit pas que les rythmes chaotiques et brisés de la vie moderne soient capables de produire un style tragique. La sincérité d'O'Neill est ici, comme toujours chez lui, hors de question; mais son discernement ne l'est pas. Avait-il lu Lorca ?

Les contraintes gênantes ne sont, nous l'avons suggéré, nulle part plus apparentes que dans ses drames philosophiques; le caractère primitif du dialogue s'y allie à la rigueur imposée par l'exigence du théâtre pour produire quelque chose que l'on sent singulièrement proche du style mélodramatique. M. Henri Lefebvre a discuté récemment la question du caractère du mélodrame dans un article ingénieux mais inégal qu'a publié la revue *Théâtre populaire* (n° 16). Il est possible, en effet, de définir le langage mélodramatique comme l'expression théâtrale organique d'une bourgeoisie ascendante. Mais cette définition n'explique pas la recrudescence incessante du mélodrame, sa persistance en tant que conception et que style dans le théâtre d'autres époques (par exemple l'œuvre d'un O'Neill, écrite en protestation contre cette bourgeoisie) pas plus que la définition du baroque comme conséquence de la Contre-Réforme n'explique sa persistance comme système et comme tendance; mélodrame et baroque pouvant se manifester antérieurement ou postérieurement aux circonstances historiques spécifiques qui leur ont permis de se cristalliser dans leur forme définitive et la plus substantielle.

Le rapport du mélodrame au drame de nos jours, je le tiens, en tout cas, pour être à peu près celui de la rhétorique à la poésie; de la tentative d'imposer à l'expérience une convention résulte une structure théâtrale d'un style particulier qui, dans son espèce de rigueur limitée est incapable d'expliquer et d'organiser cette même expérience. Or, dans une autre lettre O'Neill se défend de l'accusation d'être mélodramatique, disant que, selon son expérience, les gens engagés dans les situations cruciales qui forment la substance de tout théâtre, ont tendance à se comporter comme des personnages de mélodrame, à adopter, par leurs paroles et dans leur conduite, le langage et les attitudes de cette forme dramatique, et du roman dit populaire. On ne peut évidemment que se déclarer d'accord avec cette interprétation, et O'Neill n'était pas le seul à s'en rendre compte; divers auteurs dramatiques, sans excepter Pirandello, ni Genet (dans *Les Bonnes*), ont agi ainsi. Les raisons de leur succès et de l'échec d'O'Neill résident dans la nature des réactions qu'ils cherchent à provoquer parmi leur public. Pirandello et Genet réclament notre compréhension ironique de l'instant mélodramatique, tandis qu'O'Neill nous demande de participer à l'action, de nous identifier avec elle. De là le malaise du spectateur. La distinction entre ces deux réactions, a été suggérée par Eliot dans un ancien essai sur le théâtre poétique, qui rappelle étrangement ou qui devance l'effet de distanciation de Brecht. Eliot écrivait :

Dans une pièce de théâtre, un discours ne devrait jamais être conçu pour nous émouvoir au même degré qu'il émeut les autres personnages de la pièce, car il est essentiel pour nous de garder notre position de spectateurs, d'observer toujours du dehors, tout en demeurant entièrement compréhensifs.

Quand j'ai commencé à parler des raisons qui ont décidé du déclin de la réputation d'O'Neill, j'ai fait allusion au sentiment croissant de la disparité entre son tableau de la société américaine et l'évolution des institutions qui régissent cette société; de sorte que ces pièces qui abordent, ou du moins aspirent à aborder presque tous les problèmes fondamentaux de cette société, semblent avoir perdu une partie de leur actualité sociale la plus immédiate.

En ce point de ma communication, j'éprouve le besoin de réaffirmer et de saluer l'admirable multiplicité des plans dans l'œuvre d'O'Neill : ce théâtre représente la première tentative sérieuse, dans tout le théâtre américain, d'analyser d'une façon critique les éléments de corruption, de dissociation, d'aliénation d'une civilisation technique moderne. Des pièces comme *Le Singe velu*, comme *L'Empereur Jones*, comme *Le grand dieu Brown*, comme *L'Étrange Intermède*, furent également, sous forme théâtrale, une critique de ce complexe des conditions historiques et des forces idéologiques qui trouvent leur synthèse dans l'ouvrage célèbre, *La morale protestante*. Leur pertinence est toutefois (c'est inévitable) sujette aux correctifs finaux qu'apporte une sociologie qui épouse le caractère changeant de la vie nationale. Je le répète : la question ici n'est pas une question de vérité, mais de pertinence sociale dans l'immédiat.

Si l'on se borne à la lire comme un exposé de l'état du prolétariat américain, la pièce d'O'Neill, *Le Singe velu,* est aujourd'hui exposée à perdre une partie de son actualité. De même, bien que d'une manière plus complexe, la peinture de la mentalité du capitaliste américain qu'offre le personnage de Marco Millions, qui est un second Babbitt, exigerait une certaine remise au point. Loin de nous la pensée de parler légèrement, ou avec un optimisme non justifié, quand nous disons que l'évolution sociale et politique des Etats-Unis, au cours des vingt dernières années, l'expansion de leur économie, ont profondément modifié, non seulement les relations entre le capital et le travail, mais le style tout entier, le mode de vie, au point que les pièces d'O'Neill, en tant que documents sociaux, semblent dater un peu. Les relations entre Dion, l'artiste-saint et Billy Brown, le philistin capitaliste du *Grand dieu Brown,* semblent bien, elles aussi, appeler quelques corrections; la ligne de leur antagonisme ne semble plus tout à fait aussi cruellement fixée. Que l'on nous entende bien : nous ne voulons pas dire que l'antagonisme fondamental que symbolisent ces deux personnages ait été complètement résolu, ou dissipé; nous voulons dire simplement que l'expansion d'une économie qui va s'élargissant a eu, par un processus d'extension toute naturelle, sa répercussion sur les relations entre Dion et Brown. Considérez, par exemple, l'absorption graduelle, encore accélérée depuis la guerre, d'une large section des intellectuels et des artistes américains par des institutions de caractère officiel ou semi-officiel, par les universités, par les « fondations culturelles », les agences du Gouvernement, les grandes maisons d'édition, les organisations d'urbanisme, etc... La célèbre enquête sur *L'Amérique et les Intellectuels,* dont les résultats furent publiés par *Partisan Review* au printemps de 1950, annonçait la réconciliation d'une partie importante des artistes, des écrivains, des philosophes et des penseurs de gauche avec la société américaine considérée dans son ensemble. Il est vrai que la réaction ne fut pas longue à se faire attendre; la littérature ayant pour objet d'attaquer le nouveau conformisme de l'artiste et de l'intellectuel américain est même déjà considérable.

De même, dans un pays où le Rapport Kinsey devient, fâcheusement, et même désastreusement, un « best-seller », et où le vocabulaire psychanalytique fait partie de l'équipement standard de chaque ménage, le rôle présent, précis, du puritanisme considéré comme obstacle à l'épanouissement de la vie américaine nécessite un nouvel examen. Il va sans dire que cet examen ne peut se faire en recourant à l'argument que les préoccupations d'ordre sexuel et psychanalytique ne sont que des manifestations inversées d'une tradition puritaine toujours identique à elle-même. En somme, lire ou voir jouer aujourd'hui une pièce d'O'Neill implique une confrontation avec des formes expérimentales (qui sont ici celles de l'expressionnisme) dont la substance de vérité sociale concrète semble aller peu à peu en se rétrécissant : l'impression est un peu celle d'un paysage où gisent épars les débris d'une période de tâtonnement, les résidus de 1925.

Mais les remarques qui précèdent sont accessoires et fournissent une sorte d'introduction à ce que nous voudrions maintenant formuler : la valeur absolue et définitive de ce qu'il y a de meilleur dans l'œuvre d'O'Neill, bien qu'étroitement liée au caractère de critique sociale de cette œuvre, ne réside pas uniquement dans la vigueur de sa protestation contre une forme spécifiquement américaine de société moderne technique, mais aussi dans sa nature de parabole dramatique de la condition humaine de tout l'Occident. Nous pensons que c'est cela qui explique, en fin de compte, le désappointement de ceux qui, comme M. Michel Zeraffa dans une étude récente, n'acceptent O'Neill que dans la mesure où son rôle de censeur est compatible avec un certain « progressisme », et n'acceptent pas cette apparence d'existentialisme de son œuvre, qui ne s'y trouve pas. La multiple signification de l'œuvre d'O'Neill, bien qu'intimement liée à son caractère de protestation sociale, n'est due qu'en partie à la force de sa critique de la société technique; ces problèmes comportent un rang presque ontologique. Notre sentiment, c'est que les pièces d'O'Neill sont les plus réussies lorsque ces deux niveaux sont pleinement et activement maintenus. Par exemple, le succès du *Singe velu* est dû, pour une bonne part, à la vigueur avec laquelle le chauffeur stupide, arraché à son état social, dissocié de son décor naturel (ici, des entrailles mécaniques du bateau) est amené à se confronter avec lui-même, à atteindre le sentiment d'inquiétude qu'implique le développement de son état d'homme. L'anxiété paroxystique engendrée au moment où il commence à se dissocier de la nature, à devenir « averti », nous pouvons peut-être la considérer dans une certaine mesure comme analogue au traumatisme de la naissance elle-même. O'Neill ponctue sa pièce d'une indication scénique répétée, disant que Yank revient sans cesse, inconsciemment, à l'attitude du *Penseur* de Rodin. Cette intention sous-jacente est puissamment incorporée dans des situations sociales et physiques, notamment dans les rapports ironiques entre Yank et les militants des Industrial Workers of the World, dans l'atmosphère de la chaufferie. De même, dans *L'Empereur Jones,* la fuite à travers la jungle (et le décor, le bruit, les gestes, le rythme sont mobilisés pour communiquer au spectateur l'impression concrète, physique d'une jungle) finit par exprimer la régression du protagoniste à travers les états de la conscience et du statut social pour faire retour à l'état vulnérable de la peur primitive qui le détruit. La notion que possède O'Neill d'un chaos psychologique sous-jacent, de ce niveau de vulnérabilité primitive qui guette l'homme, son sentiment de la co-existence du rationnel et de l'irrationnel, de la tension constante entre les deux, apporte un correctif à certain optimisme facile qui caractérise le rationalisme libéral de ses contemporains.

C'est lorsqu'il commence à perdre de vue la réalité physique concrète, quand il échoue dans le dessein de « vêtir » son problème philosophique, que l'œuvre d'O'Neill s'avilit, dégénère. Cela commence à devenir apparent dans les œuvres de cette période vraiment cruciale au cours de laquelle il écrit *Dynamo,* et dans le désastre qui a marqué la fin de l'avant-dernière phase de sa pièce, ce désastre intitulé *Jours sans fin.* Ce fut alors d'ailleurs qu'il a commencé à perdre son auditoire. Dans ces pièces qui marquent le point culminant de sa tentative pour orienter le théâtre américain vers le drame philosophique, O'Neill révèle le plus

clairement son égarement et le fléchissement du capital intellectuel qui en résulte. Ne perdons pas de vue que son dessein était de peindre le tableau de

la mort d'un vieux dieu, la faillite de la science et du matérialisme dans leur effort
pour fournir un dieu nouveau à l'instinct religieux primitif, qui survit, pour fournir
un sens à la vie, pour soulager la crainte de la mort.

Il dit encore :

Il me semble que quiconque ayant aujourd'hui l'ambition de produire une œuvre
considérable doit avoir ce thème présent à l'esprit, à l'arrière-plan de tous autres sujets mineurs.

L'impression dominante que l'on éprouve lorsque l'on relit *Dynamo* et
Jours sans fin est celle d'une abstraction extraordinaire, de cette abstraction qui
frise la pauvreté, d'une peur du réel, et une vision de la réalité qui devient
progressivement *indifférenciée*. Plutôt qu'ils personnifient et développent ses
idées, les personnages et les situations ne semblent presque que d'arbitraires
« hypostatisations » d'idées. L'effet qui en résulte est celui d'une moralité (et,
soit dit en passant, d'une moralité qui n'est pas incompatible avec la tradition
de l'expressionnisme) qui, dans son abstraction, reste inadéquate à la réalité
matérielle, à la réalité complexe du problème.

Considérons, par exemple, la pièce *Jours sans fin* et l'extraordinaire saint-
sulpicerie de la scène finale, où John, le protagoniste, après avoir combattu
l'ombre malfaisante de son autre soi-même (c'est-à-dire le mal incarné dans la
dialectique du rationalisme athée et son implication — horreur suprême — du
socialisme) se met à illustrer, dans l'ombre de la croix, l' « Agenouillez-vous, et
la foi viendra » de Pascal. L'impression que l'on éprouve de cette hypostatisa-
tion arbitraire d'un système inadéquatement développé de valeurs métaphysiques
en une situation théâtrale est si intense que toute allusion à la vie physique des
personnages paraît incongrue. Les indications scéniques, par exemple le café
servi au troisième acte, produisent l'effet d'une intrusion brutale de la réalité
quotidienne : elle semble tout à fait déplacée dans un cadre postulé sur son
absence.

Nous sommes là en présence d'un échec, essentiellement intellectuel par le
fond, exprimé théâtralement, et par le style. La mainmise d'O'Neill sur le réel
s'est relâchée, son attention a faibli, et de même son autorité sur les moyens;
son langage perd toute sa force expressive, l'architecture théâtrale toute sa puissance. Ce qui s'est passé, je crois que c'est le contraire de ce que voulait dire
Eliot quand, dans sa phrase célèbre à propos de Henry James, il disait : « son
esprit était si délicat qu'aucune idée ne le pouvait violenter ». La rigoureuse
dichotomie de l'univers moral dans lequel se meuvent les protagonistes, le
caractère manichéen des distinctions qui le définissent, la polarisation de ses
valeurs, devient paroxysme, et nous nous sentons de plus en plus mal à l'aise,
parce que de plus en plus conscients qu'O'Neill pose un problème en des termes
qui inhibent sa solution, et qu'il a été amené à agir ainsi parce que son capital

intellectuel initial (ses maîtres, il nous l'a dit, furent Nietzsche, Spengler, Marx et Kropotkine) s'est trouvé assimilé dès le départ à un niveau qui était sans profondeur. Son isolement intellectuel subséquent, comme auteur dramatique en Amérique, ne lui a pas offert l'occasion, ou le point d'appui pour un « approfondissement » nécessaire. Son développement a été pour ainsi dire arrêté, ou si l'on préfère, violé.

Dire cela, ce n'est pas condamner O'Neill, c'est reconnaître que, comme je l'ai dit, il n'a pas eu l'occasion de ce commerce avec ses pairs qui eût pu soutenir et développer ses facultés critiques et créatrices. En effet, quand on envisage le néant d'où le théâtre américain est sorti, et l'influence corruptrice du théâtre de caractère commercial au sein de laquelle O'Neill a créé, son ambition apparaît héroïque, et sa consécration immense. A la lumière de cette ambition, ceux qui, comme Odets, comme Williams et comme Miller, lui ont succédé après sa retraite, et ont atteint à la prééminence, semblent vraiment, en dépit de leur plus grande souplesse, de leur plus grande sophistication, n'être que des figures de second plan.

Après l'échec de *Jours sans fin*, une impasse avait évidemment été atteinte. Découragé par l'accueil fait à sa pièce, O'Neill abandonna son idée d'une trilogie bâtie sur le problème de la foi religieuse dans le monde moderne. Il se tourna vers deux autres projets, l'un, *Le marchand de glace est passé*, joué à New-York en 1946 et repris récemment avec un succès considérablement plus grand, l'autre, celui d'une longue série de pièces raccordées entre elles, écrites sur une période de dix ans et entourées de secret, de rumeurs confuses. Celles qui ont été jouées jusqu'ici indiquent un retour à un réalisme dans la veine de Gorki et d'Ibsen. *Le marchand de glace est passé* est une dernière tentative pour amalgamer le genre « théâtre philosophique » avec la technique du réalisme. Nous croyons que son échec final est dû à la confusion intellectuelle qui y règne, confusion qui n'est pas, comme celle de *Jours sans fin*, un effet du manichéisme, mais plutôt le produit d'une entière ambiguïté morale. Dans cette pièce, rejetant son essai de catholicisme, O'Neill examine les effets de la destruction de l'illusion personnelle, concluant qu'elle est désastreuse, irrémédiablement désastreuse. Il proclame, dans le personnage de Larry (qui joue un peu le rôle du chœur, et de toute évidence parle au nom de l'auteur) qu'il renonce à toute tentative pour apprécier, juger, justifier ou condamner. Par exemple, à un moment donné, Larry déclare : « Honneur ou déshonneur, confiance ou trahison, ne sont pour moi autre chose que l'envers de la même stupidité qui est la règle et la reine de la vie. En fin de compte, l'un et l'autre tombent en poussière et pourrissent dans le même tombeau ». Il rejette la possibilité de tout système de valeurs, se bornant à affirmer la nécessité pragmatique de l'illusion. L'ambiguïté de la pièce provient du fait que la façon dont les personnages sont conçus implique, d'abord, l'exercice du jugement; ils ne sont pas tous également innocents, responsables, coupables, sympathiques ou détestables. En outre, la pièce manque d'un point d'orientation quant aux termes dans lesquels la relation entre illusion et réalité (ou, dans le langage de la pièce, la vie et la rêvasserie) peut être définie. Le personnage de Hickey, qui s'efforce, un peu à la manière de Gregors Werle dans *Le Canard Sauvage,* de contraindre les personnages à se confronter, à se regarder, et que l'on tend à considérer dans la pièce comme une source de vérité objective, se révèle, dans la dernière scène, être tout bonnement fou. On garde l'impression d'avoir été dupé.

La valeur de la pièce (qui est certaine, bien que limitée) vient de la manière, lente, hésitante, mais complète, dont O'Neill étudie cette communauté de hors-la-loi assemblés dans un bar sordide, de l'insistance avec laquelle il prolonge notre confrontation. Le résultat c'est une certaine perfection dans le développement des caractères, qui, pour O'Neill, est un fait nouveau. L'effet n'en finit pas moins par devenir lassant; l'exposé des caractères est conduit d'une manière peu économique; on a une impression de gaspillage; mais le fait est qu'après cinq heures de spectacle, les personnages sont installés tout entiers dans notre conscience. La longue scène de la réunion de baptême, organisée pour le tenancier du bar par Hickey, le commis-voyageur évangélique, au cours de laquelle O'Neill met en présence des entremetteuses, des prostituées, des alcooliques et des apostats politiques, alterne capricieusement de la gaîté à la dépression, de la sobriété à l'ivresse, de l'hostilité à la réconciliation; elle est admirablement construite; son organisation rythmique est superbe. Si l'on ne peut s'y montrer sensible autant que l'on voudrait, c'est beaucoup parce que les prémisses philosophiques et le cadre de la pièce, le repliement dans un stoïcisme vulgaire et irresponsable ne conviennent pas.

Nous verrons bientôt, au Théâtre des Nations à Paris, et plus tard, dans une traduction française, *Long day's journey into night,* qui, avec *A moon for the misbegotten,* fait partie du long cycle de pièces qui occupèrent O'Neill durant les dernières années de sa vie. Il écrivait dans une lettre, en 1936 :

Les épisodes les plus dramatiques de ma vie, je les ai jusqu'ici tenus à l'écart de mes pièces, et, de même, la majeure partie des choses que j'ai vu arriver à d'autres personnes. J'ai à peine commencé à mettre en œuvre tous ces matériaux, mais j'en réserve un certain nombre pour une entreprise spéciale, un cycle de pièces que j'espère écrire un jour. Il y aura neuf pièces distinctes, mais destinées à être jouées neuf soirs consécutifs. Ensemble, elles formeront une espèce d'autobiographie dramatique, quelque chose dans le style de *La Guerre et la Paix,* ou de *Jean-Christophe.*

Nous pensons que *Long day's Journey,* la pièce centrale de ce cycle, doit précisément son succès relatif à cette couleur romanesque à laquelle O'Neill faisait allusion quand il parlait de « quelque chose dans le style de *La Guerre et la Paix* et de *Jean-Christophe* ». Car, plus encore que les personnages du *Marchand de glace est passé* (également inspiré par les jeunes années d'O'Neill) ceux de *Long day's Journey* ont l'espèce de densité de vie, nouvelle dans l'œuvre d'O' Neill, de personnages d'un roman du XIXᵉ siècle (car le livre de Romain Rolland, quelle que soit la date de sa publication, est essentiellement du XIXᵉ dans son dessein). Les intentions romanesques de notre auteur sont d'ailleurs trahies à la première page de la pièce, où, dans une description longue et détaillée du décor (le *living-room* des Tyrone, qui est la maison de campagne d'O'Neill) il énumère le contenu de deux bibliothèques. L'une, qui appartient au père, contient Dumas, Victor Hugo, trois jeux complets de Shakespeare, l'*Empire romain* de Gibbon, des histoires d'Irlande, etc.; l'autre, qui appartient à Edmund (le jeune Eugene O'Neill) renferme les œuvres de Schopenhauer, de Kropotkine, de Strindberg, de Wilde, de Rossetti, de Dowson, de Kipling, etc. De toute évidence, ces listes ne sont d'aucune utilité pratique pour le théâtre; même les spectateurs du premier rang des fauteuils n'en pourront lire les titres. Elles fournissent une indication du caractère romanesque dans lequel la pièce a été conçue, et auquel les personnages doivent cette *densité* de vie que n'avaient pas les personnages des premières œuvres : Yank et Anna Christie, Dion et Marco, même Lavinia et Christine (dans *Le deuil sied à Electre*) ont une *intensité* de vie, ce qui est tout autre chose. La raison de cette plus grande profondeur dans l'étude des personnages semble évidente : cette œuvre autobiographique est la plus immédiatement cathartique qu'O'Neill ait jamais écrite et si elle ne peut se comparer avec le caractère inspiré de l'invention dans les pièces écrites dans les années 1920, elle réussit à sa façon, comme *Jours sans fin* et *Dynamo* (qui l'ont précédée) n'ont pu le faire à la leur. Ici encore, comme dans tout O'Neill, le discours est plutôt prolixe, la construction assez simple, même presque linéaire. Elle traite de la conjonction cruciale de quatre désastres personnels (celui d'O'Neill, de son père, de sa mère et de son frère) au cours de la seule journée qui marque la dissolution d'une famille. Pièce réaliste réussie, dans la tradition d'Ibsen. Il est inévitable qu'elle soit émouvante, puisqu'elle récapitule la situation personnelle, tragique, de la famille O'Neill pendant les jeunes années de l'auteur, jusqu'au jour où, ayant accompli ses « Wanderjahren », il partit, atteint de tuberculose, pour un sanatorium; premier pas qui devait le mener à Provincetown et au théâtre.

Mais, devant le recul que représente la conception d'une telle pièce, on éprouve le découragement qu'implique un terrible échec. On ne peut s'empêcher de se dire : Avoir eu trente ans de courage, de dévouement à une tâche désintéressée, d'ambition, d'efforts, de méditation, d'expériences pénibles, d'avances et de reculs, de faculté inventive, d'espoirs, d'engagement pour arriver à cela ! Cet échec est, on le sent, non seulement un échec personnel : il frappe le courant tout entier d'énergie et d'aspirations nationales qu'O'Neill mobilisa, tout seul, pour en faire « un théâtre ». Comment vouloir qu'une certaine déception ne vienne tempérer le sentiment de tendresse et le profond respect que l'on éprouve pour l'homme qui affirma la possibilité d'un théâtre national américain, et qui, par son ambition, sinon par ses réalisations, avait réussi à en définir le rôle et les limites ?

DISCUSSION

Gravier. — Vous avez parlé d'Ibsen à propos d'O'Neill, mais je crois que si l'on a pu accuser Ibsen de ne lire que le journal, O'Neill au contraire était l'homme d'une bibliothèque.

Mlle MICHELSON. — Cette bibliothèque était assez limitée, car si on sent qu'il a assimilé l'héritage du XIXe siècle, son œuvre souffre du manque de contact avec le reste de l'activité intellectuelle américaine contemporaine.

VILLIERS. — Est-ce que Baker qui a été son professeur n'a pas eu une influence sur cet éventail très large, systématique, de recherches auxquelles il s'est livré ? Car Baker à Harvard, pour des raisons pédagogiques, procédait à une investigation systématique; et O'Neill a été son meilleur disciple.

Mlle MICHELSON. — Non seulement O'Neill, mais d'autres auteurs de moindre importance sont sortis de cette école.

AUBRUN. — Il me semble qu'en Amérique les conditions changent trop rapidement pour qu'un effort comme celui d'O'Neill parvienne à une véritable floraison, aboutisse à des chefs-d'œuvre. Il cherche à prendre conscience d'un certain état social, et à peine y est-il arrivé que celui-ci est déjà devenu autre. C'est pourquoi aussi il n'a pas eu de disciple.

Mlle MICHELSON. — Je crois que ce qui sauve les pièces d'O'Neill ce sont justement ses préoccupations de l'Homme et de la Société, avec majuscules, qui en font des documents sociaux d'une époque qui a été très vite dépassée.

Mlle LAFFRANQUE. — A quel moment l'œuvre d'O'Neill vous paraît-elle contemporaine de la réalité de son pays ?

Mlle MICHELSON. — Entre 1916 et 1932-33.

VILLIERS. — En parlant des origines du théâtre américain vous avez fait allusion à une situation puritaine qui ne vous semble plus valable maintenant.

Mlle MICHELSON. — Si j'ai constaté que le théâtre américain n'existait pas avant O'Neill, j'ai dit aussi qu'il ne fallait pas attribuer ce fait à l'interdiction du théâtre par la théocratie puritaine.

VILLIERS. — Je n'en suis pas sûr. Je suis extrêmement frappé par une résistance puritaine inconsciente qui existe encore actuellement en Amérique. Ainsi, on constate un développement extraordinaire du théâtre universitaire et « communautaire », non professionnel. Un professeur d'Université à qui j'en demandai la raison m'a répondu: « Vous savez... Lincoln a été assassiné dans un théâtre ... il y a eu de grands incendies ... tout le monde n'aime pas le théâtre professionnel ! ». Il est remarquable en effet que si des subventions considérables sont allouées aux Musées, aux grandes associations symphoniques..., pour le théâtre il n'y en a que s'il est amateur, ou universitaire. Parce qu'alors il présente un aspect social ou didactique. Le théâtre professionnel est considéré comme commercial, au sens vilain du terme... il est un peu excommunié !

MURCIA. — En Espagne actuellement s'il y a un genre qui obsède la censure c'est bien le théâtre, et s'il y a un mouvement intéressant en poésie, en littérature, le théâtre est en plein marasme à cause des difficultés créées par la censure qui va jusqu'à l'interdiction de spectacles sans implication politique comme la *Savetière Prodigieuse*.

AUBRUN. — Ce n'est pas la même situation. Aux Etats-Unis le théâtre universitaire est considéré comme inoffensif, au même titre que l'aquarelle.

Mlle MICHELSON. — On le considère comme un moyen de *self-expression,* de même qu'on encourage les enfants à dessiner et que si à trois ou quatre ans ils ne font pas des dessins intéressants, on les juge un peu anormaux. Il ne faut pas oublier d'autre part que les professionnels du théâtre ont lutté avec acharnement contre les subventions. On a peur d'un théâtre subventionné qui mènerait au socialisme. Depuis quelques années il s'est ouvert une vingtaine de petits théâtres d'avant-garde, et leurs jeunes animateurs n'ont songé un instant, ni à demander des subventions, ni même à former un cartel. On reste dans le cadre du théâtre commercial. Une expérience de théâtre subventionné a eu lieu pendant la période Roosevelt, et a duré quatre ans, mais elle a été supprimée, par le parti Républicain je crois, et c'est fâcheux pour l'avenir du théâtre américain car l'expérience était intéressante. Il faut dire aussi qu'en Amérique nous avons un public largement déformé par le cinéma.

VILLIERS. — Statistiquement la situation est très simple. Il y avait plusieurs milliers de salles de théâtre au début du siècle; après la grande dépression économique des années 30 et la concurrence croissante du cinéma, le nombre des salles est tombé à quelques centaines.

L'EXPRESSIONNISME ALLEMAND
ET LE MOUVEMENT RÉVOLUTIONNAIRE

par Camille DEMANGE

Le théâtre expressionniste allemand des années 1917 à 1921 nous apporte le témoignage de la génération d'auteurs qui a vécu sur le front la débâcle des armées allemandes. Il est l'histoire de la conversion, brutale et cependant provisoire, de la jeunesse allemande, à un pacifisme d'objection de conscience; et aussi de la grande désillusion des années d'après-guerre qui ont vu la société allemande se scléroser après une crise inutile.

Mais ce n'est pas là le seul intérêt de cette expérience dramatique. Le tragique de la guerre a bouleversé de tout en tout les intentions et la structure du théâtre allemand et a consacré la rupture avec le naturalisme. En même temps le théâtre devait devenir une tribune de l'action politique. Des exigences contradictoires se manifestaient : l'expressionnisme proposait un théâtre de rêve et d'illusion. Le réalisme exigeait un théâtre d'éducation et de tendance. L'un et l'autre avaient le même public, où se mélangeaient les intellectuels et les ouvriers : c'était le public de la Volksbühne, un public instable, qui délaissait souvent le théâtre pour le music-hall et le cabaret, et que d'autre part on s'efforçait de grouper dans des associations plus organisées et plus militantes que le théâtre populaire, comme les ligues du théâtre chrétien ou du théâtre prolétarien.

A ce carrefour les voies de l'avenir étaient déjà tracées : théâtre chrétien, théâtre socialiste, théâtre des sans-parti, mais dans la période d'anarchie et de féconde fermentation qu'a connu le drame aussitôt après 1918 il a bien fallu que les hommes de théâtre, auteurs et metteurs en scène, fissent l'effort de réduire provisoirement les antagonismes. Expressionnistes et réalistes ont fait ensemble un bout de chemin. Il n'en est pas résulté de grandes œuvres dramatiques, mais il ne paraît pas exagéré de dire que cette confrontation de l'expressionnisme et du réalisme a sauvé pour un temps de la platitude du dogmatisme le théâtre social.

Quel a été le destin politique de cette génération d'auteurs, qui avaient vingt ans en 1914 ?

Il se confond, bien que l'on ne puisse évidemment parler de l'expressionnisme comme d'un mouvement idéologique organisé, avec le destin de la gauche intellectuelle allemande, c'est-à-dire de la fraction socialiste de l'U.S.P.D. qui, dès 1917, s'est prononcée contre la guerre, puis a animé le mouvement révolutionnaire, et s'est désagrégée après l'échec de l'insurrection ouvrière, une partie ralliant en 1920 le communisme, tandis que la majorité rejoignait l'année suivante les rangs de la social-démocratie.

L'évolution des auteurs expressionnistes n'est évidemment pas rigoureusement parallèle à l'évolution de l'U.S.P.D., mais la liquidation de la gauche intellectuelle allemande en 1921 marque également la fin de l'expressionnisme. Depuis lors les auteurs comme Ernst Toller, Fritz von Unruh, Walter Hasenclever, Reinhardt Göring ont suivi des voies isolées qui les ont menés, soit à l'émigration, car beaucoup d'entre eux étaient israélites, soit à l'apolitisme, soit encore, comme ce fut le cas pour Hans Johst et pour Arnold Bronnen, au nazisme. Le national-socialisme a cependant condamné, et avec quelle haine, l'expressionnisme dans son ensemble comme la manifestation d'un art dégénéré et judaïsé et d'un pacifisme démocratique anti-national.

Par contre Brecht, Piscator, Friedrich Wolf, Rudolf Leonhardt ont choisi le marxisme. Pour eux l'expressionnisme est le souvenir d'une maladie de jeunesse, d'une tentation de l'anarchisme qu'ils ont finalement vaincue, mais dont il leur reste quelques séquelles. De ce fait les jugements qu'ils ont portés sur l'expressionnisme ont le caractère sévère et scrupuleux d'une autocritique. Une controverse à ce sujet entre les écrivains émigrés en Amérique et en U.R.S.S. remplit plusieurs colonnes des deux revues éditées à Moscou entre 1934 et 1938 (*Internationale Literatur* et *Das Wort*), ce qui prouve assez l'importance que le marxisme accorde à l'expressionnisme. Il y est jugé comme une déviation idéaliste, par les plus sévères comme une fausse révolte qui aurait contribué à faire naître le fascisme, et en tout cas comme un formalisme : la question qui se pose pour ces auteurs réalistes qui doivent à l'expressionnisme leur formation d'artistes, est d'apprécier dans quelle mesure ils ont tout de même le droit de se servir, en invoquant les privilèges de l'illusion au théâtre, des procédés et des effets d'une esthétique qui relève d'une conception irrationaliste de l'art.

Le problème essentiel que pose l'expressionnisme, est en effet celui de ses rapports avec le monde réel.

Un homme comme Ernst Toller, qui fut l'un des chefs du mouvement révolutionnaire de Munich, et qui a porté à la scène avec ses drames *die Wandlung* et *Masse Mensch*, l'histoire de la guerre et de la révolution, tient ce curieux raisonnement :

> Homme politique, j'agis comme si les individus, les groupes, les facteurs économiques, avaient une valeur objective. Artiste, je suis frappé par l'aspect problématique de cette réalité : il n'est toujours pas établi que nous existions réellement.

Est-il possible de donner une représentation valable du monde réel, alors que l'on s'arroge le droit de se dédoubler ainsi et de mettre en doute, au nom d'une philosophie bergsonnienne, l'existence même de cette réalité qui a valu à Toller de passer plusieurs années en prison ?

En fait la réalité a dans la vision subjective de l'expressionnisme une présence que l'on peut qualifier d'obsédante.

« Mon théâtre, disait Strindberg, est une œuvre imaginaire, doublée d'une demi-réalité effrayante. C'est un « autre » naturalisme ».

Les pièces expressionnistes se présentent généralement à nous, comme *Le Chemin de Damas* de Strindberg, sous la forme de monologues lyriques dramatisés. Le héros, porte-parole de l'auteur, occupe toute la scène, projetant autour de lui sa vision des êtres et des choses : maître de ballet d'un univers dématérialisé dont il dispose à son gré et qui ne doit lui servir qu'à exprimer son âme.

L'univers, proclame un des premiers manifestes de l'expressionnisme allemand,

est un paysage gigantesque que Dieu nous a donné; à nous de le découvrir tel qu'il est; nul ne doute qu'il n'est pas tel qu'il paraît. L'image réelle du monde est en nous. Nous la créons par notre vision. Il n'y a pas les fabriques, les maisons, la maladie, la prostitution, la faim, le cri; il n'y a que leur vision.

Les fabriques, les catégories sociales, la misère, la maladie et la faim sont abondamment illustrées dans le théâtre expressionniste. Nous ne retiendrons ici que la vision de la guerre et la vision du groupe social.

La vision de la guerre dans le théâtre expressionniste n'est pas une vision d'horreur : nous voyons des mutilés, des morts, nous entendons des cris, mais nous éprouvons la même impression que lorsque nous analysons, à froid, un cauchemar de la nuit passée : c'était bouleversant, ce n'était pas hideux, c'était bizarre, extravagant, par certains aspects comique. C'était une danse macabre, lugubre et bouffonne. Il subsiste l'impression que dans ce rêve nous avons vu les êtres et les choses sous une optique différente et que ce rêve a transformé notre jugement, provoquant en nous, en quelque sorte, une conversion.

L'individu et le groupe social ne suscitent également une vision subjective qu'à partir de l'instant où ils nous ont paru bizarres. Le caricaturiste procède exactement du même principe que le poète expressionniste.

« Je vois », dit Toller, « dans la cour de ma prison, des détenus qui scient du bois. Celui-ci me paraît être un ouvrier, celui-là un paysan, le troisième un clerc de notaire; et brusquement je ne vois plus que trois marionnettes, trois pauvres pantins, sinistres et grotesques, dont le destin agite les ficelles ».

Ainsi le monde expressionniste est-il peuplé des personnages, plus étranges que caractéristiques, que nous rencontrons dans une ville : les déclassés, les mendiants, les prostituées, ou au contraire les individus qui portent leurs préoccupations sur leur visage, d'une manière trop ostensible, pour ne pas être, à quelque égard comiques, les caissiers, les banquiers, les agents de police, les critiques de théâtre...

Ce monde bizarre pouvait permettre d'exprimer une idée sociale : que l'on songe aux mendiants de l'*Opéra de quat'sous*, ou au prolétaire déclassé et caricaturé de Charlie Chaplin en lequel le public de l'après-guerre a reconnu le héros par excellence de son époque.

L'effet de bizarrerie est rendu dans la mise en scène par un jeu de projecteurs et par la composition dansante des groupes qui, dans un éclairage tamisé et mystérieux, reconstituent les chœurs du théâtre antique.

L'inconvénient, et en même temps l'avantage, de cet art, est que, comme la pantomime, la caricature, et le cinéma muet, il se passe fort bien de la parole. Dans une pièce psychologique, il fallait, pour représenter un patron ou un banquier, tout un arsenal de personnages et d'objets qui servaient à mettre en lumière le caractère. Dans la vision expressionniste, il suffit que le riche dise : « Nous les gros » ; ou que le chœur des banquiers lance des chiffres d'actions boursières ; ou que l'un des numéros du chœur de la critique dont le ventre proéminent indique l'assurance, tende l'oreille, et le public a compris.

Cet art est en fait, un art muet, et en cela, il est l'image exacte du tragique de cette époque; un tragique qui pouvait à la rigueur s'exprimer par des cris, des ricanements ou les pitreries d'un Charlot, mais qui ne pouvait pas se dire dans un discours.

Au théâtre, cependant, il faut un discours, et les héros expressionnistes, dont nous allons analyser maintenant la confession, nous prodiguent, dans un style heurté, discontinu et disloqué, des flots de paroles.

On comprend aisément ce qu'est la confession expressionniste, et le rôle que tient le héros dans le théâtre expressionniste allemand, en se reportant à l'amusante parodie que nous offre le dramaturge allemand Georg Kaiser dans son drame : *De l'aube à minuit.*

L'expressionnisme est ici représenté par l'Armée du Salut. Place publique; cercle des soldats de l'Armée du Salut. L'un après l'autre, les soldats vont se placer au centre du cercle, confessent leur passé, évoquent dans l'extase leur conversion, et rentrent dans le rang. Battement de tambour. Chœur de l'Armée du Salut : « Une âme est gagnée ! »

Et nous, assis sur le banc derrière les choreutes ou dans la salle de théâtre, nous pensons qu'en fait nous n'avons entendu qu'une confession d'un seul et même homme, répétée par des individus qui ne différaient que par leur apparence et n'étaient que les travestissements divers d'une même âme.

C'est par ce jeu du travestissement, que Pirandello a manié avec sans doute plus d'habileté, que les auteurs expressionnistes ont exprimé la conversion de leurs héros et de leur génération, au pacifisme. Leurs héros sont les fils d'une même famille, dont les uns meurent et les autres survivent, ou bien les soldats d'un même corps, ou bien les mêmes personnages, tels qu'on les voit dans la réalité et tels qu'ils paraissent, sous des déguisements divers, dans les rêves.

Une des pièces que Fritz von Unruh a écrites pendant la Grande Guerre porte le titre de *das Geschlecht* : la famille. Elle nous servira de modèle pour analyser le message politique de l'expressionnisme.

Le père est absent de cette famille. Il convient de rappeler que dans les premiers drames-programmes de l'expressionnisme (*Le mendiant,* de Sorge, *Le fils,* de Hasenclever, *Le parricide,* de Arnold Bronnen) le père représentait la vieille génération, matérialiste et naturaliste, dont il fallait se débarrasser pour créer le monde nouveau : les fils tuaient leur père, sans qu'il leur en coûtât le moindre regret ni le moindre châtiment. Dans *La famille,* de Unruh, le père n'existe plus, et pour cause : le vieux monde a disparu. Mais il y a la mère, symbole du monde qui se survit dans la douleur (comme la mère Courage de Brecht), et il y a ses fils : le fils aîné est un héros de la guerre et un criminel; il incarne la jeunesse allemande de 1914 qui était partie à la guerre avec enthousiasme : une jeunesse nietzschéenne, héroïque et disponible, qui était capable du meilleur et du pire, et que le chaos de la guerre a anéantie. Nous retrouvons ce fils aîné parmi les sept marins de la *Bataille en mer* de Reinhardt Göring, sept reflets d'une même âme de soldat. Après le combat, il lance cette réplique cynique, combien significative : « N'est-ce pas, je me suis bien battu ! Je me serais tout aussi bien battu si nous nous étions mutinés ! »

La première phase de la crise, dans la confession de ces drames expressionnistes, est un douloureux désenchantement.

« Je pensais que tu m'avais élevé pour un idéal plus noble », dit simplement à sa mère le héros de Ernst Toller, Friedrich, dans *die Wandlung,* l'évolution. Fritz von Unruh avait écrit en 1916, pendant la bataille de Verdun, un poème dramatique dont le titre, *Vor der Entscheidung* est aussi suggestif que sa *Famille* et *L'évolution* de Ernst Toller.

Vor der Entscheidung signifie : avant la décision, c'est-à-dire avant la bataille décisive, avant la victoire; car alors Unruh croit à la victoire. Au milieu des soldats exaltés son héros, un officier de hulans, s'arrache à l'euphorie et s'interroge : « le moteur de toutes ces actions guerrières, n'est-ce pas l'animalité ? » Et Fritz von Unruh d'ouvrir alors un débat avec le fantôme de Kleist. Heinrich von Kleist, officier prussien comme Fritz von Unruh, le poète du songe et de la passion et aussi l'apologiste de la guerre nationale, une idole qui, dans les mains de Fritz von Unruh dégrisé, vient de se briser...

La conversion de Friedrich dans *L'Evolution* de Toller, nous est présentée avec un art plus subtil. Friedrich est à l'état de veille un combattant valeureux; son moral tient bon, il réconforte les soldats bouleversés par les spectacles d'horreur, mais dans ses rêves, il est assailli par des visions; des personnages surgissent, qui portent le visage de Friedrich, et Friedrich subit en eux, dans son inconscient, la série de chocs qui provoquent enfin l'effondrement du mythe de la patrie. La visite d'un mutilé, alors que dans son atelier de sculpteur il érige la statue de la nation, est le dernier moment de la crise. Friedrich brise son œuvre et s'en va crier dans la rue : « Révolution ! »

Friedrich est en somme, successivement, chacun des fils, de la famille symbolique des expressionnistes. Dans *La famille* de Fritz von Unruh le fils aîné, celui qui était parti à la guerre avec enthousiasme, est mort. Et l'on enterre aussi le cadet qui est simplement, comme les fils de la *Mère Courage* de Brecht, la victime de la guerre. Ne survivent que le troisième fils, celui que Unruh appelle le lâche, qui refuse la guerre et l'obéissance et ne croit plus à rien, et le plus jeune, l'idéaliste, celui qui, comme Friedrich après sa conversion, va lancer dans la rue l'appel à la révolution.

Ces deux derniers fils, le nihiliste et l'idéaliste, nous les retrouvons, mêlés aux prolétaires de Berlin et de Munich, dans les dernières pièces expressionnistes, *L'être-masse* et *Hinkemann,* de Toller, *Le choix,* de Hasenclever, et *Tambours dans la nuit* de Brecht. Le héros de *Tambours dans la nuit* est le nihiliste. Il serait téméraire d'affirmer que Brecht ait tenté dans cette œuvre de jeunesse, comme Fritz von Unruh l'avait fait dans *La famille,* de réhabiliter une certaine forme de lâcheté. Brecht ne justifie pas Kragler, qui préfère les plaisirs de l'alcôve au combat de la rue, mais dans une certaine mesure il l'excuse, parce que cette révolution sociale de 1918 était condamnée au pourrissement; une révolution dont la petite prostituée du *Choix* de Hasenclever nous décrit ainsi l'atmosphère : « Ici on se bat jusqu'à six heures, et après, on danse ! »

La Sonja de *L'être-masse,* de Toller, est l'idéaliste : c'est une conscience qui se débat au milieu des slogans révolutionnaires. Le premier mot d'ordre était : « Détruisez les machines », et en effet, pour le prolétariat de 1918 le grand ennemi était encore le machinisme (voyez *Les temps modernes* de Chaplin); mais l'on proclame que la machine doit devenir au contraire l'agent de la libération de l'homme. Sonja admet ce nouveau slogan et le fait admettre par la masse; l'unanimité se fait encore sur le mot magique de la grève : grève dans les usines d'armement pour que cesse la guerre ! Mais quand la voix anonyme de l'êtremasse lance l'appel à la lutte sanglante, Sonja ne se reconnaît plus en elle, et s'isole; comme s'isolent de la masse tous ces héros de drames dont les auteurs ont été d'authentiques révolutionnaires : rappelons-nous le Danton de Georg Büchner, et maintenant, dans ce cycle de pièces expressionnistes, le Kragler de Brecht, Sonja, de *Masse Mensch,* « l'homme », du *Choix* de Hasenclever. Celuici, qui n'a pas de nom, quitte l'assemblée populaire en disant : « Débitez donc vos systèmes, moi je pars à la recherche de l'homme; sans doute ne le trouverai-je qu'en moi ! »

Enfin, Hinkemann, qui est à la fois le nihiliste et l'idéaliste, ce personnagetype de la littérature d'une guerre, comme Kragler, le soldat qui revient du front. C'est la création la plus émouvante de Ernst Toller. Hinkemann est un montreur de foire. Cet exhibitionniste cache, sous son aspect d'athlète, un mal contre lequel la révolution ne connaît pas de remède : il va de réunion en réunion et demande aux orateurs s'ils voient une solution au problème intime qui est le sien. « Toi, tu ne poses pas les mêmes questions que les autres », lui répondent les orateurs. C'est que Hinkemann est mutilé. Une blessure de guerre l'a privé de sa virilité. Pour cette génération férue de freudisme, pour Toller comme sans doute pour le Brecht de *Tambours dans la nuit,* la sexualité n'est pas autre chose que la personnalité et la revendication de l'individu. Ce qui paraît être pour Hinkemann un problème du corps est en fait le problème de l'âme. Le besoin de l'âme est l'objection dernière que fait Toller, comme Georg Büchner, à la révolution sociale.

Notons que le public populaire n'a pas désavoué l'image désabusée qui lui était faite dans ces œuvres, du révolutionnaire de 1918. *Masse Mensch* a connu un succès éclatant à la Volksbühne de Berlin, et *Tambours dans la nuit* a valu à Brecht la notoriété. On ne saurait nier cependant que les auteurs expressionnistes n'ont pas dépassé le stade d'un socialisme humanitaire, aussi utopique que généreux.

« Il faut régénérer le monde », fait dire Friedrich Wolf au personnage principal de sa pièce *Voilà qui tu es,* « il faut faire un monde tout neuf, rien n'est impossible ! » Et Friedrich Wolf ajoute quelques années plus tard en commentant son œuvre : « Oui, bien sûr, il fallait régénérer le monde; mais comment ? Là-dessus, aucun de nous n'avait des idées claires ».

L'insuffisance politique de l'expressionnisme n'est que trop évidente en effet. Encore n'avons-nous parlé ici que des auteurs expressionnistes auxquels l'action sociale ne répugnait pas, qui n'ont pas cherché leur idéal, comme Ernst Barlach, Paul Kornfeld ou Franz Werfel, dans l'évasion mystique. Aussi bien notre étude ne considérait-elle que les auteurs expressionnistes qui ont fait un bout de chemin avec les réalistes.

Il nous reste, pour aller jusqu'au bout de ce chemin, à juger les dernières expériences de théâtre politique qui sont encore marquées par le style expressionniste. Ici l'expressionnisme n'est plus qu'un formalisme.

L'expressionnisme offrait une grande variété de formes et de moyens scéniques; en dehors du monologue lyrique dramatisé, que l'on peut considérer, en faisant un emploi sans doute quelque peu abusif du terme, comme une forme épique à la première personne, il avait réintroduit la ballade dramatique, sur le modèle de cette ballade de guerre fascinante par ses visions de cauchemar et son intensité tragique qu'est la ballade de Bürger, *Lenore.* Un essai de Hasenclever, de refaire cette ballade pour le théâtre, dans son drame *l'Au-delà* n'a malheureusement pas été réussi. Dans le poème dramatique de Fritz von Unruh, *Vor der Entscheidung* qui, il est vrai, n'a jamais été monté au théâtre, on trouvait déjà l'idée d'un drame qui serait fait d'un montage de scènes indépendantes les unes des autres. Les auteurs expressionnistes ont peu utilisé la musique de scène, mais l'idée d'intercaler les *songs* dans les drames, une idée qui est née au cabaret, revient à Frank Wedekind, le précurseur de l'expressionnisme allemand. Les auteurs expressionnistes mélangent aussi volontiers la prose et le vers.

L'influence de l'expressionnisme sur le théâtre social de l'après-guerre a cependant surtout été déterminante dans la mise en scène des groupes. On constate d'ailleurs que les metteurs en scène se sont surtout servis des procédés expressionnistes lorsqu'ils avaient affaire à une œuvre réaliste, pour corriger en quelque sorte les intentions de l'auteur. Dans les pièces réalistes de Friedrich Wolf par exemple, la disposition des groupes est étudiée d'après les règles de composition musicale des ballets. Au contraire, dans la mise en scène du *Hinkemann* de Toller à la Volksbühne, le metteur en scène n'a pas conçu la masse autrement que comme une foule habillée à la mode de 1925.

Le public français a pu lors des représentations qui ont été données au Théâtre des Nations de l'adaptation dramatique de *La Guerre et la Paix,* se rendre parfaitement compte de la manière d'Erwin Piscator. Piscator a construit dans cette adaptation des tableaux analogues à ceux qu'il avait montés en 1924 à la Volksbühne pour son *Orage dans le Gotland.* Là aussi il avait voulu donner une image du révolutionnaire à travers les âges. L'action se déroulait au xvᵉ siècle, mais Piscator dans son épilogue continuait la série de tableaux jusqu'au portrait de Lénine; ce qui devait lui valoir d'être exclu de la Volksbühne malgré une vigoureuse protestation de solidarité de l'avant-garde intellectuelle allemande.

Piscator utilise dans son théâtre à grand spectacle un procédé dont Toller, après Büchner, avait fait usage : la présentation alternée de scènes réelles et de scènes symboliques. Meyerhold a essayé à Moscou dans une expérience aberrante, mais tout de même intéressante, un montage semblable : il a voulu mettre en scène la revue de l'armée rouge avec le concours d'avions, de tanks, et de 60.000 figurants en faisant alterner les scènes militaires et les scènes symboliques. Il a d'ailleurs dû renoncer à sa tentative qui montre assez que le théâtre des masses, par excès d'ambition, s'était engagé dans une voie impossible.

Piscator met en scène un meneur de jeu qui semble être l'héritier, comme le meneur de jeu de Tennesee Williams, du héros expressionniste : avec cette différence essentielle que son rôle n'est plus lyrique, mais uniquement didactique. Cette transformation du meneur de jeu expressionniste en un récitant est significative de l'évolution du théâtre moderne.

Dans le théâtre de Piscator comme dans tout le théâtre européen des années 1925 à 1930 qui s'est inspiré des expériences allemandes, l'expressionnisme n'est plus qu'une source de procédés et d'effets.

L'expressionnisme devait être le style de la simplicité. Il était le style d'une époque où l'on faisait beaucoup de théâtre avec peu d'argent, le seul accessoire indispensable étant le projecteur, dont les faisceaux partageaient la scène en un monde du réel et un monde du rêve.

L'expressionnisme a été l'art d'une période de crise et d'un grand moment d'anarchie dans l'histoire du drame qui n'a pas permis la création d'œuvres durables mais a ouvert au théâtre une multitude de voies et de moyens nouveaux.

DISCUSSION

Ivernel. — Vous vous êtes référé à Büchner. Chez lui la révolution n'est que l'expression du nihilisme; or le nihiliste n'est pas un révolutionnaire, il se suicide, mais n'agit pas. Ce trait se retrouve-t-il dans le mouvement expressionniste ?

Demange. — Dans le *Masse Mensch* de Toller, c'est la masse qui est nihiliste. Toller ne croit pas, ou ne croit plus que la révolution prolétarienne puisse avoir des conséquences positives. C'est un pessimiste; et cependant, comme les autres expressionnistes dont j'ai parlé, il a participé jusqu'au bout à l'action révolutionnaire. Nous le verrons s'engager encore dans les Brigades Internationales d'Espagne, tout désabusé qu'il soit. Quels sont, pour les expressionnistes, les mobiles du combat ? Le dégoût et la colère, la haine du monde bourgeois, et une sympathie réelle pour la classe ouvrière.

KUMBATOVIČ. — Krleja est un homme de cette sorte. C'est un pessimiste qui pendant l'entre-deux-guerres a fait en Yougoslavie une véritable révolution culturelle, et depuis la guerre il se consacre à l'Encyclopédie yougoslave.

IVERNEL. — Chez Büchner il y a une ferveur qui naît du nihilisme et qui justifie une action; et l'union de cette ferveur et du nihilisme est assez curieuse.

DEMANGE. — On retrouve cette ferveur nihiliste chez Hasenclever; mais Hasenclever est un anarchiste; ce n'est pas le cas de Büchner, ni de Toller. Chez Toller comme chez Büchner il y a surtout la peur d'être dépassé par une révolution anonyme que le meneur intellectuel ne peut plus maîtriser. Je ne vois pas de différence profonde entre le point de vue de Büchner et celui de Toller. Lukacs considère le premier comme un progressiste et le second comme un contre-révolutionnaire; ce jugement ne me semble pas cohérent. Il est significatif cependant. L'expressionnisme est révolu; mais il représente une tendance de la pensée allemande, qui peut réapparaître et que le marxisme doit combattre. Lukacs analyse Büchner; à l'égard de l'expressionnisme, il se livre à une polémique.

KUMBATOVIČ. — Les marxistes n'ont jamais critiqué énergiquement ce qui fait la faiblesse de l'expressionnisme allemand, une conception de l'homme abstraite et stérile, l'homme avec un grand H qui n'a pas de société derrière lui. A mon avis c'est cette faiblesse qui a empêché l'expressionnisme de réagir contre l'hitlérisme. Ainsi *Hinkemann*, cette pièce émouvante de Toller, pose un faux problème; l'auteur manque son but qui était de protester contre la guerre.

IVERNEL. — C'est justement dans ce sens que la pièce de Brecht, *Tambours dans la nuit*, est un refus de l'expressionnisme et de l'homme abstrait. Il est évident que dans cette pièce l'érotisme est en contradiction avec la révolution.

DEMANGE. — Dans les œuvres de cette génération qui a subi l'influence de Freud, l'érotisme fournit un langage symbolique qui exprime toutes les revendications de l'individu, aussi bien ses aspirations spirituelles que son désir physique.

En ce qui concerne Brecht, je pense qu'il a fortement exagéré l'importance des divergences politiques qui, à cette époque, pouvaient l'opposer à l'expressionnisme. Mais il n'a jamais eu le tempérament d'un poète expressionniste.

IVERNEL. — Il y a dans les premières pièces de Brecht une expérience rimbaldienne de la nature. Est-ce que le problème de la nature est ainsi posé dans l'expressionnisme ?

DEMANGE. — Il est posé de façon très abstraite. Les expressionnistes n'ont pas le culte de la nature. Leur cadre est la grande ville, où règne la masse anonyme, où l'homme n'est qu'un numéro et se sent désespérément seul.

IVERNEL. — Dans cette perspective, expliquez-vous le ralliement des expressionnistes tantôt au marxisme, tantôt au national-socialisme, par un besoin de se réintégrer dans cette masse et de la justifier ?

DEMANGE. — Oui, en ce sens que ces jeunes écrivains n'ont pas pu supporter l'isolement. Il n'est pas douteux que certains aspects de l'expressionnisme, son irrationalisme, sa tendance à opposer l'âme à l'esprit, le désir aussi de faire du public une sorte de communauté mystique ont été utilisés par le national-socialisme.

Les relations entre les expressionnistes et les socialistes d'autre part, existaient dès 1918. Presque tous les auteurs que j'ai cités étaient des sympathisants de l'U.S.P.D. Ils ont évolué vers le marxisme ou vers l'opposition, mais je pense qu'il serait injuste de juger l'expressionnisme en fonction de l'évolution personnelle de tous ces écrivains isolés.

PÉDAGOGIE ET POLITIQUE CHEZ BERTHOLD BRECHT
par Philippe IVERNEL

Sans mentir, de toute œuvre de Brecht, on peut dire que ce n'est pas un chef-d'œuvre, c'est-à-dire une nouvelle statue de Pygmalion qui porterait en soi son commencement et sa fin, et dont l'utilité serait celle de sa perfection, objet de contemplation ou d'amour. Brecht ignore le concept antique de beauté, et refuse aux produits de l'art tout caractère absolu. L'esthétique idéaliste, en quête de perfection formelle, divinise le beau, et lorsque celui-ci semble inconciliable avec les exigences de l'histoire, en place la dernière incarnation dans un lointain passé grec : le rejet dans le passé d'une beauté désormais impossible achève ce processus de divinisation. La pensée théorique de Brecht, animée par la conscience de l'histoire et le souci d'actualité, s'exprime par un refus de l'esthétique, en termes de psychologie ou de sociologie du goût. Cette réflexion sur la relativité du beau et la modestie de la tâche d'écrivain, est moins une simple entreprise de démystification qu'elle n'est portée par le désir de rendre l'œuvre d'art à sa fonction humaine et sociale. La divinisation de la beauté exige des hommes qu'ils rendent culte; mais c'est maintenant la beauté qui rendra service aux hommes. L'abondance des explications théoriques qui accompagnent l'œuvre de Brecht, et la fréquence des retouches qui la modifient, ne reflètent pas les embarras ou les compromissions d'un mal engagé. Elles sont le signe d'un nouvel esprit qui définit l'œuvre théâtrale non par sa forme, mais par son intention. L'auteur travaille pour un public qui est celui d'ici et de maintenant, dont il faut écouter les exigences réelles. Cette prise en charge du public est l'intention brechtienne par excellence.

Les adaptations de Brecht, l'interprétation qu'il propose de *Hamlet*, les scènes qu'il intercale, à l'usage de ses acteurs, dans *Roméo et Juliette* ou la *Marie Stuart* de Schiller, sont caractéristiques de ce nouvel esprit. Brecht manie avec audace les grandes œuvres du passé : elles ne sont pas d'intouchables essences, que l'école apprend à idolâtrer, mais un héritage à faire fructifier. La méthode est ici une apparente méthode d'irrespect, une brutale actualisation propre à scandaliser l'humaniste et le lettré. Sophocle n'est après tout qu'un collègue comme un autre, ou Shakespeare. Ce qu'ils ont écrit un jour pour le public de leur temps doit être aujourd'hui revu et corrigé. Ce n'est pas l'œuvre qui importe, moins encore le poète, mais les services que l'un et l'autre peuvent rendre à nos contemporains affrontés au monde d'aujourd'hui. A la momification du passé, Brecht oppose la notion d'une culture en acte, à proprement parler politique.

Si l'antique beauté se nourrissait d'harmonie, la beauté de Brecht se nourrit à la fois de vérité et d'efficacité. Les deux termes sont pour lui synonymes. Dans le si beau traité des *Cinq difficultés à écrire la vérité,* Brecht s'élève contre les poètes épris des vérités du type : les chaises sont pour s'asseoir ou la pluie tombe de haut en bas. Tels des peintres, dit-il, qui décorent de natures mortes les parois d'un bateau en train de couler. Il raille ces impassibles artistes, insensibles sans doute aux séductions des puissants, mais aussi peu troublés par les cris des faibles qu'on assassine à leurs côtés. Les seules vérités pour Brecht sont donc celles qui nous importent, celles qu'il faut avoir le courage de dire et la ruse de diffuser pour que le monde change, vérités qu'il faut faire agir après les avoir reconnues. Cette double dimension, pédagogique et politique, est celle qui nous ouvre l'œuvre de Brecht.

Cette œuvre est d'abord dialogue avec un public qu'il faut à la fois éclairer et engager. Cette prise en charge du spectateur et par lui de la société tout entière, fondent une sorte de socratisme brechtien. Ce qui donne aux recherches théoriques de Brecht et à la pratique du théâtre épique leur véritable importance, n'est pas la nouveauté d'une révolution formelle, mais l'ouverture au public, devant qui l'auteur se sait responsable : il a une sagesse à lui transmettre, c'est-à-dire un savoir qui est en même temps une façon d'agir, car la sagesse n'est autre que la dimension éthique de la vérité. Le personnage même du sage hante le monde brechtien : les philosophes chinois, Socrate, les grands savants, de Bacon et Galilée jusqu'à Einstein, passent dans son œuvre, et il invente une sorte de Monsieur Teste, riche en aphorismes, qu'il appelle Herr K. Le professeur aussi a sa place dans ce monde, Galilée de nouveau ou encore le précepteur de Lenz, sans parler de Brecht lui-même, amoureux des pensées rigoureuses et donc transmissibles, comme en sont les chiffres ou les statistiques. La traduction théâtrale du sage ou du professeur n'est autre que la figure du directeur de jeu, ou du chanteur dans le *Cercle de craie,* qui commente la pièce de sa haute objectivité. Semblable au chanteur de Moritat ou au montreur du cinéma muet, qui avec son bâton dirige l'attention du spectateur.

Le sage ou le professeur ne se comprennent pas sans élèves ou sans disciples. De même, c'est de ce rapport avec son public que se nourrit l'œuvre de Brecht. Le caractère épique de cette œuvre s'éclaire, si l'on pense que l'art du récit est intimement lié à la culture de la sagesse. C'est par le récit que se transmet l'expérience des hommes, et ceci non par hasard mais par intention. Les grands conteurs vivent de ce contact avec leurs auditeurs, à qui par l'intermédiaire de leur art, ils ne cessent de prodiguer leurs conseils; et c'est par le conte que l'enfant fait l'apprentissage de la vie. Selon le contenu, la sagesse est le côté éthique de la vérité, elle en est la dimension épique selon la forme.

*
* *

Brecht organise sa réforme théâtrale à partir de l'opposition entre théâtre pour le plaisir et théâtre pour apprendre (*Vergnügungs* et *Lehrtheater*). Plus tard, dans le *Petit organon* de 1948, il reviendra sur la rigueur de l'antithèse, car en fait, dit-il, il y a plaisir à apprendre. Son intention reste donc de fonder un théâtre, non pas didactique au sens étroit du mot, mais strictement pédagogique, propre à éveiller la conscience du spectateur au lieu de l'endormir, en rendant celui-ci à sa fonction de spectateur. L'analyse des deux opéras de Brecht — *Opéra de quat'sous, Grandeur et décadence de la ville de Mahagonny* — aide à comprendre la révolution brechtienne dont l'origine est une psychologie du spectateur.

Ce n'est pas hasard si la naissance du théâtre épique coïncide avec une analyse critique du plaisir qu'éprouve le spectateur à l'opéra ou à l'opérette. L'opéra est un prototype de ce qu'est le théâtre, de ce qui d'après Brecht est maintenant ébranlé : son essence est d'approcher chaque objet dont il traite sous la perspective du plaisir qu'il peut procurer. Comme tout plaisir, il est fortement subjectif, ne se présente pas comme une rencontre ou un événement à quoi la conscience se heurte. Il n'est pas éprouvé comme un objet. Au contraire, on se perd en lui, et le langage courant dit qu'on est pris. L'homme d'aujourd'hui se précipite aux caisses de théâtre en sortant du métropolitain, désireux de devenir une cire dans les mains du magicien. Ici, comme par exemple dans le sentiment du confort ou de l'aise, la distance spécifique au sentiment du beau est abolie, au profit d'un total évanouissement du sujet dans l'objet et de l'objet dans le sujet. Le spectateur qui cherche le plaisir, utilise l'œuvre d'art pour savourer sa propre affectivité et non pas l'œuvre d'art elle-même, en tant qu'elle est porteuse de valeurs objectives. Inversement, l'opéra ou l'opérette d'aujourd'hui flattent cette disposition du spectateur et ne cherchent plus qu'à lui donner ce plaisir. Plaisir différent de celui que Brecht célèbre dans le *Petit Organon* puisque ce dernier est cette fois analogue à l'activité de l'esprit critique, prenant toujours distance et posant devant lui un monde objectif. La jouissance théâtrale au contraire se suffit à elle-même et permet d'oublier l'image du réel que renferme l'œuvre d'art.

Sans doute, la véritable œuvre d'art affecte-t-elle également la sensibilité, mais en même temps elle se présente au spectateur comme un événement et une exigence : tu dois changer ta vie. L'expérience de jouissance que nous décrivons, perversion de la sensibilité, est caractérisée au contraire par l'immanence de la conscience à l'œuvre théâtrale. Elle est assez proche par exemple d'un état de demi-sommeil ou d'hypnose. Elle exclut en conséquence la discussion du contenu de la pièce, des éléments objectifs qu'elle présente, ou encore des tendances activistes qu'elle nourrit, bref de ce qui en fait le sens.

Brecht a formé le mot de *culinaire* pour caractériser cette attitude du spectateur devant le spectacle et l'adaptation correspondante d'un spectacle livré

aux lois de l'offre et de la demande à cette attitude. Culinaire est tout opéra
fondé sur cette immanence du sentiment et de la conscience, par quoi le spectateur savoure en s'identifiant, plutôt qu'il ne cherche à comprendre en s'opposant ou acquiesçant. Le culinarisme est à son comble dans ce que l'allemand
appelle la *Stimmung,* ambiance sentimentale sans objet qui s'empare totalement
de la personnalité volontaire et pensante. La technique qui préside à la production de la *Stimmung* est une technique de synesthésie, c'est-à-dire de coordination des différentes sphères de perception, visuelle et auditive : ainsi plus une
œuvre d'art se rapproche du chef-d'œuvre total au sens wagnérien du mot, plus
elle tend à produire cette *Stimmung* où musique et texte s'accordent pour sub-
merger le sujet. C'est pourquoi Brecht attaque violemment les wagnériens, ou
du moins les wagnériens d'aujourd'hui, avides d'indignes ivresses, et qui se
contentent du souvenir que les véritables wagnériens donnaient un sens à cette
ivresse.

On objectera que les constructions synesthétiques à la Wagner ne sont pas
nécessairement « une lessive » où se mêlent musique, danse et poésie, de même
que la *Stimmung* à elle seule n'est pas nécessairement une ivresse obscène.
Brecht attaque surtout la fausseté de cette *Stimmung* dans les conditions historiques actuelles. Il s'agit ici de la différence entre un sentiment contraint et un
sentiment vrai. Or la *Stimmung,* constituée d'une harmonie heureuse, accordant
au monde nos sens et nos pensées, ne peut être que contrainte à une époque où
l'homme est en réalité abandonné dans le chaos de la production industrielle.
Il se donne à cette *Stimmung* comme d'autres se donnent à l'alcool et va au
théâtre « pour rire ». C'est là seulement que l'homme déshumanisé par le combat pour l'existence a l'occasion de redevenir heureux et bon. L'opéra devient
une compensation, un divertissement qui rétablit pour quelques heures l'unité
réellement menacée entre le moi et le monde. La psychologie brechtienne du
spectateur démasque la fonction politique de l'opéra, pseudo-compensation aux
maux de la société.

C'est sous cet angle que l'*Opéra de quat'sous* prend le sens qui est le sien.
Ce n'est pas une simple parodie : quelle utilité de parodier l'opérette en 1927
alors qu'elle agonisait déjà. C'est plutôt un essai, comme le dit Weill, pour analyser le concept d'opéra au cours d'une soirée théâtrale comme les autres,
donc pour rendre le spectateur à lui-même en lui présentant clairement ce qu'il
vient chercher obscurément au théâtre.

Ici, il faut se reporter au dernier « Finale à trois », où arrive à cheval un
envoyé du roi qui sauve la situation en apportant à Mac Heath l'ordre de grâce.
Ce n'est pas simplement une parodie du *deus ex machina,* car le concept même
d'opéra sert de solution au conflit. L'envoyé est le symbole de la restauration
par l'opéra de l'harmonie détruite : « c'est ainsi que tout se termine bien » dit
Frau Peachum « comme notre vie serait facile et paisible si toujours arrivait
au bon moment le cavalier du roi ». Il serait faux de symboliser le cheval et de
livrer au rire l'apparition de l'envoyé comme l'ont fait certains metteurs en
scène de l'*Opéra de quat'sous* entichés de modernisme. A l'apparition doit être

conféré au contraire tout l'éclat qu'elle mérite. Car seul l'éclat de la beauté, comme on voit à l'opéra, permet de prendre un plaisir sans mélange à des situations en soi indéfendables, et est donc « la condition *sine qua non* d'une littérature dont la condition *sine qua non* est l'incohérence ». Le public invité ce soir à réfléchir sur l'opéra, non pas à s'en amuser, ne doit pas être privé de ce plaisir : c'est par lui que se produit l'harmonisation artificielle d'une situation chaotique. Il s'agit moins d'une parodie de l'opéra que d'une découverte de sa fonction : comment l'invraisemblance peut être source de plaisir et que signifie ce plaisir à l'invraisemblance, mensonge essentiel à l'opéra d'aujourd'hui et à l'éclat esthétique en général.

Fidèle à cet essai d'analyse et non de parodie, qui doit enseigner le spectateur sur ce qu'il vient chercher au théâtre, l'*Opéra de quat'sous* conserve tous les moyens de l'opérette en les déformant à peine. Ce qui s'y passe, on le reconnaît non pas à ce qui est insolemment mordant, mais au contraire à ce qui semble vieux et fade : par exemple au duo d'amour. Une valse lente et pleurnicharde comme l'orgue de barbarie : c'est tout un pathos de l'amour qui rend son dernier souffle. Ceci doit être rêvé et non parodié : le passé revient comme un spectre. Le faux romantisme et la sentimentalité mensongère de cette bourgeoisie hantent la scène. L'œuvre empoigne ces fantômes et les réduit en cendres, en les exposant à la lumière du souvenir vrai.

Car la critique des fausses harmonies de la *Stimmung* rétablit en contrepartie une sphère réelle qui s'affirme en s'opposant à cet air de valse qui voudrait vous emporter, et découvre la fonction de l'univers esthétique et du romantisme qui lui est indispensable. *L'Opéra de quat'sous* devient une sorte d'exposé sur ce que le spectateur au théâtre désire voir de la vie. Il ne sera donc pas moins culinaire mais plus culinaire encore que l'opéra habituel. La scène du mariage de Mac Heath, déjà citée, s'éclaire davantage encore lorsqu'on tient compte de quelques remarques de Mac Heath lui-même. Il invite sa bande de voleurs à chanter quelque chose aux jeunes mariés. c'est-à-dire à Polly et à lui, comme il convient à des hôtes bien élevés. « Si seulement, hurle-t-il, il ne s'agissait pas chez vous que de se foutre à table et d'avaler les plats, si au moins vous nous aviez offert avant un peu de *Stimmung* ». Ici, on commence à comprendre ce qu'est l'opéra. Mac Heath ajoute « Je n'exige pas de vous un opéra mais au moins quelque chose qui ne soit pas que bouffe et obscénités. Alors, vous ne voulez pas chanter, rien pour embellir cette journée. Ce doit être une saloperie de journée comme toujours, triste, ordinaire, une foutue journée ». C'est pour remédier à la carence de ses invités que Mac Heath lui-même entonnera le duo d'amour. A Polly : « Et maintenant il faut que le sentiment en ait pour son compte : autrement l'homme n'est plus qu'une bête. Mets toi en position Polly ! » et sentimentalement : « Vois tu la lune au-dessus de Soho ? ». Mac Heath veut donc avoir lui aussi son opéra : le spectateur qui se paie le théâtre se voit tout à coup sur scène, objet de la représentation. Ce n'est pas tant la réalité qui doit le choquer et le provoquer, la dure réalité qui passe dans le langage vulgaire de Mac Heath, mais le désir tout cru de ce dernier de la masquer pour quelques instants par l'opéra, c'est-à-dire par le sentiment, par la romance et par le romantisme. Mais en séparant cyniquement, comme il le fait, le chant du parler vulgaire, il souligne sans équivoque la radicale hétérogénéité des deux sphères : la sphère de la réalité et celle de la musique.

Le jeu épique soutenu par l'effet - V, qui précisément refuse le passage insensible du dialogue à la musique et accentue les ruptures de ton, est ici saisi à sa source, non comme une technique assez formelle : mais bien comme le meilleur révélateur du contenu même de l'opéra. Le public bourgeois de 1930, qui au théâtre se berce de *Stimmung* et de musique, sépare également l'art de la réalité, oubliant dans les harmonies mensongères la cruauté et la brutalité de la vie.

Par son attitude devant l'opéra et le chant, Mac Heath se révèle être un parfait bourgeois. Il l'est aussi par sa répugnance à verser le sang lorsque ce n'est pas absolument nécessaire, par le souci qu'il prend de sa réputation. Pour les femmes, il n'est pas le héros romantique mais l'homme qui a une bonne situation. Ses visites à la maison close de Tunbridge sont régulières comme des habitudes de famille; il est le meilleur ami de l'ordre, du chef de police. Le caractère bourgeois de son criminel fait, pour Brecht, la preuve du caractère criminel du bourgeois. Mac Heath ne redevient que dans le duo d'amour un être humain de même que le bourgeois se paie au théâtre quelques sous d'humanité. Cet abîme entre l'art et la réalité, cette distanciation réciproque par laquelle la ballade des souteneurs retentit comme une idylle et le chant « *d'abord la bouffe ensuite la morale* » comme un chœur religieux est la clé de *l'Opéra de quat'sous*.

La réflexion sur l'opérette n'est pas séparable de la critique sociale. L'opérette est une forme spécifiquement bourgeoise, qui au milieu d'un monde désenchanté, essaie de conserver l'élément romantique de l'art. Elle démasque maintenant son caractère satanique; sa sentimentalité construite sur le postulat d'un monde harmonieux est mise à nu et avec elle le plaisir qui l'accompagne. L'ordre du monde bourgeois se reflète dans les haillons d'un prolétariat de bas étage, et son art dans le cynique amour de Mac Heath pour le chant. *L'Opéra de quat'sous* est une provocation qui découvre la fonction conservatrice du plaisir au théâtre dans un certain type de société, et éveille un public qui voulait rêver sur son siège.

Dans *Grandeur et décadence de la ville de Mahagonny*, Brecht termine cette analyse du plaisir, déterminante pour la forme et le contenu de son nouvel opéra. Le plaisir, encore une fois, est définissable par sa fonction, comme ce qui sauve de l'insupportable réalité. Or, l'opéra est ce qui abolit la réalité en la couronnant de musique : « le degré de plaisir est en fonction du degré d'irréalité ». Il se confond avec le romantisme, qui pour Brecht est précisément une technique de fuite, et de fuite qu'on savoure. Mahagonny est le symbole des littératures d'évasion, au décor exotique : ville paradisiaque dans un Texas lointain, étranger aux tribulations des hommes, où il y a « de la viande de cheval et de femme, du whisky et des tables de poker, de la salade fraîche et pas de patron ». Partout la peine et le travail, sauf à Mahagonny où il n'y a que le plaisir, capitale des villes d'opérette, car on ne trouve plus à s'amuser que dans ces villes-là. Brecht va plus loin encore : le plaisir apparaît sous sa forme historique présente, d'abord comme moyen d'évasion, ensuite comme marchandise. La ville paradisiaque de Mahagonny est aussi une ville-attrape, lancée à grand renfort de réclame, pour gober tous ceux fatigués de la réalité. L'analogie avec le théâtre est évidente : l'opérette est, elle aussi, une entreprise qui exploite la fatigue de la société et son besoin d'illusion. Or, toutes les grandes entreprises ont leur crise. Le septième tableau présente une statistique des crimes et des fraudes à Mahagonny. La ville miraculeuse reflète de plus en plus l'anarchie sociale et l'aliénation par l'argent de tous les rapports humains. Avec l'argent commence et finit l'amour, car « c'est l'argent qui éveille les sens ». L'analyse du plaisir, vie sexuelle, manger et boire, aboutit à une critique radicale de la société, et Mahagonny termine son existence dans le plus parfait chaos. Avec elle, l'opérette.

*
* *

A ce théâtre pour le plaisir, Brecht rêve de substituer un théâtre pour apprendre. L'effet de distanciation est porté avant toute chose par ce souci pédagogique. Le premier à l'appliquer est Mac Heath qui en séparant le chant de la parole, comme on sait, rend l'apparence à l'apparence et la réalité à la réalité. L'effet - V est alors identique à la critique du théâtre, provoquant le spectateur pour l'inviter à réfléchir sur sa situation. Mais cette critique du théâtre fut fêtée comme une réussite théâtrale : véritable succès d'opérette, et chacun siffle les rengaines.

C'est l'époque où Brecht crée un théâtre didactique, dont *La Mesure* est un excellent exemple. Trois agitateurs communistes revenus de Chine exposent devant un chœur qui joue le rôle de tribunal comment ils en sont venus à liquider leur jeune camarade, avec son accord, parce que sa sentimentalité le rendait irrécupérable et gênant pour une révolution efficace. Cette fois, l'effet - V est impliqué dans la situation même qui détermine la structure de la pièce : c'est un récit que présentent les trois agitateurs devant un tribunal qui doit se prononcer. Au présent dramatique, se substitue le passé épique. Ce qui se produit devant nos yeux a déjà eu lieu et se répète afin que nous en jugions. L'action s'étale devant nous comme les pièces d'un procès : elle est montée par la main d'un habile opérateur. Action reconstituée et repensée qui doit rendre sens ou preuve. Elle ne se déroule pas selon sa propre loi, comme dans le théâtre qui maintient la fiction d'un quatrième mur isolant la scène de la salle de spectacle. Elle est ouverte sur le public qu'elle veut convaincre d'une vérité ou amener à prendre parti.

Ce côté démonstratif détermine non seulement la structure interne, mais encore la forme même de la pièce. Ce ne sont plus des personnages réels qui agissent devant nous mais des comportements ou des attitudes objectivées qu'on

nous présente. Brecht souligne que son théâtre est un théâtre du geste et le geste
est ce qui, directement assimilable par l'entendement, remplace le sentiment qui
ne peut jamais faire preuve.

Or, le thème central de *La Mesure*, thème de l'engagement politique, correspond exactement aux intentions pédagogiques cristallisées dans la forme de la
pièce. Il est montré que le révolutionnaire, pour être efficace, c'est-à-dire révolutionnaire, doit faire abstraction de son visage, et de ses sentiments, qui composent sa personnalité. Ce qui est sentimental est opposé, au niveau des pièces
didactiques, à ce qui est raisonnable. Le révolutionnaire tuera en lui révolte,
indignation ou pitié, et se réduira à son geste : possibilité d'action dans les
mains du parti. A l'abstraction de la forme — le jeune mort sera représenté
successivement par les trois agitateurs porteurs d'un masque, donc il n'est
qu'une figure et non un héros — répond l'ascétisme de l'homme brechtien, sans
trait particulier, à qui reste la seule liberté de se soumettre. Symbolique est la
mort volontaire du jeune agitateur dans une carrière de plâtre, qui anéantira
son visage pour lui redonner la virginité d'une feuille blanche.

*
**

L'effet - V n'a de sens pour Brecht que dans cette perspective pédagogique
et démonstrative. Il consiste, répétons-le, à rendre la scène à la scène. C'est-à-
dire que, dans le théâtre brechtien, il n'est plus nécessaire de cacher les projecteurs pour donner l'illusion d'un espace réel qui serait la scène. Mieux vaut les
montrer, au contraire, pour que le spectateur ait l'impression d'un espace factice, organisé là à son intention. L'effet- V est également donné dans la structure même des pièces de Brecht, comme nous l'avons déjà aperçu : Il faut
souligner encore, dès *La Mesure* qui appartient à la période didactique, l'introduction d'un chœur-tribunal. Le chœur, par ses commentaires, arrache le spectateur à l'état de contemplation en le contraignant à réfléchir et à juger. Il
l'invite à se former une opinion, en appelant à l'aide sa propre expérience, à
contrôler l'action dramatique. Le chœur émancipe donc le spectateur du monde
représenté et du charme proprement spectaculaire de la représentation.

Le jeu de la distanciation se compliquera dans les grandes pièces de Brecht.
On a déjà dit qu'il consistait, par exemple dans *Mère Courage, La Bonne
Ame de Se-Tchouan* ou *Le Cercle de Craie,* dans un glissement perpétuel de trois
plans : le plan simplement réaliste de l'action dramatique, le plan lyrique de la
poésie et des songes, et le plan déjà philosophique où l'événement devient loi.
L'analyse du fait dramatique est ainsi poussée à la fois en avant, selon les règles de l'action, en largeur, selon celles de la poésie, et en profondeur, selon
celles de la réflexion. Le temps dramatique est perpétuellement suspendu et interrompu. Le jeu de la distanciation se multiplie et s'approfondit dans la mesure où ces trois plans, au lieu d'être en rupture radicale, s'emboîtent insensi-
blement l'un dans l'autre. Ainsi, quand la réflexion, au lieu d'être effectuée par
un meneur de jeu ou un chœur dépersonnalisé, s'intègre à l'action dramatique:

dans la dernière scène de *La Vie de Galilée*, Galilée lui-même revient sur son reniement, en tire la leçon pour son ancien élève Andréa Sarti, et ce qui avait été un acte de faiblesse ou de désespoir se transforme dans la bouche du maître en expérience profitable, diversifiée par les mille nuances d'un dialogue dramatique où s'affrontent les deux hommes. De même, les parties lyriques, au lieu de se superposer simplement à l'action, souvent la continuent : dans *Le Cercle de Craie*, où Grusche et son fiancé se retrouvent l'un en face de l'autre, le soldat au retour de la guerre, Grusche mariée pour l'amour de son fils adoptif à un rustre de paysan. Le dialogue s'arrête, et c'est le chanteur épique qui interprète, sur le mode poétique, les pensées des deux amants. Dans *La Bonne Ame de Se-Tchouan*, l'action dramatique nous est présentée non seulement sous cette triple perspective, mais encore avec les yeux de Shen-Ta, de Wang, et enfin des dieux. Cette multiplication des points de vue, ce passage continuel du dialogue à la poésie et à la réflexion générale, qui interrompt le cours des événements, empêche l'hypnose théâtrale, mais non l'émotion proprement dite, comme on le reproche au théâtre épique. Au contraire, elle l'amplifie, émotion multilatérale, et non plus à sens unique, qui au lieu de brouiller les yeux du spectateur, clarifie sa pensée et lui permet de s'emparer de l'œuvre, bien loin que l'œuvre s'empare de lui. Car cette perspective innombrable interdit toute identification et invite le spectateur qui en sait beaucoup plus que les personnages, à rire avec ceux qui pleurent, à pleurer avec ceux qui rient.

Les derniers commentaires de Brecht sur l'effet - V, éclairent davantage encore l'effet de distanciation et le fondent dans la nature même du monde brechtien qui, ne l'oublions pas, est pour l'auteur un monde scientifique porteur d'une vérité sociale vérifiable. Brecht en appelle à Brueghel, en particulier à son tableau *La Chute d'Icare*, modèle de peinture épique. Sur ce tableau, le spectateur non prévenu, cherche vainement le héros. Un pâtre garde ses moutons, un laboureur laboure, un pêcheur pêche, un navire rentre au port. Dans un coin, on découvre enfin deux jambes minuscules : ce sont les jambes du conquérant du ciel. Personne n'a remarqué Icare et chacun va à son travail. L'infinie petitesse d'Icare disparaissant dans les flots, est un paradoxe et une vérité sociale. C'est un paradoxe parce que, nous approchant du tableau, nous croyons découvrir un héros qui envahit la toile et nous n'apercevons que deux bouts de jambes : le peintre provoque l'attention, c'est un artifice pédagogique, comme tout paradoxe. Mais cet artifice pédagogique est fondé lui-même sur une vérité sociale qu'il démontre : Icare est venu trop tôt dans un monde qui n'a pas encore besoin de lui et donc ne le voit pas. L'héroïsme est ici mesuré à son utilité sociale. Il y a contradiction entre les besoins de la société et le progressisme d'Icare. L'effet de distanciation résulte de cette contradiction.

L'opérette qui simule l'harmonie pour satisfaire une masse avide de compenser par un peu de rêve le chaos social, est directement opposée au principe de contradiction sur lequel repose le théâtre de Brecht. L'effet - V est donc non seulement pédagogique mais encore démonstratif. Loin d'être un simple procédé formel, c'est une méthode d'analyse qui décèle l'incohérence du monde et prouve le caractère illogique, donc stupéfiant, déconcertant de ce qui nous semble habituel. Les principaux effets - V dans *Mère Courage* ou *La Bonne Ame de Se-Tchouan* résultent de la contradiction qui habite les personnages. Ils sont fondés, en conséquence, dans la fable même, qui est censée nous donner une image de la société. Anna Fierling est à la fois une mère et une commerçante : dans la dernière scène, elle confie aux paysans le cadavre de sa fille, afin qu'ils prennent soin de l'enterrer, leur tend sa bourse entière pour les remercier, puis trouvant qu'elle donne trop, reprend quelques ducats. Notre émotion devant sa douleur de mère, qui n'en est pas moins réelle, et que nous ressentons avec elle, est aussitôt dirigée par cet effet - V et loin de nous faire oublier le sens de la fable, elle nous y ramène. De même, *La Bonne Ame de Se-Tchouan* est partagée entre sa bonté et la nécessité de vivre, donc d'exploiter autrui. Cette schizophrénie sociale est symbolisée par le jeu de masques, qui lui donne, selon les nécessités de l'heure, les traits de son implacable cousin Shui-Ta. Mais sous Shui-Ta, Shen-Te continue à palpiter, et la mélancolie de l'amante ne cesse de distancer la méchanceté du cousin.

L'effet - V qui résulte lui-même des catégories si brechtiennes, du compromis et de la capitulation, a donc pour but d'expliquer la fable, qui est l'image des contradictions de notre société. Brecht ne veut rien dire d'autre, lorsqu'il demande à ses acteurs, non pas d'incarner leurs personnages, mais de les montrer. Car l'acteur exécute sur scène une démonstration de la fable, et non pas un numéro de métempsychose. Il n'essaie pas de cacher au spectateur qu'il joue son rôle tous les soirs et connaît la fin de la pièce, car c'est en fonction de la pièce tout entière qu'il conçoit et interprète son rôle. Son jeu, qui est une représentation, n'est pas situé dans le présent dramatique. Non qu'il refuse de donner à son rôle une passion, ou d'être son personnage, mais il l'est à bon escient et non pas à tout propos. D'un méchant, il montrera la méchanceté et ne l'incarnera pas, car il la désapprouve : c'est pourquoi les princes et les riches du *Cercle de Craie* portent des masques. Mais Angelica Hurwigz ne pourra pas refuser, dans la dernière scène de *Mère Courage*, toute sa chaleur humaine au personnage de Catherine. La technique de jeu selon Brecht, n'est pas opposée à celle de Stanislavsky, elle la complète, de même que le théâtre épique n'est pas un refus du drame, mais son dépassement.

A l'acteur revient un rôle essentiel : il est l'intermédiaire entre la fable et le spectateur, il est le démonstrateur, le professeur dont nous parlions au début. Tantôt il se donne à son personnage, tantôt il se refuse à lui, et garde toujours les yeux fixés sur le spectateur autant que le spectateur peut avoir les yeux fixés sur lui. Comme un maître au tableau noir est sans cesse entre sa figure de géométrie et la classe qu'il entraîne dans la démonstration. Plus encore, Brecht demande à son acteur qu'il montre au spectateur, non seulement la chose, mais encore le geste de montrer. De même que le but de la démonstration est d'apprendre à l'élève, non pas la chose à démontrer, mais la démonstration elle-même. C'est pourquoi Brecht exige de ses acteurs, qu'ils soient maîtres des sciences sociales, capables de déceler les contradictions inhérentes à notre monde.

*
**

L'effet - V, méthode de démonstration, a en dernier lieu une fonction politique. Le spectateur du théâtre dramatique, suggère Brecht, se dit : « Oui, j'ai déjà senti cela. C'est ainsi que je suis. Ce n'est que trop naturel, ce sera toujours ainsi. La souffrance de cet homme m'émeut, parce qu'elle est sans issue. C'est du grand art : tout est évident dans ce théâtre. Je pleure avec ceux qui pleurent, et ris avec ceux qui rient ». Le spectateur du théâtre épique : « Je n'avais pas pensé à cela; ce n'est pas ainsi qu'il faut faire, c'est stupéfiant et incroyable, cela doit cesser; la souffrance de cet homme m'émeut, parce qu'il serait possible de trouver une issue; c'est du grand art, rien n'est évident; je ris avec celui qui pleure et pleure avec celui qui rit ».

L'évidence est un refus de comprendre : elle éblouit et empêche de voir. Certaines souffrances semblent évidentes, c'est-à-dire inchangeables, éternelles, parce que nous refusons d'en voir les causes. Mais le spectateur saura les apercevoir : c'est la guerre qui tue les enfants de la Mère courage, et la guerre ne tombe pas du ciel, elle est entre nos mains, entre les mains de la Mère Courage, dont les petits profits reflètent ceux des gros qui la déclenchent. Les flèches qui tuent les enfants de cette Niobé moderne, ne viennent pas des dieux mais des hommes, et elle-même a tenu l'arc. Brecht reproche donc à la mise en scène de Zürich d'avoir fait de la mère Courage, sa fille morte sur les genoux, une nouvelle Pieta, incarnant le tragique absolu. Ce tragique est au contraire relatif et explicable, comme nous le fait comprendre le jeu avec les ducats que Hélène Weigel a mis au point.

L'effet de distanciation est un procédé courant de l'art comique. Effectivement, le théâtre de Brecht relève de l'esprit comique, fidèle à la pensée de Marx selon laquelle « l'humanité se séparera en riant de son passé ». L'effet - V aide à comprendre l'incompréhensible et encourage à changer l'inchangeable. Le spectateur aperçoit une issue là où le personnage est crucifié par la contradiction. L'idée de destin est nécessairement liée à une certaine esthétique théâtrale. La réforme brechtienne est animée par un appel à notre liberté : liberté non pas toujours des personnages, mais certainement des spectateurs. L'échec des héros préfigure la victoire des hommes.

Si la mère Courage s'épuise dans la capitulation ou Galilée dans le compromis, c'est qu'ils n'ont pas le courage ou l'intelligence de faire ce qui est demandé au spectateur : se dégager, comme Matti se dégage de son amitié avec Puntila. Ce « dégagement » peut n'être pas sans souffrance : c'est un ascétisme de la raison. Anne Fierling perd tout en voulant tout gagner. Elle veut à la fois gagner des sous et garder ses enfants, profiter de la guerre sans y laisser des plumes, comme la folle Grete de Brueghel, qui tâche de faire du butin aux portes de l'enfer. Elle n'a pas compris ou pas voulu comprendre que le bonheur est au prix d'un renoncement nécessaire. Le renoncement brechtien par excellence, qui marque l'œuvre et le personnage, est le renoncement à la bonté, comme la pratique Jeanne d'Arc aux abattoirs. Il faut choisir entre la bonté et la politique, pour la politique raisonnable contre la bonté aveugle. Variation sur le thème de *La Mesure,* l'opposition entre sentiment et raison. L'homme semble doué de bonté pour Brecht : son œuvre ignore le mal, tout au moins la culpabilité au sens chrétien du mot. Mais la société est mauvaise. Il faut, pour la réformer, prendre le masque du politicien. L'homme de Brecht aimerait s'épanouir dans une harmonie primitive des instincts et de la raison, de l'intérêt particulier et de l'intérêt général, dans le grand courant d'une bonté surtout biologique mais déjà chrétienne. Mais la bonté, comme l'apprend Shui-Ta, conduit elle-même à son contraire : devant cet échec, le spectateur doit apprendre la nécessité du choix. La plupart des personnages de Brecht restent en chemin, à ce point où la liberté humaine est écartelée comme la *Bonne Ame de Se-Tchouan* qui s'écrie qu'on la partage en deux.

*
* *

Voilà ce que Brecht enseigne avec sagesse et amitié. Car c'est l'amitié qui est le dernier ressort de ce rapport de maître à élève, ou de sage à disciple que nous discernons dans son œuvre. C'est elle qui convainc Lao-Tsé d'écrire et de livrer son œuvre à un douanier curieux : sans la curiosité de ce dernier, et l'amitié qu'elle inspire à Lao-Tsé, ce monument aurait été perdu. Cette amitié s'exprime totalement dans le rapport objectif et non sentimental de maître à élève. On la reconnaît extérieurement à une certaine gaîté, à une vigilance de toutes les facultés. Cette légère tension de l'esprit et cette saine insouciance de l'âme caractérisent Galilée et Andréa Sarti dans la première scène de la pièce. Tous deux semblent jouir de leur propre patience, la patience d'Andréa devant son professeur, la patience de Galilée devant son élève.

Shen-Te définit ainsi l'amitié :

Vraisemblablement, les hommes montrent volontiers ce qu'ils savent, et comment pourraient-ils le montrer mieux que par leur amitié. La méchanceté n'est qu'une sorte d'inhabileté. Lorsque quelqu'un chante un chant, ou construit une machine, ou plante du riz, c'est à vrai dire de l'amitié.

Etre amical est donc montrer ce que l'on sait pour le grand bien de tous. C'est donc l'amitié qui sauvera le monde, comme il nous est donné à comprendre dans *La Vie de Galilée :* la pièce se termine sur une perspective d'espoir, grâce à la restitution de ce rapport maître-élève, qu'avait détruit la démission de Galilée. Dans la treizième scène, Andréa Sarti rend visite à son maître prisonnier de l'Inquisition. Peu à peu, les cœurs et les bouches se délient. Galilée se permet d'expliquer quelle faute il a commis, en privant la vérité de son efficacité politique. Or cette faute reprend sens dans la mesure où le maître a l'occasion d'en exposer la portée à l'élève retrouvé, dans la mesure où, dans la bouche du maître, elle se transforme en expérience transmissible et utilisable. Sarti sauvera tout l'enseignement du maître, les *Discorsi* d'une part, donc sa science, et d'autre part la façon d'utiliser cette science. C'est grâce à l'amitié que les temps nouveaux annoncés dans *Galilée* deviendront un jour réalité.

Cette sagesse que Brecht prétend nous livrer, elle consiste moins dans une vision du monde que dans une invitation au progrès : elle n'est pas de contemplation mais d'action. « Le véritable progrès, dit-il quelque part, n'est pas d'être avancé, mais d'avancer. Le véritable progrès est ce qui contraint à progresser encore ». *Le Cercle de Craie du Caucase,* la seule pièce réellement positive d'un théâtre d'abord critique, nous aide à définir plus exactement cette notion de progrès. *Le Cercle de Craie* est moins une réflexion sur une nouvelle sorte de maternité sociale et non plus biologique, qu'un approfondissement de l'idée de justice. L'histoire du cercle de craie sert uniquement de fable, destinée à illustrer, sous les yeux de deux kolkhoses, le partage amical d'une vallée fertile. Dans l'apologue, la véritable justice qui attribue l'enfant à Grusche, est entrevue comme un rêve, introduite par une série de circonstances qui expliquent l'apparition météorique et combien improbable du juge des pauvres, Azdak. Dans la dispute pour la vallée, au cours de laquelle cette dernière est attribuée à ceux qui sauront la faire fructifier davantage, la justice est fondée au contraire dans une forme de société. La nouvelle manière, non pas de rendre une justice abstraite, mais de prendre des décisions raisonnables en fonction d'une situation donnée, n'est pas limitée dans la société annoncée par Brecht à cet exemple. Si maintenant on cherche l'essence de cette justice, et donc de cette société tout entière, on se reportera aux répliques suivantes : à l'argument de la déléguée du kolkhose Galinsk: « d'après la loi, la vallée nous appartient », répond une femme du kolkhose adverse, « il faut vérifier les lois, voir si elles sont encore justes ». Le caractère progressiste du juge Azdak vient de ce qu'il sait déceler l'inanité de la loi établie, au lieu de juger selon la lettre; le caractère progressiste des paysans du kolkhose vient de ce qu'ils agissent contre la loi. Dans la nouvelle société, c'est le dogmatisme qui est illégal. L'essence même du progrès consiste non dans une vision déterminée du monde, mais dans la volonté de le changer pour que la justice y devienne quotidienne. Cette justice elle-même, comme le montre la fable du *Cercle de Craie,* ne constitue pas un droit nouveau mais détermine de nouveaux devoirs. Les dimensions pédagogique et politique de l'œuvre de Brecht ne sont que les deux faces d'un même désir.

DISCUSSION

Mme MERCIER-CAMPICHE. — Chez Brecht il y a toujours un recours à l'amitié, et je crois que c'est apporter là une solution morale plutôt que politique.

IVERNEL. — Sans doute y aurait-il une révolution à esquisser, de l'intransigeance de *La Mesure* à cette reconnaissance de l'amitié. De toute façon, l'amitié n'est pas seulement un phénomène moral, mais pratique, car c'est elle qui permet la transmission de la vérité, le rapport du maître à l'élève n'étant possible que par cette amitié, qui n'est pas un rapport sentimental, mais un rapport objectif. Elle consiste à montrer ce que l'on sait. Un homme est amical lorsqu'il montre ce qu'il sait, lorsqu'il chante s'il sait chanter, lorsqu'il plante du riz s'il sait le planter. C'est une extériorisation des facultés qui nous rendent dignes de la société.

JACQUOT. — Vous avez rappelé que dans ses mises en scène de Shakespeare ou de Schiller Brecht se montre très irrespectueux du passé, qu'il change complètement les perspectives dans lesquelles le créateur a situé les personnages.

IVERNEL. — Par exemple, dans *Roméo et Juliette,* il intercale deux scènes à l'usage de ses acteurs. Dans la première, Roméo presse son fermier d'acquitter ses dettes, afin qu'il puisse faire à Juliette les cadeaux que lui doit sa galanterie. « Paie, dit-il, je brûle d'amour ». A quoi le fermier répond : « Et moi j'ai faim ». Dans la seconde scène, Juliette, pour ne pas manquer son rendez-vous avec Roméo, fait manquer celui de sa servante avec Thurio son amant. Ici, le fermier ou la servante n'ont pas pour fonction de prolonger dans le registre comique l'amour des héros, comme dans Molière, mais d'en montrer les incidences et les composantes sociales. Brecht demande à son acteur d'être critique à l'égard de cette passion absolue, et si possible de l'aborder avec les yeux du pauvre, comme une passion de riche, qui prétend s'abstraire de la société, mais qui en réalité prospère sur son imperfection. Roméo et Juliette n'apparaissent plus alors taillés dans l'unique bloc de leur passion, ils sont aussi les serviteurs de leur propre intérêt. La contradiction diversifie le monolithisme des caractères et des sentiments. Cette psychologie de la contradiction est pour Brecht la marque des temps modernes. Il n'est pas irrespectueux du passé, mais attentif au présent.

JACQUOT. — Pourtant il ne se contente pas de modifier l'œuvre de Shakespeare sur des points dont la signification et l'importance peuvent varier avec le temps, il en altère la conception même. Car si l'on peut hésiter sur la manière d'interpréter tant de personnages shakespeariens, Roméo et Juliette n'offrent aucune ambiguïté. Ils resteront toujours les amants exemplaires victimes d'un sort contraire, et sacrifiés à la guerre de deux clans. Non pas le « couple idéal » d'une littérature rose. Roméo est peint avec son exaltation, ses défaillances, ses dangereux mouvements de désespoir. Juliette parle avec la même franchise de sa « virginité sans tache » et des joies nuptiales qu'elle attend de tout son être. La présence drue de la nourrice n'atténue à aucun moment aux yeux du spectateur la force et la vérité de cette passion, bien que le lyrisme le plus intense soit le seul langage qui lui convienne. Et précisément le lyrisme est ce qu'on ne peut atténuer dans l'œuvre sans la trahir. Ce que Brecht semble tenir pour un « égoïsme à deux », Shakespeare le conçoit comme une générosité, un don mutuel, un mouvement plus fort que l'instinct de conservation. L'injustice et l'oppression dont on peut parler dans cette pièce naissent d'une conspiration des chefs de deux puissantes familles ennemies pour étouffer un amour qui devrait les réconcilier et ramener la paix civile. Je ne vois pas comment les scènes « intercalaires » dont vous parlez peuvent s'insérer dans la trame de cette œuvre ni en quoi elles peuvent aider les acteurs. Pour une pièce comme *Coriolan* qui met en scène des conflits sociaux historiquement bien définis, un travail de ce genre peut se discuter, mais il est dramatiquement concevable. Pour *Roméo et Juliette* Brecht n'avait d'autre recours que d'écrire une nouvelle pièce sur les amants de Vérone. Cela aurait été plus clair et plus honnête. De même il aurait dû écrire une nouvelle *Marie Stuart,* au lieu de prêter aux deux reines la langue des poissonnières. Car s'il dénature la pensée et le style, que reste-t-il de Schiller ?

IVERNEL. — A vrai dire, la scène prise en exemple est cette nouvelle pièce que vous souhaitez. La dispute des poissonnières n'est qu'*une* transposition, et non pas *la* traduction prolétarienne de la dispute des reines. D'autre part il s'agit seulement d'un exercice pour les acteurs, qui peut être également un clin d'œil au metteur en scène. Confrontant les textes, l'acteur se rend compte d'abord que les deux reines se battent comme des poissonnières, mais en vers classiques. Ensuite que même des poissonnières se battent pour autre chose que le plaisir, en l'occurence pour le commerce. Cela ne veut pas dire que les deux reines se disputent aussi pour une simple affaire de sous. Il n'est pas question de remplacer un texte par l'autre, mais de tirer profit de leur comparaison. L'acteur est invité à chercher l'objet de la querelle elle-même. Ces exercices prouvent d'abord le soin que Brecht attache à la formation de ses interprètes.

Sans doute peuvent-ils laisser entrevoir une nouvelle mise en scène de tout notre héritage culturel, déjà suggérée dans les scènes intercalaires de *Roméo et Juliette*. Mais les mises en scène de Brecht sont en général de véritables créations, qui entrent dans la liste des œuvres complètes de l'auteur. Il faudrait expliciter ce qu'est la véritable perspective historique d'une œuvre. Il n'y a d'histoire que pour un sujet, qui est lui-même dans l'histoire. Le passé n'existe que par le présent. Cette réflexion sur les rapports du passé et du présent est à chaque page des œuvres théoriques de Brecht. Elle pose, sous son aspect le plus profond, le problème du public.

JACQUOT. — Ces exercices à l'usage des acteurs ne tirent pas à conséquence s'il s'agit d'une expérience parmi d'autres. Mais la perspective d'une révision totale de notre héritage culturel sur le modèle des scènes intercalaires dont vous parlez est peu réjouissante ! C'est sans doute cela qu'un autre exégète appelle l'« aliénation sociologique des grandes œuvres du passé » ! Mais l'histoire est d'abord connaissance : il y a des données objectives qu'on ne peut juger si on commence par falsifier les témoignages. On peut interpréter l'histoire mais non la refaire.

L'histoire officielle, révisée au fur et à mesure des besoins d'un état ou d'un parti, tend à détruire toute possibilité de connaître le passé et à lui substituer un mythe transformable.

On connaît l'embarras de certains critiques, et de Brecht lui-même, devant ses œuvres anciennes. On a récemment tancé Hans Schalla pour n'avoir voulu — ou pu — donner l'*Opéra de quat'sous* dans sa version révisée. Le succès de l'œuvre n'était pas seulement dû à la satire lucide dont vous avez si bien parlé, mais aussi à la séduction équivoque de la pègre, à la *stimmung* obsédante et nostalgique des refrains de Kurt Weill. Brecht était-il lui-même assez détaché de son personnage ? N'était-il pas tenté, dans certaines scènes, par un reste de révolte négative, de rendre malgré tout sympathique le mauvais garçon condamné pour ce que font impunément les riches et les puissants ? Dans d'autres scènes, comme celle ou Mac Heath célèbre avec le chef de la police la fraternité des armes, Brecht, par une intuition admirable, fait entrevoir quels services rendront dans les S.S. les petits gangsters de ce genre. La brutalité de Hans Messemer dans ce rôle, volontairement ou non, soulignait cela et la mise en scène de Schalla, encore saturée d'expressionnisme, évoquait une Allemagne dont on ne savait si elle deviendrait rouge ou brune. L'honneur de Brecht, à cette croisée des chemins pour les dramaturges de sa génération dont parlait M. Demange, est d'avoir écrit, avec *Grand'peur et misères du III⁰ Reich,* une pièce qui n'a pas vieilli, qui demeure actuelle partout où menace de s'imposer la torture et la délation. Ses plus grandes pièces, *Mère Courage, Le cercle de craie, La bonne âme de Se-Tchouan,* n'ont pas, que je sache, exigé de révision. Mais il nous importe de savoir d'où vient Brecht, de situer ses œuvres dans sa propre histoire, et dans celle de son temps.

Au départ il y a chez lui une révolte, contre toute prétention à l'idéal, propre aux années de débâcle qui suivirent la première Guerre mondiale, et qui tend à démasquer partout l'hypocrisie, à tout ramener au mobile le plus bas. « D'abord la bouffe, la morale après », cela peut conduire à la négation de toute morale, ou à une morale qui exige pour tous le minimum de sécurité matérielle nécessaire à la dignité humaine. Je ne doute pas que Brecht ait fini par opter pour le second sens, bien que ni *Baal,* ni *Tambours dans la nuit,* ni même l'*Opéra,* ne le laissent prévoir. Mais dans la perspective politique qu'il a choisie cette sécurité, cette dignité ne peuvent s'établir que dans un avenir lointain, au terme d'une lutte implacable. Et pour y parvenir il faut résister à la tentation de la bonté. *La Mesure* prend à cet égard la valeur d'une démonstration par l'absurde. Peut-on discuter calmement de pédagogie et d'effet-V devant le plaidoyer des agitateurs chinois qui ont liquidé leur camarade ? Il s'abandonnait à la pitié pour les travailleurs, à l'indignation contre la brutalité policière, à la colère contre les trafiquants au lieu de se borner à exécuter les consignes; il fallait donc annihiler ce visage incapable d'arborer le masque du robot. Cette déshumanisation des mobiles, dans une lutte primitivement destinée à instaurer la dignité humaine, est le drame capital de notre temps. *La Mesure,* quoi que Brecht ait voulu prouver, a au moins le mérite de poser le problème avec une rigueur exemplaire. Même si Brecht se montre plus ironique et plus bonhomme lorsqu'il place le masque d'une ruse bien chinoise sur la figure de la gentille prostituée de Se-Tchouan, on peut difficilement oublier cette abominable oblitération du visage humain dans *La Mesure.*

Pour revenir à notre propos, la querelle poissarde d'Elisabeth et de Marie Stuart, imaginée par Brecht, veut montrer que tout se réduit en ce monde à un conflit d'intérêts. Chez Schiller la situation est tragique en ceci qu'Elisabeth tient Marie à sa merci: nulle autre force que sa conscience ne saurait l'empêcher d'abuser de sa puissance. De même rien de matériel ne peut empêcher les Capulet et les Montague de sacrifier leurs enfants à leur haine de clan. Et il faut que ceux-ci risquent et trouvent la mort plutôt que de renoncer l'un à l'autre pour que les parents prennent conscience de leur tragique erreur et restaurent la paix civile. Ceci nous amène à une autre conception de *La Mesure* que n'ignoraient ni les Grecs, ni l'auteur de *Mesure pour mesure.*

IVERNEL. — Je voudrais reprendre votre intervention au point où vous me faites un gros reproche de légèreté dans l'analyse de *La Mesure.* Si j'ai abordé l'analyse de la pièce du point de vue de la forme, c'est que la pièce elle-même me semblait assez formelle. Je crois que là-dessus je rejoins votre critique, et pas plus que vous je ne consens à mépriser les dangers du formalisme, qui aboutit bien à cette déshumanisation des mobiles dont vous parlez. Les marxistes orthodoxes, d'ailleurs, n'ont pas manqué d'adresser le même reproche à *La Mesure.* Dans son gros livre, Schumacher fait la somme des critiques de gauche : elles concluent, et il conclut avec elles, que ce conflit sentiment-raison est typiquement petit-bourgeois, et peu dialectique.

Ce formalisme de la période didactique, j'ai tenté de l'expliquer. Brecht a eu l'impression d'avoir été trompé par le succès qu'on a fait à *L'Opéra de quat'sous,* critique du théâtre qui fut fêtée comme une réussite théâtrale. Ce n'est pas la pièce qui a conquis la bourgeoisie, mais la bourgeoisie qui a conquis la pièce. Je crois ici vous rejoindre de nouveau : le succès de *L'Opéra de quat'sous* n'a pas été dû à la satire lucide dont j'ai parlé, mais bien à l'ambiguïté de la pièce que vous soulignez. « D'abord la bouffe, la morale après » a très bien pu être interprété comme la négation de toute morale et la justification même des coureurs de profit. Si de la même façon je ne me suis pas arrêté sur l'expressionnisme du jeune Brecht, sur ce qui, dans cette œuvre, est d'un temps et d'une époque, c'est que je voulais traiter cette œuvre comme un tout, à partir des deux composantes, qui me semblent toujours fondamentales, de la pédagogie et de la politique.

J'ai pensé que le didactisme de la seconde période nous aidait justement à comprendre l'ambiguïté de la première, de la même façon que l'humanisme des grandes œuvres nous aide à comprendre (c'est-à-dire *conserver* et *dépasser*) le didactisme de *La Mesure*. Ainsi j'ai voulu accentuer ce que *La Mesure* nous faisait savoir de *L'Opéra de quat'sous*.

Pour revenir au formalisme de *La Mesure*, je crois pouvoir en éclairer la portée à l'aide d'une pièce qui appartient à la même période créatrice de Brecht : *der Jasager-der Neinsager*. *Der Jasager, Celui qui dit oui*, est de la même façon l'histoire d'un garçon qui consent à mourir pour satisfaire à la nécessité. La pièce fut jouée devant plusieurs classes d'enfants. On enregistra leurs réactions, et devant ces réactions, Brecht conçut une seconde pièce, *Celui qui dit non*, où le héros cette fois refuse de mourir : devant ce refus, ce qu'on appelait dans la première pièce nécessité est dévalué au rang d'un précepte traditionnel qu'une attitude courageuse permet d'abolir. Cette fois le courage consiste à vivre, et non plus à mourir, cette fois la vie défie la soi-disante nécessité de mourir. L'existence de ces deux pièces apparemment contradictoires nous permet de mettre en doute la valeur définitive du message contenu dans *La Mesure*. C'est la raison pour laquelle, encore une fois, nous nous sommes permis d'aborder cette pièce d'un point de vue surtout formel.

Dans *Celui qui dit oui, Celui qui dit non*, nous voyons Brecht surtout à la recherche de son public, prêt aussi bien à l'enseigner qu'à tirer de lui son enseignement. L'extrêmisme de *La Mesure* a d'abord la signification d'une rupture. Rupture avec le public bourgeois de 1927 qui applaudit dans *L'Opéra de quat-sous* ce qui s'y trouve malgré la volonté de Brecht : cette ambiguïté même. *La Mesure*, c'est le refus de l'ambiguïté, par l'adresse à un nouveau public. Mais ce nouveau public ne le condamne pas pour cela à un simplisme politique marxiste : Brecht n'en reste pas à *La Mesure*. Déjà le *Jasager-Neinsager* laisse entrevoir un rapport nouveau avec le spectateur qui dépasse de beaucoup un didactisme élémentaire. Plus tard enfin, l'ambiguïté ne sera plus dans l'œuvre, mais dans les personnages eux-mêmes : c'est le principe de cette schizophrénie sociale dont nous avons parlé. C'est alors que l'effet-V sera effective-intégré au contenu même du théâtre brechtien.

AUBRUN. — Il me semble qu'il y a une confusion constante dans l'esprit de Brecht entre les métiers du metteur en scène et de l'auteur. Que le metteur en scène se propose de former, d'éduquer, d'interpréter les œuvres d'autrefois, cela va de soi, mais je crois que l'auteur, lui, a des rapports dialectiques différents avec le public. Il semble que Brecht n'admette pas qu'un auteur soit engagé dans des relations spécifiques avec son public. Même admet-il qu'une pièce puisse avoir plusieurs interprétations ?

IVERNEL. — Certainement les pièces de Brecht ont eu plusieurs metteurs en scène, plusieurs interprétations, et différents publics. Et ceci non pas malgré Brecht, mais avec Brecht. Lui-même remanie sans cesse ses œuvres en fonction du public, car c'est en fonction de lui qu'elles sont conçues. Par exemple le public de l'Est n'est pas le public de l'Ouest, le public d'aujourd'hui n'est pas celui d'hier. A Francfort, *Le cercle de craie* a été joué sans le prélude, en Allemagne de l'Est avec ce même prélude, qui d'ailleurs me semble essentiel à la véritable intelligence de la pièce.

AUBRUN. — C'est un fait que certains auteurs ne s'intéressent pas à la mise en scène de leurs pièces ou n'ont pas écrit pour le public que vise le metteur en scène.

IVERNEL. — Cette différence entre auteur et metteur en scène existe pour Brecht. Mais il n'en reste pas moins que chaque mise en scène est comme une récréation de l'œuvre en fonction d'un public. L'histoire d'une œuvre, que l'auteur le veuille ou non, se confond avec celle des publics qu'elle a eus.

AUBRUN. — Etant donné qu'il y a chez lui confusion des deux métiers, c'est Brecht metteur en scène qui dicte son œuvre à Brecht auteur.

IVERNEL. — Brecht ne met pas toujours en scène ses œuvres; il lui arrive de faire appel à d'autres metteurs en scène; et même lorsque c'est lui qui fait la mise en scène il opère un véritable travail d'équipe avec de jeunes metteurs en scène qu'il a formés, et avec les acteurs. Car pour lui une mise en scène est une œuvre collective. Et il y a même certaines de ses premières pièces qui sont signées de trois ou quatre noms. L'acteur aussi a pour lui une très grande importance, c'est un personnage auquel il ne faut pas toucher, sur qui repose tout le poids de la pièce, comme j'ai essayé de le montrer. Le metteur en scène n'est pas le tyran de l'auteur. Il n'est lui-même qu'un délégué.

AUBRUN. — Brecht veut créer ainsi un ensemble caractérisé par des relations très précises entre acteur, metteur en scène, public dans une certaine conjoncture historique. De fait il invente, tout comme les autres un jeu entre gens de théâtre et amateurs de théâtre. Certains publics impliqués dans cette même conjoncture historique qu'ils sentent et conçoivent différemment, peuvent ne pas accepter ses schémas faussement objectifs, peuvent tourner volontairement le dos à *son* théâtre et ne pas entrer dans *son* jeu.

IVERNEL. — Un public qui tournerait le dos au théâtre n'est pas un public, mais une absence de public. Maintenant Brecht n'ignore pas qu'il n'existe pas de public homogène dans notre société transitoire. Il dit à son acteur, pensez bien que vous n'avez pas *un* public devant vous, mais un public qui reflète une image de la société habitée par la lutte des classes. L'acteur doit tenir compte d'un public double, et redoubler son mode d'expression.

AUBRUN. — Quelle magnifique assurance de posséder la vérité et quel souci de l'inculquer, à la façon du *magister,* aux myopes et aux égarés. Y a-t-il Lukacs derrière tout cela ?

IVERNEL. — C'est possible. Brecht a pris son bien où il le trouvait. Son œuvre est de seconde main et sa psychoesthétique est empruntée : ni à Lukacs, ni à Marx, ni à Freud, mais à tous. Il est certain que ses théories esthétiques, ou anti-esthétiques, ne sont pas de sa seule invention, mais s'intègrent dans un vaste mouvement. Les théoriciens les plus proches de la dialectique brechtienne restent à mon avis Walter Benjamin et Adorno.

LA POLITIQUE THÉÂTRALE RUSSE ET LE RÉALISME

par Nina GOURFINKEL

Au moment où éclatait la Révolution de 1917, la Russie connaissait la période sans doute la plus intense de sa vie théâtrale. Cet « âge d'or » qui devait durer plus de trente-cinq ans, à compter de 1898, date de la fondation du Théâtre Artistique de Moscou, avait été préparé par le cours rapide et tumultueux du xixᵉ siècle russe, lorsque les problèmes littéraires et théâtraux prirent une importance qu'ils n'eurent jamais en aucun autre pays. Sous l'étouffoir tsariste, toute expression directe de la pensée critique était restée impossible, depuis que Catherine II avait fait pourrir en Sibérie Radistchev, le premier essayiste russe qui osa parler de son pays sans user de circonlocutions protectrices. Alors, les moralistes, les philosophes et, à plus forte raison, les sociologues, prirent l'habitude de s'exprimer sous forme d'études sur les lettres ou le théâtre. C'est à propos des poèmes de Pouchkine, des œuvres de Gogol ou de l'interprétation d'*Hamlet*, que Bélinski, célébré aujourd'hui en U.R.S.S. comme un grand précurseur de la Révolution, jeta les bases de l'idéologie de l'intelligentsia.

Ce fait capital de la formation d'esprit russe coïncidait avec la découverte par la nation de son génie propre. Jusque là, c'est-à-dire jusqu'au deuxième tiers du siècle passé, la Russie avait vécu d'une existence imitative, à la remorque de l'Occident. Il fallut que Bélinski expliquât en quoi les vers de Pouchkine et la prose de Gogol étaient enfin originaux, uniques. Il le fit en mettant en lumière les éléments spécifiques de ces œuvres, nées des réalités nationales. C'est par le réalisme que la Russie devenait russe. Mais si ce réalisme se présentait — et se présente encore — comme une des clés à qui veut comprendre la Russie, c'est justement parce que, à la fois social, politique et artistique, il était moins un style d'art qu'un style de penser, une *Weltanschauung*. Au fond, en 1957, la question ne se pose pas tellement différemment qu'elle se posait en 1837. Après quarante ans de régime soviétique, les impératifs permanents de la « Russie éternelle » apparaissent de plus en plus nettement sous leur revêtement neuf. Nous allons suivre cette ligne continue sur l'exemple de la politique théâtrale qui, en Russie plus qu'ailleurs, est caractéristique de sa société.

Un théâtre de classe.

Introduit en 1672, par un ukase du tsar Alexis, père de Pierre le Grand, comme un divertissement de cour, le théâtre russe répond à cette définition jusqu'en 1917 sur les scènes impériales, son secteur privilégié. Monopolisées et bureaucratiquement gérées par le ministère de la cour — qui s'occupe également de l'entretien des palais, des serres et des écuries — ces scènes sont destinées d'abord à servir le prestige de l'empire. En conséquence, l'opéra et le ballet (à Pétersbourg, le Théâtre Marie, à Moscou, le Bolchoï - Grand Théâtre) auront toujours la priorité sur le drame (à Pétersbourg, le Théâtre Alexandrine et le Théâtre Michel, qui a une troupe française permanente, à Moscou, le Maly - Petit Théâtre).

Sont-ce les débuts mordants de la comédie satirique russe du XVIIIᵉ siècle qui ont rendu les autocrates méfiants ? Toujours est-il qu'ils eurent vite compris que la scène pouvait devenir une arme puissante de l'opinion, et ils ne cessèrent de veiller à ce qu'elle demeurât un divertissement réservé à un public restreint de privilégiés. Ses portes ne s'ouvraient que parcimonieusement à la ferveur des vastes couches de la population. Cette attitude se précisa sous Alexandre Iᵉʳ, à l'époque des premières et timides tentatives de créer une presse théâtrale. En 1815, tout à fait dans l'esprit de la Sainte Alliance, il est interdit de publier des comptes-rendus des spectacles. (Cette interdiction sera partiellement levée en 1826, au profit de quelques périodiques « sûrs »).

Le monopole atteint son apogée sous Nicolas Iᵉʳ (1825-1855). Ce « gendarme sur le trône » se méfie du pouvoir dramatique au point de s'instituer personnellement censeur théâtral en chef. Systématiquement, il pratique ce qu'on pourrait désigner comme une *politique du vaudeville.* Ce genre envahit la scène. La presque totalité des pièces qu'on y joue sont adaptées du français, mais la version russe les a privées des traits satiriques ou frondeurs que le vaudeville tient de ses origines révolutionnaires. Des mélodrames invraisemblables, sans parler de quelques pièces patriotardes, viennent compléter ce répertoire insipide. C'est contre ces « jouets fades et incolores » que devra lutter Gogol pour affirmer les droits de la comédie. « *Jamais on n'a autant parlé de naturel,* s'écrie-t-il, *et l'on nous sert comme par un fait exprès le comble du difforme (...). C'est du russe que nous demandons ! Qu'on nous donne ce qui est à nous ! Qu'avons-nous à faire des Français et de toute cette gent exotique ? N'avons-nous pas assez d'êtres humains, chez nous ? Donnez-nous nous-mêmes! Donnez-nous nos propres coquins !...* ».

La même année, en 1836, éclate la bombe du *Révizor.*

Les défenseurs de Nicolas Iᵉʳ ne manquent pas de brandir en sa faveur le fait que le tsar lui-même a autorisé la représentation du *Révizor.* Cela est exact, mais cette indulgence inattendue n'était-elle pas due plutôt à l'incompréhension de l'auguste censeur ? Avait-il vraiment discerné la dynamite dont était chargée l'anecdote du faux inspecteur, avec son quiproquo typiquement vaudevillesque quant à l'identité du personnage (1) ? La comédie fut, d'ailleurs, jouée en vaudeville par la troupe alexandrine, formée dans la tradition « classique ». D'autre part, comme pour parer à la menace, la politique du vaudeville s'accentuait: au Théâtre Alexandrine, sur 150 pièces environ données chaque année, la saison de 1832-33 (où Gogol se tournait vers le théâtre) comptait 41 vaudevilles, en 1836-37 (année du *Révizor*), 70; en 1840-41, 99; et en 1852-53 (mort de Gogol), 149. Quant au *Révizor*, il n'était représenté que deux ou trois fois par saison.

Deux capitales, deux publics.

Saboté plus ou moins sciemment à Pétersbourg, le *Révizor* trouva ses interprètes et son public à Moscou, autrement réceptif. Le même phénomène allait se produire soixante ans après pour *La Mouette*, de Tchékhov, laquelle, sifflée à Pétersbourg, remportait un triomphe à Moscou.

C'étaient deux mondes différents. A Pétersbourg, capitale administrative, le théâtre était l'apanage des milieux proches de la cour, de la haute bureaucratie militaire et civile qui dédaignait le « grossier » art national. Par contre, à Moscou, demeuré « le cœur » du pays, dominaient les classes moyennes où la petite noblesse se mêlait à la roture montante. Il s'y formait ainsi un nouveau public démocratique, ouvert aux exigences spirituelles. L'université de Moscou, berceau de l'intelligentsia, était animée d'un esprit libéral, et nulle part la vie universitaire n'était aussi étroitement liée à la vie théâtrale.

Plus proche des sources nationales, le public moscovite était aussi le premier à appeler l'avènement d'un théâtre national. A la différence de la troupe alexandrine, celle du Maly comptait un grand nombre d'acteurs issus directement du peuple : son noyau avait été constitué par les meilleurs acteurs serfs achetés par la direction impériale à leurs propriétaires, grands amateurs d'art scénique. Pendant longtemps le théâtre des serfs fut considéré comme une simple curiosité historique. Or, il s'avéra un riche réservoir de talents neufs. Ces hommes et ces femmes du peuple, souvent prodigieusement doués, apportaient sur la scène leur bon sens, leur sens des réalités. Un de ces serfs, Michel Stchepkine, acteur de génie demeuré inégalé, fut le chef de l'école réaliste. Son alliance avec Gogol est à la source du renouveau théâtral dans la première moitié du XIXᵉ siècle.

Le naturalisme.

Bélinski n'employait pas encore le terme de réalisme, il ne parlait que de « poésie réelle », voire de traits réalistes propres au romantisme. De même, les continuateurs directs de Gogol (dont Tourguéniev, Dostoïevski, Nekrassov, Gont-

---

(1) Pour prouver la perspicacité de Nicolas Iᵉʳ, on lui attribue cette phrase qu'il aurait prononcée après la première du *Révizor* : « Tout le monde en a eu pour son grade, et moi le premier ». Mais ce propos ne figure dans aucun document d'époque et sans doute n'est-ce qu'une légende.

charov) se constituèrent en une « école naturelle ». De cet irrésistible courant émergeait, vers 1850, le théâtre naturaliste d'Ostrovski, une quarantaine de pièces solidement charpentées qui apportaient des richesses inestimables au répertoire national encore peu fourni.

Ces pièces, peintures des classes moyennes, surtout du « royaume ténébreux » des marchands, à travers lequel on percevait les tares du régime, se heurtèrent d'emblée au barrage de la censure, plus rigide pour le théâtre que pour les publications. En 1848, ses rigueurs furent encore renforcées par la création d'un comité secret doté de pouvoirs exorbitants : il lui était loisible de poursuivre les auteurs, même pour des œuvres qui avaient obtenu l'autorisation de paraître ! En 1850, ce comité sévit contre une pièce d'Ostrovski parue en librairie. Cette fois, le style de l'œuvre étant franchement réaliste, Nicolas Ier ne s'y trompa pas. De sa main, il écrivit sur la résolution du comité : « L'interdiction est parfaitement justifiée, on a eu tort d'autoriser la publication de la pièce et il est interdit de la porter sur la scène ». Le tsar alla plus loin : il ordonna une enquête sur l'auteur... Pendant des années, le plus grand dramaturge russe devait demeurer sous surveillance policière, surveillance si serrée, que la publication de la traduction qu'il fit de La Mégère apprivoisée fut interdite, notamment pour excès de « réalisme ». En effet, la décision de la censure, datée du 7 octobre 1850, portait que la traduction « conservait dans cent passages environ le caractère de l'original, inconvenant sur la scène ».

Refoulé des grandes scènes où il ne s'affirma qu'après 1860, Ostrovski est réduit à donner lecture de ses pièces chez des amis, dans des salons mondains ou universitaires, voire dans un cabaret. Ou bien encore il les monte avec des amateurs. Excellent lecteur, il trouve un partenaire de génie : Prov Sadovski, du Maly, chef d'une illustre famille d'acteurs qui créeront le style ostrovskien, comme Stchepkine avait créé le style gogolien.

Les avatars d'un vocable.

Ainsi, dans des luttes continues, le réalisme, doctrine esthétique mais aussi sociale et éthique, se frayait le chemin vers le grand public. Celui-ci avait depuis longtemps pris conscience de la chose, lorsqu'enfin le mot lui devint familier. Sous l'influence des idées de 1848, le terme « réalisme » entrait dans le vocabulaire de l'intelligentsia, mais d'abord dans une acception politique (2). En effet, à la suite de l'écrivain révolutionnaire Herzen, émigré en Occident, les progressistes russes opposaient le « réalisme » non plus au « nominalisme », mais aux notions : « idéalisme », « métaphysique », « abstraction », bref, ils l'employaient dans le sens de « matérialisme », mot odieux qu'il était dangereux de prononcer, à plus forte raison d'imprimer dans l'empire des tsars. « Réalisme » faisait partie de ce « langage d'Esope » dont la pensée russe fut contrainte d'user

---

(2) Cf. G. Sorokine : L'histoire du terme « réalisme ». (Années 1840-60). (Annales scientifiques de l'Université de Léningrad. Série des sciences philologiques, fasc. 17, n° 58, Léningrad, 1952).

jusqu'en 1917. (Ainsi, au lieu de « idées socialistes », on disait : « solidarité universelle », et au lieu de « droits de l'homme », avec un moindre bonheur d'expression : « besoins naturels »).

Comme la pensée philosophique, surtout marxiste, ne pouvait se glisser dans la presse que sous couvert de critique littéraire, il se produisit une confusion entre les nuances philosophiques et esthétiques. Devenu mot d'ordre du mouvement populiste des années 1860-70, le « réalisme » évinçait le terme de « naturalisme », discrédité par ses alliances bourgeoises françaises. Enfin, les romans de Tolstoï, de Tourguéniev, de Dostoïevski, de Gontcharov, suivis d'une pléiade d'écrivains moins connus, conféraient à l'expression un sens littéraire précis qui, de par la vertu des réalités russes décrites, acquérait une portée révolutionnaire, souvent malgré les romanciers.

Mais, comme, au début de notre siècle, aucune censure, fût-elle tsariste, n'était plus en mesure d'empêcher l'emploi des termes marxistes, Lénine, un des esprits les plus clairs qu'ait possédés la Russie, procéda à la révision du terme devenu confus. Il constatait, en effet, que si, quelques décades auparavant, le sens de « réalisme » avait été élargi jusqu'à englober le matérialisme, il servait maintenant au camouflage inverse : « *Des positivistes et autres esprits brouillons* » (entendez « ménchéviks ») l'employaient au lieu d'« idéalisme » ou, du moins, en guise de compromis entre « idéalisme » et « matérialisme ». Lénine procéda donc à une « épuration » du terme : lui refusant toute acception philosophique moderne, il ne lui gardait plus que celle de style. Cependant, un mot qui avait derrière lui une si longue carrière chargée de sens, ne pouvait être totalement dépouillé de ses anciennes résonances. Ainsi entrait-il dans le vocabulaire soviétique auréolé d'un nimbe. On comprend que, sous forme de « réalisme socialiste », il pût devenir un article de foi.

L'idée d'un théâtre du peuple.

L'immense élan démocratique qui soulevait la jeune société russe se traduisit, dans le domaine théâtral, par une exigence toujours plus marquée d'un théâtre largement ouvert à tous. Ostrovski se fit le porte-parole de ce puissant mouvement. Dans une série de notes, de discours, de rapports (3), il combattit le monopole, source de tous les maux : non seulement la direction impériale avilissait le répertoire pour le rendre anodin, non seulement elle sabotait la qualité des spectacles n'ayant aucune concurrence à craindre, mais encore et surtout elle restreignait sciemment le nombre des places, pour éloigner du théâtre les couches toujours plus nombreuses de la nouvelle population urbaine résultant de l'industrialisation. Les portes du théâtre leur étant fermées, les travailleurs refluaient vers les cabarets.

Mais laissons la parole à Ostrovski lui-même. Personne n'a mieux résumé les problèmes posés par la démocratisation du théâtre :

---

(3) Œuvres complètes, vol. XII. *Articles sur le théâtre. Notes. Discours* (Moscou, 1952).

« *Tout compte fait*, écrivait-il en 1880, *pour qui existe à Moscou, la grande capitale, le Théâtre Maly privilégié ? Pour qui doivent écrire les auteurs et jouer les acteurs ? Leur public est pour ainsi dire officiel : il est tenu d'assister aux spectacles; aller au théâtre est pour lui un besoin extérieur...* ». Par contre, le système des taxes et des abonnements en détourne les autres habitants. « *Or, la nation russe n'en est qu'au stade de formation; sans cesse, de nouvelles forces y accèdent (...). A Moscou, la force paysanne, puissante mais fruste, s'humanise, et c'est le théâtre qui l'y aide le plus, le théâtre auquel elle aspire et qui lui est cruellement refusé. Ce public est particulièrement sensible au répertoire qui met en scène la vie quotidienne. Si ce répertoire est artistique, c'est-à-dire véridique, sa portée peut être immense pour ce spectateur neuf et réceptif : il lui montre ce que la nature russe a de bon, ce qu'il doit ménager, éduquer en lui, et ce que, au contraire, il doit combattre : le sauvage, le grossier (...). La poésie dramatique est plus proche du peuple que les autres genres de littérature. En général, les autres œuvres sont écrites pour des gens cultivés, seuls les drames et les comédies s'adressent à tout le monde. Il faut que les auteurs dramatiques ne le perdent pas de vue et qu'ils soient clairs et vigoureux* ».

Et Ostrovski en appelle à la création à Moscou d'un théâtre, indépendant de la direction pétersbourgeoise, d'un théâtre dramatique au répertoire national, « *car c'est là*, dit-il, *le plus sûr indice de la maturité d'une nation* ».

Le renouveau artistique et démocratique.

Le 23 mars 1882, sous la pression de l'opinion publique soutenue par les nouvelles conditions économiques et sociales, Alexandre III abolissait le monopole théâtral. Les premières scènes privées faisaient leur apparition. Cependant, soit que, dans un élan d'idéalisme, on n'avait su leur donner des assises solides, soit que, au contraire, elles se fussent commercialisées, sacrifiant la qualité aux intérêts de la caisse, ce n'est pas de ces scènes nouvelles que vint le renouveau du théâtre russe.

Dans sa violente critique, Ostrovski dénonçait entre autres le mal que faisait le monopole impérial en rejetant vers l'amateurisme d'innombrables fervents dont les théâtres professionnels ne parvenaient pas à étancher la soif de spectacles. Dans le dernier quart du xixe siècle, à Moscou (et en province) les groupes d'amateurs pullulaient à tous les degrés de l'échelle sociale. Petits fonctionnaires, employés, artisans se produisaient plus ou moins clandestinement dans les faubourgs. Dans les beaux quartiers, jeunes et vieux s'exerçaient à un art plus raffiné, sous le couvert des clubs. Parmi les cercles moscovites, deux surtout s'affirment dans les années 1880 : celui des Alexeïev, gros industriels dont l'un des fils, sous le nom de guerre de Stanislavski, deviendra l'un des fondateurs du Théâtre Astistique; et le cercle du richissime commerçant Mamontov qui révèlera des artistes décorateurs russes et l'opéra national, avec Moussorgski et Rimski-Korsakov, tenus en mépris par les scènes impériales.

Ce sont ces amateurs qui, en devenant professionnels, préparent l'épanouissement du théâtre russe. Aussi, parvenu au sommet de la technique, celui-ci gardera l'empreinte de cet apport : d'une part, son pouvoir de renouvellement grâce à des forces fraîches, venues d'amateurs, et d'autre part, son souci d'une scène démocratique.

Pendant que la direction impériale dans les capitales, et l'administration policière en province, continuent d'imposer le théâtre-divertissement, le besoin d'un répertoire de qualité s'affirme avec toujours plus de vigueur. Or, le répertoire est soumis au régime des autorisations. Il existe des listes de pièces autorisées ou recommandées (anodines), de pièces interdites («subversives»), enfin de pièces pour lesquelles, à chaque représentation, il faut demander un visa spécial, accordé ou refusé selon l'atmosphère politique du moment. Ainsi, ce n'est qu'après avoir remué ciel et terre que le Théâtre Artistique obtiendra, en 1898, l'autorisation de monter la tragédie d'Alexis Tolstoï : *Le Tsar Fiodor*, longtemps considérée comme indésirable : on craignait que le public ne s'aperçût que ce tsar — qui vivait au xvie siècle — avait été un faible d'esprit. Encore la censure synodale coupa-t-elle certaines scènes. La même censure interdit *L'Ascension de Hannelé*, de Hauptmann, jugée sacrilège. A titre exceptionnel, le Théâtre Artistique obtiendra de monter les pièces de Gorki (1902), mais les autres scènes devront à chaque fois lutter pour pouvoir les jouer. Même pour *Guillaume Tell* et *Les Brigands,* de Schiller, pièces « suspectes », les scènes de province demeurent assujetties au bon vouloir des autorités locales.

Or, le vaste mouvement populiste qui a fait « aller au peuple » tant de « porte-paroles de la culture », d'étudiants surtout, par définition propagandistes révolutionnaires, a préparé l'accession d'une nouvelle intelligentsia ouvrière. Les tentatives se multiplient de l'enrichir par le théâtre. L'une des plus marquantes est l'ouverture d'une scène aux prix modiques dans l'enceinte de l'Exposition polytechnique de 1872 à Moscou (avec l'appui du ministre de l'Intérieur et en dépit de l'opposition du ministre de la Cour). Innovation sensationnelle, on y joue du Gogol et de l'Ostrovski pour le tout venant. Ce théâtre fonctionna plusieurs mois à la satisfaction d'un public assidu, mais les efforts de le rendre permanent échouèrent. Une seconde tentative semblable ne put être entreprise qu'en 1895, à l'occasion d'une Exposition agricole. Les milieux démocratiques avaient désormais conscience que « le théâtre était une des fonctions essentielles de l'organisme social ». A plusieurs reprises, Gorki essaie de fonder des scènes pour le peuple, en Ukraine, pour les villageois, à Nijni-Novgorod, pour les ouvriers. Tchékhov, lui, considérait les efforts de son jeune confrère d'un œil sceptique. Il appelait cela « des bonbons pour le peuple ». En effet, privées d'une base solide, ces tentatives dégénéraient rapidement.

Signalons la curieuse initiative du patronat qui, encore jeune et dynamique en ces premiers temps de l'industrialisation de la Russie, cherchait à capter à son profit la passion théâtrale du peuple, afin de s'assurer par ce biais un ascendant « bienfaisant et moral » sur la main-d'œuvre paysanne en voie de prolétarisation. C'est sur le mécénat de gros commerçants et d'industriels que comptait Ostrovski en demandant l'autorisation de fonder une « Maison du

Peuple », ou, plus exactement, un théâtre ouvert aux masses, avec un répertoire réaliste, le plus apte, croyait-il, à remplir une mission culturelle. L'autorisation de principe lui fut accordée, et son rapport *Sur l'urgence de créer à Moscou un théâtre russe* paraîssait dans *Le Moniteur gouvernemental* (N° 51, mars 1882). Bien que favorablement accueilli par le patronat, le projet resta lettre morte, en raison de la méfiance des autorités.

Celles-ci préférèrent prendre l'affaire en main. Sous les auspices de la Ligue contre l'alcoolisme, bien vue par le gouvernement (ce qui ne l'empêchait pas d'encourager la consommation de la vodka, monopole entre tous lucratif), un théâtre dit « Maison du Peuple », immense et lugubre caserne, fut ouvert à Pétersbourg, avec une filiale d'été au Jardin de Tauride. Des scènes populaires fonctionnèrent à la périphérie et dans la banlieue de la capitale. Mais il n'y était nullement question du sain répertoire réaliste préconisé par Ostrovski. C'étaient des espèces de baraques foraines améliorées où l'on donnait des chromos moralisateurs ou des fééries, dans le but de distraire ou plutôt d'abstraire le spectateur de masse des problèmes du jour. Bref, « un théâtre pour économiquement faibles », selon l'heureuse expression de M. André Villiers (4).

Le rêve d'une scène accessible à tous.

L'esprit d'Ostrovski réapparut enfin dans le projet que, à la veille de fonder le Théâtre Artistique, Stanislavski et Némirovitch-Dantchenko présentaient au Conseil Municipal de Moscou (en date du 12 janvier 1898). Ils lui proposaient de patronner un théâtre « artistique » et « accessible à tous », insistant sur « l'immense action ennoblissante et hautement civilisatrice » d'une entreprise qui « mettrait des distractions raisonnables à la portée de la population indigente ». Dans ses souvenirs, Némirovitch-Dantchenko raconte le fond de cette idée qu'il était malaisé de formuler dans un rapport soumis à l'administration de Nicolas II : « *Nous voulions que le noyau de notre public fût constitué par des étudiants et l'intelligentsia aux revenus moyens. D'habitude, on vend bon marché les mauvaises places; nous, nous voulions céder bon marché de bonnes places, à côté des places les plus chères (...). Nous voulions céder les matinées des jours fériés à la Société des distractions populaires pour qu'elle répartît les billets parmi les ouvriers, à des prix extrêmement bas, à partir de dix kopeks. Mais nous y maintenions le même répertoire, avec la même distribution...* ». Un projet de décentralisation devait permettre d'envoyer des groupes d'acteurs dans les faubourgs.

---

(4) Au début du xxᵉ siècle, il y eut d'autres tentatives, plus sincères. Signalons-en au moins deux : celle de la Section théâtrale de la Société des universités populaires, à Moscou, et celle de l'Atelier ambulant accessible, de Gaïdébourov et Skarskaïa, à Pétersbourg. Ce dernier se produisait auprès de la « Maison du Peuple », établissement humanitaire privé, fondé par la comtesse Panine, mais se rendait aussi dans les faubourgs, en province et, à partir de 1914, au front. L'Atelier eut d'excellentes réussites, mais ses tendances mystiques y attiraient davantage d'intellectuels que d'ouvriers,

Cette politique révolutionnaire des prix était complétée par une révolution artistique. Balayant toutes les idées bien pensantes, les rapporteurs déclaraient : « *Ce sont les exigences du spectateur le plus cultivé qui détermineront le répertoire et la mise en scène (...). Tout ce qui ne respire pas une saine vérité de la vie sera éliminé du répertoire* ». Les classiques russes et étrangers et certaines pièces contemporaines fourniront « *une matière scénique vaste et vivante, aux idées si claires, si profondes, si réelles, qu'il ne sera nul besoin d'avoir recours, dans un but extra ou anti-artistique, au mélo du boulevard, à la tapageuse féérie ou aux tableaux de mœurs tendancieux* ».

C'est en accord avec la pensée de tout le XIXe siècle russe que les fondateurs du Théâtre Artistique proclamaient l'identité du théâtre démocratique et du réalisme.

Comme il fallait s'y attendre, le Conseil Municipal n'accorda aux audacieux réformateurs ni la modeste subvention qu'ils sollicitaient, ni l'étiquette salutaire de « théâtre municipal » qui leur eût évité bien des tracas de la part des autorités. Bientôt ils renonçaient également au nom de « théâtre accessible » que, par prudence, ils avaient substitué à celui qui leur était cher : « théâtre populaire ». Mais « accessible » leur eût valu les rigueurs accrues de la censure : de nombreuses pièces, surtout contemporaines, tolérées sur les scènes bourgeoises, étaient interdites sur les scènes ouvertes aux non-possédants. Ils durent donc se contenter du nom de « Théâtre Artistique de Moscou ». Au moins attribuaient-ils un sens profondément moral à la notion « artistique ». « *N'oubliez pas*, disait Stanislavski dans son allocution inaugurale à la jeune troupe, *que nous cherchons à apporter la lumière aux classes pauvres, à leur dispenser des instants de bonheur esthétique dans les ténèbres où elles languissent. Nous aspirons à créer le premier théâtre accessible, raisonnable et moral* ».

Le Théâtre Artistique tint sa promesse. La faveur passionnée de son public, recruté surtout parmi l'intelligentsia, lui permit de multiplier les spectacles à prix réduits, destinés à la jeunesse et à l'élite ouvrière. Après quinze ans de cette expérience, Stanislavski pouvait constater avec satisfaction : « *Je considère comme une des principales conquêtes de notre théâtre le fait d'avoir acquis un spectateur qui ne cherche pas à se distraire, mais qui sent et qui réfléchit* ».

Ce résultat avait été obtenu grâce à la haute qualité du répertoire et de l'art scénique du théâtre. Quels que fussent ses errements et ses exagérations, l'essentiel de la dramaturgie, de l'interprétation, de la mise en scène s'y inspiraient du réalisme, dans toutes ses nuances. Après une période d'extravagances esthétiques, Stanislavski écrivait dans une lettre : « *Nous sommes revenus au réalisme, mais à un réalisme psychologique, enrichi par l'expérience et par le travail (...). Nous errerons — puis, une fois de plus, nous aurons enrichi notre réalisme. Je suis convaincu qu'à l'aide d'un réalisme affiné, approfondi, il est possible d'atteindre sur la scène toute abstraction, tout schéma, tout impressionnisme. Toutes les autres voies sont fausses et privées de vie* ».

Théâtre et Révolution.

Le recul est désormais suffisant pour constater la désagrégation de la société russe aux approches de la Révolution. Les courants contradictoires qui la déchirent se reflètent avec force dans la pensée théâtrale. Pendant que, tantôt à la suite de l'Occident, tantôt en le devançant, les metteurs en scène mènent l'offensive esthétique, poètes et théoriciens se collettent pour savoir si la scène doit être un tréteau ou un autel, un office religieux ou une farce, un plaisir solipsiste raffiné ou une communion de fidèles. Jamais la *furia* théâtrale russe n'a atteint une telle effervescence. Et pourtant ce n'est qu'un prélude à l'extraordinaire phénomène de théâtralisation qui, dans les premiers lustres du nouveau régime, s'emparera non plus seulement de l'intelligentsia, mais de la population tout entière.

Il appartient aux sociologues de mettre en lumière les liens qui existent entre la Révolution et le théâtre, art collectif par excellence. Quel est, dans cette tangence, le rôle de l'exubérance, de l'excitation, de la soif d'action débordante? Le dynamisme social est-il de la même nature que le jeu ? Les exemples sont récents de l'Espagne républicaine, de l'Allemagne après 1919, et, sur une échelle géante, de la Russie soviétique. Des fluides émotionnels circulent entre la scène et la salle, la boîte scénique éclate, s'élargit jusqu'aux dimensions de la place publique, et spontanément, dans sa première phase toute affective, le théâtre révolutionnaire descend dans la rue. C'est l'époque, dans Pétersbourg encore frémissant, des grandioses spectacles de masse, comparables aux fêtes de la Grande Révolution française. Les faits héroïques ainsi célébrés s'amplifient en symboles, deviennent légende sous les yeux d'une foule plus que jamais faite de « participants ».

En même temps, les couches jusque là arriérées de la population qui accèdent à l'avant-scène de l'histoire, trouvent dans le jeu scénique un exutoire complémentaire pour leurs forces tumultueuses. Cette poussée est si générale, si puissante que le mot mesquin d'amateurisme ne suffit plus pour la désigner. La Révolution forge un nouveau terme, pléonastique mais expressif : « théâtre auto-actif ». Nous assistons à une immense prolifération de cellules théâtrales à travers un pays qui représente la sixième partie du monde. A l'usine, au village, à l'école, auprès de chaque établissement et de chaque entreprise, apparaissent des cercles dramatiques. Dans le cadre de la présente étude, nous ne pouvons que signaler ce pullulement, notre propos se bornant à analyser l'attitude du nouveau régime face à ce prurit théâtral, et les mesures qu'il prend pour le canaliser et le mettre à son service.

Le Gouvernement Provisoire de février 1917 n'ayant pas eu le temps de s'occuper des théâtres, passons directement à la politique inaugurée par celui d'octobre 1917. A ce moment, les courants théâtraux se laissent classer en gros en trois groupes :

1) Le plus actif est le groupe esthétisant aux tendances multiples mais

communiant dans « l'art pour l'art ». Ses chefs de file sont Meyerhold, Taïrov, Evréïnov.

2) Le groupe psychologique « à problèmes » est représenté par le Théâtre Artistique de Moscou qui, tout en sacrifiant à l'esthétisme, maintient sa ligne de « réalisme affiné ».

3) La grande majorité des scènes est demeurée fidèle au réalisme traditionnel, à commencer par les scènes impériales. Celles-ci, par suite d'un caprice directorial, il est vrai, comptent parmi leurs metteurs en scène Meyerhold qui ne cesse de s'exercer à tous les styles et à toutes les expériences. Mais qu'il monte *Dom Juan*, de Molière, ou *Tristan et Yseult* à l'opéra, son esthétisme demeure « pur » et continue, au fond, *mutatis mutandis*, l'ancienne politique du vaudeville. C'est le secret de son maintien par l'administration.

En résumé, aussi divergentes que soient les tendances, deux styles fondamentaux s'affrontent : le *réalisme* et le *formalisme* (5), tous deux nuancés, divisés, complexes. Ils coexisteront encore plus de quinze ans, dans une compétition ardente mais libre, jusqu'à ce que l'intervention des autorités fasse brutalement pencher la balance en faveur du premier.

La confusion esthético-prolétarienne.

Aux débuts du grand bouleversement, tout ce qui se présentait comme « anti-bourgeois » était accepté d'emblée comme révolutionnaire. En profitèrent d'abord les tendances poétiques et picturales dites « extra-intellectuelles » (première mouture du non-figuratif), à commencer par les futuristes. La confusion semblait d'autant plus convaincante que, se réclamant de Verhaeren autant que de Marinetti, cette « gauche artistique », se posant en « gauche politique », insistait sur les thèmes « urbanistes » et « usiniers ».

Dès avant octobre (pendant l'été 1917, ce qui leur servit longtemps de sauf-conduit), ces extrémistes formèrent une « Association de culture prolétarienne », en abrégé le *Proletcult*, qui, rompant bruyamment avec le « passé bourgeois », se déclarait seul dépositaire du génie populaire. Dans le domaine dramatique, il préconisait une fumeuse théorie de « théâtre créateur » : la séparation du « peuple » en acteurs et en spectateurs étant abolie, l'art surgissait directement d'un « acte théâtral instinctif communautaire ».

La doctrine esthétique du parti était encore dans les limbes. Lounatcharski, commissaire du Peuple à l'instruction publique, devenu grand maître des destins du théâtre, était un vieux marxiste mais aussi un vieux montparno, théoricien d'art et auteur de drames romantiques échevelés. Entre les deux révolutions, il avait participé au « déviationnisme » de Bogdanov et de Gorki, et

---

(5) Pour la clarté de l'exposé, nous adoptons ce terme dès maintenant, bien qu'il n'ait acquis que plus tard son sens « contre-révolutionnaire ». Il était en circulation dès avant 1917, mais limité aux nouvelles méthodes de critique littéraire, lesquelles entendaient étudier l'œuvre en soi, débarrassée des stratifications politiques, psychologiques et sociales déposées par le XIXᵉ siècle.

appliqué au théâtre leur doctrine de « recherche de Dieu ». En 1908, dans un article : *Art et socialisme,* paru dans le *Livre sur le théâtre nouveau,* un des jalons marquants de la pensée théâtrale russe, il avait salué l'avènement du théâtre socialiste sous les espèces d' « un culte religieux libre » qui « transformerait les temples en théâtres et les théâtres en temples ». Il était trop sensible à toutes les recherches artistiques pour pouvoir condamner et limiter.

Un autre arbitre de l'esthétique marxiste, Fritsché, y ajoutait la confusion mécaniste de Mach. Pour lui, l'évolution du théâtre était déterminée par la technique; dans la nouvelle société, basée sur une haute technique mécaniste, le héros dramatique cèderait la place à la masse. Tous ces relents mystiques reprenaient un semblant de consistance au contact du futurisme et de l'expressionnisme, et les principes les plus individualistes, les plus intellectualistes, prétendaient présider à la naissance d'un « art prolétarien ». Ce paradoxe prit une extension inattendue grâce à l'alliance de deux hommes de génie : Meyerhold et Maïakovski. Le premier, venu de l'esthétisme le plus outrancier, élaborait sa théorie de « bio-mécanique » d'allure « ouvriériste ». Le second avait commencé par le futurisme. Ensemble, ils montèrent la première pièce des « temps nouveaux », *Le Mystère-bouffe,* de Maïakovski, d'abord, en 1919, puis, dans une version élargie, en 1921. « L'Octobre théâtral » était né.

Il a fallu des années pour que le fond anarchique de ce mouvement se révélât aux compagnons de Lénine et pour qu'ils prissent parti. Lénine, lui, était plus perspicace. Il ne se gênait guère pour déclarer que l'idée d'une « culture prolétarienne », sortie toute harnachée de la tête du peuple, était « une foutaise », la culture étant une. La confusion esthético-prolétarienne était à ses yeux « une gauchite, maladie d'enfance du communisme ». « On ne peut construire une culture prolétarienne, s'exclamait-il en octobre 1920, au Congrès des Jeunesses communistes, on ne peut que *reconstruire* la culture résultant de l'évolution de l'humanité tout entière ». Encore faudrait-il d'abord « être en possession de cette culture ».

C'est pourquoi, abandonnant « la liberté absolue dans l'art » à « MM. les individualistes bourgeois », Lénine préconisait « l'assimilation critique du legs bourgeois », « à l'exclusion de ses outrances bureaucratiques ou esclavagistes ». « *Il faut recueillir toute la culture léguée par le capitalisme, c'est avec elle que nous construirons le socialisme. Il faut accepter toute la science, toutes les techniques, toutes les connaissances, tout l'art, sans quoi il nous sera impossible de bâtir une société communiste* », disait-il dans son discours du 13 mars 1919, et le VIII⁰ Congrès du parti, tenu en ces jours, incluait dans son programme cette thèse : « *Il faut rendre accessible aux travailleurs toutes les œuvres d'art qui ont été créées grâce à l'exploitation de leur labeur et qui jusqu'ici étaient à la disposition exclusive des exploiteurs* ». (Art. 10, section XII) (6).

---

(6) « Le culte de la personnalité » n'étant pas encore instauré, cette attitude valut à Lénine de vives critiques des « gauchistes », voire une accusation de menchévisme. En effet, les menchéviks partageaient l'opinion des social-démocrates allemands, et notamment de Kautsky,

Enfin, s'attaquant directement à « l'idéologie étrangère au peuple » de la « prétendue gauche artistique », le Comité central du parti dénonce celle-ci dans une *Lettre sur les Proletcults,* publiée dans la *Pravda* du 1er décembre 1920.

Cependant, à cette époque, un article de la *Pravda* ne menaçait ni de déportation ni même d'excommunication. Se considérant dans les questions artistiques comme un profane, Lénine n'avait garde d'intervenir par des méthodes coercitives. Il se borna à exiger qu'on prît le plus grand soin des meilleures scènes (anciennes scènes impériales et celle du Théâtre Artistique) et celles-ci furent classées « académiques », dans le sens conservatoire. Lounatcharski-marxiste se rangeait à l'avis de Lénine, pendant que Lounatcharski-esthète aidait pratiquement à l'instauration de la dictature formaliste de Meyerhold.

La politique théâtrale du nouveau régime se ressentira longtemps de ce dédoublement qui, après tout, est peut-être le meilleur gage de tolérance. Pour commencer, le gouvernement était prêt à s'accomoder de tous les styles, pourvu qu'ils vinssent enrichir le prolétariat, à preuve ce passage de la résolution précitée du VIIIe Congrès : « *Il n'existe pas de formes de science ou d'art qui ne soient liées aux grandes idées du communisme et aux efforts infiniment variés qui visent à créer une économie communiste.* »

Mesures d'urgence.

Le 9 (22) novembre 1917, quelques jours après la prise du pouvoir, le Soviet des Commissaires du Peuple s'occupait du sort des théâtres. Après une série de mesures administratives transitoires, ceux-ci étaient placés sous la compétence d'une Section Théâtrale (TEO) auprès du Commissariat à l'instruction publique, chargée de créer, sur le plan national, « un nouveau théâtre, en connexion avec la construction de l'Etat et de la société selon les principes socialistes ».

Mais avant de passer à une réorganisation radicale du système, il fallait parer au plus pressé. En plein chaos de la guerre civile, le gouvernement demandait au théâtre de faire la preuve de l'efficacité de son ascendant moral. Le 7 avril 1919, Lénine signait une curieuse résolution du Soviet de la Défense, mobilisant la totalité des travailleurs du théâtre pour des représentations sur les fronts. Le but que la direction politique de l'armée assignait aux acteurs était d' « éduquer les soldats rouges politiquement, culturellement et esthétiquement, en vue de contribuer à leur formation communiste. »

L'expérience des troupes au front, puis, la guerre civile gagnée, l'effort grandiose des fêtes de masse, et enfin l'immense poussée auto-active, assuraient au théâtre ses lettres de noblesse communiste. Le 21 août 1919, reprenant, après vingt-cinq siècles, l'institution du *théoricon* qui permettait aux Athéniens les

---

qui se méfiait des possibilités créatrices du prolétariat et ne voyait en lui qu'un « consommateur passif » de l'art. En 1890, cette conception avait présidé à la naissance de la *Freie Volksbühne* allemande, qui se bornait à ouvrir les portes du théâtre bourgeois aux masses sans les amener à créer leur propre théâtre.

plus démunis d'assister aux représentations, le Soviet des Commissaires du Peuple exonérait les spectacles publics de la taxe d'Etat. Moins d'une semaine après, le 26 août 1919, Lénine et Lounatcharski signaient le décret de nationalisation des théâtres (dit « De l'unification des entreprises théâtrales » (7), qui constituait un pas décisif vers la réalisation du théâtre socialiste. « *Etant donnée la valeur culturelle qu'il représente, tout bien théâtral (édifices, accessoires) est déclaré bien national* » (art. 9). La direction générale de l'ensemble des scènes appartient désormais à un organe spécial auprès du Commissariat du Peuple à l'instruction publique, le *Centro-Théâtre*. « *Les théâtres de toutes catégories, reconnus utiles et artistiques, sont entretenus par l'Etat...* » (art. 9). Sous la surveillance du Centro-Théâtre, l'autonomie est octroyée aux théâtres qui ont fait leurs preuves; tous « *jouissent des biens théâtraux nationalisés* », même ceux « *qui ne possèdent pas encore de physionomie distincte* » (art. 16). « *Le prix des places est fixé par le Centro-Théâtre, d'accord avec le collège du Commissariat du Peuple à l'instruction publique et le Commissariat du Peuple aux finances, sur la base des conclusions présentées par les sections locales d'instruction publique* » (art. 6). « *La distribution des places pour les spectacles payants ou gratuits est réglée par le Comité exécutif local, d'accord avec le Conseil local des Unions professionnelles* », etc. (Note à l'art. 16).

Les atroces conditions matérielles du jeune Etat soviétique empêchèrent la réalisation de ce magnifique projet. En 1922, avec l'introduction de la Nouvelle Politique Economique, la gratuité des spectacles fut abrogée et la plupart des subventions supprimées. Le décret soviétique du 26 août 1919 alla rejoindre, dans le royaume des rêves « cosmiques », ceux de la Commune de Paris dont il s'était inspiré.

« Le retour à Ostrovski ».

Les temps héroïques du communisme de guerre révolus, l'Union soviétique entre dans la voie de reconstruction économique et de réorganisation de la société. Le théâtre, reconnu comme un des principaux facteurs constructifs de l'Etat, retient l'attention du parti, et son réajustement ressortit de plus en plus à une politique visant à élever le niveau de culture. Le parti reprend la vieille idée de Gogol d'un « théâtre-école » et, pour la réaliser, recommande une matière théâtrale à la portée des masses qui, hier encore, comptaient 70 % d'analphabètes. Ce doit être une matière immédiatement intelligible, assimilable et faisant office de propagande politique. Où la trouver sinon dans une dramaturgie réaliste ?

C'est dans ce sens qu'il faut comprendre le mot d'ordre de « Retour à Ostrovski » que Lounatcharski lance en 1923, à l'occasion du centenaire de la

---

(7) Cf. le texte complet de ce décret, de même que ceux des déclarations programmatiques du *Proletcult* et autres documents, en appendice à notre *Théâtre russe contemporain* (La Renaissance du Livre, Paris, 1931).

naissance du dramaturge. Cette fois non plus, l'appel n'est assorti d'aucune mesure coercitive, et l'année suivante Meyerhold peut y répondre par un défi : il monte *La Forêt*, une des meilleures pièces d'Ostrovski, dans une mise en scène ultra-formaliste. Il déforme le texte et l'action qui deviennent une bouffonnerie excentrique. Deux ans après, Meyerhold atteindra l'apogée de ce style avec son *Révizor* (1926). Il continuera des années encore.

De son côté, le parti persévère dans sa lutte sur un plan purement idéologique. Son XIᵉ Congrès (1922) adopte une résolution préconisant l'élaboration d'une littérature communiste qui s'opposerait, par ses tendances, ses sujets et sa forme, à l'action désagrégeante de la littérature bourgeoise.

L'année suivante, le XIIᵉ Congrès s'occupe des questions d'agitation et de propagande. Il constate que l'ère des slogans, des placards, du tape à l'œil est passée et qu'il est temps d'avoir recours à des méthodes « approfondies » : « *Il faut passer à l'utilisation du théâtre pour la propagande en grand d'idées communistes combatives. Dans ce but, on attirera les éléments nécessaires, au centre et en province; on intensifiera la création et la sélection du répertoire révolutionnaire, à commencer par les moments saillants de la lutte héroïque livrée par la classe ouvrière. Le théâtre pourra être utilisé également comme un véhicule de la propagande anti-religieuse.* »

En 1924, le XIIIᵉ Congrès prend une résolution qui développe ces directives, notamment en ce qui concerne la dramaturgie qui devra être « rapprochée de la vie » pour « refléter fidèlement les conditions sociales ».

Ainsi se trouve préparée la résolution du Comité central sur la *Politique du parti dans le domaine des belles lettres* (*Pravda*, 1ᵉʳ juillet 1925), conçue toujours dans un esprit de tolérance à l'égard des « formes idéologiques intermédiaires » qu'il est recommandé d'éliminer « avec patience », par des méthodes de « compétition des styles ». Toutefois, le fait même d'avoir posé la question du style sera lourd de conséquences. A la Conférence sur les questions théâtrales, tenue, en mai 1927, par la Section de propagande auprès du Comité central (8), il ne sera plus question de tolérance ou de patience. On saute le pas en déclarant la priorité inconditionnelle de la dramaturgie par rapport à la mise en scène. Il appartient au parti de veiller à ce que les théâtres collaborent avec les jeunes dramaturges, afin de susciter la création d'œuvres proprement soviétiques, au lieu d'adaptations forcées de l'ancien répertoire. Ces œuvres — et ceci rend un son nouveau — seront *imposées* aux théâtres en même temps que sera accrue la vigilance de la censure. Enfin, la forme de la présentation des pièces sera contrôlée par le parti grâce à l'introduction de ses membres dans les collectivités théâtrales.

Cette résolution est d'autant plus importante qu'elle s'appuie sur des exemples concrets et qui sont des réussites. Ignominieusement bafoué par les

---

(8) Les débats sténographiés de cette Conférence ont été consignés dans le recueil : *Les Voies du théâtre*. Introduction de V. Knorine, direction de S. Krylov. (Ciné-Presse, 1927).

formalistes (9) et refoulé vers un travail de studio, Stanislavski, soutenu par Gorki, est sorti de l'ombre et a réaffirmé avec éclat sa maîtrise réaliste dans une série de mises en scène d'œuvres classiques et soviétiques (1926-1927 : *Le Cœur ardent,* d'Ostrovski, *Le Mariage de Figaro, Le Train blindé,* de Vsévolod Ivanov, etc...).

Une nouvelle étape est franchie le 7 mai 1930, lorsque, dans une résolution *Sur l'amélioration des entreprises théâtrales,* le Soviet des Commissaires du Peuple de la R.S.F.S.R. exige que celles-ci contribuent plus activement à la construction socialiste. Il assortit cette exigence d'un programme de mesures concrètes.

Enfin, le collège du Commissariat à l'Instruction Publique donne des directives précises pour le choix du répertoire de la saison 1930-31. C'est le commencement du dirigisme que vient soutenir l'institution de prix et de concours dramatiques. En 1933, a lieu le premier concours pan-unioniste de pièces sur des sujets actuels. Les résultats, proclamés au printemps 1934, viennent enrichir sensiblement le répertoire soviétique, surtout quantitativement, il est vrai.

Vers le réalisme totalitaire.

En application des directives du 7 mai 1930, le réseau des scènes ambulantes appelées à desservir, à l'échelle de l'Union, divers secteurs : ouvrier, kolkhozien, militaire, s'organise et devient plus régulier mais aussi plus rigide. Une attention particulière est portée aux scènes pour enfants et adolescents.

On le voit, en cette seconde décennie de l'existence de l'Etat soviétique, l'emprise du parti se faire sentir toujours plus. Enfin, il frappe un grand coup. Le 23 avril 1932, le Comité central prend ses fameuses décisions sur le *Réaménagement des organisations littéraires et artistiques* qui en finissent avec la soit disant gauche. Il ne s'agit plus de recommandations mais de mesures administratives; au mois de juin de la même année, le réseau du *Proletcult* et la RAPP (Association Panrusse des Ecrivains Prolétariens) qui le continue, sont purement et simplement liquidés, de même que les TRAM (Théâtres de la Jeunesse Ouvrière), une centaine de scènes « gauchistes » nées en 1927. On leur oppose, en juillet, la première olympiade pan-unioniste des scènes auto-actives travaillant selon les directives du parti. Elle met en relief la généralisation du style réaliste qui se superpose curieusement aux particularités folkloriques « exotiques » des républiques nationales. Enfin, en juin 1933, est liquidée « l'Association des nouveaux metteurs en scène », pépinière de meyerholdisme, accusée de « pratiquer un sociologisme faux, vulgaire et simplificateur ».

Le premier Congrès pan-unioniste des écrivains, réuni en août 1934, sonne

---

(9) Mais jamais par le parti, comme l'avance pourtant Jürgen RÜHLE dans : *Das gefesselte Theater. Vom Revolutionstheater zum Sozialistischen Realismus.* (Kiepenheuer & Witsch, Köln-Berlin, 1957). Cet ouvrage fort intéressant, en particulier dans sa partie consacrée à l'Allemagne orientale, n'est malheureusement pas exempt des déformations haineuses qui trop souvent diminuent la valeur des témoignages portés par des « transfuges de l'Est ».

le glas de la multiplicité des formes d'expression. Gorki et Jdanov y lancent la formule du « réalisme socialiste », seul style désormais considéré « dans la ligne ». Les arts, réduits au service de l'Etat, seront sciemment tendancieux. Le romancier, le peintre, le dramaturge choisiront leurs héros parmi « *les constructeurs actifs de la vie nouvelle : ouvriers et ouvrières, kolkhoziens, membres du parti, travailleurs économiques, ingénieurs, komsomoliens, pionniers.* »

La pièce soviétique ainsi standardisée, se généralise. Seul parvient à se maintenir à côté d'elle le théâtre classique, bon gré mal gré « actualisé » (10).

La grande excommunication des formalistes commence en janvier 1936, lorsque, à la session du Soviet suprême, Jdanov développe ses thèses. Celles-ci sont concrétisées dans la série tristement fameuse des articles de la *Pravda*, sinon rédigés par Staline, du moins inspirés par lui (11).

Dans le domaine théâtral, le premier frappé est le Théâtre Artistique II (ancien Premier Studio de Stanislavski). Taxé de morbidité et de déviationnisme, il est fermé le 28 février 1936, sur ordre des deux plus hautes instances du pays : le Soviet suprême et le Comité central du parti.

Dans son premier numéro (1937), la nouvelle revue : *Le Théâtre*, met en jugement le formalisme, « l'ennemi le plus acharné de l'art soviétique socialiste » qui, « sous couvert de trucs, de contorsions, de soi-disant valeurs artistiques, fait passer en contrebande des idées anti-soviétiques contre-révolutionnaires ». Bien que visé depuis longtemps, Meyerhold ne devient l'objet d'une battue ouverte qu'à la fin de 1937, lorsque la *Pravda*, et toute la presse à sa suite, l'accusent de « s'éloigner systématiquement de la réalité soviétique, de la déformer et de la calomnier ». Sur un ordre du « Comité pour les affaires artistiques » en date du 7 janvier 1938, le Théâtre Meyerhold est fermé « en tant qu'anti-populaire, étranger aux spectateurs soviétiques, sans contact avec la réalité socialiste et fondamentalement hostile à cette réalité ».

En juin 1939, à Moscou, se réunit un Congrès pan-unioniste des metteurs en scène où, chose curieuse, le principal rapport est présenté non par un homme de théâtre, mais par le procureur général Vychinski, le même qui représentera l'U.R.S.S. aux procès de Nuremberg. C'est une véritable mise au pas du théâtre soviétique. Selon M. Elaguine (12), Meyerhold aurait courageusement répliqué en

---

(10) Les drames de Schiller ou une adaptation de *Résurrection*, de Léon Tolstoï, voire les comédies de Goldoni, se prêtent plus ou moins à une telle actualisation, mais il en va autrement des mises en scène de Shakespeare, par exemple. Ainsi, le metteur en scène Popov montre dans *Roméo et Juliette* (1936) les « causes sociales » de l'inimitié des Montaigu et des Capulet, ou dans *La Mégère apprivoisée* (1938), la révolte de la femme enfin consciente contre le joug marital. (Cf. notre « Shakespeare chez les Soviets », *Mercure de France*, 1ᵉʳ juin 1936).

(11) Le premier : « Cacophonie en fait de musique » (*Pravda*, 28-1-1936) aura pour principale victime le compositeur Chostakovitch et son école ; le second : « Faux décors » (6-2-1936), se déchaîne contre tout ce qui, en art, n'est pas « réaliste » ; le troisième enfin : « Les Artistes barbouilleurs » (2-3-1936), stigmatise les tendances non-figuratives. On connaît la lamentable série d'« auto-critiques » qui s'ensuivit.

(12) *Les Arts apprivoisés*, 1952, et *Le Génie ténébreux (Vsévolod Meyerhold)*, 1955 (Edit. Tchékhov, en russe, New-York). Ce sont, à notre connaissance, les seules sources rapportant ce fait. N. A. GORTCHAKOV (à ne pas confondre avec N. M. Gortchakov, metteur en scène mos-

revendiquant le droit de l'artiste de chercher, de se tromper, de procéder à des expériences, fussent-elles d'ordre formel. A la suite de cette réplique il aurait été arrêté, pour disparaître à jamais de la scène et sans doute de la vie soviétique.

C'est sous le signe d'un réalisme socialiste monolithique que l'U.R.S.S. est entrée en guerre. Le théâtre reprit alors son ancien travail au front et aux arrières tel qu'il l'avait connu au temps du communisme de guerre. On s'attendait à son renouveau au lendemain de la victoire, mais la brève flambée d'espoir s'éteignit rapidement. En août 1946, le Comité central du parti condamnait sévèrement « le relâchement » des lettres et des arts soviétiques et exigeait leur repolitisation totale. Moins de quinze jours après, dans sa résolution *Sur le répertoire des théâtres dramatiques et les mesures visant à l'améliorer,* le Comité central appliquait « la ligne Jdanov » aux scènes. Il reprochait aux dramaturges la faiblesse de leurs pièces sur des sujets actuels et dénonçait la tendance à un répertoire « objectif » à « l'évasion », dans les classiques. Cette politique, poursuivie avec rigueur, aboutit, en 1950, à la liquidation du Théâtre Kamerny de Taïrov, dernier rempart de l'esthétisme. On connaît les persécutions contre l'art « dégénéré », « cosmopolite », « impérialiste » et, en contre-partie, le chauvinisme exaspéré des dernières années de Staline.

Le réalisme russe, devenu obligatoire et totalitaire, s'est figé. Pour parler en termes marxistes, il a perdu son essence dialectique qui, au XIXᵉ siècle, en avait fait un puissant instrument d'évolution progressiste.

---

covite) ne fait que les citer dans son *Histoire du théâtre soviétique* (Ed. Tchékhov, en russe, New-York, 1956). Ce dernier ouvrage, d'ailleurs très documenté, respire une haine inexpiable et tend si visiblement à déformer la moindre mesure des Soviets qu'on en ressent un malaise. Bien que parus sous les mêmes auspices d'anti-communisme coûte que coûte, les intéressants livres de M. Elaguine, plus objectifs, présentent un témoignage plus convaincant.

TROIS PRÉCURSEURS
DU THÉATRE CONTEMPORAIN EN YOUGOSLAVIE :
Branislav Nusic, Ivan Cankar, Miroslav Krleza

par Filip Kalan KUMBATOVIČ
Professeur à l'Académie d'Art Dramatique de Ljubljana

1

Branislav Nušič, Ivan Cankar, Miroslav Krleža (1) :
Trois auteurs — un Serbe, un Slovène, un Croate — dont l'œuvre a déjà triomphé sur les scènes yougoslaves durant les années entre les deux guerres, et qui, en dépit des changements profonds qui se sont produits dans toute la structure du monde, sont restés tellement intéressants et actuels pour le public de nos jours, que la plupart de leurs pièces se sont maintenues au répertoire permanent du théâtre yougoslave d'après-guerre.

Le phénomène indiscutable de survie théâtrale de ces trois auteurs dont l'œuvre est née en trois milieux si dissemblables par leurs conditions sociales et leurs traditions littéraires, continue de susciter l'intérêt de certains théoriciens du théâtre yougoslave qui n'ignorent pas que les bouleversements historiques des deux guerres mondiales ont transformé toutes les activités culturelles en un complexe si confus de problèmes sociaux nouveaux que nos prédécesseurs immédiats, les hommes de 1900, mis en face de ce complexe, armés seulement de leur humanisme néo-romantique, c'est-à-dire, d'un instrument moral assez fragile, auraient trouvé cette énigme insoluble. Et néanmoins cette persistance surprenante de l'œuvre de trois dramaturges tellement différents révèle à l'analyste attentif que bien des traits caractéristiques de notre vie actuelle, pleine de contradictions, existent déjà à l'état d'ébauche dans la sphère mentale et dans l'expression artistique de ce passé récent que nous croyons, bien à tort, définitivement dépassé. En réalité ce passé récent survit toujours : l'inquiétude sociale

---

(1) Prononcer : Nušič — Noúchitch; Cankar — Tsánkar; Krleža — Kárleja.

se réflète dans les textes de nos trois auteurs d'une manière si authentique que ce reflet nous fait reconnaître, ne serait-ce que par analogie, quelques éléments phénoménologiques de notre morale sociale actuelle.

Cette phénoménologie de la morale sociale : la présentation dramatique de la morale sociale de trois générations récentes qui ont vécu sur trois territoires, dissemblables par leur culture et leur histoire, d'un pays habité par des peuples divers, mais qui forme une unité géopolitique, et qu'on appelle de nos jours Yougoslavie — c'est ainsi que l'on pourrait décrire le dénominateur commun de cette actualité théâtrale que le public yougoslave d'aujourd'hui s'accorde à reconnaître aux pièces de Branislav Nušič, d'Ivan Cankar, de Miroslav Krleža.

2

L'auteur comique serbe Branislav Nušič (1864-1938) est un homme de théâtre au premier sens de ce terme — observateur clairvoyant des mœurs et des travers de l'homme, inventeur infatigable de situations comiques, caricaturiste par plaisir d'imiter les types de la société humaine, débordant d'allusions spirituelles à l'imperfection de ce monde, mais comme un saltimbanque peu raffiné dans l'utilisation des effets comiques. Souvent, et avec raison, les contemporains comparaient cet humoriste insouciant avec les auteurs comiques et même avec les vaudevillistes français, comme par exemple le critique et historien de la littérature serbe Jovan Skerlić, qui, en caractérisant le don comique de Nušič, rappelait Scribe et Courteline (2). Le comique des motifs de Nušič est si évident que, dans la plupart des cas, les titres de ses comédies indiquent déjà le problème central de la situation comique ou du caractère comique que l'auteur veut présenter au public : *Le Personnage suspect* (*Sumnjivo lice*, 1887), *La Protection* (*Protekcija*, 1889), *Le Représentant du peuple* (*Narodni poslanik*, 1896), *La Femme du ministre* (*Gospodja ministrica*, 1929), *La Thèse de doctorat* (*Dr.*, 1936), *Le cher Disparu* (*Pokojnik*, 1936).

Le titre de la dernière œuvre de Nušič, restée à l'état de fragment — *Le Pouvoir* (*Vlast*, 1938) — donne en quelque sorte l'essence des motifs comiques de son œuvre.

C'est bien le pouvoir qui est l'agent moteur de tous les personnages de Nušič : le pouvoir à tout prix, sous quelque forme que ce soit, et de préférence sous la forme grossière d'une sinécure lucrative et d'une vie oisive. *La Protection*, une des premières pièces de Nušič qui ait peint la société serbe d'avant la première Guerre Mondiale, illustre très bien sa manière pleine d'effet : un jeune homme plein d'allant, représentant des idées sociales progressistes et avocat éloquent d'une morale publique sans compromis, épouse par intérêt la fille d'un ministre corrompu qu'il avait combattu avec toute son ardeur juvénile. L'intrigue de cette

---

(2) Jovan SKERLIČ : *Histoire de la littérature serbe* (*Istorija srpske književnosti*, 1921), p. 426; *Ecrivains et livres II* (*Pisci i knjige II*, édition 1955), p. 389.

pièce montre fort bien l'habileté avec laquelle les personnages comiques de Nušič se glissent dans le climat corrompu du pouvoir. Cette habileté possède un autre nom : acclimatation morale, ou mieux, amorale, à l'atmosphère du régime politique au pouvoir.

Le pouvoir comme but et l'acclimatation comme moyen pour atteindre ce but — tel est le thème perpétuel de la comédie sociale de Nušič, dont les échantillons les plus brillants méritent d'être rangés dans un genre que le théâtre bourgeois européen a développé jusqu'à la virtuosité — la comédie de mœurs.

Dans les années 1948 à 1955, les metteurs en scène et les critiques de Belgrade ont discuté avec acharnement sur cette question de principes : les comédies de Nušič sont-elles des satires ou bien de simples manifestations de l'humour ?

Les premiers défendaient, soit par leurs mises en scène, soit par les arguments idéologiques de leurs articles polémiques, la première thèse à savoir que l'humour des comédies de Nušič était seulement un humour de surface s'exprimant dans la description réaliste des types humains et dans la couleur locale des dialogues pleins d'entrain, et que le thème profond des situations comiques de Nušič était la satire, c'est-à-dire la critique sociale de la vie publique serbe. Le camp opposé repoussait cette thèse en déclarant avec quelque raison que la satire n'était, chez Nušič, que la construction fondamentale, la charpente théâtrale des situations comiques, et que cet auteur ne traitait jamais ses motifs avec l'agressivité intransigeante d'un écrivain satirique authentique, mais qu'il acceptait la vie telle quelle et ne la ridiculisait qu'en des termes fort honnêtes, en bon citoyen qui avait reconnu l'imperfectibilité de la société et en avait fait son deuil (3).

Nous sommes de l'avis de ceux qui voient dans l'œuvre comique de Nušič surtout la manifestation de l'humour serbe au théâtre :

Cet humour qui ne se gêne pas d'exagérer les travers de la société, qui néanmoins juge ces travers avec beaucoup d'indulgence, a permis à l'improvisateur infatigable Branislav Nušič de créer, de 1887 à 1938, toute une galerie de personnages comiques qui représentent une véritable typologie de la société serbe d'un passé récent, une typologie comique toujours sûre de produire son effet sur la scène.

Et ajoutons à cette définition, entre parenthèses, la conclusion préliminaire que Branislav Nušič n'est pas un arbitre satirique de cette société, mais bien son amuseur infatigable.

3

Ivan Cankar (1876-1918), chef de file de l'Ecole slovène moderne, a produit son œuvre dans un milieu bien différent de celui de Nušič.

---

(3) L'analyse détaillée de cette discussion est présentée dans la thèse de diplôme de mon élève Vladimir Vukmirović : *Les métamorphoses du rire de Nušič* (Ljubljana, 1955).

L'optimisme insouciant de l'œuvre comique de Nušič tire ses origines dans une mesure considérable d'une fierté nationale toujours croissante : dans sa jeunesse la Serbie était une principauté minuscule, une quantité négligeable dans le monde politique, tandis que dans l'âge mûr de l'écrivain, cette Serbie était devenue une puissance décisive dans le conglomérat des peuples qui composaient la Yougoslavie d'entre les deux guerres — cet état qui dès sa création posait un grave problème européen.

Le climat esthétique de l'œuvre de Cankar respire la mélancolie :

Cette œuvre est née à une époque où l'Empire des Habsbourgs était à son déclin, dans la mêlée politique et culturelle, au milieu des luttes que les Slaves de la monarchie austro-hongroise menaient pour leur émancipation nationale. C'est la fin de siècle viennoise qui a donné son cachet à l'expression idéologique de l'œuvre de Cankar : les revendications anarchistes des bohèmes de la capitale et les tendances politiques de la démocratie socialiste se conjuguent pour produire dans cette œuvre, inspirée d'un humanisme néo-romantique, le climat de l'enthousiasme lyrique.

Cet écrivain européen, chargé de tous les attributs de l'artiste passionné, et qui a écrit la plus grande partie de son œuvre littéraire en prose lyrique, a destiné à la scène seulement six de ses œuvres, si nous ne tenons pas compte d'une tentative assez insignifiante de jeunesse (4). Voici les titres de ses pièces: *Jacob Roúda (Jakob Ruda*, 1900), *Pour le bien du peuple (Za narodov blagor,* 1901), *Le Roi de Betajnova (Kralj na Betajnovi,* 1902), *Scandale dans la vallée de Saint-Florian (Pohujšanje v dolini šent-florjanski,* 1908), *Les Valets (Hlapci,* 1910), *La belle Vida (Lepa Vida,* 1912). La résonance de ces œuvres auprès du public est grande et elle est loin d'avoir atteint son point culminant — pendant la vie du poète, elles tenaient la scène à peine quelques soirées. Une d'elles — *Les Valets* — ne fut jamais représentée jusqu'à la débâcle de l'Empire autrichien, à cause de l'agressivité de sa critique sociale et politique. *Les Valets* sont le drame de la crise morale de la petite intelligentsia qui étouffait dans le crépuscule du provincialisme slovène sous l'oppression omnipotente de l'*ecclesia militans;* c'est une œuvre de critique sociale pleine d'âpres dissonances satiriques et pénétrée d'une résignation lyrique, qui, écrite en 1910, ne fut portée à la scène qu'en 1919, et qui atteignit le public international avec le retard d'un demi-siècle, au Festival de Paris en 1956 (5).

Tandis que Branislav Nušič, improvisateur fécond sans grandes ambitions en ce qui concerne l'originalité du style, se contenta pendant les cinquante années de sa carrière dramatique d'un réalisme romantique de convention, Ivan

---

(4) C'est la pièce *Ames romantiques (Romantične duše)*, écrite en 1897, publiée après la mort de l'auteur, en 1922.

(5) La brochure programme, publiée par le Théâtre Dramatique National Slovène en français pour la représentation des *Valets* au Festival de Paris, présente ce drame de Cankar avec une étude de Bratko Kreft sur le personnage principal du drame (l'instituteur Jerman) et une analyse bien détaillée de Lojze Filipič (résumé du drame); le texte intégral est traduit en français par Sidonie Jeras (*Les Valets*, édition ronéotypée, 1956).

Cankar, poète lyrique par son tempérament artistique et polémiste, par sa position en face de la société, passa dans ses six œuvres dramatiques par toutes les métamorphoses du théâtre européen dans les années de 1900 à 1912, depuis la critique ibsénienne de la morale sociale jusqu'aux raffinements psychologiques du symbolisme de Maeterlinck.

Dans le climat littéraire créé par ces inspirations venues du théâtre européen contemporain, la double personnalité de Cankar a fait naître un monde dramatique d'une envergure surprenante.

L'engagement théâtral de Cankar est fait de deux composantes, de la critique sociale et de la psychologie individuelle, mais ce qui fait l'originalité de son invention dramatique, c'est le fait que l'auteur, en intégrant ces deux composantes dans son œuvre, ne s'est pas arrêté sur les positions de la pièce de mœurs purement descriptive et moralisante telle qu'elle était reprise par le théâtre bourgeois de la fin de siècle dans cette partie de l'Europe qui subissait l'influence de la culture autrichienne. Le monde théâtral de Cankar présente des facettes multiples, car son tempérament de polémiste lui fait voir la friponnerie de la société slovène à travers le prisme d'une satire sévère, tandis que la psychologie délicate de sa nature lyrique lui entr'ouvre les abîmes du subconscient où il découvre les sentiments et les sensations les plus intimes, inaccessibles à la curiosité grossière d'une simple satire sociale. Ces dimensions multiples de l'univers théâtral de Cankar qui embrasse et le macrocosme des problèmes sociaux, et le microcosme de la psychologie individuelle, se reflètent aussi dans l'expression esthétique de son œuvre qui va du lyrisme grotesque jusqu'au pathétique de la tragédie.

Cette envergure surprenante de l'univers théâtral de Cankar inquiète de plus en plus nos metteurs en scène qui essayent de trouver un style de mise en scène traduisant fidèlement l'esprit de cet univers.

Ce problème est aussi l'un de ceux du théâtre contemporain qui n'ont pas encore trouvé leur solution; il se réduit à cette question :

Comment présenter sur la scène la somme indivisible des phénomènes de la vie consciente et subconsciente, de la veille et du rêve, du réel et de l'imaginaire ?

4

Miroslav Krleža (1893) est, à bien des égards, le continuateur croate de Cankar à qui il ressemble par l'agressivité de sa critique sociale ainsi que par la diversité psychologique de son œuvre (6).

Cette œuvre est née en trois poussées successives mais qui pourtant se confondent par endroits :

---

(6) En 1957 parut une étude française sur Krleža : c'est l'introduction de Léon PIERRE QUINT au recueil *Enterrement à Theresienbourg*, Paris, Editions du Sagittaire.

Les deux premiers cycles des drames de Krleža, écrits entre 1913 et 1924, sont caractérisés, de l'aveu de l'auteur lui-même, par l'excès du mouvement scénique, tandis qu'une authentique action dramatique leur fait presque entièrement défaut. Voici comment l'auteur se moque de cette quantité énorme d' « épisodes massifs » dans ses premières pièces :

J'ai commencé par mettre sur la scène des trains en flammes, des masses de cadavres, des gibets, des revenants, des mouvements de toute sorte : des navires coulaient, des églises et des cathédrales s'écroulaient, l'action se déroulait sur des cuirassés de trente mille tonnes; des régiments entiers tiraient et on mourait en masse (7).

Telle était la période expressionniste des débuts dramatiques de Krleža, nés dans un moment de dépression décisive sous le signe de deux bouleversements historiques qui avaient touché aussi les jeunes intellectuels croates : la Révolution russe et la chûte de l'Empire autrichien.

Le premier cycle de ces drames peint, avec une véhémence polémique, l'agitation morale dont l'humanité a souffert aux époques troubles de guerre et révolution. Ces essais dramatiques furent recueillis en 1933 sous le titre symboliste de *Légendes : Légende* (1913), *Mascarade* (1913), *La Foire de l'Ascension* (1915), *Christophe Colomb* (1917), *Michel-Angelo Buonarroti* (1918), *Adam et Eve* (1922). Le deuxième cycle traite sous une forme déjà plus modérée les événements de la guerre mondiale et les échos sociaux qu'ils ont suscités chez les paysans et les soldats, les ouvriers et les intellectuels croates. Dans les œuvres complètes de Miroslav Krleža ce cycle garde le caractère commun d'une trilogie de guerre : *Golgotha* (1918-1920), *Au camp* (sous le premier titre *Galicie*, 1920), *Vučjak* (1923) (8).

Le troisième cycle des pièces de Krleža s'évade, au moins par son style d'expression, du tumulte expressionniste, pour retrouver la sobriété bien réglée du drame psychologique à la manière d'Ibsen. L'auteur lui-même le dit en ces termes : ce cycle passe de « *l'art dramatique quantitatif* » à « *l'objectivation psychologique des sujets individuels qui vivent sur la scène leur personnage et leur destin.* » Krleža commente ce passage en affirmant que « *l'action quantitative* » ne permet pas le développement de la véritable action dramatique :

L'action dramatique sur la scène n'est pas quantitative. La tension intérieure d'une scène ne dépend pas du dynamisme des événements extérieurs, mais c'est le contraire qui est vrai : la puissance de l'action dramatique est concrète, qualitative à la manière d'Ibsen. (9)

Cette apologie d'un retour de la sphère visionnaire de l'expressionnisme aux

---

(7) Cité d'après un discours de l'auteur à Osijek en 1928 avant la lecture du drame *Agonie*, publié dans le recueil des polémiques avec ses critiques : *Mon réglement de compte avec eux (Moj obračun s njima)*, Zagreb, 1932, p. 203.

(8) *Vučjak* (prononcer : Voútchyak), nom d'un village croate, littéralement « Village des loups », symbolise le climat déprimant d'un petit village à la fin de la première guerre mondiale.

(9) KRLEŽA : *Moj obračun s njima*, p. 203.

ressorts de l'analyse psychologique trouve son application artistique, pleine d'effet théâtral, dans la trilogie des *Glembay*.

Dans ces trois pièces, Krleža étudie avec une critique sociale intransigeante et une analyse pénétrante la déchéance d'une famille bourgeoise de Zagreb. Cette déchéance, illustrée d'une manière réaliste qui passe, aux points culminants de l'action dramatique, jusqu'au naturalisme de la chronique scandaleuse, coïncide dans l'interprétation de l'auteur avec la débâcle de la société autrichienne à la veille de la première guerre mondiale et avec l'agonie de cette société dans l'atmosphère trouble des premières années d'après-guerre, c'est-à-dire, avec la crise de la société de l'Europe centrale de 1913 à 1925.

La création de cette trilogie :

Les Glembay (*Gospoda Glembajevi*, 1928), *L'Agonie* (*U agoniji*, 1928), *Leda* (*Leda*, 1930).

Miroslav Krleža, auteur universel et fécond, poète lyrique et prosateur, essayiste polémique et dramaturge, fit ses débuts littéraires, ainsi qu'Ivan Cankar, dans un milieu de culture autrichienne mais déjà sous l'influence assez significative du satirique viennois Karl Kraus, auquel il reprit, par sympathie pour son esprit polémique, jusqu'au titre d'une revue qu'il éditait après la guerre : *Plamen - Die Fackel* (10). Des influences importantes, venues du théâtre européen, depuis Oscar Wilde et Frank Wedekind jusqu'à August Strindberg et aux expressionnistes allemands, marquèrent les débuts de Krleža. Mais l'auteur croate, avec son tempérament dynamique, sut unifier toutes ces influences et créer une vision de la guerre et de la crise d'après-guerre qui reflète avec une précision presque photographique la vie sociale de cette partie balkanique de l'Europe centrale où Krleža passa sa jeunesse.

Cette jeunesse, bouleversée par la mêlée historique de la guerre et de la révolution, détermina l'œuvre entière de Krleža qui n'est qu'un cri d'indignation contre la société :

Il proteste contre le provincialisme attardé de la vie publique, contre l'antagonisme entre le potentiel culturel des peuples balkaniques et le primitivisme de leur civilisation, contre le déséquilibre politique des intellectuels, contre le fatalisme slave.

5

Branislav Nušič, Ivan Cankar, Miroslav Krleža :

Ces trois auteurs si dissemblables par leurs origines, leurs dons artistiques et leurs positions envers le monde, expriment dans leurs œuvres dramatiques, chacun à sa manière, cette nausée qui a envahi l'Europe à la veille de la première guerre mondiale, et que l'absurdité sanglante de la deuxième guerre mondiale a exaspéré jusqu'à l'état d'une agitation sociale permanente.

---

(10) *La Flamme.*

L'œuvre comique de Branislav Nušič ne fait deviner que les premiers symptômes de cette nausée car l'humour insouciant de cette œuvre — qui, tout en exagérant jusqu'au grotesque les travers de la société, la juge avec indulgence — n'a pas chargé la conscience sociale de l'auteur d'une inquiétude morale qui suffirait à transformer cet humour en protestation contre la société, en agressivité polémique de la satire. Ainsi il n'a pas été donné à Nušič de s'élever au-dessus de son rôle d'amuseur.

La structure idéologique de l'œuvre d'Ivan Cankar révèle des éléments bien différents. L'engagement social et critique de cet humanisme néo-romantique s'exprime d'abord dans la condamnation morale du parasitisme social, se hausse plus tard, lorsqu'il analyse les rapports insolubles entre l'artiste et la société, jusqu'à la satire grotesque, et finit par s'apaiser dans une résignation lyrique où le poète proclame la vanité de la vie réelle, et cherche la vérité et le bonheur dans le rêve, dans le désir inassouvi d'une existence nouvelle, libérée de toutes les servitudes de la vie réelle.

Les pièces noires de Miroslav Krleža reprennent le thème principal d'Ivan Cankar, son inquiétude pour le sort individuel et social de l'homme, et y ajoutent des accents nouveaux de protestation violente contre l'imperfection de ce monde. La polémique passionnée de Krleža contre la morale sociale révèle l'engagement de l'homme contemporain luttant contre la déchéance de cette morale, contre cette déchéance qui paralyse les centres vitaux de son existence dans toutes les régions de la vie consciente et subconsciente : de la veille et du rêve, du réel et de l'irréel.

Et pour terminer, une brève conclusion :

L'observation clairvoyante et l'invention comique de Branislav Nušič, l'agitation morale et l'enthousiasme lyrique d'Ivan Cankar, la polémique passionnée et la protestation éloquente de Miroslav Krleža — ces éléments divers ont créé sur la scène yougoslave, dans un passé récent une atmosphère particulière, un climat théâtral, plein de dynamisme social et d'agitation individuelle qui ne cesse d'inspirer le talent dramatique de nos auteurs contemporains, un climat, dont on peut dire qu'il représente au moins une promesse, une promesse pour l'avenir du théâtre en Yougoslavie.

DISCUSSION

IVERNEL. — Comment comprenez-vous la fonction de ce théâtre dans la société yougoslave actuelle, alors qu'il date d'une Yougoslavie pré-révolutionnaire ?

KUMBATOVIČ. — J'ai choisi ces trois auteurs pour ma communication et j'en ai parlé d'une manière concrète car je pense que les facteurs que j'ai indiqués — la critique sociale, l'engagement d'auteurs comme Cankar ou Krleža qui ont cherché une solution à la vie individuelle de l'homme dans la société — existent toujours. Ces questions demeurent très actuelles en Yougoslavie, elles sont ouvertement discutées et de temps à autre provoquent des scandales sur la scène, lorsqu'on y fait allusion d'une manière agressive aux défauts de la vie publique actuelle. Il ne faut pas oublier que cette vie se développe dans une pluralité de contradictions et qu'il y a de jeunes auteurs qui sont de simples « amuseurs » comme Nušič, et d'autres, insatisfaits et mécontents, des « critiques de la société » qui mettent un accent satirique sur les problèmes qui se posent dans la vie. Et je crois que la tradition assez forte de ces trois écrivains a empêché quelques nouveaux auteurs, qui avaient moins de talent et d'ambition sociale, de faire des pièces de propagande sans contenu moral, sans signification humaine profonde.

Mme MERCIER-CAMPICHE. — Les jeunes auteurs dramatiques contemporains peuvent-ils s'exprimer librement ?

KUMBATOVIČ. — On ne peut pas donner une réponse concrète sans analyser le texte des pièces en question. En principe, on peut tout jouer, et ce sont les journaux qui font la critique. On ne supprime pas des textes qui peuvent paraître suspects à un fonctionnaire. On donne la pièce si elle correspond à une possibilité minimum de réalisation scénique et on étudie les réactions du public et de la critique. D'ailleurs le directeur du théâtre est responsable de son programme, car il n'y a pas de programme imposé par l'Etat. J'ajoute entre parenthèses : il y a toujours et partout des directeurs courageux et des directeurs lâches.

Mlle LAFFRANQUE. — Le critique prend-il aussi ses responsabilités, ou bien est-il soumis à certaines servitudes ?

KUMBATOVIČ. — Il est responsable de sa critique, car il n'y a pas de « critique collective » en Yougoslavie. Certains critiques sont plus ou moins impressionnistes, d'autres sont des idéologues qui font des leçons de philosophie à propos de chaque pièce. Ces deux extrêmes existent chez nous.

Mlle LAFFRANQUE. — La liberté d'expression dramatique est-elle réduite par le manque de liberté dans l'expression critique ? On ne peut jouer une pièce si elle n'a pas de succès. Les gens suivent-ils la critique ou bien vont-ils voir la pièce même si la critique est mauvaise ? Car s'ils la suivent, une pièce pourrait être tuée par une critique qui ne serait pas indépendante, ou bien par le silence de cette critique.

KUMBATOVIČ. — On a joué des pièces très intéressantes qui n'avaient pas beaucoup de critiques favorables et qui attiraient pourtant beaucoup de public; par contre des pièces sans qualité artistique ont eu aussi un grand public, pour des raisons d'actualité par exemple.

IVERNEL. — Est-ce que ce jeune expressionnisme révolutionnaire trouve un écho dans la jeunesse yougoslave actuelle ?

KUMBATOVIČ. — Le mot « expressionnisme » m'intrigue un peu, car c'est un autre problème. L'expressionnisme a exercé chez nous une assez grande influence entre les deux guerres; il y a eu un développement de l'expressionnisme parallèle à celui d'Allemagne, surtout dans le domaine du théâtre slovène et croate; de même, avec les premières manifestations du surréalisme français, le surréalisme s'est développé, surtout dans la littérature serbe. Et il y a encore des auteurs qui ont nourri leur imagination d'œuvres françaises des années 1920. A l'heure actuelle on peut parler chez quelques jeunes auteurs d'une influence de Pirandello et des pièces symbolistes de Cankar. Mais Brecht est pour nous, au moins pour les Slovènes, un auteur des années 1930 puisque dès avant la guerre les pièces de Brecht étaient jouées en Yougoslavie.

D'autre part, il y a encore des auteurs qui écrivent dans un style réaliste très lourd, très simple, avec un accent de propagande sans esprit, et ils trouvent leur public dans quelques théâtres de province et même quelquefois la faveur du directeur d'un ou l'autre des théâtres nationaux.

Mlle LAFFRANQUE. — En quoi consiste l'influence de Pirandello et de Cankar ?

KUMBATOVIČ. — C'est surtout ce mélange de scènes d'imagination pure et de scènes imitées de la vie réelle qui intéresse ces jeunes auteurs. Ils cherchent à trouver une solution artistique aux problèmes des rapports du rêve et de la réalité.

IVERNEL. — Cette influence pirandellienne ne serait-elle pas due à un réflexe de fuite, à un refus de prendre en charge la réalité yougoslave ?

KUMBATOVIČ. — On a également parlé de cela chez nous, mais je crois que c'est autre chose car les jeunes sont assez courageux dans la critique sociale, mais ils cherchent une expression plus profonde de la réalité dans laquelle l'action sur la scène et le dialogue ne seraient pas une simple photographie du réel.

MARRAST. — Quel auteur le public préfère-t-il, l'amuseur ou celui qui aborde des problèmes sociaux ?

KUMBATOVIČ. — A mon avis, l'influence de Krleža est plus grande que celle de Nušič, car Nušič amuse, mais il ne reste rien du spectacle après la représentation, tandis que les pièces de Krleža obligent plus ou moins le spectateur à réfléchir après le spectacle, et, d'après mon expérience cela intéresse davantage notre public qui a formé sa conscience théâtrale pendant des dizaines d'années de révolte nationale et de protestation sociale.

JACQUOT. — Dans quelles conditions un auteur peut-il faire jouer une pièce ? Avec quelles troupes, quels moyens financiers ?

KUMBATOVIČ. — Ce problème est lié aux changements actuels dans l'organisation de l'activité théâtrale en Yougoslavie. Jusqu'en 1950-51 les théâtres professionnels étaient subventionnés par les républiques et dirigés dans leur répertoire. Puis, lorsqu'on a procédé à la décentralisation presque complète de la vie culturelle, on a mis le théâtre sous la garde de la société. Les théâtres sont subventionnés par la ville; ils peuvent être fondés, d'après la nouvelle Loi du Théâtre de 1956, par un groupe de citoyens. On a vu à Ljubljana un théâtre d'essai commencer sans aide officielle, puis être subventionné par la ville, car on avait trouvé les représentations suffisamment intéressantes. Il y a aussi à Belgrade un théâtre expérimental qui reçoit une subvention pour monter les pièces des jeunes auteurs. On discute toujours avec acharnement sur les réserves que font les théâtres nationaux pour jouer les jeunes, car ces théâtres ne risquent qu'exceptionnellement des expériences. C'est compréhensible : on ne peut monter régulièrement des pièces qui ne peuvent tenir la scène que pour quelques soirées. On peut formuler une conclusion générale sur ce point : une pièce peut être jouée si elle offre un minimum de garanties en ce qui concerne la réalisation scénique, et la durée des représentations.

ODDON. — N'y a-t-il pas chez les auteurs une auto-censure qui leur fait éviter certains sujets par crainte de ne pas être joués ?

KUMBATOVIČ. — Il y a des sujets délicats pour lesquels l'auteur doit réfléchir à la façon de présenter le problème s'il veut être joué, mais cela existe dans toutes les sociétés. La solution dépend du talent de l'auteur, et dans une certaine mesure aussi du milieu social que représente telle ville, ou telle autre, telle république ou telle autre, car la situation culturelle diffère beaucoup d'un endroit à l'autre, en Yougoslavie. Ainsi on trouve des pièces qui ont obtenu une critique assez favorable dans une république, et qu'une autre république ne veut pas monter. Enfin, il y a des auteurs qui font des compromis avec certaines tendances officielles, et d'autres qui provoquent des scandales en s'opposant à ces tendances. Ce sont ces deux extrêmes qui caractérisent la situation dramatique. Et en ce qui concerne le répertoire étranger, nous jouons à peu près les mêmes pièces que l'on joue à Paris et dans les autres capitales d'Europe.

VERTUS PLASTIQUES DU THÉATRE DE VALLE-INCLAN

par Francisco NIEVA

VALLE-INCLÁN ET LE STYLE

Il n'est pas possible de parler d'une esthétique valle-inclanesque sans une allusion à ce qu'une certaine critique a pu péjorativement appeler son esthétisme. En effet, jusqu'à la parution d'œuvres comme *Divines Paroles* ou comme son roman *Tirano Banderas,* cet auteur se présente à nous comme préoccupé de modernisme 1900. Influencé au départ par les symbolistes et par Barbey d'Aurevilly, il fait son apparition en Espagne dans le même temps que Maeterlinck et d'Annunzio; et ses *Sonates* — quatre longs récits — se placent aussitôt dans une littérature d'époque, malgré la beauté formelle de la langue, et il leur manque le caractère précurseur de ses pièces des dernières années. L'unité de son œuvre n'est qu'apparente, et nous pourrions dire sans guère courir le risque de nous tromper que ce qu'elle présente de plus positif est encore à découvrir. Certaines circonstances contraires, dont l'examen n'entre pas dans le sujet de cet exposé, interdisent pour l'instant en Espagne que soient montées ces œuvres qui certainement sont pleines de surprises pour les plus exigeants. Les efforts de quelques théâtres d'essai, systématiquement tenus à l'abri de la curiosité du grand public, demeurent de toutes façons insuffisants.

Jusqu'à l'époque de la composition de ses dernières œuvres, le style de Valle-Inclán est resté tendu à l'excès vers la perfection et soumis à une série d'influences très faciles à discerner. Né en Galice, il se considère comme celte de tempérament, et lutte pour tirer de ce celtisme les fondements de son esthétique; mais finalement la Castille exerce sur lui une puissante attraction, au point qu'il se considère comme *remodelé* par elle. Nombreuses sont pourtant les œuvres qui répondent à la ferveur gaélique des débuts, avec tout ce qu'elles comportent esthétiquement de panthéisme brumeux et légendaire; avec cette manière d'habiller certaines conventions artistiques d'une parure également formelle, au point que l'on peut se demander si l'obsession de l'auteur n'est pas fondée peut-être sur ce qu'on pourrait appeler d'une façon également obscure la ritualité de la littérature. Avec un peu d' attention, qui ne dit pas que nous pourrions découvrir dans ces écrits le problème psychologique de la sécheresse artistique, l'effort pour conserver l'expression créatrice, le travail désespéré pour perpétuer l'élément spirituel, les formes et les genres d'art à des époques de grande crise. Par ailleurs, nous serons forcés de reconnaître, sans entrer dans trop de subtilités, que la notion de cette ritualité de la littérature est ce qui distingue et condamne le mieux les mauvais auteurs, le vrai stigmate qu'ils portent. Et, en effet, Valle-Inclán se libère de ses plus grandes insuffisances grâce à un travail et une constance d'artiste (1). Nous observons cette transformation à travers ses *Comédies Barbares*.

Un parallèle historique et géographique entre les guerres carlistes et les épisodes de la chouannerie en France, la lecture passionnée d'ouvrages comme *Le Chevalier Des Touches* de Barbey d'Aurevilly, favorisent l'adoption des idées esthétiques qui marquent sa jeunesse. Encore que pas un seul instant son carlisme politique ne soit la preuve d'une conviction réelle, car il n'y adhère pas avec ce minimum de racines éthiques ou philosophiques qu'exigent les véritables convictions politiques. Là dessus, ses idées souffrent d'une grande incohérence, elles ne sont pas autre chose que le reflet de la *manière* littéraire adoptée : son attitude politique finale, beaucoup plus sincère, nous révèle le simulacre artistique. Le jeune esthète qu'est alors Valle-Inclán ne se demande pas en toute logique comment concilier l'aspiration personnelle et la loi impersonnelle, qui constitue l'objet pour ainsi dire unique de la pensée politique. Au contraire, comme son exclusive vocation d'artiste n'a pour objet que la conciliation supérieure avec l'absolu, tout le conduit à professer une fausse politique toute entière faite de défenses contre toute discipline susceptible de le limiter. Certes son cas est un cas extrême, mais il faut reconnaître que le rôle de l'artiste en politique est presque toujours d'une alarmante ambiguïté. Cela étant dit tant pour disculper ceux qui alignent leur attitude sur celle de Valle-Inclán, que pour louer ceux qui militent dans les rangs de Brecht.

Pour ce qui touche aux influences de jeunesse, cet écrivain, si original au

---

(1) Il faudra attendre longtemps encore avant que l'on songe à utiliser les biographies néo-expressionnistes publiées par Gómez de la Serna pour l'étude de quelques-unes des figures les plus en vue de la culture espagnole, à la lumière que projettent sur elles la sensibilité et les idées de tout le premier quart du siècle, si important pour l'évolution et la résurgence de notre littérature. Pourtant Gómez de la Serna saisit là quelque chose d'essentiel; ni son style dithyrambique, ni son parti-pris d'humour mécanisé ne parviennent à étouffer l'affectueuse lucidité qui le conduit à situer si parfaitement ses figures.

L'homologue de ce biographe occasionnel — que nous pourrions nommer « autobiographe de ce qui est hors de lui » étant donné le caractère éminemment subjectif de ses ouvrages — nous pourrions le trouver chez l'anglais Chesterton. Il faut prendre comme elles sont les œuvres biographiques de cette sorte, mais n'en pas tenir compte suppose une erreur, même pour la recherche la plus rigoureuse. Le Dickens ou le Robert Browning de Chesterton n'ont d'autre sens qu'une variation de leur situation dans le corps d'idées d'une société, sous le regard d'un esprit aigu et désinvolte.

Un des éléments les mieux saisis par GÓMEZ DE LA SERNA dans sa biographie de Valle-Inclán, c'est le zèle anxieux que l'artiste met à son travail matériel : telle est l'impression finale que laisse l'ouvrage, qui ressemble tant, par d'autres côtés, à bien d'autres du prolifique écrivain. (Buenos Ayres, Espasa-Calpe éditeur).

fond, ne s'arrête pas aux scrupules : par une compénétration avec les auteurs qu'il aime, il en arrive à la traduction littérale, à l'imitation de la syntaxe de Barbey d'Aurevilly, ce dont Julio Casares, dans sa *Critique Profane* (2) l'accuse avec les plus évidentes des preuves. L'originalité finale de son œuvre est basée sur ce caractère hybride et sur une confusion de goûts qui laissent quelque peu perplexe. En Valle-Inclán nous trouvons l'un des plus clairs exemples de la manière dont un artiste peut tirer sa propre perfection des éléments de sa propre imperfection, ce qui, au bout du compte, pourrait bien être l'aventure de tous les styles.

Outre ces absurdes manières d'accomoder les tournures de la syntaxe française et même italienne, sa prodigieuse mémoire enregistre toute une série de régionalismes et d'américanismes en vue d'une distorsion de l'expression castillane. Par l'accumulation de ces procédés, son style, d'abord précieux et guindé, acquiert une funambulesque maîtrise des mots, ce qui n'empêche pas — ou peut-être est la raison — qu'il finit par créer parfois une atmosphère irrespirable. Mais cette folle plongée dans le baroque non seulement est ce qui sauve l'auteur de son maniérisme gênant, mais encore ce qui dote son univers et ses personnages d'une conscience véritable et fait de ses derniers ouvrages de brillants précurseurs du théâtre de décomposition de Ionesco ou de Beckett.

La première moitié de son œuvre, celle qui encore affecte ces allures olympiennes si particulières aux auteurs de son temps, celle qui touche à la vision première de son *Marquis de Bradomín* — un don Juan, selon la définition de son créateur, laid, catholique et sentimental — est aussi celle qui jusqu'à présent a obtenu de la part de la critique les plus grands honneurs; sa manière baroque, par contre, qui, en fin de compte révèle le caractère subreptice et simulé de la précédente, laissa en son temps ses admirateurs et ses exégètes beaucoup trop pantois pour qu'une étude sérieuse en fût entreprise. Etude, d'ailleurs que son meilleur biographe, Melchor Fernández Almagro, ne fit qu'esquisser (3). Si l'après-guerre espagnole avait eu un peu plus de considération pour la génération littéraire dite de 98, cette étude devrait à présent exister: elle

---

(2) L'un des premiers travaux sérieux consacrés à l'écrivain, et dans lequel sont utilisés, avec une apparente légèreté, une méthode comparative et un certain appareil philologique au fond assez redoutables, qui ne sont pas si fréquents parmi les critiques espagnols. Cet ouvrage fut publié avant que l'œuvre de Valle-Inclán ait encore atteint ses proportions de création totale des dernières années. (Espasa-Calpe, éditeur).

Cependant, l'influence de Eça de Queiroz sur l'écrivain galicien semble exagérément soulignée. Que nous offre de particulièrement remarquable le fait qu'un galicien et un tempérament portugais possèdent des points communs, lorsque tous deux sont également celtiques et brumeux, et, en outre, ont subi la même influence française ? De nos jours, Eça de Queiroz est en somme pour nous un homme quelque peu prisonnier de son admiration pour Flaubert, alors qu'en son temps Castello Branco nous offre une note plus juste du lyrisme portugais. Dans un de ses articles de *Soliloques et Conversations*, UNAMUNO n'a pas manqué de souligner la sensation de chose traduite que lui laissait la prose de Queiroz.

Par ailleurs, traduire une traduction constituait l'un des moindres exploits de Valle-Inclán alors jeune écrivain. On pouvait espérer, cependant, qu'une série aussi nombreuse d'influences aboutirait à une formule tout à fait originale.

(3) Madrid, Afrodisio Aguado, éditeur.

offrirait un moyen d'orientation à ceux qui tentent d'approfondir les problèmes d'un certain théâtre contemporain.

Semblable négligence dans les autres pays : d'abord la guerre, la difficulté technique ensuite de traduire cette rocaille grammaticale, le manque surtout d'un esprit d'affinité, qui commence à présent à s'installer chez le grand public, firent dédaigner cette curieuse figure du théâtre moderne, qui choisit l'univers, en grande partie conventionnel, de l'Espagne Noire pour restituer la décrépitude réelle ou imaginaire que tant d'artistes et de philosophes croient être aujourd'hui un des signes de la civilisation européenne, en particulier en ce qui touche à ses institutions politiques; car Valle-Inclán, le traditionnaliste Valle-Inclán, se révèle en fin de compte l'un des plus virulents démolisseurs que l'art théâtral ait connus, et cela malgré son paradoxal amour du passé.

C'est que l'importance de cet écrivain est passée quelque peu inaperçue en France, circonstance d'autant plus défavorable qu'il existe déjà des écrivains plus représentatifs de cette tendance — subtilité psychologique dans le choix des formes et des sons, qui sont l'aboutissement dans le langage théâtral du surréalisme poétique, mais pure coïncidence chez Valle-Inclán —, plus représentatifs et aussi plus faciles à représenter, en premier lieu parce qu'ils s'abstiennent d'un pittoresque qui chez l'Espagnol répond à un modèle somme toute local, et en second lieu en raison de l'économie de moyens dans le nombre d'acteurs et dans les exigences de la mise en scène, véritable obsession technique du théâtre militant. Songeons que Valle-Inclán écrivit nombre de ses pièces avec le sentiment qu'elles ne seraient jamais jouées, ce qui contribua pratiquement à ses audaces d'argument comme de style.

C'est précisément le style qui chez lui prête constamment à malentendu. C'est souvent l'aspect négatif qui fait émettre un jugement hâtif, qui dérobe notre attention à son théâtre baroque des années 1924 à 1936. Attention également absorbée en France par le phénomène Lorca — qui s'explique d'une certaine façon par l'apparition tout à fait opportune du poète dans la littérature mondiale, comme dans la vie et la littérature espagnole —; mais qui entraîne avec elle une méconnaissance d'artistes non seulement tels que Valle-Inclán — mort la même année que Lorca — mais d'un Alberti, seul créateur à l'heure actuelle d'un théâtre poétique de grande envergure en langue espagnole. (Comment ne pas remercier, dans ce cas, Robert Marrast des traductions si soignées qu'il a faites de l'un et de l'autre ? Un effort aussi louable permettra à ceux qui savent qu'il existe un théâtre moderne espagnol non limité à la figure mythico-politico-littéraire de Garcia Lorca d'y trouver une certaine compensation).

Bref, en ce qui concerne Valle-Inclán, il ne fait aucun doute que toute critique de son œuvre doit tenir compte de cette suprématie, qui parfois va en sens contraire de soi-même, du style sur ses autres qualités. Il est à noter qu'il utilise ses sommaires connaissances classiques et humanistes dès le début, et uniquement en guise d'argile ou de stuc servant d'ornement à sa prose, modelée à partir de résidus matériels de culture, de phrases ou de tournures fossilisées, transformant ainsi les mots en objets hermétiques, en fétiches verbaux, *Divines*

Paroles. La monstrueuse versification de *Voces de Gesta* est l'un des plus sûrs indices de ce surréalisme précurseur; la versification de cette œuvre est d'un archaïsme faux et capricieux, gauche et pimpant avec grâce, *esperpento* involontaire. Ce serait une erreur que de supposer que ce faux archaïsme répond encore à la position esthétique des modernistes, autant que le caractère d'évocation que conservent encore plusieurs œuvres postérieures : dans celles-ci le retour en arrière dans le temps n'a pour objet que de situer l'action un peu en dehors du temps, dans un climat où, comme dit Ramón Gómez de la Serna dans l'ouvrage qu'il lui a consacré, son esprit de démolisseur et son amour du passé peuvent se conjuguer.

Chez Brecht, le choix de climats exotiques et de thèmes historiques n'a pas pour seul objet la théâtralité, le divertissement visuel auquel, selon Brecht, le spectateur a droit. Cet auteur, que certains ont jugé didactique avec excès et trop professoral, se laisse entraîner par une irrépressible réfutation poétique de ses propres théories d'organisation, en cherchant un refuge dans la confusion de climats exotiques et historiques ou ses idées rédemptrices sont revêtues d'un optimisme qui n'a guère de fondements dans le présent. Cela a pour objet de corriger ou de recréer ce présent bien plus par les voies de la grâce que par celles de la production industrielle. Là est l'ambiguïté poétique qui fait faire la grimace aux sentinelles de l'engagement politique dans l'art. Brecht, avec ces transpositions qui semblent n'avoir pas grande importance se trouve cependant en position de défendre l'individu au moyen d'un esprit philosophique optimiste et médiéval. Valle-Inclán, en situant l'action de ses pièces dans un cadre de barbarie et d'incompréhension, observe une attitude parallèle. Son œuvre, en tombant tout à fait dans le baroque, entre dans le rang du grand théâtre et de la grande ambiguïté, et ce changement final est dû à une renonciation, à l'abandon de sa tension vers la perfection formelle (4).

Nous avons sous les yeux l'exemple d'artistes qui, pour si douloureuses que soient certaines de leurs expériences strictement personnelles, poursuivent une recherche de la beauté et du vrai et qui, en relation avec la société de leur temps, apparaissent comme des ilots de résistance et de tension morale. D'autres fois, au contraire, tel des plus doués qui semble en art suivre une ligne ascendante vers l'idéal et l'abstraction, se jette dans une réalité primaire de laquelle il peut espérer tout renouveau. L'aventure du style chez Valle-Inclán dépend finalement de cela. Une telle défaillance ne fit que lui découvrir la con-

---

(4) « L'illuminisme espagnol se manifeste dans ces formes littéraires [c'est-à-dire les prémices du baroque dans le genre pastoral] tel qu'il était réellement, tel une folie qui, suivant l'effet d'une évolution ou d'un ferment naturel, tend vers la raison, comme un mensonge aspirant à la vérité, comme une fiction espérant parvenir à la sagesse et comme une jouissance des sens se détruisant eux-mêmes. La nature humaine signifie pour l'espagnol une source de désirs, de rêves, d'images et de mots, et, lorsqu'elle arrive à lui manquer, apparaît une réalité : Dieu, la mort, l'outre-tombe. » (Karl VOSSLER, *Südliche Romania*, Munich, 1940).

On trouve déjà des moments de confusion provoquée et consciente chez les écrivains classiques espagnols du plus haut caractère didactique : Quevedo, dans ses œuvres satiriques; Baltasar Gracián.

tinuité sociale et cosmique de l'art. Son langage est toujours le même, mais décomposé, confondu, entraîné par une réalité plus puissante que toutes les formes. Sa biographie explique tout, l'atmosphère d'un Madrid en pleine crise de son esprit castillan séculaire également. Tout cela fit de lui l'écrivain le plus artiste et le plus réceptif de la génération littéraire de 1898.

LES « ESPERPENTOS »

Ce serait une légère erreur que de faire pleine confiance à l'écrivain lui-même, en ce qui concerne ses intentions caricaturales dans la série de ses pièces portant le nom générique d'*esperpentos*. Dans ces pièces, comme dans les *Caprices* de Goya, quelque chose nous retient de leur appliquer le qualificatif de caricatural. Valle-Inclán souligne avec véhémence, entoure d'un ruban de deuil des figures et des situations d'une incontestable réalité, mais la déformation n'est pas si sensible. L'auteur n'est pas non plus un humoriste : il flaire le ridicule comme un satirique, un ridicule réel et quotidien. *Esperpento* est en espagnol un mot très expressif, équivalent de *adefesio* — titre d'une œuvre d'Alberti — et certainement contient un concept ayant ses secrètes racines dans l'âme espagnole. Ce mot contient l'idée d' « apparition grotesque », de « difformité physique ou morale »; « personne ou chose extravagante, déraisonnable, absurdité », dit le dictionnaire de l'Académie Espagnole. Sans aucun doute, l'auteur a également songé aux *Caprices* du peintre aragonais, car le mot contient la notion de « capricieux », « arbitraire », « gratuit ». Mais les *esperpentos* — en tant que pièces de Valle-Inclán —, ne sont pas l'arbitraire et capricieuse déformation que le mot laisse prévoir, mais fréquemment un document fidèle d'une certaine réalité, avec des caractères de plasticité que nous tâcherons d'examiner plus loin.

Valle-Inclán lui-même a dit :

L'Espagnol est toujours au-dessus de ses personnages. C'est un démiurge qui considère ses enfants avec la bienveillance d'un être supérieur. Lorsqu'il éprouve pour eux de la tendresse, il tâche de ne pas le montrer ou bien donne à son expression un rien de moquerie... La cruauté, l'indifférence devant la douleur est une qualité très espagnole. On a voulu comparer la Russie à l'Espagne. Ce n'est pas la question. Tout Russe réagit devant la douleur comme s'il venait de la découvrir, comme si on l'avait fabriquée expressément à son intention. Aussi lui donne-t-il tant d'importance et se confie-t-il à elle avec cette volupté. L'Espagnol est cruel par scepticisme. (5)

Et en effet, le russe est inversement capable d'humour et le cas échéant se montre bon caricaturiste; il n'en est pas de même de l'Espagnol.

Le mot *esperpento* recouvre une réalité de chair et c'est là ce que le style avec tous ses excès n'arrive point par bonheur à déformer complètement: bien

_____

(5) VALLE-INCLAN, *Esthétique, in* Œuvres Complètes, Madrid, Ed. Plenitud.

plus, il en *dessine les contours* avec un plus grand respect pour la réalité espagnole qu'on ne le croyait jusqu'ici. Ramón Gómez de la Serna dit : « Il va dominer son art au lieu de se laisser dominer par lui ». Mais cette façon de ne plus se laisser dominer par l'art signifie plutôt une concession à la nature; la nature intervient dans son style pour créer le sage et indéchiffrable désordre dont elle marque toute chose où on la laisse intervenir. Ce que, au fond, nous soupçonnons être un ordre nouveau, mais plus complexe infiniment. C'est là une expérience très répandue dans l'art, lorsque le travail et la fatigue même amènent l'artiste à la perception d'une finalité, qui se dissimule à lui quand il se trouve sous l'effet énervant du premier mouvement créateur. Le déraisonnable et l'absurde du style reflète plus que jamais le « déraisonnable » et « l'absurde » de la vie même, de la réalité espagnole de son temps. C'est un théâtre représentatif de la génération littéraire de 1898, qui nous offre comme une synthèse de sa mentalité et de ses inquiétudes : « Il est possédé du contraste espagnol : amour du passé et désir soudain de destruction du passé » (6). Cette génération tente d'atténuer le paradoxe du conservatisme et de l'anarchisme ibérique, et de parvenir à une conscience plus claire de soi-même.

L'apparition de ces pièces coïncide chez Valle-Inclán avec une époque difficile que l'anecdote a voulu rehausser de dignité — car il s'agit d'une misère valle-inclanesque — en lui donnant une résonance quasi épique, celle des vrais ou faux marquis ou comtes de Lautréamont, Villiers de l'Isle-Adam ou Toulouse-Lautrec; la pire de toutes par *l'aura* de mystification qui l'entoure et par l'éloignement effectif qu'elle suppose vis-à-vis de la foule. Nous savons bien que c'est la pauvreté qui, faisant son entrée dans l'œuvre, bouleverse ce prétendu ordre du type Renaissance. La fatalité de ces années fut ce qui amena Valle-Inclán au classique baroque espagnol, naturalisme et fantaisie, à l'antienne désolée du monde de la picaresque. « Le baroque allait devenir la consolation de l'artiste balloté, instable, fou maintenant de pauvreté », remarque Gómez de la Serna. Valle-Inclán devient prolifique, écrit avec une facilité extrême et parvient désormais sans effort à une virtuosité verbale incomparable : il crée de faux archaïsmes, de fausses tournures, de fausses expressions verbales ou régionalistes; il imagine une évolution possible de la langue espagnole ou un retour en arrière porteur de dégénérescence. L'argot typique et pur, il ne le fait pas seulement entrer dans ses dialogues, mais encore, obsédé par l' « esperpentisme », il l'incorpore au reste de son œuvre, aux richesses de sa prose, et l'utilise régulièrement et avec une parfaite conviction. Il académise l'argot.

Ses *Comédies Barbares* participent déjà de plusieurs de ces vertus, et particulièrement *Divines Paroles*, mais, au regard des *esperpentos*, elles ont moins de souplesse et d'unité.

En réalité, le thème de l'Espagne Noire, de l'Espagne de la Galice celte ou de l'Espagne des petits bourgs castillans ne contenait rien de nouveau, et de son

---

(6) R. Gómez de la Serna, *op. cit.*

exploitation il n'aurait pu tirer grand chose s'il ne s'était pas personnellement placé au cœur du drame de l'Espagne, de l'Espagne authentique, sous la pression des circonstances plus que sous la pression de son propre tempérament. Mais sur ce point, mise à part l'exception supérieure de Unamuno, aucun écrivain de la tendance « 1898 » — y compris Baroja lui-même, qui sut peindre avec une étonnante fidélité cette ambiance, mais en conservant jusqu'au bout un ton de voyageur compétent et curieux — aucun autre, disions-nous, n'a voulu franchir la « ténébrosité » espagnole avec autant de constance que Valle-Inclán. Aucun n'a voulu la vivre comme lui du dedans. Cet effort fut, enfin, ce qui rendit plus souples ses premiers canons esthétiques.

Mais cela ne s'oppose pas à l'affirmation que la plasticité de son théâtre dépend d'une relative *distanciation*.

Cette souplesse dont nous venons de parler est si grande qu'il suffirait de citer les thèmes développés dans les *esperpentos* pour nous convaincre qu'ils forment à eux seuls un document de mœurs. D'autre part, tous les genres dramatiques y alternent ou s'y mêlent. Même dans *La fille du capitaine* apparaît le phénomène peu fréquent de « pamphlet théâtral ». Pamphlet politique, traité dans une forme qui rappelle les petites pièces populaires du *género chico,* qui un jour nous permettront d'étudier l'importance en Espagne du théâtre populaire au XIXe siècle, le seul qui ait conservé vivace, depuis la *tonadilla* scénique jusqu'aux dernières œuvres de Carlos Arniches, le « plaisir du théâtre », ce qui n'est pas peu de chose. D'une qualité esthétique supérieure, la satire politique de *La fille du capitaine* fait défiler les types et se succéder les lieux scéniques caractéristiques du *género chico:* A l'inverse de la promenade à travers le Madrid crépusculaire de *Lueurs de Bohème,* on nous conduit dans la première vers ce côté province de la Manche et province andalouse qu'on trouve aussi dans la capitale espagnole, et que Valle-Inclán se plait à éclairer d'un soleil qui dépouille les objets; ainsi passons-nous d'une colonie de petits hôtels de la périphérie à un club célèbre d'un clinquant très bourgeois, puis à un café douteux, puis à un bureau du Ministère de l'Intérieur, pour aboutir à la gare d'un village proche où l'on nous présente un train pavoisé dans lequel voyage Alphonse XIII, dont l'extravagante harangue termine cette petite œuvre unique en son genre.

L'intrigue tourne autour de l'avènement de la première dictature du siècle, des causes qui, selon les mauvaises langues, avaient précipité son instauration. Dans la pièce, le renversement du régime est provoqué pour cacher à la police et aux journalistes un crime commis dans des circonstances susceptibles de ternir la réputation d'une haute personnalité politique et militaire. Le tout exposé avec un cynisme très « Grand Guignol » : le conseil tenu à propos du dépècement du cadavre et de son expédition par courrier dans une malle; l'échange d'une fiche de jeu que la victime portait sur elle pour l'encaisser; la vente de documents trouvés dans sa serviette, documents hautement compromettants pour la grande figure politique en question. Cette petite œuvre, modèle d'audace artistique et d'effronterie, ne possède aucun équivalent, dans le cadre du genre intentionnellement social auquel elle appartient, parmi les pièces de tout le théâtre moderne.

D'autre part, elle constitue en quelque sorte l'épigone du genre de l'*esperpento;* sa désarticulation, son « atroce langue déformée » ne constituent plus l'application de certaines normes esthétiques, mais sont l'unique moyen d'expression possible de la colère faite de grondements, d'exclamations chantantes : onomatopée de l'hydre aux mille têtes que l'auteur finit par imaginer à la place de Madrid, perdu qu'il était dans son tourbillon bohème et politique. Les premières phrases de *La fille du capitaine* sont presque incompréhensibles, roulades, zézaiements, parlotes désordonnées à la manière cubaine, galicienne et castillane des plus troublantes. Malgré cela le moment historique nous apparaît capté avec cette authenticité plastique qu'on ne retrouve que dans les vieux films (7).

Cette manière baptisée par son créateur du nom d'*esperpento* comprend les titres suivants : *Lueurs de Bohème, L'Ensorcelé, La rose de papier, La tête de Saint Jean-Baptiste, Les cornes de Don Sapristi, L'habit du défunt, La fille du capitaine.* Mais *Divines Paroles* et *La farce et licence de la Reine de chez nous* demeurent un peu à part, et participent d'autres inquiétudes. Les *Comédies barbares* appartiennent en général à la première manière.

VERTUS PLASTIQUES DU THÉATRE DE VALLE-INCLÁN.
CONCEPT PLASTIQUE DE L'ESPAGNE NOIRE (8). — LE PEINTRE SOLANA.

Le principal ressort dramatique de Valle-Inclán touche plus particulièrement à la vision, et à certains phénomènes psychologiques qui en dépendent.

---

(7) Il faudrait ici pouvoir plus longuement parler de la quantité de tentations allant à l'encontre de l'ordre académique qui interviennent dans les révolutions esthétiques uniquement par leur caractère de défi, sans pour autant offrir de grandes possibilités d'application courante. Les expériences, personnellement utiles, de Valle-Inclán, se situent précisément à l'époque où la dégénérescence familiale du castillan dans les républiques sud-américaines préoccupe intensément les grands linguistes. (Cf. Ramón MENÉNDEZ PIDAL, *Castille, la tradition et la langue).*

Il est temps aujourd'hui de donner raison à Menéndez Pidal, qui combattait « le concept de fatalité dans l'évolution des langues et celui de la linguistique comme science de la nature... en y substituant celui de la langue conçue comme *fait social,* comme activité de l'esprit humain ; l'esprit n'obéit pas à des lois fatales de naissance, de jeunesse, de vieillesse et de mort. Une langue peut vivre indéfiniment, de même que la fraction de l'humanité qui la parle. Mais tandis que la société *veut* conserver sa langue, la vitalité de cette dernière est durable et si la société reçoit de la langue une conformation mentale donnée, c'est bien plutôt la volonté sociale qui a donné à la langue sa conformation et continue à la lui donner sans cesse ».

Et, en effet, l'évolution littéraire du castillan en Amérique est presque imperceptible à travers les œuvres de ses meilleurs jeunes romanciers.

Cependant, l'apparition à cette époque de quelques ouvrages d'inspiration américaine locale, suivis d'un glossaire, dut profondément impressionner Valle-Inclán qui, outre son inventaire personnel, s'est peut-être servi de certains d'entre eux avec sa géniale irréflexion.

(8) Nous ne voulons pas ici parler de la « légende noire » ni de ses sources, mais de la perception, de la façon d'éprouver la vraie truculence espagnole du voyageur romantique, qui est en même temps, dans le sens le plus moderne, le premier touriste. Il faut croire que la truculence espagnole chez le révérend Robert Maturin, par exemple, est due au romantisme anglo-saxon plus qu'à l'histoire et à l'aspect physique de l'Espagne.

Dans l'invention artistique et littéraire, il existe une image préalable, fugitive et mal définie, force motrice qui entraîne à la véritable image-représentation. Supposons que pour une intelligence spéculative l'inquiétude qui aspire à la connaissance de la chose en soi ne lui permette pas de s'arrêter uniquement à rendre explicite cette image qui est à la fois une certitude et une énigme. C'est à cela généralement que s'applique un tempérament typique d'artiste : à la traduction, au développement explicite de cette première vision; il conçoit dès le début le monde des images — et chez Valle-Inclán c'est indubitable — comme un spectacle théâtral, et sa technique s'applique à exposer minutieusement les apparences mais non la vie interne. Par l'intensité de l'image on devine l'intensité de son secret. Tout l'enchantement de l'art dépend de cette manière de nous situer à mi-chemin de la connaissance, ce qui nous permet de considérer à la fois l'extrême réalité et l'irréalité extrême qui se conjuguent dans une peinture ou une sculpture.

Chez notre auteur, le souvenir, l'évocation historique se présentent pour constituer un « tableau » (9) et conservent jalousement cette qualité par l'exclusion de toute allusion formelle à d'autres états sensoriels, affectifs, etc. Le mystère de ses personnages s'impose de la façon suivante : au lieu de leur laisser « expliquer » leurs émotions sous la forme d'un libre aveu, il les fait cruellement tourner sur la scène, enveloppés non seulement dans les mailles d'une décision finale, mais aussi dans les replis de toutes les conventions sociales, morales, religieuses, et, plus particulièrement verbales. Voici le hic : le langage n'est pas un moyen de rendre explicite la douleur, mais au contraire le plus grand obstacle à son expression dotée d'une propriété qui nous entraînerait à une identification véritable; de sorte qu'il finit par créer chez le spectateur une sorte de cruauté ou d'apitoiement théorique, ce qui est pire encore. Par le moyen de l'exagération de cette distanciation d'esthète, Valle-Inclán atteint une certaine grandeur dans l'horrible.

Les personnages ridicules ou malheureux dont les gesticulations apparaissent dans les *esperpentos* peuvent peut-être nous être tout proches, mais une identification avec eux est impossible. Non seulement ils vivent enfoncés dans un passé ou une atmosphère beaucoup trop localisés, mais aussi dans la surdimutité de l'esprit, dans le plus complet isolement; ce sont des « apparitions » — de *apariencia* — des revenants.

Valle-Inclán nous conduit par les chemins scabreux de l'Espagne noire, en nous plaçant dans un climat inhabituel et d'une certaine façon sans pouvoir, tel

---

(9) « Nous savons que toute œuvre d'art baroque s'offre à nous dans une atmosphère qui la conditionne et dans une certaine mesure la définit. Tout théâtre baroque — ou romantique — est caractérisé par la prédominance de l'appareil scénique sur l'action. Dans le paysage pictural chaque objet se trouve expliqué par les autres et par l'air qui l'entoure » (Guillermo Díaz-Plaja, *Vers un concept de la littérature espagnole : Quelques aspects de l'esprit du baroque*, Madrid, Espasa-Calpe).
    Jamais l'auteur ne manque, en aucune œuvre théâtrale, de décrire un décor d'atmosphère si difficile à réaliser, qu'il montre par là désespérer de voir son œuvre portée à la scène.

qu'un souvenir dont subsiste seule l'image visuelle mais non plus les émotions. Une image désolée à la manière de l'image de notre monde que Samuel Beckett essaye de nous transmettre dans son théâtre; mais avec cette différence que Valle-Inclán la repousse de quelques degrés, vers l' « arène ibérique » de l'agonie, arène que les espagnols eux-mêmes contemplent en spectateurs du haut des gradins. Cependant, quoique l'auteur s'arrange pour atténuer en nous de nombreux éléments affectifs et pour faire en sorte que ces images du réel se haussent au rang de symboles, cet « autre monde » demeure le sien et *Lueurs de Bohème* est, par exemple, une pièce d'observation de la vie et des mœurs des bohèmes de Madrid au début de ce siècle. Il s'inclut lui-même parmi les personnages de la pièce et y inclut son ami le poète sud-américain Rubén Darío. Max Estrello, le personnage principal, est copié sur un autre écrivain aujourd'hui oublié, Alexandre Sawa.

Mais quelle est donc la catégorie de ce réalisme, qui l'amène à percevoir les êtres comme des énigmes vivant dans des formes colorées ? Un réalisme plastique, qui conserve intacte l'essence de la poésie. « Dans les créations artistiques, les images du monde sont adéquates au souvenir, dans lequel elles se présentent à nous hors du temps, dans une vision immuable », a-t-il dit lui-même (10). Et ainsi, avec le faste arbitraire de sa langue, il passe à travers les horreurs du « Grand Guignol », à travers la peinture quotidienne de la plus proche actualité, sans que ces formes parviennent jamais à justifier de leur fantasmagorique présence. Dans *Lueurs de Bohème* — lueurs des longs crépuscules de Madrid — nous vivons comme en une quotidienne fin du monde; de même dans la réunion d'officiers des *Cornes de Don Sapristi*, nous assistons à la consécration pour l'éternité de la sottise.

Bien que l'on accuse le théâtre de Valle-Inclán d'être un théâtre littéraire, nous voyons que par la nature même de son inspiration, il n'aurait jamais pu adopter une autre forme que la forme théâtrale. Le concept même de l'Espagne noire est inhérent à l'impression plastique du pays et aux qualités de spectacle qu'il conservait pour la sensibilité, ouverte sur le paysage, des voyageurs romantiques.

*
* *

Le Romantisme, en ce qui concerne le genre littéraire des voyages, semble s'attaquer à l'Espagne lorsque le XIXe siècle est déjà assez avancé. Auparavant, on a vu des ouvrages intéressants, comme celui de Madame d'Aulnoy, très estimé par les romantiques, et qui plus tard aura les honneurs d'un long essai de Taine; mais les premières impressions plastiques conduisant à la semi-convention de l'Espagne noire n'entrent que modérément dans l'ouvrage de Théophile Gautier; elles prennent corps plastiquement par l'intermédiaire des graveurs français et un peu plus tard de Gustave Doré, qui réussit plus par tempérament

---

(10) Valle-Inclan, *La lampe merveilleuse, in* Œuvres Complètes, Madrad, Ed. Plenitud.

que par pure objectivité. Daniel Vierge, malgré son ascendance espagnole, finira par détruire peu à peu en tant que dessinateur, le concept sombre de l'Espagne avec sa technique vibrante et exquisement impressionniste.

Les grands voyageurs préromantiques, anglais et allemands, se vouèrent à
la Grèce, à l'Italie et plus particulièrement à la Sicile, négligeant l'Espagne,
autant à cause de la « barbarie » de ses styles arabe, roman et gothique, que de
l'aspect trop rogue, trop ingrat et en même temps piquant de l'atmosphère des
mœurs du pays au XVIIIᵉ siècle. Quoique possédés déjà de certains aspects de la
tendance romantique, ils évitaient de porter attention au pittoresque, débuts
d'une esthétique des ruines qui faisait s'évaporer le goût classique de l'archéo-
logie, subjectivité en présence du paysage — ils évitaient précisément la « morbidité », la truculence dont le Romantisme s'empara goulûment à une époque de
décadence, en ce qui concerne l'Espagne. A un moment donné, les auteurs de
voyages en Espagne sont nombreux à citer. Le concept de l'Espagne noire s'af-
fermit; mais il est à remarquer qu'il semble seulement acquérir une catégorie
esthétique entre les mains des illustrateurs; dans l'exaltation et la recomposition
de leurs scènes, il y a un fond de vérité, car la truculence espagnole est un fait,
un trait indéniable de notre caractère. Qu'il prête souvent à quantité de malentendus, c'est également certain. Un trait n'est qu'un trait. Le trait passé en
dessin dispense de la connaissance intégrale de l'objet. En littérature documentaire nous sommes plus exigeants.

Notre impression, selon laquelle les illustrateurs élèvent ce concept à une
catégorie esthétique que n'atteignent pas les écrivains de l'époque — la truculence dans la littérature et l'art espagnols depuis Fernando de Rojas jusqu'à
Goya n'a pas le même sens — pourrait provenir d'une « extériorité » de jugement — inhérente aux principes de la plastique — que suppose cette attitude
consistant à juger l'Espagne comme noire, âpre et ingrate en général, précisément parce qu'elle fait si particulièrement allusion au « pittoresque », détecté
par l'étranger avec cet appétit dont nous parlions, l'étranger subissant la sugges-
tion de l'esthétique romantique qui dénote, malgré le fondement tout relatif que
lui offraient le paysage et les figures, une indubitable partialité. Partialité souvent compensée, chez les écrivains de talent, par la volonté de ne point trop se
laisser tromper par les apparences. Le peintre ou le dessinateur se trouvent en
possession de ressorts poétiques que le prosateur — surtout s'il se propose, en
tant que voyageur, de décrire uniquement ce qu'il voit et non ce que, en tant
que poète, il pourrait peut-être entrevoir — que le prosateur, donc, si ces ressorts ne lui manquent pas, se trouve dans l'obligation de ne pas utiliser s'il veut
être cru. Mais ce qui est ici paradoxal, c'est que l'exaltation poétique des illustrateurs se révèle plus exacte en ce qui touche à la noirceur ou aux ténèbres
essentielles de l'Espagne. Il est des gravures romantiques, des lithographies de
paysages ou de scènes populaires qui, tout en péchant par faux témoignage, re-
tiennent quelque chose d'essentiel.

C'est seulement lorsque le littérateur se transforme en poète et alterne le
document strict avec un « au-delà » poétique, qu'il se décide à utiliser sans

scrupule le terme exagéré et piquant d'*Espagne noire,* et se montre ainsi plus convaincant. Ce poète sera, bien plus tard, Emile Verhaeren, parnassien acharné à ses débuts, qui, en tant que peintre de la vie flamande, se trouvera plus apte à pénétrer le « morbide » ibérique. Verhaeren, dans le voyage qui fut à l'origine de ce curieux petit livre, se fit accompagner par le célèbre peintre Regoyos, qui lui servit de guide et en même temps réalisa des dessins excellents et fort expressifs. La présence à ses côtés de Regoyos n'est pas un hasard : le concept de l'Espagne noire demeurera toujours lié à une préoccupation de plasticité. Né du Romantisme, il lui reste une teinture de cette tendance au pittoresque (11).

La génération de 1898 commença ses attaques, sans qu'il fût besoin d'un accord tacite, selon deux tendances principales : réaction contre le naturalisme et assimilation d'un européanisme littéraire et philosophique qui, à cette époque où l'Espagne souffrait de la perte de ses colonies, était considéré comme la meilleure panacée contre la fatalité. En tout cas, ces écrivains firent preuve d'une grande souplesse envers toutes les idées modernes et, en bien des cas, leur effort parvint à constituer un véritable moyen d'orientation.

Un regard vers le Romantisme, pour bien montrer un certain dédain du naturalisme — la réaction était identique ailleurs — amène ces écrivains à se trouver en présence de ce concept de l'Espagne noire, mûri par les voyageurs et les écrivains étrangers d'au moins deux générations avant eux. Il est curieux de remarquer comment Pío Baroja, étrangement identifié par tempérament à ce très cordial voyageur que fut Stendhal, ne manque jamais d'observer une attitude de visiteur cordial devant ses propres compatriotes. Le pittoresque chez Baroja adopte toujours ou presque cette nuance et dans son énorme catalogue de types et de situations observées, cette nuance est ce qui le distingue du roman

---

(11) On remarquera que le pittoresque est une position extrême de la volonté esthétique de « dépaysement », son caractère documentaire passant au second plan, ou n'étant souvent qu'un simple prétexte. C'est pourquoi le pittoresque ne représente en réalité point du tout une vision méritant toute confiance du point de vue informatif, puisque sa tendance à sur-valoriser le détail rompt tout équilibre. Díaz-Plaja développe fort bien cette idée en un autre endroit de l'œuvre citée ci-dessus :

« Avec le baroque, chaque objet, chaque corpuscule, attire à soi, séparément, l'attention la plus minutieuse et la plus expressive. Traduit en termes d'histoire de la peinture, cela équivaut à l'apogée de la nature morte... Peut-être pourrait-on tracer une courbe ambitieuse des interprétations en considérant l'histoire de la peinture comme une réduction progressive du champ de vision... Dans la nature morte, à la prédominance hiérarchique des éléments nobles du tableau, succède le simple intérêt plastique des objets. La mesure de sens révolutionnaire que ce passage contient est considérable. Dorénavant, les choses n'ont pas de valeur par ce qu'elles sont ni par ce qu'elles représentent, mais par leur pure et simple apparence ».

L'expérience impressionniste-expressionniste qui mit à la mode la formule : « traiter une figure humaine de la façon dont on traite une nature morte » est contemporaine de l'esthétique valle-inclanesque de la distanciation affective et du rapprochement du champ de vision. L'œuvre qui fixe cette attitude d'une manière définitive, *Le cercle ibérique,* est pleine de gros-plans. Y abonde également le traitement plastico-littéraire du flou, tendance curieuse des écrivains « visuels » et des peintres vaguement « littéraires ». Toutes les situations importantes dans *Le cercle ibérique* s'accompagnent d'une situation spacio-visuelle extraordinairement précise.

picaresque proprement dit. Il faut cependant tenir compte que Baroja était basque et qu'il ne se considéra jamais comme faisant partie du groupe de ces « remodelés » par la Castille où se trouvaient Unamuno et Valle-Inclán.

Azorín, non parce qu'il est plus mesuré — et qui sait si ce n'est pas par une certaine « mesure » que ces écrivains ne s'identifient pas à la congénitale truculence espagnole — n'évoque plus notre Romantisme tardif et ses modèles dans les lettres étrangères et surtout françaises.

Semblable exemple pour Valle-Inclán pour ce qui touche à un bon tiers de son œuvre. Il est très significatif que, d'après ce qu'il racontait lui-même, le ton employé dans les *esperpentos* lui aurait été suggéré par une visite au vieux romancier Miguel de los Santos Alvarez — survivant du Romantisme, ami d'Espronceda — par son genre de conversation et par ses attitudes. Il n'est pas étonnant que le jeune écrivain bourré de littérature étrangère s'attendrisse et s'amuse au spectacle des manières désuètes de ce vieux vétéran romantique. Le vieil écrivain conservait certainement quelques traits à la Daumier selon l'optique du jeune poète moderniste que Valle-Inclán était alors.

Tout nous confirme que le concept d'Espagne noire surgit d'un drainage du pittoresque et d'une distanciation. Il ne fait aucun doute que les pince-nez de Quevedo lui permettaient de voir l'Espagne avec la complexité de couleurs de son contemporain Vélasquez.

Quoi qu'il en soit, l'idée de « plasticité » ne peut nous abandonner lorsqu'il s'agit de juger cette attitude esthétique. En tant qu'écrivain, il n'est pas douteux que Valle-Inclán, dans une bonne partie de son œuvre — de même que d'autres écrivains de sa génération, à l'exemplaire exception de Unanumo — espagnolise quelque peu du dehors, gardant pour la fin une véracité plastique plus profonde et plus originale, lorsque la pauvreté prolongée jette bas en lui-même cet échafaudage artistique que lui avait fourni le symbolisme et d'autres tendances.

*
* *

On retrouve des cas identiques dans la peinture de l'époque. Zuloaga se considérait exclusivement comme un disciple du Musée du Prado et des maîtres espagnols. C'est l'époque où, parmi d'autres — dont Maurice Barrès — il découvre et réhabilite jusqu'à l'exaltation Doménico Théotocopouli « Le Gréco ». Et pourtant Zuloaga n'en vint jamais jusqu'à approfondir ce qu'il croyait être la source de son inspiration; en réalité, parce que ce ne sont pas les grands maîtres espagnols qui le marquèrent le plus profondément, mais en un certain sens plutôt Alenza, le disciple romantique de Goya, les portraitistes romantiques qui traversèrent une phase de francisation et quelques illustrateurs français, en ce qui concerne une certaine manière cursive du trait, très graphique, très proche de la technique du dessin, mais bien éloignée du clair-obscur symphonique des maîtres dont ils prétendait s'inspirer. Sa peinture était une peinture de sujets et c'est là dessus que se fondait tout son espagnolisme.

Solana, un peu plus tard, se montre, au contraire, beaucoup plus convaincant ; l'expressionnisme possède en lui un grand maître. Le séculaire tempérament abrupt de Solana triompha d'une façon mystérieuse du concept venu de l'étranger dont nous parlons. Il apparaît comme un grand peintre et un grand subjectif.

> Un bandit.
> Quelle allure !
> Solana sait
> cette peinture.

Tels sont les vers de Valle-Inclán à son sujet.

L'effrayant chez Solana naît du dedans. Cela lui permet de renoncer à un moment donné aux couleurs exclusivement sombres et il se révèle un très intéressant coloriste. Dans certaines de ses dernières toiles, les teintes prennent une noblesse allègre très classique.

Voilà que l'affinité qui existe entre les *esperpentos* et le monde en formation dans l'œuvre du peintre est telle qu'il ne serait pas absurde d'attribuer à ces toiles quelque influence sur l'écrivain.

Les vers cités plus haut nous prouvent à quel point Valle-Inclán se sent touché par la terrible crudité plastique de Solana, ce qui, par ailleurs, n'empêche pas qu'il en fasse la victime de ses mordantes plaisanteries dans les réunions de café, où il apparaissait toujours comme le pontife. A ce moment, le peintre crée des tableaux qui pourraient fort bien servir à illustrer dans tous leurs détails les pièces de théâtre de la dernière et de la plus importante manière de l'écrivain. Il est fort possible que celui-ci trouve dans ces tableaux un tremplin thématique. Ce qui n'empêche que la peinture de Solana soit quelque peu théâtrale, car depuis la Renaissance toute peinture est devenue théâtrale jusqu'à l'impressionnisme, où elle déposa sa théâtralité pour la tendance décorative actuelle. Ce peintre est un baroque et par son expressionnisme un prétendu primitif ; ces qualités devaient nécessairement faire de lui un peintre littéraire, au sens large du mot et sans l'ombre d'une intention péjorative. Littéraire, mais pas plus scénographique ou théâtral que bien des Italiens, et, surtout, que bien des Flamands, avec qui il avait une affinité par son obscur baroquisme et sa complaisance aux détails de la vie quotidienne.

Son mérite est d'avoir résisté sans effort apparent aux stylisateurs de son temps ; étranger à toutes préoccupations excessives de rénovation — fondées sur le nouvel aspect physique de la vie moderne, maintenant imprégnée de machinisme — il put ainsi être placé de la façon la plus logique, dans la peinture d'avant-garde, en tant que peintre espagnol. Il faut donc supposer que des expériences comme le cubisme par exemple, qui répondait à une nécessité face à des problèmes qui nous concernent sur une moins grande échelle, étaient en tous points gratuites pour le tempérament rude et bien espagnol de Solana dans le milieu où il devait vivre. Rappeler que la peinture se transforme au fur et à mesure que se transforme le spectacle de l'existence est une vérité de La Pallisse.

Sa modernité réelle dépend de causes plus profondes. Une œuvre comme celle de Solana est de celles où trouvent leur place toutes les qualités qui distinguent la peinture la plus avancée du moment et même, dans une certaine mesure — comme il arrive avec Ensor, avec qui on pourrait établir un parallèle — celles de l'art surréaliste qui ne possédait pas encore son étiquette.

La géniale probité de Solana nous réconcilie avec le concept venu de l'étranger de l'Espagne noire, et nous force maintenant à l'admettre comme un témoignage authentique, aussi vrai que celui de Goya. Ce qui arrive également avec certains *esperpentos* de Valle-Inclán.

Des rapports de celui-ci avec la peinture, nous tirons la conclusion suivante : si Solana est d'une théâtralité picturale à laquelle nous sommes habitués par tradition, Valle-Inclán, au contraire, nous surprend par la manière qu'il possède d'envahir le terrain du pictural en ce qui touche à son esthétique littéraire et, particulièrement, en son meilleur théâtre. Très nombreuses sont les scènes de ses pièces qui peuvent être illustrées exactement par les œuvres du peintre. Il existe entre elles une surprenante correspondance de détails parfois insignifiants. Même en écartant la théorie d'une influence réciproque, c'est un fait que la même obsession les conduit à choisir des thèmes identiques dans l'actualité, en se réclamant des mêmes fondements de truculence plastique : Valdés Leal, Goya, etc. L'imagination de Valle-Inclán se trouve entraînée à l'exercice d'une « mise en page » mentale, très particulière du modernisme littéraire, et davantage inspirée par la truculence des peintres que par celle des écrivains.

Ces remarques, croyons-nous, suffisent pour nous permettre de découvrir les causes pour lesquelles cet intéressant théâtre jouit de si riches qualités visuelles. C'est-à-dire : symbolisme et modernisme dans le langage; mentalité et aspirations de la génération littéraire de 1898 dans l'esprit qui l'anime; et plasticité essentielle du concept d'Espagne noire, où l'œuvre de l'écrivain puise ses meilleurs et ses plus surprenants procédés dramatiques. C'est en raison de semblables qualités que ce théâtre, jugé il y a encore quelques années comme impossible à représenter, se révèle aujourd'hui comme une tentation pour le metteur en scène. Le public moderne se conforme à la série de conventions scéniques qui permettent de monter des pièces d'une action particulièrement complexe; la possibilité vis-à-vis de ce public de créer un climat au moyen d'une intelligente synthèse plastique, nous pousse à attirer l'attention sur le théâtre de Valle-Inclán, si riche de qualités de spectacle et, en même temps, si profondément espagnol.

(Traduit de l'espagnol par Robert MARRAST).

DISCUSSION

AUBRUN. — Il y a en effet un problème des relations entre Solana et Valle-Inclán. La littérature dramatique de Valle-Inclán n'est qu'un aspect de l'Espagne noire, sujet qui a tenté maints écrivains et maints artistes.

DEMANGE. — Dans toute cette période anti-naturaliste on voit les peintres collaborer au théâtre. Est-ce que c'est le cas pour l'Espagne ?

NIEVA. — Avant Solana les peintres espagnols comme Zuloaga, Alenza, ont plutôt fait du théâtre en peinture. Il y a un romantisme pictural espagnol qui pourrait être utilisé pour présenter certaines pièces du Siècle d'Or.

AUBRUN. — En Espagne ce courant dramatique envahit tous les genres, la peinture, la poésie, le roman. Les artistes n'arrivent pas à se dégager d'une conception dramatique du monde.

NIEVA. — Le drame de Valle-Inclán est justement d'avoir cherché sans succès une tradition, et de s'être accroché à la peinture.

AUBRUN. — C'est une tradition. L'art dramatique espagnol a toujours cultivé le « tableau ». Valle-Inclán donne de longues descriptions de mise en scène qui correspondent très précisément à un tableau qu'il a vu. Il utilise des effets si grotesques qu'ils en deviennent touchants, et ses pantins le sont à tel point qu'on se demande si ce n'est pas là la charpente de notre être.

VICTOROFF. — Est-ce que la spécificité de l'art dramatique d'une part, et de la peinture d'autre part ne souffrent pas de ces influences réciproques.

AUBRUN. — Un pont est jeté entre les deux arts, de telle sorte qu'il existe non plus un art dramatique et un art pictural spécifiques, mais quelque chose entre les deux.

MURCIA. — On sait aujourd'hui qu'il y a des sonates qui sont la description minutieuse de tableaux. De même dans les *esperpentos* la présentation technique des scènes est résolue de la même façon que les tableaux présentés par l'aveugle dans les *romances de ciego;* c'est une succession de tableaux. Et je crois que cela devient une charge dans le théâtre de Valle-Inclán. Sa préoccupation de travailler avec une délicatesse d'orfèvre chacun de ses tableaux lui fait souvent perdre ce sentiment d'architecture d'ensemble que nous trouvons dans l'œuvre de Brecht.

NIEVA. — Dans un *esperpento* il décrit une vieille qui recoud son bas sur un escalier, et l'on voit exactement la même vieille dans un tableau de Solana.

MURCIA. — Vous signalez les plagiats de Barbey par Valle-Inclán qui ont été démontrés par Casares. On pourrait aller plus loin et se demander si une grande partie de l'œuvre de Valle-Inclán n'est pas faite de morceaux pris de côté et d'autre. Il lui arrive même de recopier des articles de son père et de les signer. Et l'on se demande s'il n'y avait pas en lui un besoin de voir la réalité à travers des élaborations artistiques de cette même réalité.

MARRAST. — Je crois que l'utilisation de moyens plastiques dans l'œuvre de Valle-Inclán est alliée à une utilisation de certaines techniques du roman. Dans les *esperpentos* il veut souvent créer un tableau, un paysage complet, et il le fait par des moyens plastiques, mais il y a ajouté des éléments qui relèvent de la description d'une scène donnée par un romancier, et qui ne pourraient figurer dans un tableau. Et c'est une difficulté lorsqu'on veut représenter cette œuvre. On trouve par exemple une flamme agitée par le vent, un perroquet qui parle. On est obligé de supprimer certaines indications si l'on veut porter la pièce sur la scène. D'autre part la succession trop rapide des décors rompt l'unité dramatique et fait perdre le fil au spectateur.

MURCIA. — Il lui manque une synthèse plastique que Brecht a réalisée d'une manière intelligente, avec un choix d'objets très expressifs.

Mlle LAFFRANQUE. — Il y a chez Valle-Inclán la volonté de rendre un milieu vivant, et je me demande si on ne pourrait pas donner une version cinématographique ou radiophonique de ses pièces.

LERMINIER. — La télévision serait peut-être la meilleure solution avec ses moyens combinés du cinéma et du théâtre qui lui permettent de faire tout ce que l'on veut par le moyen de surimpressions plastiques.

Mlle LAFFRANQUE. — Tout ce que nous venons de dire laisse supposer que l'œuvre dramatique de Valle-Inclán demandait des techniques qui n'étaient pas de son temps, et qu'elle n'a pas été pensée pour le théâtre.

MARRAST. — Le manque de metteurs en scène y a été pour beaucoup. S'il avait eu l'espoir d'être joué il se serait sans doute progressivement plié aux contingences de la scène, et ne se serait pas amusé à écrire des indications scéniques où l'on trouve jusqu'à la mention des odeurs. En somme, nous revenons toujours, même par le biais de ces rapports entre la peinture et le drame, au problème des conditions économiques, politiques et sociales de l'Espagne qui ont trop pesé — et continuent de le faire — sur le développement du théâtre.

LES ABOUTISSANTS DU GRAND-GUIGNOL
DANS LE THÉÂTRE D'ESSAI EN ESPAGNE

par Juan Ignacio MURCIA
Lecteur à la Sorbonne

Depuis le commencement du xix⁵ siècle, les critiques de théâtre espagnols parlent de crise du théâtre. Le mot crise, ou l'un de ses synonymes, est celui qui revient le plus souvent dans les compte-rendus de Larra, à l'époque romantique, dans ceux de Ixart ou de Alas à l'époque de la Restauration, dans ceux de Altamira, Francos Rodríguez, Pérez de Ayala, à l'époque contemporaine. Dans tous ces compte-rendus apparaît un sentiment d'insuffisance de la production espagnole, allant de pair avec une grande admiration — plus ou moins justifiée — des créations théâtrales de l'étranger, dont on attend, grâce à leur influence, une rénovation de la scène espagnole; et, surtout, une rénovation du goût du public.

Paradoxalement, ces lamentations s'élèvent au moment où se manifeste un mouvement théâtral parmi les plus puissants et les plus importants, du point de vue matériel, qu'ait jamais connu la vie culturelle espagnole, et qui, croyons-nous, n'a d'équivalent dans nul autre pays. Ce développement de la vie théâtrale, déjà important à l'époque romantique et à l'époque d'Isabelle II, atteint des proportions quasi monstrueuses à l'époque dite de la Restauration, c'est-à-dire entre 1874 et 1931. Vers 1874, l'exploitation commerciale des théâtres bénéficie d'une liberté complète. Ces théâtres deviennent, pour les hommes d'affaires, un placement au même titre qu'une quelconque affaire industrielle, soumis au même régime légal. Le résultat est que dans les grandes villes — Madrid, Barcelone, Valence —, on voit se multiplier les salles de spectacle; et le problème consiste à assurer la rentabilité de ces salles par une exploitation intensive : deux représentations quotidiennes, et trois les jours de fête. Il faut d'autre part maintenir toujours en éveil l'intérêt du public par des changements de programme fréquents, tout en prenant garde à ne pas choquer ce public par des innovations, et surtout à faire du spectacle avant tout un divertissement, une évasion du quotidien. Un théâtre conçu à partir de tels principes devait trouver un adversaire terrible dans le cinéma; mais, en fait, de 1874 à 1930 le théâtre demeure vivace au point de devenir pour ainsi dire un vice national. Comme exemple, nous citerons, au hasard, une statistique : celle des créations, à Madrid pendant l'année 1908, une année comme bien d'autres. Dans les salles de Madrid, 414 œuvres furent représentées, écrites par 290 auteurs différents; 70 de ces œuvres comportent une partition musicale (1). Il ne faut pas oublier qu'à cette date la population de Madrid compte environ 700.000 habitants. Si nous songeons que l'activité théâtrale à Barcelone était aussi importante, voire plus importante qu'à Madrid, et qu'elle était totalement indépendante de l'activité de la capitale, nous pourrons avoir une idée de cette énorme inflation théâtrale. Il faut ajouter qu'il existait une infinité d'associations d'amateurs, depuis les troupes issues de groupements religieux jusqu'à celles constituées par les syndicats ouvriers, et dont chacune possédait son théâtre et ses spectacles particuliers, et nous aurons ainsi un tableau complet.

Et pourtant, la crise existe. Jamais, dans les théâtres d'Espagne, nous ne trouvons de metteur en scène; cette tâche était dévolue, selon la tradition, à l'acteur principal qui, comme il se doit, organisait la représentation en fonction de son triomphe personnel. Par ailleurs, le travail des acteurs était épuisant : deux représentations par jour, pas de relâche — sauf pendant la période du Carême —, ce qui suffisait à leur interdire tout travail en profondeur de leurs personnages. La qualité de l'enseignement dans les Conservatoires était quasi nulle, au point que, en 1888, un ministre eut l'idée de le supprimer pour cause d'inutilité (2). L'arbitraire, la timidité et l'opportunisme dont faisaient preuve les directeurs étaient immenses : il fallait avant tout exploiter les réactions bien connues du public, d'avance rentables, ou bien présenter des œuvres étrangères qui, hors d'Espagne, avaient déjà fait la preuve de leur succès financier. Sur ce point, le demi-échec de Galdós et le succès de Echegaray sur nos scènes de la fin du siècle dernier sont significatifs. Galdós offrait un théâtre authentiquement neuf, qui se plaçait dans le courant européen du théâtre d'idées, mais d'essence tout espagnole. Le succès de certaines de ses œuvres fut de scandale, puis elles tombèrent dans l'oubli du public. Echegaray, au contraire n'apportait de nouveauté que dans la mesure où il offrait le drame et le mélodrame romantiques, c'est-à-dire des problèmes remontant à une cinquantaine d'années, mais joués en costumes modernes et haut-de-forme; les sentiments et les idées exprimés sur la scène n'avaient pas le moindre rapport avec ceux du public, mais cependant le genre respectait les habitudes des spectateurs. Le succès de Echegaray fut complet, et encore aujourd'hui, dans les villes de province, ne se démentit pas. Nous ne poserions pas le problème de cette façon si Echegaray et ses successeurs donnaient leur théâtre comme une pure et simple création de l'imagination; si nous le posons ainsi, c'est parce que tout ce théâtre se présentait comme exprimant une réalité dont, au fond, il ne possédait que les appa-

(1) José Francos Rodríguez, *El teatro en España*, Madrid, 1908.
(2) José Ixart, *El arte escénico en España*, Barcelone, 1894.

rences vestimentaires. Ce déséquilibre entre la phraséologie, l'expression lapidaire des idées, et les véritables sentiments dans les grandes couches de la société espagnole, ce côté théâtral de la vie outre-Pyrénées, constituera l'un des procédés utilisés plus tard par Valle-Inclán; mais cela ne passe pas dans la traduction, où devient grandiloquence ce qui est justement une satire de la grandiloquence théâtrale qui avait si profondément pénétré les Espagnols à l'époque de la Restauration. Les tentatives de rénovation du théâtre, à la fin du XIXe siècle, ne parviennent à susciter aucune œuvre de valeur, parce qu'au fond, elles ne représentent pas une authentique transformation : il en est de même pour le théâtre dit social qui se limite à rajeunir, par quelques touches d'actualité, le mélodrame romantique.

C'est surtout la comédie, le théâtre comique, qui remporte les suffrages du public espagnol; ce genre suscite des œuvres apparentées d'une part à la farce, et d'autre part au tableau de mœurs. Sa technique repose sur le jeu de mots facile, le parler populaire, l'intrigue compliquée et le quiproquo. Dans son effort pour faire rire, il s'éloignera de la réalité et du bon goût, et sa tendance à la grossièreté s'accentuera avec les années. Cette forme nouvelle recevra le nom d'*astracán,* ou *astracanada,* et nous la verrons envahir les théâtres madrilènes au cours des premières décennies du siècle : les auteurs qui s'y illustrèrent sont innombrables et aujourd'hui presque totalement oubliés. Le théâtre musical partagera, avec l'*astracán* la faveur du public, soit sous la forme de l'opéra, considéré par le public de l'époque comme l'expression suprême de l'art théâtral, soit sous la forme de la *zarzuela* ou du *género chico,* théâtre permanent.

Un théâtre ainsi organisé d'une façon presque industrielle, pour lequel le public ne constitue qu'un moyen de rentabilité, et qui assure ses profits selon des méthodes basées sur une longue expérience plus que sur de nébuleuses théories, ne pouvait trouver, on le pense bien, un aliment suffisant dans la production théâtrale du pays. Le nombre de traductions avouées ou déguisées qui apparaissent sur les scènes espagnoles est aussi important que le nombre de pièces originales. Les traductions étaient faites presque toutes à partir du français. Le critique barcelonais Ixart, un des plus clairvoyants de l'époque de la Restauration, nous dit :

La littérature française nous montre de temps à autre de nouveaux chemins. Dans chaque théâtre, existe un bureau permanent et actif d' « arrangements », qui produit sans trêve des drames contemporains, des mélodrames populaires, des comédies à quiproquos pour la classe moyenne, des pièces en un acte, des opérettes, des revues, bref, tous les genres. Ce bureau transplante, acclimate, modifie, mêle la sève du génie espagnol à celle du génie français, adapte à nos mœurs ses consignes. (3)

Et, plus loin, lorsqu'il fait le bilan du théâtre espagnol du XIXe siècle, il ajoute :

Tel a été le théâtre espagnol [pendant ce siècle] : au passé, il doit un peu; à l'étranger, beaucoup; mais il n'y a rien en lui qui lui soit propre, qui soit grand, adapté à son époque et entièrement neuf. (4)

---

(3) José IXART, *op. cit.,* p. 96.
(4) *Ibid.,* p. 97.

Cette opinion deviendra celle des nouvelles générations venues à la littérature vers 1895, et qui, selon leur plus ou moins grande tendance au cosmopolitisme littéraire, prendront le nom de génération *moderniste* ou celui de génération *de 98*. Elles se manifesteront essentiellement par un renouveau de l'esthétique et des valeurs littéraires par rapport à la génération antérieure dans l'ensemble et *grosso modo,* par rapport à la littérature, à l'art et à l'expression artistique de notre xixᵉ siècle. Toute génération apporte des éléments nouveaux par rapport à la précédente, mais, dans le cas présent, le renouvellement est opéré consciemment, passionnément, suscite des polémiques (5). La majeure partie de l'apport du xixᵉ siècle, à commencer par la morale, apparaît alors comme négatif. L'attitude critique envers le siècle précédent rappelle souvent celle de nos écrivains du xviiiᵉ envers le xviiᵉ. Dans la bouche de nombreux jeunes écrivains de 1900, l'expression « xixᵉ siècle » devient un qualificatif péjoratif, purement et simplement.

Au contraire des écrivains du xixᵉ siècle, ces derniers se définissent comme des écrivains de minorité, et aussi européisants. De minorité, non pas parce qu'ils se sont toujours voulus tels, comme c'est le cas de presque tous les « modernistes », mais parce qu'en fait ils ne trouvent audience qu'auprès d'un public restreint, tout au moins beaucoup plus restreint que ne le fut le public d'un Galdós ou d'un Echegaray; européisants, non pas parce que les générations précédentes n'avaient pas de contacts avec la littérature européenne, mais parce que ces contacts sont d'un autre ordre : il s'agit de donner à la culture espagnole un peu du ton et de la qualité de la culture des autres pays, de façon à faire d'elle un pont entre l'Espagne et l'étranger.

Naturellement, cette génération s'intéresse au théâtre, désire avoir un théâtre qui lui soit propre, et qui soit neuf. Mais son attitude envers la production étrangère, élément essentiel pour la rénovation du théâtre d'alors, sera très différente de l'attitude des précédentes générations. Au siècle passé, la production théâtrale étrangère, c'est-à-dire française (6), alimente la machine commerciale du spectacle espagnol : parfois les œuvres parviennent tard, et seulement après avoir fait leurs preuves dans les théâtres de Paris; parfois, on s'en tient uniquement au répertoire de boulevard, au vaudeville, qui se présentait avec de suffisantes garanties de succès. Ce théâtre, transformé, adapté et qui en outre, rappelons-le, parvient tard à l'Espagne, perd ainsi toute l'efficacité qu'il aurait pu avoir pour donner un sang nouveau à un théâtre espagnol de qualité. Cependant, dans les dernières années du xixᵉ sièle et les premières du xxᵉ, à cause, précisément de l'attitude de ces nouvelles générations, l'intérêt pour le théâtre étranger vraiment nouveau devient de plus en plus grand : des troupes, principalement italiennes, commencent à donner à Barcelone d'abord, et plus tard à

---

(5) Il n'est pas dans notre propos, ici, d'examiner si cette rénovation était plus apparente que réelle. Nous constatons seulement les sentiments de ces écrivains nouveaux à l'égard de la génération précédente.

(6) C'est par l'intermédiaire de la France que toutes les influences étrangères pénètreront en Espagne tout au long du xixᵉ siècle et d'une grande partie du xxᵉ.

Madrid, des œuvres d'Ibsen, de Björnson, de Strindberg et de Maeterlinck (7). Bientôt, ces pièces sont traduites et jouées en catalan ou en espagnol; mais cependant, quoique leur succès soit limité à une minorité, leur influence sera grande sur les nouveaux écrivains. Par là même, ceux-ci s'orienteront vers un théâtre européen mais aussi de minorité : aux dramaturges déjà cités, il faut ajouter Wilde, Rostand, et, en général, tous ceux appartenant à l'école symboliste française.

Des tendances nouvelles du théâtre se précisent, qui tentent de conquérir un public nouveau; d'une part, un théâtre de critique de la société bourgeoise et aristocratique, fondé sur l'ironie, et qui, peu à peu, établira cette critique sur les bases d'une morale abstraite coïncidant avec la morale conventionnelle. C'est ce genre de théâtre, inspiré des comédies de Wilde, et comportant quelques traits d'ibsénisme, que crée Benavente, et que continue, tout en demeurant attaché aux formes du mélodrame de la période précédente, celui de Linares Rivas. D'autre part, les « modernistes » créent un nouveau genre, celui du théâtre dit poétique, adaptation espagnole de l'esthétique de Rostand et du symbolisme français. Dans cette ligne se situent des auteurs comme Marquina, Martínez Sierra et Villaespesa.

Afin de ne pas être trop prolixe, nous ne pouvons donner qu'un cadre schématique de cette évolution. Il faudrait montrer les nuances de ces mouvements, leurs interférences, et, surtout, l'effort entrepris pour assimiler et adapter ce théâtre neuf à un mode d'expression, à des thèmes et des sentiments proprement espagnols. Un problème capital demeure : celui du public face au mécanisme du spectacle en Espagne. Peu à peu, de concession en concession, nous voyons le théâtre de Benavente, prometteur à ses débuts, perdre son intérêt et son efficacité à mesure qu'il conquiert le public, un public miné par des années de déformation systématique. Le théâtre symboliste cherchera un auditoire chaque fois plus vaste grâce à l'exploitation bruyamment orchestrée d'une série de lieux communs nationaux et chauvins tirés de l'histoire du pays.

Au sein de ce mouvement, il faut détacher deux écrivains : Unamuno et Ramón del Valle-Inclán. Tous deux orientent leur production dramatique hors du cycle commercial qui faisait vivre, en tant que spectacle, le théâtre de langue espagnole. Leur théâtre à eux est surtout un théâtre écrit et qui, la plupart du temps, fut connu d'abord par l'édition avant d'être représenté. Nous ne nous occuperons pas ici du théâtre de Unamuno, intéressant, certes, et d'une orientation très personnelle, mais qui nous éloignerait de notre propos. (D'ailleurs, son influence sur l'évolution du théâtre espagnol est, à l'époque, pour ainsi dire nulle. Théâtre solitaire, il s'impose par sa force, mais ne fraye aucune voie, aucune possibilité de développement ultérieur).

Il n'en est pas de même du théâtre de Valle-Inclán. Son influence sur le théâtre contemporain espagnol, sur des dramaturges comme Lorca, Alberti, est

---

(7) Guillermo Díaz-Plaja, *Modernismo frente a noventa y ocho.* (Appendices).

très importante. Nous pourrions même dire que c'est dans le théâtre de Valle-Inclán que l'on trouve le germe de tous les essais de théâtre de qualité qui furent tentés de 1920 à 1940 pour faire sortir la scène espagnole de la médiocrité où elle se trouvait enfoncée.

Dans ce théâtre de Valle-Inclán donc, comme, d'ailleurs, dans l'ensemble de son œuvre littéraire, la culture littéraire française joue un rôle important; ou, plus exactement, certains aspects de cette culture. Nous ne prétendons pas par là que, chez lui, tout ne soit que culture française ou culture « à la mode » : sa personnalité était assez forte pour s'assimiler et renouveler tous les éléments qu'elle enregistrait, pour les transformer en une matière originale et neuve; et cependant, il apparaît de plus en plus clairement que le volume de ces éléments étrangers est de beaucoup plus important chez lui que chez les autres écrivains de son époque. A l'époque de sa formation littéraire au sein du « modernisme », Valle-Inclán est tourné vers le symbolisme, objet presque exclusif de l'attention de cette école. Il n'est pas sans intérêt, croyons-nous, de rechercher quelles furent les influences reçues par notre écrivain, leur qualité et leur importance.

Les informations que nous possédons sur la jeunesse de Valle-Inclán étaient, il n'y a pas si longtemps, encore imprécises, et Valle-Inclán lui-même maintenait autour d'elle une auréole de légende. Aujourd'hui, grâce à des recherches récentes, nous possédons une connaissance meilleure de ses premiers pas dans la vie littéraire d'une petite ville de province, des milieux culturels où il se forma, et nous sommes à même de dresser une liste à peu près complète des livres qu'il lut à cette époque (8). Un personnage, tel qu'il n'était pas rare d'en rencontrer de semblables il y a quelques années dans les petites villes d'Espagne, joue un rôle fondamental dans la formation de l'écrivain galicien. Il s'agit de Jesús Muruais, professeur au lycée de Pontevedra, bibliophile et bibliomane, qui avait réussi à réunir dans ce coin perdu de la Galice, un très curieux ensemble d'ouvrages. Passionné de littérature française, il avait transformé sa bibliothèque en une sorte de cercle, où l'on commentait les dernières nouveautés de Paris, où l'on discutait de littérature, d'art, d'esthétique. La composition de cette bibliothèque, qui nous permet d'imaginer les thèmes des conversations qui s'y déroulaient, nous fait songer aux tendances littéraires du *Mercure de France* d'alors. On y trouvait un fonds assez complet et varié de littérature européenne — presque exclusivement en traduction française —; mais la partie la plus importante se composait d'œuvres littéraires françaises contemporaines, plus ou moins liées au mouvement symboliste. Et ici, littérature française signifie surtout littérature parisienne.

Paris est l'un des mythes auxquels les membres du cercle sacrifient le plus volontiers. Les pièces de l'appartement de Muruais étaient tapissées d'affiches

---

(8) Il faut signaler, entre autres, le travail de Simone SAILLARD, *Les débuts littéraires de Valle-Inclán (Le cercle Muruais de Pontevedra)*. Diplôme d'Etudes Supérieures, Institut d'Etudes Hispaniques de Paris (exemplaires dactylographiés). Ce mémoire apporte de très nombreux éléments nouveaux.

de Toulouse-Lautrec, et il possédait un grand nombre d'ouvrages sur Paris et la vie parisienne. Il faut avouer, pour être juste, que ce Paris du cercle Muruais n'est pas sans affinité de ton avec le « Paris by night » des touristes, et que, parmi ses livres, abondent les œuvres « osées » dans une très large mesure, depuis celles de Barbey d'Aurevilly, jusqu'aux purement et simplement pornographiques en éditions numérotées, en passant, bien sûr, par celles de Gyp, Jean Lorrain, Octave Mirbeau, et autres du même genre. Nous avons l'impression que cette littérature était ici prise très au sérieux et qu'elle contribuait à susciter chez les amis du cercle Muruais le sentiment de se sentir nettement supérieurs aux bons bourgeois de la calme ville de Pontevedra.

Les influences de cette conception des choses françaises — identifiées d'emblée aux nouveautés —, se remarquent chez Valle-Inclán dès qu'on aborde ses premières œuvres. Le changement est complet de ses premiers articles à son premier livre, *Feminines* (série de nouvelles, publiées en 1893), écrit après sa fréquentation du cercle Muruais : le péché de la femme, le donjuanisme, le mysticisme de la chair, le satanisme, l'incrédulité religieuse, le dandysme et aussi la terreur, le mystère, l'irrationnel, en sont les thèmes qui reviennent le plus souvent. Les mobiles de ses personnages sont les sens, les instincts, et ce n'est qu'à travers eux qu'apparaissent le monde extérieur, la nature, ou les paysages.

C'est à peu près à la même époque, vers 1896, que Maurice Magnier fonde à Paris le Théâtre du Grand-Guignol, sous le nom de Théâtre-Salon, qui donna, entre autres, pour sa première représentation, une pièce de Verlaine. Deux ans plus tard, Oscar Méténier en reprend la direction. Afin de se créer un public plus vaste, celui-ci commence à organiser les spectacles du genre qui prendra le nom de « grandguignolesque ». C'est-à-dire, selon la définition de Antona-Traversi dans son *Histoire du Grand-Guignol* « des pièces de grosse farce alternant avec des scènes de terreur » (9). Plus tard, Max Maurey sera un des plus célèbres directeurs de ce théâtre, et le restera jusqu'en 1914, continuant la tradition instituée par Oscar Méténier.

Le répertoire du *Grand-Guignol* n'est pas un répertoire de qualité, il s'en faut. Le genre d'émotions qu'il s'agit de susciter chez le spectateur n'a rien d'intellectuel : grâce à une certaine illusion de vérité, grâce à la terreur et à l'angoisse, auxquelles succède le rire provoqué par des situations qui recherchent toujours la grivoiserie facile, on obtient les effets souhaités. Terreur, angoisse ou rire ne sont pas suscités en fonction de la structure de l'œuvre mais, à l'inverse, l'œuvre est construite, selon des procédés toujours identiques, à partir d'un moment terrifiant ou comique. De toutes façons, en dehors de la qualité de ces procédés, les techniques du Grand-Guignol supposent une attitude très différente de ce que nous entendons généralement par le théâtre, mais cette attitude coïncidait avec certains aspects de la littérature à la mode en ce temps.

---

(9) Camille ANTONA-TRAVERSI, *L'histoire du Grand-Guignol, théâtre de l'épouvante et du rire,* Paris, 1933.

Et, dans ce sens, ce répertoire pouvait offrir certaines possibilités de renouveau à un théâtre de qualité.

De nos jours il est courant et logique, de considérer le Grand-Guignol comme un spectacle de deuxième ordre, un peu infantile et primaire, en présence duquel le spectateur se sent au-dessus du spectacle, un peu comme dans une baraque foraine. Notre sensibilité, nos exigences ont beaucoup changé; les procédés destinés à susciter l'illusion de la vérité au Grand-Guignol peuvent difficilement lutter avec ceux dont dispose le cinéma et n'arrivent plus aussi parfaitement à nous convaincre. Mais l'opinion de ceux qui assistèrent aux premières soirées de ce théâtre était sans doute très différente, car on y retrouvait des thèmes, des aspects de la vie empruntés à la littérature de tous les jours. En feuilletant les chroniques théâtrales de cette époque, nous trouvons des comptes-rendus enthousiastes sous la plume de critiques célèbres, comme Richepin, ou, ce qui est assez surprenant, Léon Blum.

Le répertoire du Grand-Guignol fut très vite connu sur les scènes espagnoles. Non pas dans les grands théâtres, mais dans une infinité de petites salles qui, quoique ne possédant pas le moindre crédit artistique, n'en avaient pas moins une vie très active. La demande d'œuvres théâtrales en Espagne était capable d'absorber les genres les plus extravagants : dans les dix premières années du siècle, il existe à Madrid plusieurs théâtres spécialisés dans les œuvres en deux actes, constituant le répertoire dit « sicalíptico » qui se composait de grosses farces grandguignolesques, souvent traduites ou adaptées, alternant parfois avec des œuvres de terreur ou policières. Tels sont le Coliseo Imperial, le Salón Venecia, le Teatro Madrileño, et, irrégulièrement, le Teatro de la Latina et le Teatro Novedades (10). La faveur dont jouissait ce genre de théâtre, l'intérêt qu'il éveillait par ses truquages, ses situations propres à susciter l'anxiété ou l'angoisse du spectateur, relachées aussitôt dans les scènes comiques, conduira au théâtre commercial de Rambal, sorte de Grand-Guignol ad usum delphinorum, et où l'on retrouve le mélodrame romantique, le théâtre de foire; son succès auprès du public populaire fut très grand, surtout parmi les tout jeunes spectateurs.

Nous ne voulons pas dire que ce soit ce théâtre dont Valle-Inclán subit l'influence, car le chemin qui le mène vers ses conceptions théâtrales et littéraires est tout à fait différent. Le théâtre de Rambal nous apparaît comme l'une des dérivations populaires des procédés du Grand-Guignol; mais ce théâtre était uniquement préoccupé des effets scéniques, l'aspect marionnette des personnages, le côté conventionnel du dialogue — les œuvres étaient souvent des adaptations de romans d'aventures du XIXe siècle — sont poussés à l'extrême, et cela suffisait à susciter l'hilarité du public cultivé.

Nous avons déjà signalé l'influence du cercle Muruais sur le goût pour la littérature française, ou plutôt parisienne, du jeune Valle-Inclán. Il ne faut pas

---

(10) José Francos Rodríguez, *El teatro en España*, Madrid, 1908.

oublier le prestige dont jouit dans les milieux littéraires modernistes le chroniqueur sud-américain Gómez Carrillo, auteur d'innombrables ouvrages ou articles sur Paris et la littérature française. Les apôtres de la nouvelle littérature, sont pour lui Jean Lorrain et Octave Mirbeau entre autres, qui sont précisément les plus zélés fournisseurs, avec Courteline, d'œuvres pour le Grand-Guignol des premières années. Gómez Carrillo a également contribué à répandre les idées du satanisme de Sade et de Sacher Masoch, et les théories de Max Nordau et de Kraft Ebing, si déformées par l'usage qu'en faisaient les milieux littéraires.

Le fait est que, dès la première œuvre théâtrale de Valle-Inclán — *L'Aigle du Blason*, 1907 (11) —, nous trouvons, superposée au schéma moderniste du théâtre « poétique », une série de scènes de terreur et de mystère, teintées de sadisme et de morbide, destinées, comme au Grand-Guignol, à impressionner un possible public par une vision directe du fait monstrueux. Dans la série des *Comédies Barbares*, nous citerons *Tête d'Argent*, comme contenant les plus typiques de ces scènes. L'œuvre tourne autour de Don Juan Manuel Montenegro, aristocrate campagnard, violent et coureur de femmes, père de cinq fils qui n'ont hérité de lui que ses vices, à l'exclusion de ses qualités de noblesse ou d'humanité. Déshérités par leur père, ils sont réduits à vivre d'expédients. L'un d'eux, un séminariste, aidé de son frère, décide de vendre un squelette au séminaire. La scène VI nous présente dans tous ses détails le vol du cadavre au cimetière du village. Au cours de la scène suivante, le séminariste, chez la maîtresse de son frère, fait cuire le cadavre dans un grand chaudron, tandis que son frère passe le temps de son mieux avec la femme. Enfin, ne pouvant détacher la peau des os du mort, ils le mettent dans un sac et le rapportent au cimetière.

Des scènes de ce genre abondent dans le théâtre de la première époque de Valle-Inclán. Les indications scéniques sont également significatives. Dans *L'Aigle du Blason*, Don Juan Manuel Montenegro est à terre, blessé par des voleurs dont les chefs sont ses fils et qui ont assailli sa maison. Valle-Inclán précise :

Il ouvre les yeux lentement, puis les referme... De son front blessé coule un filet de sang, et il peut à peine décoller ses paupières, scellées par deux caillots.

Dans cette première œuvre, la poésie rurale de ton « moderniste » alterne d'une manière équilibrée avec les scènes truculentes. Dans la deuxième *Comédie Barbare, La Geste des Loups*, publiée en 1908, et qui fut plus tard, si je ne me trompe, montée par Margarita Xirgu, les scènes de violence, de mystère et d'horreur dominent et se succèdent : ainsi, une longue scène nous présente l'ensevelissement d'un cadavre qui, à mesure que s'écoule le temps, s'étire et se durcit au point que le linceul préparé au début est enfin trop petit, et qu'il faut l'ouvrir pour y faire entrer le corps. Ces scènes, qui nous paraissent sans nécessité pour la structure de l'œuvre, acquièrent une valeur en soi, demeurent un

---

(11) Nous ne parlons pas de la première œuvre de Valle-Inclán, *Cendres*, refondue plus tard.

élément indépendant, sans autre but que d'impressionner, de créer chez le spectateur une inquiétude morbide. La dernière des *Comédies Barbares, Tête d'Argent,* en 1922, obéit à la même technique, mais termine la série d'œuvres de ce genre. Dès 1921, le théâtre de Valle-Inclán subit une transformation complète. Cependant, il faut inclure dans la manière des *Comédies Barbares, L'Ensorcelé* (1913), *Divines Paroles* (1920), et la série de pièces en un acte publiées en 1927 (12) sous le titre général de *Rétable de l'avarice, la luxure et la mort.*

Valle-Inclán croit-il à la réalité de ce monde qu'il nous présente ? Ce monde reflète-t-il une réalité dans le même sens que le théâtre d'un Benavente ou, par exemple, d'un Ibsen ? Nous ne le pensons pas. Pour Valle-Inclán, il s'agit d'adopter une attitude littéraire, il s'agit de créer un climat, une atmosphère extra-quotidienne, où la terreur, le morbide, le mystère, liés à la poésie, possèdent la valeur de réalités esthétiques. En fait, l'auteur demeure hors de ses personnages, les fait agir d'une façon désaxée, théâtrale et grandiloquente, supposant une fine moquerie sous-jacente, une constante attitude d'ironie envers les comportements, et les formes d'expression « XIXe siècle » des personnages, comportements et formes d'expression qui demeurent liés à une réalité exclusivement espagnole, difficilement perceptible dans la traduction.

Cette distance entre l'auteur et ses personnages s'agrandit au fur et à mesure de l'évolution de sa personnalité théâtrale et deviendra plus tard, comme nous le verrons, un des principes de son esthétique. La caricature s'accentue de plus en plus, s'éloigne de plus en plus du personnage jusqu'à le transformer en marionnette, en fantoche, comme dit Valle-Inclán lui-même. Par là, il croyait serrer de plus près une réalité espagnole, considérée par lui comme une déformation, une involontaire caricature de la réalité européenne.

Il faut tenir compte, à côté de ce que nous pourrions appeler le théâtre d'épouvante des *Comédies Barbares,* d'œuvres qui sont dans la ligne du théâtre dit poétique : *Conte d'Avril* (1910), *La Marquise Rosalinde* (1913), *La tête du dragon* (1914), et la *Farce italienne de l'amoureuse du Roi* (1920). C'est là un théâtre tout à fait différent. Un théâtre plein de poésie, de délicatesse, proche des *Fêtes Galantes* de Verlaine; ou bien, dans le cas de *La tête du Dragon,* ingénu et enfantin, contenant les vertus plastiques du théâtre de marionnettes. Nous pourrions presque dire qu'il s'agit d'un théâtre de Guignol joué par de grandes personnes, les comédiens de chair adoptant le jeu des comédiens de bois. Souvent, nous songeons plus au ballet qu'au théâtre parlé; tout ceci est soumis au mouvement des silhouettes et la musique du langage est parfois plus importante que le sens des mots.

Ces deux courants vont se rejoindre, vers 1920, dans le genre que Valle-Inclán nommera l'*esperpento,* avec lequel son œuvre littéraire prendra un aspect complètement neuf. En 1920, paraît sa *Farce et licence de la Reine de chez nous,* où il nous offre une satire violente de la Reine Isabelle II et de sa

---

(12) En réalité, il s'agit d'œuvres bien antérieures à la date de publication.

Cour, en nous présentant les personnages dans des comportements et des dialogues qui sont ceux du Guignol tel qu'on le joue en Espagne. Du ton de l'*esperpento* est également *La Rose de Papier*.

Mais il faut, croyons-nous, attacher plus d'importance encore à l'*esperpento Les cornes de Don Sapristi*, publié en 1921 (13). A cette époque correspond une remise en question des théories esthétiques : une nouvelle génération — celle de Lorca et d'Alberti — apparaît dans la littérature espagnole, qui procédera à une révision des principes esthétiques des vingt-cinq années qui l'ont précédée. Valle-Inclán n'est pas le dernier à se rendre compte de cette transformation. Dès 1919, dans son livre de poèmes *La Pipe de Kif* il se rapproche des idées nouvelles, rompt avec le monde nébuleux et musical du modernisme, pour tendre vers les formes et les thèmes de l'art populaire.

Les Cornes de Don Sapristi (14) que le public français, en raison d'inévitables nécessités scéniques, ne connaît que sous une forme incomplète, est en réalité constitué par trois représentations d'un même thème, vu sous trois angles différents : une représentation par marionnettes; ensuite la version, selon les propres termes de Valle-Inclán, « esperpentique » du thème; enfin, un *romance* d'aveugle. Deux personnages se font, en quelque sorte, les porte-paroles de l'esthétique nouvelle et de l'esthétique ancienne. Leurs commentaires portent sur la version marionnettes et sur la version *romance*, mais non sur l'*esperpento*. C'est donc que l'*esperpento* représentait la version réelle des faits: par là, la satire de la vie espagnole est plus violente encore.

Les commentaires de la version marionnettes sont intéressants, car Valle-Inclán y précise ses nouvelles idées sur le théâtre. Don Manolito, qui défend l'esthétique moderniste, dira à Don Estrafalario :

Il faut aimer, don Estrafalario. Le rire et les larmes sont les chemins vers Dieu. C'est mon esthétique et c'est aussi la vôtre.

A quoi répondra Don Estrafalario :

Pas la mienne. Mon esthétique se situe au-delà de la douleur et du rire; c'est ainsi que doivent être les conversations des morts quand ils se racontent des histoires de vivants.

Et plus loin, dans le commentaire de la version marionnettes, il dira :

Ce montreur de marionnettes ne manque pas un seul instant de se considérer comme supérieur par nature aux poupées de son castelet. Il possède une dignité de démiurge.

Puis, après une critique du caractère cruel, dogmatique et mécanique du théâtre espagnol classique, le dialogue se terminera par ces mots :

Don Manolito. — Et d'où nous viendra la rédemption, don Estrafalario ?

---

(13) Dans la revue *La Pluma*, que dirigeait Manuel Azaña.
(14) L'adaptation française, par Robert MARRAST, de cette pièce, a paru dans *Théâtre Populaire*, n° 13, mai-juin 1955.

Don Estrafalario. — Du compère Fidel. [le montreur de marionnettes]
Don Manolito. — Comment cela ?
Don Estrafalario. — Il renferme plus de possibilités.

C'est dire que Valle-Inclán se prononce pour le Guignol comme technique théâtrale, qu'il considère comme le meilleur point d'observation d'une société espagnole qui déjà lui apparaît comme la déformation de la réalité dans un miroir courbe, au fond duquel tous les éléments se présentent comme liés entre eux par une exacte mathématique, mais en même temps comme irrémédiablement caricaturés et inhumains.

Nous retrouvons donc, dans les *esperpentos,* les mêmes thèmes de terreur, de sang, de sexualité et de sensualité, mais à présent considérés d'une manière grotesque. Les personnages créent seuls les mobiles de leurs comportements successifs, jamais le spectateur ou l'auteur : les crimes, les amours, les sentiments de ces personnages nous font rire. Et ils y parviennent grâce à toutes les conventions de la vie espagnole, grâce à leur phraséologie faite de lieux-communs, avec leur chauvinisme creux et leurs têtes bourrées de coupures de journaux. La deshumanisation guignolesque des personnages fait paraître bien plus grotesque encore la réalité qu'ils nous montrent.

Cette réalité était très concrète : elle correspond à l'époque de la dictature de Primo de Rivera. Le dictateur ne pouvait tolérer l'apparition, dans l'âcre lumière de l'*esperpento,* des militaires ou des institutions officielles, ou encore des échantillons de couches sociales sur lesquelles reposait son pouvoir. C'est pourquoi les autres *esperpentos, L'habit du défunt* et *La fille du capitaine* ne purent être publiés jusqu'en 1930, quoique écrits et connus en pleine dictature.

L'influence de Valle-Inclán, croyons-nous, sur l'orientation du théâtre, ou, tout au moins, d'un certain théâtre, écrit par les générations qui l'ont suivi et qui ont essayé d'élever le niveau de la scène espagnole, a été décisive. Son prestige littéraire sur ces nouvelles générations était grand; son œuvre la plus intéressante de ce point de vue, *Les Cornes de Don Sapristi,* fut publiée en 1921 dans la revue *La Plume,* dirigée par Manuel Azaña, qui était l'une des plus répandues dans les milieux intellectuels. Il est incontestable que *Le Petit Rétable de Don Cristóbal,* de Lorca, lui doit quelque chose : par sa structure et ses intentions, elle est proche du prologue des *Cornes de Don Sapristi,* où pour la première fois est posée en principe la possibilité d'un théâtre de qualité à partir du théâtre de Guignol. Il en est de même pour d'autres œuvres de Lorca, écrites vers 1930-1931 : *La Savetière Prodigieuse* et *Amours de Perlimplin et de Bélise en son jardin.* Le fameux *Guignol au gourdin,* que Lorca jouait dans sa propre maison avec l'aide de Falla pour la musique, est de 1923 (15).

Nous pourrions retrouver cette influence chez Alberti. Son *Fermín Galán* (1931) est construit selon le schéma du *romance* d'aveugle et des autres formes

---

(15) Quelques années auparavant, Martínez Sierra avait organisé des représentations de Guignol, devant un public réduit, auxquelles, semble-t-il, participa Valle-Inclán.

théâtrales d'expression populaire, sur lesquelles Valle-Inclán avait attiré l'attention avec ses *esperpentos*. Nous en retrouverons le ton dans le « théâtre d'urgence » écrit pendant la Guerre Civile, dont nous parlera plus longuement M. Marrast.

Enfin, on retrouve les tendances de Valle-Inclán dans les œuvres d'un auteur moins connu, Max Aub, dont les efforts pour renouveler le théâtre espagnol ne sont pas sans intérêt. Nous songeons surtout à son *Rétable de l'avarice*, de 1933.

Et encore récemment, en 1948, Salvador Espriú, l'un des plus importants représentants de la littérature catalane, nous a donné sa charmante *Première histoire d'Esther, farce pour marionettes*. C'est une pièce compliquée, peut-être intellectuelle à l'excès pour supporter l'épreuve du castelet, mais où, en tout cas, se prolonge la tradition du théâtre de marionettes considéré comme base d'une technique et d'une esthétique théâtrale. (Encore que Espriú utilise les traditions du guignol catalan).

Nous aurions voulu rendre sensible le rôle important que joua Valle-Inclán dans la création d'un théâtre espagnol contemporain en dehors du cycle infernal et stérilisateur du théâtre commercial. Car le pouvoir de celui-ci est tel qu'il est en grande partie, en raison de ses exigences, responsable de l'absence de public et d'auteurs capables, au XXe siècle, de donner à l'Espagne un mouvement dramatique digne d'intérêt, comme en possèdent la plupart des autres pays. Nous aurions voulu également souligner à quel point Valle-Inclán se montra réceptif des influences européennes, surtout des influences françaises, vers lesquelles le portaient sa formation intellectuelle aussi bien que sa personnalité; tout en étant capable de les assimiler et de les transformer dans une œuvre qui lui appartient toute, profondément liée à une tradition populaire espagnole. Fort heureusement, il n'y a pas que ces aspects-là qui soient intéressants. Mais, si nous les avons choisis, c'est parce qu'ils nous permettaient de dégager plus commodément une orientation qui se manifeste encore de nos jours, dans les expériences récentes de théâtre d'essai en Espagne.

D'autre part, il apparaît que l'on a tendance à considérer García Lorca, comme poète ou comme auteur dramatique, en tant que figure isolée, que créateur solitaire d'une œuvre originale dans une atmosphère plus ou moins médiocre, en tout cas inférieure en qualité à sa production artistique. Peut-être les possibilités d'exportation de l'œuvre de Lorca sont-elles plus grandes que celles des œuvres contemporaines. Mais, en tout cas, cette œuvre demeure un aspect très valable, mais enfin un aspect de l'évolution de la littérature espagnole contemporaine, un des meilleurs moments littéraires, sans doute, de notre pays.

(Traduit de l'espagnol par Robert MARRAST).

DISCUSSION

AUBRUN. — Ainsi un théâtre d'une médiocrité épouvantable peut naître ou sein de conditions juridiques et commerciales plus avantageuses et à l'adresse d'un public très large. Il n'est pas automatiquement vrai que la pénétration du théâtre dans les classes populaires soit la condition d'émergence d'œuvres de qualité.

LERMINIER. — Ce qui frappe dans cette aventure de Valle-Inclán c'est la tentative de donner une vie presque élémentaire à un art dramatique qui risque de tomber dans la littérature, et de s'échouer dans des œuvres trop parfaites. Cela me fait penser à une tentative analogue d'Antonin Artaud avec son « théâtre de la cruauté ».

MURCIA. — Chez Valle-Inclán ce théâtre de l'épouvante est pur esthétisme jusqu'au jour où il se transforme en une critique d'une certaine société espagnole et ainsi prend une valeur. Et à ce moment là l'épouvante n'est plus qu'un aspect bouffon et ridicule de l'œuvre. Je crois que cela supporterait difficilement à l'heure actuelle d'être porté au théâtre.

MARRAST. — Je ne pense pas que ces premiers essais du théâtre d'épouvante soient à rejeter entièrement de la littérature dramatique dans la mesure où ils remettent en question un théâtre périmé. Cela constitue pour Valle-Inclán un exercice de style qui le mènera plus tard à l'*esperpento,* qu'il définit lui-même comme l'équivalent sur le plan dramatique de la vision goyesque de la réalité dans *Les désastres de la guerre,* ou dans certains *Caprices.* Du point de vue de l'étude du style, et de l'évolution il y a là une étape intéressante du théâtre espagnol. Et si l'*esperpento* représente un accomplissement on y trouve des traces de cette recherche de la terreur des premières pièces de Valle-Inclán. Je crois d'autre part que son œuvre a souffert de ne pas être représentée : l'épreuve du théâtre aurait permis à l'auteur de se discipliner en suivant les exigences de la représentation.

AUBRUN. — On constate une allée et venue constante d'un théâtre trop populaire à un théâtre trop esthétique, ce n'est pas propre à l'Espagne. Mais ailleurs des rapprochements s'opèrent; une voie théâtrale moyenne s'établit, lieu de rencontre de l'esthète et du public. Faute de continuité dans l'effort en Espagne une opposition évidente (et presque un défi) dresse le théâtre d'essai contre le théâtre joué dans les théâtres de Madrid et Barcelone. Le théâtre d'essai avec sa recherche esthétique ne trouvera écho dans le public que quelques temps après Lorca. Et encore, ce ne sera qu'un faible écho.

Mlle LAFFRANQUE. — Il me semble que si durant les années 1920-1930 on a fait un théâtre d'essai c'est parce qu'il était impossible d'échapper autrement au théâtre commercial.

AUBRUN. — D'autre part comme il y avait dictature on utilisait ces têtes à massacres que sont par exemple les personnages de Valle-Inclán pour suggérer au spectateur imaginaire, entendez au lecteur doué d'imagination, que derrière ces fantoches il y avait une réalité combien pesante.

Mlle LAFFRANQUE. — C'est ce que certains critiques ont vu clairement. L'un d'eux évoque, dès avant 1929, la possibilité d'un guignol qui surgirait et représenterait un général ou d'autres types sociaux dirigeants qu'il ne définit pas plus clairement mais que l'on reconnaît très bien.

MARRAST. — A côté des conditions littéraires et politiques qui ont fait du théâtre espagnol une suite d'essais sans liens les uns avec les autres il y a aussi le manque de metteurs en scène qui s'est fait sentir. Des hommes comme Copeau, Dullin, ont été pour quelque chose dans le renouveau du théâtre, dans l'enchaînement de tentatives; en Espagne, le cas de Rivas Chérif était tout de même un cas isolé. Il a manqué un Cartel.

Mlle LAFFRANQUE. — La censure y a été pour beaucoup, car lorsque *El Caracol*, du même Rivas Chérif, a essayé de monter *Don Perlimplin* le spectacle a été interdit par la censure.

MARRAST. — *El Caracol* est un cas isolé, et s'il y avait eu un mouvement d'ensemble pour débarrasser le théâtre espagnol de pièces sans valeur littéraire ou dramatique il aurait pu s'épanouir après la dictature, ce qui n'a pas été le cas. Enrique de Mesa, dans son ouvrage *Apostillas a la escena,* de 1930, montre que le théâtre espagnol vers 1928 était prisonnier des dynasties de comédiens, et des directeurs de théâtre qui faisaient la loi; et ils n'avaient en face d'eux ni metteurs en scène, qui auraient pu leur imposer un certain répertoire, ni un public qui aurait pu demander autre chose. Et ce public n'existait pas pour la même raison : il n'y a jamais eu un mouvement d'ensemble pour former un public.

Mlle LAFFRANQUE. — Mais il y a eu sous la République une série d'essais qui n'avaient pas eu lieu avant. Et pourquoi ?

MURCIA. — Vous touchez là un problème encore plus grave : l'isolement des écrivains espagnols pendant tout le xxe siècle. On a l'impression que ces artistes évoluent toujours dans un milieu limité qui les empêche de prendre connaissance d'aspects plus étendus de la vie espagnole.

AUBRUN. — Je crois que si le théâtre de qualité n'a pas eu d'existence sur scène en Espagne à cette époque c'est parce qu'il n'y a pas eu de travail d'équipe (Copeau, Dullin, Jouvet, etc.) qui a permis au théâtre français de surmonter toutes ses crises, et il faut en chercher la raison dans les conditions économiques et politiques de l'Espagne. Le répertoire étranger n'a été connu, par les traductions, que des lecteurs cultivés. Certes les essais des Missions Pédagogiques, dès 1931, amorcèrent un plan rationnel de culture populaire. Mais ces efforts, interrompus par la Guerre Civile, n'ont pas été assez durables pour rattraper le retard.

LE THÉATRE A MADRID PENDANT LA GUERRE CIVILE

Une expérience de théâtre politique

par Robert MARRAST

Assistant à la Sorbonne

I. — LES ACTIVITÉS DRAMATIQUES

Notre intention n'est pas de présenter ici une étude exhaustive de l'activité dramatique en Espagne pendant la Guerre Civile : une telle histoire est à faire et, dans les circonstances présentes, on conçoit combien il serait difficile de la réaliser. D'autre part, nous entendons limiter cette étude à l'expérience de théâtre politique entreprise du côté gouvernemental et en particulier à Madrid. Beaucoup de pièces de cette époque ont disparu, soit qu'elles ne furent jamais publiées, soit que les revues où elles parurent, aujourd'hui sont introuvables ou inaccessibles dans les bibliothèques publiques, soit que les éditions aient été détruites.

Nous tâcherons cependant d'en donner une idée à travers certains textes, et grâce aux compte-rendus publiés surtout dans *Hora de España*, revue mensuelle de Valence de janvier 1937 à septembre 1938, dirigée par un groupe d'écrivains, *El Mono Azul*, hebdomadaire madrilène, de août 1936 à juillet 1938, de l'Alliance des Intellectuels Antifascistes.

Cette Alliance, issue du Congrès pour la Défense de la Culture tenu à Paris en 1935, prit pratiquement en mains dès octobre 1936 l'organisation des spectacles. Sa section théâtrale, baptisée *Nueva Escena* (Scène Nouvelle), devenait un organisme pour ainsi dire officiel. Ses buts étaient présentés en ces termes dans l'annonce de sa première manifestation :

La poésie civile aura constamment sa place dans nos programmes. Il y figurera toujours une œuvre dramatique d'actualité, ou du moins susceptible d'exercer une influence salutaire sur le peuple dans les circonstances présentes; simultanément, nous

---

(1) *El Mono Azul*, n° 7, 8 oct. 1936.

révélerons avec le plus grand soin des exemples rénovateurs de la littérature dramatique la plus vivante. Ainsi notre théâtre aura ce double caractère — poésie et action — que veut donner l'Alliance à toutes ses entreprises (1).

Une équipe d'auteurs, dont les premiers furent Alberti, Altolaguirre, Bergamín, Dieste, s'engageait dès lors à fournir un répertoire immédiat. Les représentations seraient données au Teatro Español de Madrid, ainsi qu'en tournées dans les villes et les villages. Le 20 octobre 1936, en effet, avait lieu le premier spectacle, qui comprenait trois œuvres : *La Clef,* de Ramón J. Sender, *Les Sauveurs de l'Espagne,* de Rafael Alberti et *A l'Aube* de Rafael Dieste, ce dernier assurant également la mise en scène avec Francisco Fuentes (2).

La troupe fonctionnait comme une coopérative, comprenant plusieurs équipes. Mais pour pouvoir agrandir son rayon d'action, on décidait d'ouvrir sous peu une sorte d'école de mise en scène et de décoration. Pendant les années précédant la Guerre Civile, en effet, l'Espagne ne comptait qu'un petit nombre de techniciens de théâtre. Beaucoup d'auteurs, par ailleurs, tel Jacinto Benavente, dirigeaient eux-mêmes sans connaissances spéciales en la matière, les répétitions de leurs œuvres. Aussi, quelques jours après ses débuts, la *Scène Nouvelle* organise une exposition de maquettes, dues à des artistes de talent, comme Miguel Prieto, Ramón Gaya et Santiago Ontañón, dessinateurs et peintres (3). C'est ce dernier qui réalisa plus tard les décors des pièces jouées par la compagnie de Margarita Xirgu en Amérique du Sud. Des débutants pouvaient courir leur chance, en présentant des projets pour les futurs spectacles de la troupe.

Mais les dures offensives lancées contre Madrid reculent ce projet d'école de mise en scène jusqu'au mois de juillet 1937. Cependant, d'autres compagnies, sous le patronage du Sous-commissariat à la Propagande exercent leur activité un peu partout; ainsi le *Guignol* dirigé par Miguel Prieto, aidé des deux jeunes poètes Pérez Infante et Camarero; ainsi les *Porte-voix du Front* ayant à leur tête un responsable par secteur et qui combinaient les récitations de poèmes de guerre avec les activités dramatiques.

Au mois d'août 1937, se tient à Valence le deuxième Congrès International des écrivains pour la défense de la culture, à la suite duquel, semble-t-il, toutes les activités dramatiques sont placées sous l'autorité d'un organisme central unique, le *Teatro de Arte y Propaganda* (Théâtre d'Art et de Propagande), fonctionnant à Madrid et d'inspiration nettement communiste.

Les difficultés militaires, de plus en plus pressantes, rendent plus difficiles les déplacements et réduisent dès ce moment l'activité des troupes. C'est donc Madrid qui bénéficie des spectacles, et le front environnant desservi par les *Guerrillas del Teatro,* filiale de l'organisation centrale. María Teresa León, ancienne élève de Taïroff et femme de Rafael Alberti, dirige le *Théâtre d'Art et de Propagande,* installé au Teatro de la Zarzuela; Santiago Ontañón en est le metteur en scène, Jesús G. Leóz, le directeur de la musique. Le premier spectacle

---

(2) *El Mono Azul,* n° 9, 22 oct. 1936.
(3) *El Mono Azul,* n° 10, 29 oct. 1936.

se compose, en septembre 1937, de : *Le perroquet vert,* d'Arthur Schnitzler, *Le guignol au gourdin,* de García Lorca, et *Le petit dragon,* un intermède de Calderón (4). Parmi les pièces annoncées, seule, *La Tragédie optimiste* de Vsevolod Vichnievsky fut jouée. Elle obtint un triomphe et resta plus d'un mois à l'affiche (5) : le rôle principal était interprété par Edmundo Barbero, qui devait, quatorze ans plus tard, créer dans *Le Repoussoir* d'Alberti le rôle de Bion.

Une délégation d'écrivains est envoyée en U.R.S.S. pour étudier sur place l'organisation et le répertoire du théâtre soviétique, d'août à octobre 1937. Parmi eux figure le jeune poète Miguel Hernández, qui venait d'écrire une pièce demeurée inédite, *Berger de la mort*; en outre il avait, en 1935, repris en le modernisant le thème lopesque de *La Fontaine aux Brebis* dans *Les fils de la pierre* sur laquelle nous reviendrons, et un recueil de quatre œuvres de circonstance en un acte (6).

Pour patronner toutes ces activités, aussi bien que pour proposer de nouvelles initiatives, coordonner les efforts et examiner les œuvres à inscrire au répertoire, on crée un Conseil National du Théâtre. Celui-ci avait à sa tête le Directeur Général des Beaux-Arts. María Teresa León partageait la vice-présidence avec le poète Antonio Machado; Max Aub, qui aujourd'hui continue son œuvre au Mexique, en était le secrétaire. Parmi les membres, se trouvaient entre autres la comédienne Margarita Xirgu, Rafael Alberti et Alejandro Casona, poètes et auteurs dramatiques (7). La création de ce Conseil National montre à quel point le problème du théâtre tenait une grande place dans les activités culturelles. Simultanément, le journal *El Mono Azul* consacre un numéro entier à des articles des dirigeants du Théâtre d'Art et de Propagande. Les points de vue, quoique s'accordant à reconnaître la nécessité d'un théâtre révolutionnaire, diffèrent parfois sur les moyens pour y parvenir en fonction, dans une certaine mesure, des opinions politiques de chacun. Santiago Ontañón n'hésite pas à déclarer :

Je ne crois pas que le théâtre puisse être sauvé par des assemblées ou des comités. S'il doit l'être, ce sera grâce à la collaboration d'un groupe d'artistes ayant le sentiment de leur profession et disposés à améliorer leur art jusqu'au sacrifice, si c'était nécessaire. Un théâtre doit avoir une direction choisie par un groupe d'acteurs plaçant en elle leur confiance, qui la suivront sérieusement dans son travail. Sans tyrannie, sans dictatures; mais avec une discipline de fer (8).

Notons que Santiago Ontañón, malgré ses fonctions officielles, ne faisait pas partie du Conseil National. Se déclarant franchement opposé à la création d'une

(4) *Hora de España,* n° 10, oct. 1937.
(5) *El Mono Azul,* n° 36, 14 oct. 1937.
(6) Cf. Juan GUERRERO ZAMORA, *Miguel Hernández, poeta.* Madrid, 1955, *passim.* Malgré sa partialité souvent révoltante, cet ouvrage demeure le seul publié sur Hernández. Il faut le corriger par le travail inédit de P. GILHODES, *Miguel Hernández* (Diplôme d'Etudes Supérieures, Paris, 1956).
(7) *El Mono Azul,* n° 37, 21 oct. 1937.
(8) *El Mono Azul,* n° 36, 14 oct. 1937.

école, qui prendrait trop vite les habitudes de l'ancien Conservatoire, dont les leçons se réduisaient à une série de recettes passe-partout, il se heurtait à la récente décision de l'Alliance d'Intellectuels; il proposait que chaque metteur en scène créât sa propre compagnie. Recruter des débutants qui s'intégreraient peu à peu à la vie du groupe serait préférable, et il citait comme exemple à imiter celui de la *Compagnie des Quinze* de Michel Saint-Denis.

Il est certain qu'une réforme s'imposait, non seulement dans l'organisation matérielle, mais aussi dans le répertoire. A part García Lorca, indiscutable, et Alejandro Casona, qui à la veille de la Guerre Civile commençait à être connu et applaudi, bien d'autres, Max Aub, Alberti, n'avaient obtenu malgré la qualité de leur œuvre, que des succès brefs ou très discutés. Luis Cernuda faisait remarquer également combien l'œuvre de Valle-Inclán avait souffert de n'être jamais jouée, alors qu'elle était pleine de nouveautés, susceptibles de balayer les conventions du répertoire de boulevard (9). Mais il faudrait à tout prix, toujours selon Luis Cernuda, recourir aux œuvres étrangères. Il serait dangereux de jouer Benavente, ou les frères Quintero « car leurs qualités sont étouffées sous leurs défauts. Pourquoi ne pas adapter, par exemple, *Lysistrata*, *Ubu Roi* ou *Le Chandelier* ? » (10).

Le choix de ces trois titres proposés montre bien dans quel sens on entendait diriger le théâtre : il s'agit d'en faire une arme de combat, destinée à révéler certaines tares de la société bourgeoise tout en sauvegardant la qualité dramatique et littéraire. C'est ce que María Teresa León exprime en écrivant :

A quoi sert un théâtre ? A instruire, propager, éduquer, distraire, convaincre, encourager, apporter à l'esprit des hommes des idées nouvelles, des façons diverses de sentir la vie, rendre les hommes meilleurs (11).

Il ne suffisait pas de proposer des solutions, ou de suggérer les conditions de ce théâtre révolutionnaire qui, malgré tout, ne parvenait pas facilement à se réaliser, faute d'œuvres et d'auteurs; il y eut d'ailleurs des essais malheureux. Le Conseil National crée alors ses *Guerrillas du Théâtre* substituées d'autorité aux troupes ambulantes déjà existantes; en même temps, il lance la consigne du « Théâtre d'urgence », qui devra être « rapide, efficace, intelligent » (12), et constituera le répertoire imposé.

En ce qui concerne l'organisation matérielle :

Le Conseil National propose que ces groupes ne dépassent jamais quinze personnes... Ils travailleront en plein air, sur des tréteaux, dans des salles petites ou grandes, réduisant au minimum leurs besoins. Ils ne feront pas seulement et exclusivement

---

(9) Luis Cernuda, *Un posible repertorio teatral*, in : *El Mono Azul*, n° 38, 28 oct. 1937.
(10) Luis Cernuda, *Sobre la situación de nuestro teatro, ibid.*
(11) María Teresa León, *Gato por liebre*, in : *El Mono Azul*, n° 36, 14 oct. 1937.
(12) Teatro de urgencia. Madrid, Signo, 1938. (Pequeña Biblioteca Teatral, 4), préf., p. 7. (Ce recueil comprend les œuvres suivantes : Santiago Ontanon, *Le bobard, Le saboteur;* Germán Bleiberg, *Ombres de héros;* Pablo de la Fuente, *Le café... sans sucre;* Rafael Alberti, *Radio Séville*).

du théâtre politique, mais mêleront à leur répertoire du théâtre classique — *pasos* et intermèdes, saynètes, etc... — les chants et danses populaires. Ils devront prendre garde à ne pas tomber dans les variétés... Des décors ne sont pas nécessaires... La seule chose indispensable dans ce théâtre d'urgence, c'est de le faire avec foi, avec la certitude que notre œuvre est raisonnable et juste (13).

De ce répertoire nouveau, il nous reste à vrai dire peu de pièces : Un volume de « théâtre d'urgence » qui en contient cinq, tragiques ou comiques, représentées pendant l'hiver 1937-1938; l'adaptation « actualisée » de *Numance* de Cervantès par Rafael Alberti, le recueil de *Théâtre dans la Guerre* de Miguel Hernández, qui en comporte quatre. On peut y inclure, une œuvre de circonstance *La Cantate des Héros et de la Fraternité des Peuples* (14) d'Alberti qui fut jouée le 20 novembre 1938 au Théâtre Auditorium de Madrid, au cours de la soirée d'adieu aux Brigades Internationales. Depuis juillet 1938, *El Mono Azul* a cessé sa parution : il est probable que les activités théâtrales, devant les difficultés croissantes du siège, s'étaient considérablement réduites dans les derniers mois du conflit.

Telles sont, au moins dans la mesure où il nous est permis de les reconstituer, les grandes lignes de l'histoire de ce théâtre de guerre. Il nous reste, à présent, à en examiner le contenu.

II. — LES ŒUVRES

On peut distinguer dans le répertoire plusieurs catégories qui ne correspondent pas à une évolution chronologique mais plutôt à diverses tendances qui se manifestent selon le degré d'adaptation des auteurs aux nécessités de rénovation. La première comprend ce que l'on peut appeler, pour la commodité de l'étude, les pièces « littéraires ». Elles ont ceci de commun qu'elles sont écrites par des poètes qui, malgré leurs sympathies politiques avouées n'ont pas encore d'expérience de la « littérature de parti ». Engagés brusquement dans l'action, ils essayent d'en exprimer de leur mieux le contenu, mais sans créer une esthétique nouvelle. Puisant des thèmes dans les mille situations dramatiques offertes par les péripéties de la Guerre Civile, ils les traitent, presque toujours brièvement d'ailleurs, sans modifier leur style, leurs habitudes de poètes ou de dramaturges. Certes, toujours dans le but de démontrer la justesse de leur cause, mais de telle façon que leurs personnages sont placés hors du quotidien, dans un univers tout théâtral. Ils écrivent pour un public averti, ayant une expérience du spectacle et par conséquent capable d'entendre à demi-mot, à travers une situation donnée, une certaine conclusion encore implicite.

---

(13) *Ibid.*, pp. 8-9.
(14) Rafael ALBERTI, *Cantata de los héroes y la fraternidad de los pueblos*, in : *De un momento a otro...* Buenos Ayres, Bajel, 1942.

Le temps, à vol d'oiseau (15), de Manuel Altolaguirre qui d'ailleurs ne fut
probablement jamais joué, est un exemple extrême de ce genre d'œuvres. Le
poète, par la bouche d'un des personnages, nous explique, à la dernière réplique,
qu'il s'agit d'un ancien essai dramatique remanié, où il a introduit des éléments
de l'actualité. Ils nous présente un homme et une femme, Juan et María, à des
moments divers de leur vie et après leur mort. Mais leur existence n'est pas
découpée en tranches chronologiques successives : ils se voient eux-même réin-
carnés dans les deux enfants, et simultanément dans les deux adolescents qu'ils
ont été en compagnie d'Enrique, camarade d'enfance puis ami, puis rival de
Juan. La mort, explique le poète, est le miroir où se reflètent tous nos souvenirs, surimposés les uns aux autres. Pour actualiser le thème, Juan, au premier tableau, commente la défaite des Italiens à Guadalajara, et évoque sa
jeunesse où il luttait contre les carlistes, tandis qu'au même café est assis son
double adolescent, en uniforme de 1875. L'ami, Enrique, lui parle de son fils qui
est au front. Survient une alerte : Juan, María et Enrique sont tués. Dans le
jardin des enfers, la barque de Charon, au deuxième tableau, amène devant
eux le cortège funèbre des héroïnes de García Lorca. A ce moment Enrique-
enfant se noie devant leurs yeux. Et brusquement nous sommes transportés dans
la clinique ou Enrique-homme vient d'échapper par miracle à la mort.

Ni cet hommage au poète disparu, ni le bombardement aérien ne sont absolument nécessaires : tout autre raison pourrait être donnée à la mort de Juan
et de María, tout autre cortège contribuerait à créer l'atmosphère des enfers. Il
n'y a donc ici qu'un placage destiné à adapter aux circonstances l'interprétation
poétique du thème de la mort selon Altolaguirre. Il suffirait de changer le lieu,
d'attribuer aux personnages des opinions opposées aux leurs, rien ne serait modifié pour autant. *Le temps, à vol d'oiseau* est donc du point de vue de l'esthétique du théâtre politique, une œuvre dans ce sens superficielle, qui participe
de la tradition bourgeoise. Encore que ses qualités littéraires ne soient pas en
cause.

La Clef, de Ramón J. Sender souffre quelque peu du même défaut : un
usurier préfère avaler la clef de son coffre plutôt que donner à des mineurs
l'argent qu'ils sont venus lui demander. Mourant dans d'atroces souffrances, il
supplie le médecin de ne pas ouvrir son corps pour ainsi emporter son trésor
dans sa tombe. Cette petite pièce eut un grand succès, si l'on en croit la critique
(16). L'opposition entre les mineurs évidemment sympathiques, vaillants et courageux et l'avare n'est qu'un symbole. Elle n'illustre rien qu'un vague concept
de morale sociale; elle n'est pas, d'une façon absolument convaincante, *démonstrative.*

Dans *Pedro López García,* de Max Aub (17), à un jeune paysan enrôlé de

---

(15) *Tiempo, a vista de pájaro, ensayo de representación por* Manuel ALTOLAGUIRRE, in :
Hora de España, n° 6, juin 1937.
(16) Cf. le compte-rendu de A[ntonio] S[ANCHEZ] B[ARBUDO], in : *El Mono Azul,* n° 9,
22 oct. 1936.
(17) In : *Hora de España,* n° 21, sept. 1938.

force dans les troupes franquistes qui ont assassiné sa mère, apparaît la Terre personnifiée par une femme, sur le parapet d'une tranchée, pour l'exhorter à déserter l'armée des factieux. Malgré le réalisme de certaines scènes, un public vierge d'expérience dramatique pouvait ne pas être capable de tirer la leçon, la conclusion politique (18). Il fallait donc trouver un style plus direct, ne pas risquer de dérouter par l'abstraction. On songea alors à l'adaptation plus ou moins large de pièces classiques. Les œuvres traditionnelles offraient une base solide, ayant l'avantage de leur conformité fondamentale avec le génie propre du peuple et de leur popularité. L'entreprise n'était pas sans risques, et les résultats furent divers.

En 1935, Miguel Hernández y avait déjà songé : *Les fils de la pierre* reprend, en l'actualisant, le thème de la révolte des paysans contre le Commandeur exploité dans *La Fontaine aux brebis* par Lope de Vega. Un propriétaire, aimé de ses ouvriers, meurt. Son fils lui succède, qui est détesté pour ses exactions. La fièvre augmente quand la femme d'un berger est violée par le jeune maître, et par solidarité, naît une révolte générale, suscitant une vengeance collective. Mais la Garde Civile massacre alors les insurgés. Il ne semble pas que cette pièce, encore inédite, ait jamais été représentée. Mais il s'agit ici d'une œuvre originale dont l'identité avec son modèle est assez lointaine.

A deux reprises, Cervantès fut mis à contribution. *Numance* fut « actualisée » par Rafael Alberti et représentée en décembre 1937 à Madrid. A la modernisation de la langue, aux coupures nécessaires ne se borna pas le travail du poète. L'apologie de l'art militaire qui en est un des thèmes, avait été effacée au détriment de l'exaltation de l'esprit de résistance des numantins. Les romains étaient simplement baptisés « italiens » ou « fascistes » (19). Tout cela, nous dit Alberti, « *afin que la compréhension par le public soit plus rapide* » (20).

De son côté, Rafael Dieste écrivait un *Nouveau rétable des merveilles* (21). Les procédés d'adaptation sont assez identiques à ceux utilisés pour *Numance* : le gouverneur, l'alcalde, le régidor et le greffier sont remplacés par le maure, le propriétaire, le fils à papa, le général et le curé, évidemment pris au piège de

---

(18) En janvier 1937, avait été créée au Teatro Principal de Valencia une œuvre écrite en collaboration par José Bergamín et Manuel Altolaguirre, *El triunfo de las Germanias*, dont le thème était la jacquerie qui se produisit sous le règne de Charles-Quint. On y démontrait que « les efforts douloureux du peuple ne sont pas perdus, mais se rassemblent à nouveau à cette heure définitive ». Il y manquait, selon le critique de *Hora de España*, un relief dramatique. De nombreuses scènes accessoires, des discours, destinés à renforcer le sens idéologique, ne faisaient qu'alourdir la pièce. Renonçant à leur génie propre les deux poètes n'étaient parvenus qu'à un résultat médiocre. Le critique du spectacle voyait là un exemple à ne pas suivre. Malheureusement, il ne fut guère écouté.

(19) On voudra bien se reporter, à ce sujet, à notre communication aux Entretiens d'Arras 1956, *L'esthétique théâtrale de Rafael Alberti*, où nous avons plus longuement étudié cette adaptation. Sur le thème de la guerre dans *Numance*, à notre *Cervantès dramaturge*. Paris, L'Arche, 1957, pp. 25-27.

(20) Miguel de CERVANTES, *Numancia ... adaptación y versión actualizada de Rafael Alberti*. Madrid, Signo, 1938, p. 9.

(21) Rafael DIESTE, *Nuevo retablo de las maravillas, mascarada en un acto*, in : *Hora de España*, n° 1, janv. 1937.

l'illusion. Seuls verront le rétable ceux qui ne sont pas marxistes, ni syndica-
listes, ni anarchistes. On commence par les persuader — comme chez Cervantès
— qu'apparaissent un taureau et des souris : mais l'apothéose est l'arrivée
d'une armée imaginaire d'Allemands et de Maures, puis d'un escadron de « rouges », mis en fuite par les mystérieux effluves d'une cigogne magnétique. Le
général se voit entrant victorieux à Madrid, le curé, coiffé de la mitre. Les
paysans du village surviennent alors et mettent les vainqueurs illusoires en
fuite, pour de bon. Et le montreur du rétable annonce : « Ici commencent les
vraies merveilles, celles que l'on voit quand les yeux sont clairs et libres », tandis que « tous lèvent joyeusement le poing ».

L'adaptation est si large d'ailleurs que Rafael Dieste la signe de son seul
nom (et il n'y a là aucune supercherie, l'original étant connu de tous). On peut
la rapprocher de celle que fit Jacques Prévert en 1935 pour le « Groupe Octobre », où l'on voyait apparaître, parmi les victimes, un capitaine de gendarmerie,
tenant le rôle du général chez Dieste.

On mesure combien cette *Numance* et ce *Nouveau rétable* sont éloignés des
pièces « littéraires » dont nous avons parlé. Tout d'abord, elles se passent de
toute explication. La transposition qui nous permet, mentalement, au cours du
spectacle, de projeter telle ou telle classe sociale contemporaine dans les personnages est d'avance réalisée au stade de l'écriture. Dieste, comme Alberti, écarte
toute distanciation et propose d'avance au spectateur l'identification aux circonstances actuelles. De telles œuvres sont d'autant plus accessibles, par ailleurs,
qu'elles se réclament d'emblée d'une tradition exclusivement espagnole : tout le
monde connaît l'histoire de Numance, et le truc du faux rétable.

Il n'empêche que l'on pouvait leur faire le même reproche qu'aux pièces
« littéraires » : il est facile de détourner à toutes fins une pièce ancienne : tout
dépend de la direction du coup de pouce qu'on lui donne. Aujourd'hui encore
en Espagne, on joue *Numance;* mais il est bien évident que les assiégés, dans
l'esprit du metteur en scène, ne sont plus les « rouges » mais les soldats de la
« croisade ».

Aussi dans le nouveau théâtre d'urgence, les personnages ne sont plus que
des types caractérisés une fois pour toutes. Ils ne sont pas interprétés abstraitement dans un contexte littéraire, comme l'avare et les mineurs de *La Clef.* Au
contraire, ils sont extraits de la réalité quotidienne, insérés vifs dans une intrigue élémentaire.

Ces œuvres, dit Manuel Altolaguirre, sont presque toujours des *romances* dialo-
gués, des farces entre des soldats, des paysans ou des ouvriers, dirigées contre le maure, l'italien, l'allemand, et les généraux félons. Théâtre antifasciste d'une grande simplicité de forme et de grande unanimité de contenu, rédigé avec la plus grande simplicité, afin d'être senti par un public qui n'entend rien aux subtilités littéraires (22).

Cela est assez analogue aux premières expériences de théâtre révolution-

_____

(22) Manuel ALTOLAGUIRRE, *Nuestro Teatro*, in : *Hora de España*, n° 9, sept. 1937.

naire en U.R.S.S., telles que Madame Nina Gourfinkel les a définies : personnages-types (ici : Mussolini, Hitler, Alphonse XIII, Queipo de Llano, Franco, le saboteur, la bigote, le fils à papa, etc.), faciles à dessiner; « jugement dramatique », c'est-à-dire démonstration d'une idée élémentaire; « litomontage » à partir de fragments de discours, de chansons populaires, de slogans politiques (23).

Mais, il faut le dire, les interprétations sur le mode tragique du théâtre d' « urgence » sont extrêmement décevantes. *Le Saboteur* (24), de Santiago Ontañón est une pièce très faible : un camion de soldats attend pour partir au combat un ordre de mission qu'un officier tarde à donner, pour se donner de l'importance aux yeux de la sœur de l'un d'entre eux, venue voir son frère. Le camion part enfin, mais saute sur le pont miné. Il aurait suffi de trente secondes... La mort incombe à l'officier : il est un saboteur qui paiera de sa vie son inconsciente légèreté.

Dans *Le café... sans sucre* de Pablo de la Fuente (25), il s'agit d'un couple de bourgeois de l'arrière prêts à toutes les compromissions pourvu qu'ils retrouvent leurs anciennes habitudes de confort quotidien. Un combattant venu du front en permission les fera vite arrêter avant qu'ils en aient trop dit. Par contraste, au début de la pièce, une jeune femme chargée de l'agitation contredit d'avance les propos défaitistes.

Tout cela tombe très vite, on le conçoit, dans le mélodrame. Nous ne pouvons juger, évidemment, de l'effet produit sur un public sans cesse en contact avec la réalité offerte dans ces pièces, par ces tableaux larmoyants. Pour nous, il n'y a plus là que préchi-précha édifiant.

Mais il n'en est pas de même des farces de ce théâtre d'urgence. A ce stade élémentaire de la dramaturgie nouvelle, la caricature possède des possibilités plus grandes d'émotion, et il est plus facile de faire rire aux dépens d'un personnage politique. Il suffit d'en extraire deux ou trois défauts caractéristiques, et de le faire agir par la seule vertu de ces défauts, selon une logique dont l'évidente absurdité conserve le pouvoir éternel de déclencher le réflexe comique.

Santiago Ontañón nous présente donc, dans *Le Bobard*, une famille bourgeoise de Madrid qui joue au loto. Nous sommes le 7 novembre 1936. Entrent quatre bigotes qui poussent des cris de joie à l'idée que les Maures vont bientôt entrer dans la ville. Tandis que Bredes écoute amoureusement la radio, il s'endort; surgissent Alphonse XIII, le Prince des Asturies, le prétendant don Carlos, puis Hitler, Mussolini et enfin le Portugal, un enfant insupportable. Tout ce monde se dispute les morceaux de l'Espagne, puis tout se termine par une bataille générale. La lumière revient, un an a passé. Joyeusement les bigotes annoncent un bombardement : le premier obus doit selon elles servir d'avertissement. On entend le coup de canon, et, cependant que tous attendent à genoux

---

(23) Nina GOURFINKEL, *Théâtre russe contemporain*. Paris, La Renaissance du Livre, 1931, *passim*.
(24) In : Teatro de Urgencia, *éd. cit.*, pp. 53-87.
(25) *Ibid.*, pp. 129-150.

et dans la béatitude, l'obus, pénétrant par la fenêtre, tue toute la famille et les bigotes.

Les meilleures de ces petites comédies « d'urgence » sont dues à Rafael Alberti. Ce n'est pas surprenant, car le poète était le seul alors à posséder quelque expérience du théâtre politique. Non seulement il avait fait jouer en 1931 son *Fermín Galán* (26), pour chanter le martyr de la république, mais il avait écrit plusieurs autres œuvres mineures contre Primo de Rivera, puis, en 1933, les deux farces *Bazar de la Providence* et la *Farce des Rois Mages* (27), théâtre d'« urgence » avant la lettre. Déjà, il y prenait pour têtes de Turc le curé, le gros propriétaire, l'évêque, le garde civil. L'échec de *Fermín Galán*, d'ailleurs, lui avait appris que le genre comique convenait mieux à ce genre élémentaire de théâtre politique primitif.

Sa contribution au répertoire de la Guerre Civile, outre l'adaptation « actualisée » de *Numance* et la *Cantate des héros*, se limite à deux œuvres : *Les sauveurs de l'Espagne*, aujourd'hui perdue, et *Radio-Séville* (28). Le tableau satirique est précédé d'un prologue entre une jeune fille et un soldat enrôlé de force dans les troupes factieuses, qui cherche l'occasion de déserter. A ce moment un haut-parleur se fait entendre, annonçant l'allocution journalière de Queipo de Llano à Radio-Séville. Dans *Le Bobard* (29) de Santiago Ontañón, les personnages historiques apparaissent d'une façon assez arbitraire : ils sortaient de sous la table ou de derrière un rideau. Alberti a su trouver une idée originale : le studio d'émission où se trouve réunie la cour de Queipo de Llano (fils à papa, prostituée, phalangistes), est présenté comme l'illustration qui orne une gigantesque boîte d'allumettes du début du siècle. A cette époque, en effet, elles étaient ornées d'un dessin bariolé d'assez mauvais goût représentant un de ces tableaux *flamenco* prétendument typiques selon l'optique du touriste étranger. Rien n'y manque : affiches de corridas, banderilles, tête de taureau en carton, guitare.

C'est là une trouvaille de mise en scène, et un élément comique par son caractère inattendu, qui réussit du même coup à montrer tout le faux pittoresque de ce décor vulgaire et clinquant. Le spectateur, dans un tel cadre, ne peut imaginer que le ridicule et la prétention, par la suite poussés jusqu'à l'odieux. Pour les auditeurs, on reconstitue l'ambiance d'une corrida : la fille, Clavelona, jouera le rôle du taureau et Queipo celui du matador. Surviennent deux officiers, l'un italien, l'autre allemand, dont Queipo doit cirer les bottes à genoux. A la suite de cocasses péripéties, tout le monde se réconcilie, Queipo, au son de la guitare, imite le cheval. Brusquement, sur un accord de l'instrument, tous les personna-

(26) Rafael ALBERTI, *Fermín Galán, romance de ciegos en tres actos, diez episodios y un epílogo.* Madrid, 1931.
(27) Rafael ALBERTI, *Bazar de la Providencia (negocio)* [suivi de :] *Farsa de los Reyes Magos.* Madrid, Ed. Octubre, 1934.
(28) In : Teatro de Urgencia, *éd. cit.*, pp. 151-201 et in : *El Mono Azul*, n° 45, mai 1938.
(29) In : Teatro de Urgencia, *éd. cit.*, pp. 11-52.

ges s'immobilisent dans leur pose du début. La boîte se referme, la tête de Queipo reste coincée par le cou. Des paysans et des ouvriers entrent et bâtonnent joyeusement le général.

Ce final pour marionnettes souligne l'aspect grotesque de Queipo, dont la sottise et la grossièreté ont été montrées à plusieurs reprises. Autant que les autres, il agit comme mû par des ressorts extrêmement élémentaires et simplistes, sans qu'on puisse parler d'une psychologie. Mais cette petite œuvre a le mérite d'être aussi cinglante que drôle.

Du même Alberti, la *Cantate des héros et de la fraternité des peuples* n'entre dans aucune des catégories précédentes. Le style est plus d'épopée que de théâtre. C'est un grand poème dialogué, auquel la mise en scène et la musique apportent une plastique et un rythme. Mais ce n'est pas une œuvre dramatique, au sens premier, puisqu'elle ne comporte aucune action.

III. — LES RÉSULTATS

De ces quelques exemples, choisis pour montrer les différentes directions où s'engagea le théâtre de la Guerre Civile espagnole, se dégage en premier lieu l'idée d'un manque de coordination dans la recherche d'une formule. Rappelons que les catégories que nous avons indiquées ne correspondent nullement à un ordre chronologique. En fait, la première de ces pièces politiques est bien antérieure à 1936 : c'est, en 1931, le *Fermín Galán* d'Alberti, et ce serait aussi dans une certaine mesure la *Mariana Pineda* de García Lorca en 1927.

Nous avons remarqué, cependant, certaines analogies avec le théâtre de la Révolution soviétique, dont l'Espagne essaya de s'inspirer. Ici et là, on propose des formules semblables : « litomontage », « jugement dramatique », introduction de « personnages-types ». Mais, dit Madame Nina Gourfinkel, « c'est là un phénomène général dans le théâtre russe actif : il commence par l'échelon le plus bas, s'ingéniant à atteindre les plus pauvres esprits » (30). Or le théâtre « d'urgence » n'apparaît à Madrid que tardivement, et par une décision d'autorité du Conseil National. Encore faut-il souligner que l'unanimité n'était pas acquise. Non que l'engagement fût en lui-même rejeté, mais certains poètes, dessinateurs, dramaturges, prétendaient à juste titre ne pas demeurer prisonniers d'un pur et simple art de propagande. Une motion collective, présentée par treize intellectuels connus au Congrès pour la Défense de la Culture en juillet 1937 se fait l'écho de cette préoccupation :

Dans la mesure où la propagande sert à propager quelque chose qui nous intéresse, la propagande nous intéresse. Dans la mesure où elle est le chemin vers le but que nous voulons atteindre, ce chemin nous importe, mais en tant que chemin. Sans oublier à aucun moment que le but n'est pas, et ne peut être, le chemin qui y conduit.

(30) *Op. cit.*

Tout le reste, tout ce qui consisterait à défendre la propagande comme une valeur absolue de création, nous semble aussi démagogique et dénué de sens que pourrait être, par exemple, la défense de l'art pour l'art, du courage pour le courage (31).

C'est en effet la seule condition d'un humanisme révolutionnaire, étendu à toutes les formes de l'art. Mais revendiquer cette attitude suppose certaines possibilités matérielles, et du temps pour y parvenir. Le « théâtre d'urgence », dans la mesure où il était propagande pure, ne pouvait être qu'un point de départ. Son institution montre un désir de rompre avec les initiatives individuelles désordonnées et anarchiques, qui n'aboutissaient qu'à la transposition dans l'actualité de certains thèmes que les dramaturges adaptaient de leur mieux à la situation révolutionnaire. Il fallait bien repartir à zéro, commencer par la propagande élémentaire, pour arriver d'une part à humaniser ce théâtre démonstratif, et d'autre part à susciter dans le public le désir d'un art de moins en moins primaire, de plus en plus perfectionné. Les vicissitudes des combats, les servitudes quotidiennes de la guerre empêchèrent cette évolution. L'expérience soviétique du théâtre démonstratif se situe dans un contexte historique post-révolutionnaire, de victoire sociale et militaire de l'idéologie marxiste. Elle peut donc se dérouler normalement. L'Espagne, au contraire, est encore dans la phase la plus ardente, la plus indécise, la plus pressante de sa crise, d'où ce désordre dans les efforts. « *Il faut du temps,* dit Jean Doat, *il faut du temps à une collectivité, et un certain ordre et une certaine vie traditionnelle, pour donner naissance à l'auteur dramatique qui répondra valablement à son attente. Identité et mûrissement* » (32). Or c'était justement ce qui manquait à ce théâtre de guerre : il demeure hâtif et prématuré. Ou bien il reste « littéraire » (dans le sens où nous avons défini ainsi certaines œuvres), ou bien il n'est que pure propagande. Bien sûr, toutes ces pièces sont en gros conformes à la définition que Piscator donnait dans son *Manifeste* de 1919 :

La tâche du théâtre révolutionnaire est de prendre la réalité pour point de départ et de souligner les contradictions de la société pour en faire un élément d'accusation, de révolution, un élément de l'ordre nouveau (33).

Mais cet ordre nouveau, encore en gestation, ébranlé d'avance par le manque d'unanimité sur son futur contenu provenant des divisions politiques, est, au stade de la guerre civile, trop indéfini pour servir de base à l'expression artistique. Pourtant les données sociologiques du génie espagnol étaient favorables : la tradition épique, demeurée latente dans le peuple, reprit vie; d'innombrables *romances,* sur des thèmes d'actualité, écrits par des inconnus ou par des poètes célèbres, furent édités ou recueillis dans des anthologies. Les ouvriers, les pay-

---

(31) A. Sánchez Barbudo, A. Gaos, A. Serrano Plaja, A. Souto, E. Prados, E. Vicente, J. Gil-Albert, J. Herrera Petere, L. Varela, M. Hernandez, M. Prieto, R. Gaya, *Ponencia colectiva,* in : *Hora de España,* n° 8, août 1937.
(32) Jean Doat, *Entrée du public.* Paris, Ed. de Flore, 1947, p. 172.
(33) Cité dans : [Anonyme], *Piscator et le théâtre politique,* in : *Théâtre Populaire,* n° 16, nov.-déc. 1955.

sans, qui ignoraient tout de la poésie, les récitèrent, les colportèrent, chantant les exploits de tel héros moderne, ou la félonie de tel autre, comme leurs ancêtres chantaient la gloire du Cid ou de Bernardo del Carpio. De même, les tournées de *La Barraca* de García Lorca, du *Teatro del Pueblo*, de Casona, avaient contribué à réveiller dans le peuple des usines ou des villages, l'enthousiasme pour le spectacle, si unanime au Siècle d'Or. Songeons en effet que la forme la plus originale du théâtre autochtone, l'*auto sacramental*, a du son succès à la faveur populaire, de même que, plus tard, les pièces de Ramón de la Cruz, le plus doué des dramaturges du XVIII⁰ siècle. L'Espagnol possède aussi une très grande sensibilité poétique : sa littérature orale traditionnelle, extrêmement riche en qualité et en quantité, en est la preuve. Malgré son anarchisme foncier, il est capable d'éprouver l'émotion collective du spectacle. Il est donc naturellement *disponible* au théâtre, par tradition et par tempérament, à peu près dans les mêmes conditions que le Russe. Mais alors, il fallait éviter de répéter les errements — inévitables — de l'expérience soviétique, qui, moins de dix ans après la Révolution d'Octobre, faisait faillite, le public désirant autre chose que le répertoire primitif qu'on lui offrait.

Le public, écrivait María Teresa León, reçoit dans ce qu'on lui offre, le bon comme le mauvais; ce qu'il ne peut admettre sans protester, c'est qu'on s'obstine à lui donner chat pour lièvre (34).

Dans ces conditions, il fallait dépasser le plus vite possible le théâtre de propagande pure, et ne pas vouloir en faire l'épanouissement d'une recherche.

A première vue, quant à la forme, la ressemblance existe entre les recueils du théâtre d'urgence et les sketches de *Grand Peur et Misères du III⁰ Reich*. Mais Brecht ne nous touche pas seulement parce qu'il se trouve entre ses personnages et nous un élément commun, l'expérience du fascisme. Au-delà de cette identification, il reste l'exaltation de la liberté, et de toutes les valeurs humaines face à toute force arbitraire cherchant à les étouffer. Au théâtre d'urgence manque cette étincelle génératrice de générosité, qui fait que l'œuvre de Brecht demeure valable en tous temps et en tous lieux, hors de toute catégorie morale ou sociale, hors de toute adéquation à un contexte historique semblable. Or, traduit en français, le théâtre de la Guerre Civile espagnole ne connaîtrait aucun succès, n'aurait d'intérêt que documentaire. Il a été un théâtre populaire, si l'on entend par là qu'il était fait pour le peuple. Mais il ne l'est pas, dans la mesure où il ne contient que la constatation pure et simple, tragique ou comique, d'une certaine actualité.

IV. — Descendance du théâtre de guerre

Fait curieux et qu'il faut souligner, car on ne peut manquer de se poser la question, le théâtre de Brecht était aussi ignoré en Espagne qu'en France à la

---

(34) María Teresa LEÓN, *Gato por liebre, art. cit.*

même époque. Seul, *L'Opéra de Quat'sous* (dont l'éditeur du *Théâtre d'Urgence*, Signo, annonçait la publication en espagnol (35) qui ne fut probablement jamais réalisée) était connu, grâce au film qui en avait été tiré. La *Revista de Occidente*, qui avait pourtant révélé Georg Kaiser, Gerhardt Hauptmann, Synge, O'Neill, Lenormand, Cocteau, Giraudoux, ne lui consacra jamais le moindre article. Il faut regretter que les expériences russes aient seules accaparé l'attention des dramaturges engagés, car la connaissance du théâtre de Brecht pouvait fournir non seulement un exemple à suivre, mais un répertoire extraordinairement riche. Un coup d'œil sur l'œuvre postérieure des écrivains de la guerre nous montrera si cet oubli a été réparé.

De tous les écrivains qui apportèrent leur collaboration au théâtre de guerre, la plupart sont aujourd'hui en exil. Miguel Hernández est mort à la prison d'Alicante en 1942; Germán Bleiberg, sa peine purgée, travaille dans une maison d'éditions de Madrid. D'autres, Manuel Altolaguirre, Rafael Dieste, José Bergamín, conservent leur position politique, ont pratiquement abandonné la littérature engagée. Les dramaturges occasionnels s'en sont tenus à leurs premiers essais : Santiago Ontañón a repris son métier de décorateur de théâtre. Deux d'entre eux, pourtant, ont prolongé l'expérience des années 1936-1939 : Rafael Alberti et Max Aub.

Rafael Alberti termina dans les premiers mois de son exil parisien *D'un moment à l'autre* (36). Il y racontait sa propre tragédie : son héros Gabriel rompt avec sa famille bourgeoise, bourrée de préjugés religieux et de complexes sociaux, à la veille du 18 juillet 1936. Le premier jour de la guerre, Gabriel est tué dans un combat de rues, aux côtés des ouvriers de son oncle, cependant que son frère a rejoint les rangs des factieux. Un drame humain, simple, sans phraséologie redondante, sans slogans, et qui cette fois dépasse largement l'actualité espagnole. Parce que nous pénétrons au cœur du problème, parce que Gabriel est un homme, et non plus un masque muni d'une étiquette; parce qu'il est bon, mais aussi faible, déchiré. Cette œuvre est l'exemple de ce qu'aurait pu et dû être un théâtre révolutionnaire capable d'élever l'homme sans l'enfermer dans des consignes dramatiquement factices. Voilà donc déjà un progrès.

Parmi les pièces les plus caractéristiques du théâtre engagé de Max Aub, il faut distinguer le drame en deux parties : *Mourir pour avoir fermé les yeux* (37). Ici encore, deux frères s'opposent. L'un d'eux, vivant depuis très longtemps à Paris et marié à une française, est arrêté, vers mai 1940. Au camp, il retrouve plus tard son cadet, qui avait combattu dans les troupes républicaines pendant la Guerre Civile. Croyant ainsi retrouver sa liberté, l'aîné devient mouchard, préférant faire mettre au secret son frère, et s'en débarrasser, au moment où sa

---

(35) La couverture du volume de *Teatro de Urgencia* et celle de *Numance* en font foi. Le programme d'éditions de pièces de théâtre de Signo était semblable à celui de la *Petite Bibliothèque Théâtrale* des Éditions Sociales Internationales de Paris à la même époque.

(36) Rafael ALBERTI, *De un momento a otro, drama de una familia burguesa española, en tres actos.* Buenos-Aires, Bajel, 1942.

(37) Max AUB, *Morir por cerrar los ojos, drama en dos partes.* Mexico, Tezontle, 1944.

femme vient de préparer un projet d'évasion pour tous les deux. Mais la senti-
nelle, au moment où il franchit les barbelés, le tue alors qu'il allait enfin échapper à son cauchemar. Sur ce drame, se greffe la rivalité amoureuse des deux
hommes : la femme, avant d'épouser l'aîné, a été la fiancée du cadet, qui voudrait la lui reprendre. A l'heure de la vérité, la femme comprend enfin que son
mari était un lâche. Elle préfère mourir, mais elle mourra, elle aussi, pour avoir
trop longtemps fermé les yeux. Les tableaux de Paris pendant la guerre, de la
débâcle de Juin 1940, les intrigues et les bassesses des camps de concentration
forment une série de scènes assez proches de la construction brechtienne. Chez
la femme, la prise de conscience s'effectue peu à peu au cours des événements
successifs, et non à partir d'un seul qui conditionnerait son évolution psychologique. En ce sens, elle est proche de la mère Carrar ou de Pélagie Vlassova.

La dernière pièce de Rafael Alberti, *Nuit de guerre au Musée du Prado* (38)
témoigne d'une influence certaine de Brecht, qui, d'ailleurs, au moment de sa
mort, allait la mettre en répétitions au Berliner Ensemble. S'animant tout à
coup, les personnages des plus célèbres tableaux de Goya, de Velazquez, se
croient, dans le bruit des combats de 1937, revenus au temps de l'invasion napo-
léonnienne. Les constantes interférences ainsi provoquées apportent un dépaysement qui projette l'actualité hors du quotidien par un véritable « effet de
distanciation ». Mais lorsqu'il l'écrivit, voici deux ans, Alberti connaissait l'œuvre de Brecht et consciemment se mettait à son école.

La conclusion que l'on peut tirer de l'examen de ces exemples de pièces de
l'exil, est que les tempéraments et les vocations n'ont pas manqué au théâtre de
la Guerre Civile. Ce qui fit défaut, ce fut surtout une influence décisive, qui
aurait dû être celle de Brecht. Lui seul ayant réussi à accomplir une synthèse
cohérente entre une éthique et une esthétique révolutionnaires, pouvait fournir
le modèle de l'art que l'on entendait créer. Il y manqua aussi la cohérence. Les
divisions sur les idéologies politiques, les querelles de partis furent une des causes, et non des moins considérables, de la défaite républicaine sur le plan militaire. Mais les mêmes divisions, les mêmes querelles contribuèrent également
à disperser les efforts dans le domaine de la création théâtrale : multiplicité
d'initiatives, multiplicité des troupes.

En somme, le bilan du théâtre de la Guerre Civile est négatif. L'expérience
fut cependant utile aux dramaturges exilés, qui se gardèrent de la poursuivre
pour rechercher des formules plus valables. Leur évolution permet de croire,
que, dans une Espagne à nouveau républicaine, pourrait naître un théâtre épique,
une dramaturgie nouvelle d'une réelle maturité. En attendant, l'unique pièce de
ces années terribles qui en exprime le plus authentiquement la tragédie, c'est
bien Bertold Brecht qui l'a écrite : *Les fusils de la Mère Carrar.*

----

(38) Rafael ALBERTI, *Noche de guerra en el Museo del Prado.* Buenos-Ayres, Losange,
1956.

DISCUSSION

Niéva. — Les décorateurs dont vous avez parlé ont-ils suivi une tendance plastique déterminée, réaliste, expressionniste, ou autre ?

Marrast. — Il semble impossible de trouver des documents à ce sujet. Les critiques sont trop brèves et se contentent de souligner la valeur de la pièce comme démonstration politique. Les décors étaient réduits car les moyens matériels devaient manquer. D'autre part le spectacle était très souvent renouvelé.

Murcia. — Ce théâtre de guerre ne serait-il pas né d'un désir de l'Etat de diriger l'expérience théâtrale, de l'utiliser à des fins pédagogiques ?

Marrast. — Oui, mais ce qui a manqué surtout c'est un effort d'organisation cohérent, car chaque faction politique avait son groupe de théâtre, et lui donnait une orientation politique précise, beaucoup trop élémentaire pédagogiquement. L'erreur a été, je crois, de recommencer ce qui avait déjà été fait à partir de zéro. D'autre part il manque à tout ce théâtre ce qui fait la valeur de *Grand Peur et Misères du IIIe Reich* et qui place cette pièce bien au-dessus de l'actualité proprement allemande.

Il faut remarquer aussi qu'une bonne partie de l'équipe est formée en général d'intellectuels en vue des années de la fin de la République qui ont alors évolué vers le communisme mais qui ne l'étaient pas toujours à l'origine.

Murcia. — La partie politique d'une pièce n'est-elle pas plaquée artificiellement sur l'intrigue choisie ? Il me semble significatif que la plupart des auteurs de l'époque ont abandonné cette expérience après la Guerre Civile. Et si certains, comme Alberti, ont fait du théâtre politique par la suite, c'est d'une manière toute nouvelle.

Marrast. — Le sentiment d'accomplir un devoir imposé n'échappait pas aux artistes, et l'on adaptait n'importe quelle pièce pourvu qu'il y ait par exemple un curé ridicule. On se souciait peu de la qualité littéraire. Cela est flagrant pour une pièce de Bergamín et Altolaguirre sur les Jacqueries de l'époque de Charles-Quint, ou à côté de scènes authentiquement théâtrales ils avaient plaqué de véritables discours politiques.

Murcia. — N'est-ce pas la raison de la stérilité de ce théâtre ?

Marrast. — La raison est surtout que l'on a imposé un art de propagande beaucoup trop élémentaire, alors que les auteurs étaient capables de faire autre chose, et que le public aurait pu les suivre. On n'a pas tiré la leçon de l'expérience soviétique, on l'a seulement recommencée.

Mlle Laffranque. — Il serait utile de faire une enquête auprès des combattants espagnols qui ont vécu cette expérience, et qui peut-être ont des souvenirs. Mais cela nécessite des moyens semblables à ceux des enquêtes sociologiques. A ce propos, je voudrais demander à M. Kumbatovič qui a participé à un théâtre de guerre en Yougoslavie, quelles sont les réflexions dont il peut nous faire part.

Kumbatovič. — Il est impossible de comparer le théâtre en Espagne pendant la Guerre Civile, et le théâtre en Yougoslavie pendant la Deuxième Guerre mondiale, car il s'agit de situations politiques très différentes. Pour prendre l'exemple de la Slovénie, qui fut occupée par les Allemands, les Italiens et les Hongrois en 1941, l'activité dramatique fut d'abord à peu près paralysée. Seuls le Théâtre dramatique et l'Opéra de Ljubljana ne furent pas fermés, mais ils furent privés de toute indépendance. Cependant dès 1942, sur les territoires repris par les partisans, se forma un premier groupe d'acteurs qui joua une pièce de guerre de Maty Bor. Mais ces partisans succombèrent la même année au cours d'une grande offensive allemande. L'activité théâtrale fut alors limitée aux groupes culturels de bataillon jusqu'à la capitulation de l'Italie mussolinienne. Alors un groupe plus important, dirigé par Ivan Jerman, donna des représentations en territoire libéré; mais il fut à son tour dispersé par une offensive allemande. Cependant, au début de 1944, une « succursale détachée » du théâtre national slovène fut établie en territoire libéré et subsista jusqu'à la fin des hostilités. Je fus chargé avec le poète Mile Klopčič de sa direction. Ce théâtre s'efforça de faire revivre la tradition culturelle slovène, tout en restant en rapport avec l'art dramatique mondial. En pleine lutte pour la libération il organisa des cours pour acteurs amateurs et résolut des problèmes techniques de mise en scène assez complexes. Il joua des pièces de guerre de Matej Bor, mais aussi des œuvres de Cankar, de Nušič, de Tchekhov et de Molière. Parmi les accessoires qui ont été conservés figurent les costumes de style en soie de parachutes et les perruques d'étoupe du *Malade Imaginaire*. On peut les voir aujourd'hui à l'Académie d'Art dramatique à Ljubljana, ou sont conservés aussi 400 documents bibliographiques. Les photos prises au cours des représentations sont au Musée de la Libération nationale, également à Ljubljana.

VICTOROFF. — Y eut-il du côté franquiste une tentative analogue de théâtre ?

MARRAST. — Certainement. Mais d'après la *Revista Hispánica Moderna* qui donnait un compte rendu des activités culturelles des deux côtés, celles-ci étaient en général moins importantes du côté franquiste.

VICTOROFF. — D'après votre exposé le genre comique serait mieux adapté que la tragédie aux conditions créées par un théâtre d'urgence comme celui de l'Espagne, et il garderait mieux sa valeur esthétique.

MARRAST. — C'est la conclusion que l'on tire des textes accessibles.

IVERNEL. — Brecht a repris une pièce chinoise de l'époque de la guerre contre les Japonais, et il affirme qu'elle a été écrite par les soldats et jouée par eux. Cette expérience de théâtre comique de combat, très valable à mon avis, a un énorme succès en Allemagne de l'Est. Y en a-t-il eu de semblables en Espagne ?

MARRAST. — Les petits groupes de théâtre étaient dirigés par un écrivain, un poète ou un dramaturge chargé du répertoire de la troupe. Mais il devait le choisir en fonction de l'actualité. *Radio-Séville,* d'Alberti, me semble la seule pièce valable qui réponde à votre question. C'est un sketch bien fait, bien construit, écrit sous la pression de l'actualité, mais par un professionnel, et qui avait été publié sous forme de poème dans *El Mono Azul*; l'illustration montrait Queipo de Llano parlant au micro de Radio-Séville, une bouteille de Malaga, et une botte de foin à côté de lui. Ce poème était extrêmement populaire, car Alberti le récitait à la demande générale devant les troupes, et l'on peut dire qu'il s'est fait l'interprète d'une certaine vision de Queipo de Llano qui plaisait à tout le monde.

VEINSTEIN. — J'aimerais savoir si l'on possède une documentation assez précise sur la consistance du public populaire de la *Barraca,* dont l'activité a immédiatement précédé cette expérience de théâtre d'urgence. Car vous avez parlé d'une certaine préparation du public opérée par la *Barraca.*

Mlle LAFFRANQUE. — On peut connaître l'activité de la *Barraca* par le journal d'un des acteurs, que je n'ai encore pu consulter, et par le témoignage de Lorca dont je vais faire état. Je suis frappée d'ailleurs par le fait que des personnes de formation différente, qui ont travaillé de façon indépendante, aboutissent à des problèmes, et à des solutions souvent convergentes, car il y a à côté de la *Barraca* l'expérience assez semblable des Missions Pédagogiques et de leur théâtre dirigé par Casona. Et nous avons les comptes-rendus des participants et de magnifiques photos.

MARRAST. — En somme, ce que nous entrevoyons, c'est avant tout une série de tentatives de culture populaire, sous la République, puis pendant la Guerre Civile. Chacune d'elles ayant une orientation sensiblement différente, mais non opposée. Il faudrait, comme le suggérait Mlle Laffranque, réaliser une enquête auprès des participants ou des spectateurs avant qu'il ne soit trop tard. Ainsi nous pourrions avoir une idée plus complète, plus large qu'à partir des documents que j'ai personnellement utilisés.

FEDERICO GARCÍA LORCA

Expérience et conception de la condition du dramaturge (1)

par Marie LAFFRANQUE

Lorca a toujours vu dans le théâtre un moyen de communication et d'échange, un « véhicule » (2) d'idées et de sentiments. A ce titre, il l'a placé toujours davantage au premier rang de ses préoccupations. C'est dire l'importance vitale des problèmes qui se posent à lui comme auteur dramatique, et la lumière que projette, sur l'ensemble de son activité littéraire, sa conception de la condition du dramaturge. Cette condition, telle qu'il l'a vécue et comprise, devait l'amener à faire, de façon de plus en plus large et active, l'expérience de la société espagnole contemporaine.

Voyons ce qu'il dit lui-même.

Le 18 février 1935, juste un an et demi avant sa mort, un journaliste lui demande lequel lui paraît dominer des deux aspects, lyrique et dramatique, de sa personnalité.

« Le côté dramatique, sans aucun doute », répond-il. « Les gens qui habitent le paysage m'intéressent plus que le paysage lui-même ». Les hommes l'intéressent plus que les choses. C'est pourquoi la réalité humaine vue, entendue, communiquée, lui importe, ajoute-t-il, plus que les styles, les étiquettes et les credos esthétiques :

---

(1) La base de cette communication est un ensemble encore peu connu d'interviews, de conférences et de déclarations publiques faites par Lorca tout au long de sa carrière dramatique, et surtout dans les cinq dernières années de sa vie. Ces textes, parus ou à paraître, avec introduction et notes, au *Bulletin Hispanique*, ont été retrouvés par nous dans la presse espagnole ou étrangère de l'époque, à laquelle leur auteur les avait confiés. Seuls cinq des premières interviews recueillies ont été jusqu'ici traduites en français et publiées par M. André Belamich. Nous utiliserons ses belles traductions, tout en nous réservant d'adopter par endroits, pour les nécessités de cet exposé, une version plus littérale. De même pour les citations tirées du théâtre de Lorca. Les autres traductions sont de nous, sauf celle du texte anglais, dont M. Belamich a bien voulu faire, pour cet exposé, une première version. Qu'il trouve ici nos vifs remerciements. Nous avons utilisé dans nos notes les sigles énumérés p. 296.

(2) *Th.*, p. 238.

Je sais fort bien comment se fait le théâtre semi-intellectuel : mais cela importe peu. A notre époque, le poète doit s'ouvrir les veines pour les autres.

C'est pourquoi, à part les raisons que je viens de vous dire, je me suis consacré à la chose dramatique, qui nous permet un contact plus direct avec les masses (3).

Deux mois avant sa mort, un autre journaliste, son ami Bagaria, demande à Lorca son avis sur la théorie de l'art pour l'art, chère aux champions de « l'aseptie » dans l'Avant-garde artistique des années 1920-1930. Lorca est formel :

Ma réponse, grand et tendre Bagaria, est que ce concept de l'art pour l'art serait cruel, si heureusement il n'était voué au ridicule. Aucun homme digne de ce nom ne croit plus à cette fichaise de l'art pur, de l'art pour lui-même.

Et il ajoute, passant tout naturellement de l'art en général à celui qui répond le mieux à ses plus vives préoccupations :

En ces moments dramatiques que vit le monde, l'artiste doit pleurer et rire avec son peuple. Il faut laisser là le bouquet de lys et entrer dans la boue jusqu'à la ceinture pour aider ceux qui cherchent les lys. Pour moi, en particulier, j'ai une véritable soif de communiquer avec autrui. C'est pourquoi j'ai frappé aux portes du théâtre et je lui consacre toute ma sensibilité (4).

On devine qu'une attitude aussi radicale, et exprimée de façon si directe, suppose chez Lorca une expérience personnelle; on voit aussi, dès à présent, où le conduisent son amour et sa claire conception du métier de « poète » dramatique.

*
**

Le point de vue qui précède, et les déclarations du poète sur lesquelles il s'appuie, n'ont rien de surprenant ni d'extraordinaire si on les replace à l'époque où s'est développée son activité de dramaturge. Elle va de 1917-1918, date vers laquelle il conçoit sa première pièce jouée en public : *Le maléfice de la phalène* (5), aux derniers jours qui précèdent le soulèvement franquiste, en 1936. C'est en Espagne et hors d'Espagne une période de crise économique, politique et sociale. Lorca en a ressenti nettement les contre-coups, dans son métier d'écrivain comme dans toute sa vie. C'est pourquoi son expérience et ses conceptions rencontrent celles d'autres hommes de théâtre espagnols contemporains (auteurs, directeurs, critiques) (6) comme celles des pionniers du théâtre européen, alle-

---

(3) *B. Hi., LIX*, p. 69.

(4) « Diálogos de un caricaturista salvaje », *El Sol*, Madrid, 10 juin 1936, p. 4; *B. Hi.*, LVI, p. 295; *T.*, p. 8.

(5) *El maleficio de la mariposa*, joué pour la première et dernière fois le 22 mars 1920 (cf. presse contemporaine, et *Chronologie* de A. del Hoyo, *O.C.*, p. 1722). On trouve une première esquisse de la pièce dans le poème « Les rencontres d'un escargot aventureux », daté de décembre 1918 (*O.C.*, pp. 103-109; *Oe.C.*, I, pp. 17-22, trad. André Belamich).

(6) Par exemple les dramaturges, Valle-Inclán, Alejandro Casona, les metteurs en scène Gregorio Martínez Sierra, Cipriano Rivas Chérif, les critiques Enrique de Mesa, Olmedilla, etc.

mand, français, italien ou russe, dont Lorca et ses pareils n'étaient certes pas ignorants, d'ailleurs. Leurs conclusions, touchant la condition du dramaturge, se recoupent en partie; et cela, essentiellement, non par l'effet d'influences inter-individuelles (elles sont plus faibles en ce domaine que sur tout autre point de l'esthétique théâtrale), mais comme résultat d'efforts de même sens *pour* et *contre* des forces sociales comparables, dont leur art est tributaire. En évoquant la carrière de Lorca et la formation de sa pensée, on ne doit donc pas perdre de vue les changements politiques et sociaux contemporains. Quelques dates serviront de points de repère dans cette évolution.

Les années *1917-18,* où commence la révolution russe et où finit la première guerre mondiale, voient en Espagne les premières lueurs d'une renouveau intellectuel qui ira se précisant jusqu'aux années 30; ce mouvement se rattache consciemment aux courants d'idées qui circulent alors à travers le reste de l'Europe, et aux innombrables « ismes » (dadaisme, expressionnisme, surréalisme, etc.) de l'avant-garde artistique internationale (7). *1923 :* un an après le fascisme italien, commence la dictature de Primo de Rivera, brimant de plus en plus l'opposition chaque jour enhardie des intellectuels libéraux (exil d'Unamuno; destitution et série de cours aux Etats-Unis (8) du juriste socialiste Fernando de los Rios, alors professeur à l'Université de Grenade). Parti avec ce dernier, en *1929-1930,* Lorca assiste à New-York aux effrayants débuts de la crise économique mondiale. Mais dès le 14 avril 1931, la IIᵉ République est proclamée, en Espagne, annonçant une ère de réformes profondes (9), très partiellement réalisées par la suite, et libérant les énergies accumulées sous la dictature. *1933,* année où l'hitlérisme chasse d'Allemagne, après Piscator, des pionniers du théâtre moderne comme Reinhart et Brecht, inaugure en Espagne deux « années noires » de réaction, le « bieno negro », que marque vers son milieu la sanglante répression des Asturies dirigée à l'origine contre une grève de mineurs. Contre la répression politique générale qui suit, des voix toujours plus nombreuses et énergiques protestent : parmi elles, celles de beaucoup de familiers de Lorca et, dans un domaine non politique mais social, celle de Lorca lui-même. La première des déclarations citées plus haut (10) date de cette période. Enfin, les élections de *février 1936* ramènent, avec le célèbre Frente Popular, les « gauches » au pouvoir. Reste une menace, ressentie par tous : celle du soulèvement des « droites » coalisées qui, cinq mois après, donnera le signal de la guerre civile, entraînant l'arrestation et l'exécution sommaire du poète.

Voir leurs déclarations dans la presse espagnole de l'époque et, pour A. Casona, *B. Hi.,* LVIII, pp. 342-344, pour E. de Mesa, *Apostillas a la escena,* recueil de chroniques théâtrales, Renacimiento, Madrid, 1929.

(7) Voir notamment Ramón Gómez de la Serna, *Ismos,* Poseidon, Buenos Ayres, 1943.

(8) Témoignage oral formel de M. Gabriel Pradal, ami de F. de los Ríos et membre éminent du P.S.O.E. (Partido Socialista Obrero Español), qui fait ainsi justice de l'une des innombrables erreurs du livre de M. Jean-Louis SCHONBERG, *Federico Garcia Lorca,* Plon, Paris, 1956, pp. 15 et 61.

(9) Cf. *Constitución de la República Española,* réédité à Toulouse, 1947.

(10) Cf. ci-dessus, note (3).

L'expérience d'auteur dramatique qui a été la sienne apparaît liée à ces événements. *Le maléfice de la phalène* est monté à Madrid par Martínez Sierra au
début de 1920 (11), dans son théâtre Eslava aux finances précaires, mais aux
entreprises audacieuses, qui fait alterner des spectacles de music-hall (certains
disent même, parfois, pornographiques) avec les pièces du grand répertoire européen, Shakespeare, Molière, Goldoni, Ibsen, Bernard Shaw, James Barrie, et
celles d'auteurs espagnols encore inconnus. Martínez Sierra s'inspire des réalisations de Stanislavski, en ce sens qu'il fait collaborer sur le théâtre l'expression verbale, la musique et les arts plastiques (décoration et costume, évolutions
de style chorégraphique et ballets proprement dits). *Le maléfice de la phalène,*
présente l'irruption de cette créature aux ailes blessées, étrange et belle, dans
un monde d'insectes ternes, rampants, mesquins et cupides. Les cafards la soi-
gnent avec défiance, sans aucune aménité. Seul un jeune cafard, poète, se prend
pour elle d'un impossible amour : le départ de la phalène ne fera qu'approfondir son inadaptation et ses nostalgies. Lorca s'y attendait : sa pièce donne
lieu à une bataille littéraire, comme, une décade plus tard, toutes différences
gardées, l'auto sacramental de son ami Alberti : *El hombre deshabitado.* Elle
est sifflée par les « philistins », les « putrefactos » (12) dans le vocabulaire de
la Cité Universitaire où son auteur réside; elle est applaudie à tout rompre par
ses amis, adeptes de l'art nouveau. En fin de compte, la pièce est retirée aussi
de l'affiche. Elle ne méritait pas ce sort ignominieux : on peut en juger avec
trente-huit ans de recul, à présent que le texte, à peine amputé de ses dernières
pages, en a été livré au public (13). C'est une œuvre de débutant, mais déjà fer-
mement écrite et dessinée; elle recherche — en la personne du cafardet-poète —
la place de l'amour et de la libre originalité dans une société dominée par les
intérêts d'argent, et endormie par les préjugés religieux (14). Elle a échoué,
essentiellement, parce qu'elle heurtait le goût du public. Elle se déroulait chez
les cafards, dans l'herbe : sujet puéril et dérisoire en apparence; sa mise en

---

(11) Cf. note (5). Sur Gregorio Martínez Sierra et le théâtre Eslava, voir Alfredo de LA
GUARDIA, *Federico García Lorca, Persona y Creación,* Buenos Aires, Shapire, 1952, pp. 257-258;
à peu près semblable, Alberto SÁNCHEZ, *García Lorca, estudio sobre su teatro,* Madrid, Jura,
1950, pp. 27-29. L'amitié de Lorca avec Gregorio Martínez Sierra devait durer jusqu'aux dernières années de sa vie : ainsi, on voit ce dernier l'accueillir, en octobre 1933, à son arrivée à
Buenos Aires avec le décorateur Manuel Fontanals, lui aussi collaborateur du théâtre Eslava
vers 1920. (Photographie publiée dans *P.,* 17 février 1957, Section II, p. 1). Rappelons que le
travail de G. Martínez Sierra au théâtre Eslava a pu être comparé à celui de Lugné Poe à
l'Œuvre : Tomás BORRAS, *Un teatro de arte en España,* cité sans autre précision par A. de La
GUARDIA, *ibid.,* p. 257).
(12) Mot antérieur à Lorca, de son propre aveu, dans les annales de la « Residencia ». Cf.
E. GIMÉNEZ CABALLERO, « Itinerarios jóvenes de España : Federico Garcio Lorca », *Gaceta literaria,* Madrid, 15 décembre 1928; *B. Hi.,* LVIII, p. 307 : « Nous avons aussi trouvé l'usage du
mot « putréfaits » (philistins, fossiles) déjà généralisé ». Voir la superbe caricature d'un « pu-
tréfait », dessiné, croyons-nous, par Dalí ou par Lorca : « Tipo de putrefacto », *Gallo,* Granada, n° 1, mars 1928, p. 12.
(13) Par la famille du poète, en 1954, pour la première éd. Aguilar des œuvres complètes
(cf. *O.C.,* Notes d'A. del Hoyo, p. 1794).
(14) Voir p. ex. Acte I, scène 2 et Acte II, scène 1.

œuvre était trop moderne pour le Madrid d'alors. Sans doute aussi le courageux directeur du théâtre Eslava ne disposait-il pas des moyens financiers nécessaires pour l'imposer malgré l'insuccès initial.

Lorca est soutenu à Madrid par le milieu des jeunes intellectuels avancés de la Cité Universitaire, et, à Grenade, par l'élite intellectuelle libérale qu'il fréquente : notamment Falla et ses amis (15), et le groupe qui, abandonnant le Club dit « Centre Artistique », fondera en 1926 l'« Ateneo científico, artístico y literario de Granada » avec le concours actif de Fernando de los Rios (16). Il ne se décourage pas. Mais il se rabat provisoirement sur le guignol, théâtre complet en miniature, avec la conviction que l'heure d'un autre genre dramatique n'est pas venue pour lui. Son premier spectacle de guignol organisé, date du jour des Rois 1923. Il a lieu à Grenade, chez le poète, devant des amis, avec le concours de Manuel de Falla. Au programme, un fragment de mystère du Moyen âge, un intermède de Cervantès, une petite œuvre, perdue, de Lorca : *La jeune fille qui arrose son basilic et le prince poseur de questions;* encore une histoire d'amours contrariées par la famille (17). De cette date à décembre 1930, une seule œuvre de Lorca sera jouée en public : *Mariana Pineda.* Achevée en 1925, elle sera montée deux ans plus tard, et d'abord à Barcelone, ville plus avancée et plus « européanisée » que Madrid; elle a été adoptée par une actrice courageuse de goûts assez modernes : Margarita Xirgu, future belle-sœur du président Azaña et pilier du théâtre libéral durant le « bienio negro ». Son succès, mal assuré, est soumis aux fluctuations de la politique : car la pièce exalte l'héroïne constitutionnelle et romantique, martyre de l'amour et de la liberté,

---

(15) C'est le groupe qui organise avec lui, les 13 et 14 juin 1922, le fameux concours de « Cante jondo », à l'occasion duquel il prononce une conférence qu'il répétera à plusieurs reprises, notamment dans les années 30. Cf. « Folletín del Noticiero Granadino : El Cante Jondo, primitivo cante andaluze). Conferencia leída por Federico García Lorca en el Centro Artístico, la noche del 19 de febrero 1922 ». *Noticiero Granadino,* février 1922; *B. Hi.,* LV, pp. 303-326. Voir la presse grenadine de juin 1922 et la brochure, rédigée pour la même occasion d'après les notes de Falla et publiée par le Centro Artístico, reproduite dans : Manuel de FALLA, *Escritos sobre música y músicos,* Madrid, Austral, 1950, pp. 121-148. Consulter, enfin, les chronologies de Arturo del Hoyo, *ibid.,* et de Marie LAFFRANQUE, « Essai de chronologie de Federico García Lorca », *B. Hi.,* Bordeaux, LIX, n° 4, oct.-déc. 1958, pp. 418-430.
(16) « Una sociedad cultural. Se organiza en Granada un Ateneo », *D. G.,* 18 février 1925, p. 1. Inauguration un an après : *Ibid.,* 7 et 9 février 1926. Conférence inaugurale de Lorca, lue pour la première fois à cette occasion, sur « L'image poétique chez Don Luis de Góngora »; *Ibid.,* 13, 14 et 20 février 1926; *O.C.,* pp. 65-89. Conférence de Lorca sur le poète baroque grenadin Soto de Rojas : *Ibid.,* 19 octobre 1926; *B. Hi.,* LV, pp. 326-332; *O.C.,* pp. 1531-1537. Conférence sur « Imagination, Inspiration, Evasion », lue à l'Ateneo pour la première fois : *Ibid.,* 12 octobre 1928; *El Sol,* Madrid, 19 février 1928; *B. Hi.,* LV, pp. 332-338; *O.C.,* pp. 1543-1548.
(17) L'intermède est celui des « Deux bavards », « Los dos habladores », avec une musique extraite de l'*Histoire du soldat* de Ramuz et Strawinsky; précieux détails sur cette représentation dans la *Chronologie* d'A. del Hoyo, *O.C.,* p. 1722; détails complémentaires : E. TRÉPANIER, *Le théâtre d'essai de Federico García Lorca,* thèse complémentaire inédite, Université de Paris, 16 mars 1957, pp. 2-4. Photographies et commentaires : José FRANCÉS, « Los bellos ejemplos en Granada resucita el Guignol », *La Esfera* Madrid, 10 février 1923. La pièce de Lorca pour guignol : « *La jeune fille...* » aurait été représentée plus tard par lui, dans les années 30, à la « Société de cours et conférences » de Madrid : cf. María Teresa BABÍN, *El mundo poético de Federico García Lorca,* San Juan de Puerto Rico, Bibl. de autores puertorriqueños, 1954, p. 38, n. 39.

encore doublement vénérée à Grenade (18) ; et son apothéose mortelle prend la valeur d'une affirmation ; celle de l'incompatibilité entre la vie libérée que Mariana représente et l'Espagne réactionnaire ou résignée qui l'entoure. Mais on sait, grâce aux déclarations du poète retrouvées ces derniers temps, qu'il compose alors plusieurs des œuvres qui seront représentées dans la période suivante : *La savetière prodigieuse*, écrite, dit-il, dès 1926 (19) ; *Le Guignol au gourdin*, qu'il annonce dès 1928 (20) ; probablement aussi *Le petit rétable de Don Cristobal*, qu'on dit écrit tout au début de la période suivante, en 1931, mais qui est de la même veine ; enfin, une pièce visiblement apparentée aux trois précédentes, *Les amours de Don Perlimplin avec Bélise en son jardin*. Cette dernière est si bien achevée en 1929 que le groupe d'essai El Caracol s'apprête à la jouer (21). La représentation est interdite à la suite d'intrigues personnelles, si fréquentes et si efficaces à la fin de la dictature, mais sous le prétexte d'attentat à la pudibonderie régnante. La censure incrimine, par exemple, l'indication scénique suivante : « Don Perlimplin apparaît dans son lit avec sur la tête de grandes cornes dorées » (22).

On imagine qu'à ce compte, Lorca ne pouvait espérer représenter alors les deux pièces qui semblent achevées dès son séjour aux Etats-Unis, et qu'il considérera plusieurs années encore comme irreprésentables. La première, *Lorsque cinq ans auront passé*, « mystère » ou « légende du temps » en trois actes et cinq tableaux, aurait déconcerté par ses allures oniriques, par ses bonds capricieux à travers la durée, par la forêt de symboles qui la peuplent ; elle n'aurait guère pu paraître sans être expurgée. Encore moins *Le public*, que son auteur lui-même a baptisée « pièce à siffler », à cause de sa technique très moderne, en partie renouvelée de Pirandello, mais aussi et surtout parce qu'étant « le miroir du public » (23), celui-ci ne la tolérerait pas. On y verrait, dit-il,

---

(18) Lyrisme populaire et tradition politique libérale : *romance* populaire de *Mariana Pineda*, répandu à Grenade et aux alentours ; légende ou anecdote du serrurier amoureux, passant ses nuits aux pieds de la statue de Mariana, à Grenade et s'écriant : « Mariana, je t'aime parce que tu es républicaine ! » ; défilés traditionnels des libéraux devant la même statue, à chaque anniversaire de la mort de l'héroïne, y compris, au moins certaines années, pendant la dictature de Primo de Rivera. Voir la presse grenadine de l'époque, notamment : « Mariana Pineda. Su último admirador romántico », *D. G.*, 25 mai 1919, p. 1.

(19) « El estreno de « La zapatera prodigiosa » se dará mañana a conocer en el Teatro Avenida. García Lorca nos anticipa el contenido de la obra », *N.*, 30 novembre 1933, p. 11 ; *B. Hi.*, LVIII, p. 325.

(20) « Itinerarios jóvenes... », *ibid. ; B. Hi.*, LVIII, p. 307.

(21) La pièce est annoncée comme en préparation en même temps que le *Guignol au gourdin* : cf. note précédente. Ofelia MACHADO BONET, *Federico García Lorca. Su producción dramática*, Montevideo, Imp. Rosgal, 1951, p. 13, d'après Arturo Berenguer CARÍSOMO, *Las Mascaras de García Lorca*, Buenos Aires, Graf. Ruiz Hermanos, 1941, que nous n'avons pu consulter. Déclarations orales de Mme Pura Maortua de Ucelay à Marie Laffranque, 25 sept. 1955 et à Estelle Trépanier, 1956 *(Ibid.).*

(22) Témoignage oral de Mme Pura de Ucelay (cf. références de la note 18). Les passages incriminés par la censure sont signalés dans l'édition de M. Guillermo de TORRE, des *Obras Completas*, Buenos Aires, Losada, 1938-1942.

(23) « Llegó anoche Federico García Lorca. El poeta y autor es un hombre feliz y juvenil. El plano completo de sus conferencias en Buenos Aires », *N.*, 14 octobre 1933, p. 9 ; *B. Hi.*, LVIII, p. 319 (voir notes même page).

défiler sur la scène les drames auxquels chaque spectateur pense tandis qu'il regarde jouer une pièce, parfois sans y prêter attention. Et comme le drame de chacun est souvent fort poignant et généralement fort peu honorable, les spectateurs se lèveraient aussitôt, indignés, pour arrêter la représentation (23).

Et cependant, Lorca, a écrit ces pièces; il les a lues dès 1930 à des amis; en 1933, il les apporte à Buenos Aires, quoique sans espoir, dit-il, de les y voir jouées (23). Enfin, dès 1934, il se décide à les livrer au public. Dans le courant de l'année, il donne à la revue madrilène *Cuatro Vientos* deux fragments du *Public* (24), les seuls encore connus aujourd'hui bien que la pièce ne semble pas égarée (25). Au début mars, *La Nación* de Buenos Aires annonce (26) que Lola Membrives va donner *Lorsque cinq ans auront passé,* et si ce projet ne se réalise pas, du moins la pièce sera-t-elle entièrement montée à Madrid, fin juin 1936, par le club d'essai Anfistora (27). Bien plus, l'auteur a déclaré deux mois avant au cours d'une interview :

Ces pièces impossibles correspondent à mon propos véritable (28).

Car les temps ont changé : Lorca s'est enhardi au sortir de l'épreuve new-yorkaise dont témoignent deux de ses interviews, une conférence maintes fois répétée, et le livre *Poète à New-York* (29); mais aussi il a gagné en assurance avec l'épanouissement culturel de la République et avec les expériences théâtrales répétées auxquelles il se livre, enfin, avec passion : celles du montage de ses propres pièces, auquel il collabore, celles du théâtre populaire La Barraca. En cinq ans et demi, de décembre 1930 à juillet 1936, il écrit ou termine en effet (30) quatre pièces : *Noces de Sang, Yerma, Doña Rosita* et *La maison de*

---

(24) *Los cuatro vientos,* Madrid, n° 3, 1934.

(25) Témoignages concordants et renouvelés de chercheurs espagnols et d'amis du poète. Cf. Marie LAFFRANQUE, « Federico García Lorca, Obras Completas », *B. Hi.,* LVIII, pp. 366-372.

(26) « Presentación de compañías. Cuatro elencos debutarán el primero de marzo », *N.,* 20 février 1934, p. 7. Cf. Marie LAFFRANQUE, « Essai de chronologie de Federico García Lorca. Séjour en Amérique du Sud », *B. Hi.,* ...

(27) Déclarations orales de Mme Pura de Ucelay à M. Laffranque (25 sept. 1955) et E. Trépannier (1956, *ibid.*).

(28) « Declaraciones... », *Heraldo de Madrid,* 8 avril 1936; interview reproduite à l'occasion de la visite de La Barraca à Barcelone : « Unas interesantes declaraciones de Federico García Lorca. El joven e ilustre autor ha dicho : « El teatro es la poesía que se hace humana... », *La Noche,* Barcelona, 10 avril 1936, p. 14 (avec une caricature du poète); *B. Hi.,* LVI, p. 293; *O.C.,* p. 1635; *T.P.,* p. 14.

(29) Interviews : « Estampa de García Lorca », *Gaceta Literaria,* 15 janvier 1931, p. 7 et « Iré a Santiago... », poema de Nueva York en el cerebro de García Lorca », *Blanco y negro,* Madrid, 5 mars 1933; *B. Hi.,* LVI, pp. 263-266 et 269-274; *O.C.,* pp. 1608-1611 et 1614-1619. Conférence : « *El poeta en Nueva York,* conferencia y lectura de versos por Federico García Lorca en la Residencia », *El Sol,* Madrid, 17 mars 1932; cette conférence a été répétée par Lorca dans des termes à peu près semblables, à notre connaissance, à Buenos Aires, Montevideo, Madrid et Barcelone (à deux ou trois reprises). Cf. Marie LAFFRANQUE, « Essai de chronologie de Federico García Lorca : Séjour en Amérique du Sud. Séjours en Catalogne », *B. Hi.,* ...

(30) En admettant qu'il ait commencé *Yerma* ou *Noces de Sang,* ou les deux, lors de son séjour en Amérique du Nord : cf. José FERNÁNDEZ CASTRO, « Dulce María Loynaz : La ilustre poetisa cubana fué amiga personal de Federico García Lorca y de Juan Ramón Jiménez », *Ideal,* Granada, 24 oct. 1953; Herschel BRICKELL, « A Spanish Poet in New York », *Virginia Quarterly Review,* XXI, n° 3, 1945, pp. 386-398.

Bernarda Alba. Il fait jouer les trois premières sans difficulté, et avec un grand succès, de même que *La Savetière prodigieuse* et *Les Amours de Don Perlimplin* (31). Il présente lui-même *Le petit Rétable de Don Cristobal* sur son théâtre de guignol, au début de 1934 à Buenos Aires, au printemps 1935 à l'hôtel Regina de Madrid et en mai à la Foire du Livre, en plein air, devant un public plus large (32). A Buenos Aires, les trois pièces de lui qu'il voit jouer, *Noces de Sang*, *La Savetière prodigieuse*, et *Mariana Pineda*, connaissent un immense succès littéraire et commercial (33); de même, *La jeune sotte* de Lope de Vega, qu'il y monte, à peine élaguée de quelques vers, avec la compagnie d'Eva Franco, et qu'il redonnera en Espagne avec Margarita Xirgu (34). Bien qu'atténué par les réticences ou l'hostilité des milieux intellectuels « de droite », qui se manifestent surtout à l'occasion de *Yerma* (35), le succès de Lorca est désormais assuré, incontestable.

C'est alors qu'il entreprend de faire jouer ses œuvres dites irreprésentables, et achève — ou presque — la dernière pièce de sa trilogie, *La Tragédie des filles de Loth* ou *La Destruction de Sodome*, conscient des tabous auxquels il va se heurter, mais considérant, il l'affirme (36), que sa mission de dramaturge est de

---

(31) Première représentation de chacune de ces pièces : *La Savetière prodigieuse*, créée par Margarita Xirgu au théâtre « expérimental » El Caracol, déjà cité p. 280 (et note 21), Madrid, 24 décembre 1930; version « augmentée » de chants et de danses, par Lola Membrives au théâtre Avenida, Buenos Aires, 1ᵉʳ décembre 1933; créée à Madrid par Margarita Xirgu sous cette nouvelle forme, au théâtre Coliseum, 18 mars 1935; *Noces de Sang*, créée par Josefina Diaz de Artigas, au théâtre Beatriz de Madrid, 8 mars 1932; *Don Perlimplin*, créée à Madrid par le « Club de cultura Teatral », cf. plus tard « Club Anfistora » (cf. ci-dessous, p. 289 et note 69), 4 ou 5 avril 1933; *Yerma*, créée par M. Xirgu au théâtre Español, Madrid, 29 décembre 1934; *Doña Rosita*, créée par M. Xirgu au Principal Palace, Barcelone, 13 décembre 1935.

(32) E. TRÉPANIER, *ibid.*, p. 44; Carmen CONDE, « En la Feria de libros », *El Sol*, Madrid, 12 mai 1935, p. 2; « La feria del libro », *La libertad*, Madrid, 11 mai 1935, p. 11.

(33) *Noces de sang*, créé à Buenos Aires par Lola Membrives, au théâtre Maipo, l'hiver précédent (mai 1933), repris en présence de Lorca au théâtre Avenida, 25 octobre 1933; *La Savetière prodigieuse* (version augmentée), créée par Lola Membrives au théâtre Avenida, 30 nov. 1933; de même *Mariana Pineda*, 12 janvier 1934. Cf. Marie LAFFRANQUE, « Essai de chronologie... », *ibid.*

(34) *La dama boba*, adaptation de Federico García Lorca, représentée pour la première fois à Buenos Aires par la compagnie Eva Franco, théâtre de la Comedia, 3 mars 1933; pour la première fois par la compagnie Margarita Xirgu-Cipriano Rivas Cherif, à Madrid, au Retiro, 27 août 1935, puis au théâtre Español, la même semaine, enfin à Barcelone, au théâtre Barcelona, 10 sept. 1935. « El teatro Margarita Xirgu y Enrique Borrás comemora en El Español la Semana de Lope : « La dama boba », *La Libertad*, Madrid, 29 août 1935, de même *El Sol*, Madrid, 28 août 1931, p. 3, et jours suivants; Marie LAFFRANQUE, « Essai de chronologie... », *ibid.*

(35) Lorca et Margarita Xirgu étaient visés ensemble par ces manifestations; leurs adversaires prenaient pour bannière le nom du jeune dramaturge de droite, José María Pemán. Cf. notamment Antonio de OBREGON, « En el Teatro Español. « Yerma », de García Lorca », *Diario de Madrid*, 30 décembre 1934, et G.D.P. (= Guillermo Diaz Plaja), « Desde Madrid - « Yerma » de García Lorca », *Mirador*, Barcelona, 10 janvier 1931, p. 5.

(36) « A présent, je vais achever la trilogie qui a commencé avec *Noces de Sang*, qui continue avec *Yerma*, et s'achèvera avec *La destruction de Sodome*. Oui, je sais que ce titre est grave et compromettant; mais je poursuis ma route. Audace ? Peut-être, mais pour faire du « pastiche », les gens ne manquent pas. Pour moi, je suis poète et je ne dois pas me détourner de la mission que j'ai entreprise. — Très en retard, cette nouvelle œuvre, Federico ? — Non ! Extrêmement avancée ! *La destruction de Sodome* est presque faite. Et il me semble que les gens à qui ces dernières œuvres ont plu ne seront pas déçus par la prochaine ». Interview de Lorca : « Revista de espectáculos », *El Sol*, Madrid, 1ᵉʳ janvier 1935, p. 2; *B. Hi.*, LIX, p. 66.

n'en pas tenir compte. Alors également, il projette d'écrire plusieurs pièces à tendance délibérément sociale, destinées sans doute à prendre place dans ce « théâtre d'action sociale » (37) dont il se proclame à la même époque l'ardent et passionné partisan. Il dit en février 1935, au cours d'une interview :

> J'ai en projet plusieurs drames de caractère humain et social. L'un de ces drames sera contre la guerre (38). Ces œuvres ont un contenu différent de celui de Yerma ou de Noces de Sang, et la technique aussi doit en être différente (39).

En septembre 1935, il déclare :

> Je travaille à une autre tragédie. Une tragédie politique... (40).

En avril 1936, il affirme enfin :

> En ce moment, je travaille à une nouvelle pièce. Elle ne ressemblera pas aux précédentes. C'est une œuvre dont je ne peux rien écrire pour l'instant, pas même une ligne, parce que tout s'est délié dans les airs : la vérité et le mensonge, la faim et la poésie. Ils ont filé d'entre mes pages. La vérité de la pièce est un problème religieux et économico-social (41).

Ce n'est pas, semble-t-il, Bernarda Alba; d'ailleurs, celle-ci est pratiquement terminée alors, puisque l'auteur devait en donner lecture — trois mois plus tard — sous sa forme définitive.

Dans cette même période de la deuxième République Espagnole, il est enfin une expérience que Federico García Lorca fait, non comme auteur, mais comme directeur de troupe. C'est celle du théâtre universitaire populaire La Barraca, créé sous l'autorité des pouvoirs publics et spécialement d'un ministre de l'instruction publique : le député socialiste Fernando de los Ríos, dont on a parlé plus haut, maître et grand ami de Lorca. Cette initiative prend place, au côté des « Missions pédagogiques » (42), dans la vaste campagne de démocratisation de la culture entreprise dès l'origine par la jeune république : « notre Répu-

---

(37) « Charla sobre teatro », janvier ou février 1935, *O.C.*, p. 34.

(38) Même préoccupation dans « Charla sobre teatro », où à la même époque, Lorca propose aux dramaturges, comme thème de tournoi théâtral, « la douleur des soldats ennemis de la guerre » ; cf. *O.C.*, p. 33. Ce drame est peut-être celui dont M. José Luis Cano avait entendu le poète lire des fragments, et où l'on entendait le bruit d'avions de bombardement : déclarations orales de José Luis Cano à Marie Laffranque, sept. 1956.

(39) « Galería — Federico García Lorca... », *La Voz*, Madrid, 18 février 1935, p. 3 ; *B. Hi.*, LIX, pp. 69-70.

(40) García Lorca en la Plaza de Cataluña », *El día gráfico*, Barcelona, 17 sept. 1935, p. 18 ; *B. Hi.*, LVIII, p. 335.

(41) « Declaraciones »..., *ibid.*, *B. Hi.*, LVI, p. 294 ; *O.C.*, pp. 1634-1636 ; *T.P.*, p. 14.

(42) Fondées par décret du ministre de l'Instruction Publique, Marcelino Domingo, le 29 mai 1931, et poursuivies jusqu'à la guerre civile, ces « Misiones pedagógicas » avaient pour but de donner aux parties les plus déshéritées et les plus isolées de la population espagnole le goût de la culture et un minimum de moyens pour y satisfaire. Formées d'équipes volantes de dimension et de composition très variables, elles comprenaient un cinéma et un musée circulants, une chorale et une troupe de théâtre ambulants, un guignol, une discothèque et une bibliothèque circulante, fréquemment laissées comme don aux collectivités visitées. Cf. G. SOMOLINO D'ARDOIS, « Las Misiones Pedagógicas de España », in *Cuadernos Americanos*, Mexico, sept. 1953, pp. 206-225, et surtout un inappréciable document en deux volumes : les Mémoires des Missions : *Patronatos de Misiones Pedagógicas*, sept. 1931-déc. 1933, Madrid, 1934, XXIV + 191

blique chérie » (43), comme dit Lorca dans sa première interview, publiée aux Etats-Unis, sur La Barraca. Il veut en faire, déclare-t-il quelques mois plus tard à une journaliste, le véhicule et le témoin de « l'esprit de la jeunesse de l'Espagne nouvelle. » (44) Du début de 1932 à sa mort, il la dirigera en compagnie d'Eduardo Ugarte, avec l'aide de ses amis poètes, peintres, musiciens, étudiants et professeurs. Il lui consacrera une grande partie de son temps et le meilleur de ses efforts, parfois au détriment de sa production personnelle immédiate, sinon à venir (45), sélectionnant les interprètes, dirigeant la mise en scène et les répétitions, harmonisant et adaptant pour la troupe des airs du vieux folklore espagnol, jouant lui-même, suivant La Barraca dans une bonne partie de ses pérégrinations (46), se préoccupant des crédits et des soutiens officiels (47), soucieux d'adapter le prix des places aux différents publics afin d'assurer aux travailleurs l'accès au bon et grand théâtre qu'il veut leur dispenser (48), assumant enfin, par la parole et l'action, une grande part de la publicité nécessaire à cette œuvre.

On peut dire en toute certitude que son activité à la tête de La Barraca a complété la connaissance que Lorca avait pu acquérir, comme dramaturge, des conditions et des possibilités sociales de son métier. Elle a donné à cette connaissance toute sa plénitude, sa précision et son ampleur. En fait, d'ailleurs, s'il a grandement participé au projet de La Barraca, s'il en a pris la tête et lui a donné d'emblée tous ses soins, c'est en fonction de son expérience préalable, en partie négative sous la monarchie; c'est mû par son désir constant non seulement de s'exprimer, mais de se faire entendre et de frayer la voie entre lui et son public de lecteurs, d'auditeurs et de spectateurs; c'est, enfin, en vertu de l'intérêt qu'il a porté dès le début, non seulement à l'expression parlée, mais à la chose théâtrale tout entière, participant au montage de ses œuvres (49),

---

p.; *Memoria de la misión pedagógico-social en Sanabria (Zamora), Resumen de trabajos realizados el año 1934*, Madrid, 1935, 148 p.

(43) *Th.*, p. 239; *B. Hi.*

(44) José Mª de SALAVERRÍA, « Ideas y notas - El carro de la Farándula », *La Vanguardia*, Barcelona, 1ᵉʳ déc. 1932; *B. Hi.*, LVIII, p. 311.

(45) Cf. Octavio RAMÍREZ, « Teatro para el pueblo », *N.*, 28 janvier 1934, section Artes-Letras, p. 3 (interview); *B. Hi.*, LIX, pp. 63-64.
Cf. d'autre part Juan CHABÁS « Federico García Lorca y la tragedia », *Luz*, Madrid, 3 juillet 1934, et « Vacaciones de La Barraca », *Luz*, 3 sept. 1934; *B. Hi.*, LVI, pp. 278 et 281; *T.P.*, pp. 7-8.

(46) Déclarations du poète lui-même : cf. références des notes 41 et 42 : Joan TOMÁS, « A propósit de « La dama boba » - García Lorca y el teatre classic espanyol », *Mirador*, Barcelona, 19 sept. 1935, p. 5; *B. Hi.*, LVIII, pp. 336-338; précisions, références et documents photographiques : E. TRÉPANIER, *ibid.*

(47) Déclarations de Lorca : O. RAMÍREZ, « Teatro para el pueblo », *ibid.*; *B. Hi.*,... « Il est certain que pour faire cela nous bénéficions d'une subvention. Une subvention qui est le motif principal de mon retour précipité, de peur que le changement de gouvernement ne nous l'enlève ».

(48) Déclarations de Lorca, *Th.*, p. 239 : « Nous projetons d'adapter les prix des places à notre public : nous donnerons des représentations de gala pour les gens riches de la ville, et, les soirées suivantes, nous ne ferons rien payer — ou presque — de façon à permettre aux travailleurs de venir ».

(49) Innombrables témoignages concordants.

composant ou harmonisant parfois leur musique de scène (50), assistant aux répétitions, s'adressant au public au moyen de prologues, de multiples interviews et de déclarations préalables qui accompagnent la « première » de chacune de ses pièces et qu'il renouvelle parfois suivant les villes (50 bis), écrivant et tâchant de faire jouer ses œuvres sans se lasser, adaptant le genre de certaines aux possibilités qui lui étaient momentanément offertes et composant pour un théâtre qu'il pourra animer lui-même : Guignol ou théâtre de chambre (51).

Cette double activité d'auteur et de directeur lui aura permis de prendre un contact approfondi et journalier, non seulement avec tout le monde du théâtre, mais encore avec les publics les plus divers. Dès les années 20, il s'est heurté aux difficultés en apparences techniques, « matérielles », de la représentation. Il les a retrouvées, atténuées mais toujours menaçantes, au cours des années 30. C'est le problème du théâtre commercial, celui du théâtre subventionné et du théâtre censuré, soit par un Etat oppressif, soit par des préjugés psychologiquement, mais surtout financièrement tout-puissants. C'est, lié au premier, le problème crucial du public. Il fait l'épreuve de deux sortes de spectateurs : ceux qui se trouvent naturellement à sa portée et l'entravent de tout le poids de l'argent qui les étouffe eux-mêmes, du poids de leurs préjugés, de leur frileux confort et de leurs peurs cruelles; ceux qu'il atteint plus difficilement, mais veut atteindre, qui le soutiennent, et qu'à son tour il aide à respirer, à réfléchir et à sentir. D'abord, public bourgeois urbain, habitué du théâtre commercial, à Madrid et à Barcelone, ce dernier plus éclairé et aussi plus mêlé socialement; grand public cultivé et tolérant de Buenos-Aires; public avancé d'intellectuels que réunissent particulièrement ses « premières », ses représentations de théâtre d'essai et les séances dites « de gala » de La Barraca, destinées à financer en partie les séances populaires (52). Public appartenant aux couches les plus défavorisées de la société espagnole : paysans économiquement et géographiquement séparés des sources de culture, mais aussi ouvriers, artisans, petits employés, assoiffés de vrai message dramatique, public attentif, réceptif et sérieux plus que nul autre, que Lorca, de plus en plus, a préféré, qu'il eût voulu toucher par ses écrits.

Ainsi se forme peu à peu sa vision du monde du théâtre et, à travers elle, de la société à laquelle il s'adresse. Inséparablement, il travaille, avec les moyens

---

(50) Par exemple, pour *Noces de Sang, La Savetière, Dona Rosita*. Sur cette dernière, cf. « Avui, al Principal », « Dona Rosita » de García Lorca ». *Mirador*, Barcelona, 12 déc. 1935.
(50 *bis*) Voir les textes publiés par nous, *B. Hi.*, LV, LVI, LVIII, et notre « Essai de chronologie de Federico García Lorca, séjour en Amérique du Sud, séjour en Catalogne », *ibid.*
(51) Nous pensons en particulier aux deux versions successives de *La Savetière*, à *Don Perlimplin*, affiché en avril 1933, lors de sa création, comme « version de cámara », et à ces trois sketches publiés dans la revue grenadine *Gallo* (mars et avril 1928), et que M. Claude Couffon a recueillis et groupés sous le titre significatif de *Petit Théâtre*. (Federico García Lorca, « Petit Théâtre », *Les lettres mondiales*, Paris, 1951. Ed. bilingue, introduction et traduction de Claude Couffon).
(52) Voir ci-dessus, note 48.

dont il dispose, à modifier l'un, et par suite, à changer l'autre. S'il en est venu
là, c'est sans nul doute en fonction de ses tendances avancées, dès 1920, sur le
plan social et artistique. C'est aussi sous la pression conjuguée et alternée des
événements politiques. C'est, enfin, comme suite logique de son expérience d'auteur et de directeur d'une troupe universitaire de théâtre populaire. Les mêmes
facteurs amèneront Lorca à concevoir toujours plus précisément la condition de
dramaturge qui est la sienne. Aussi, le temps de la République Espagnole sera-
t-il décisif dans ce domaine, tant pour la maturation que pour l'expression de sa
pensée. Bien plus, seule cette période de liberté intellectuelle et d'action les a
rendues possibles. En fait, toutes ses déclarations écrites ou improvisées concernant la production dramatique en général datent au plus tôt de 1931 (53). Il la
considèrera toujours à partir de constatations directes et d'efforts personnels.
Mais, dans son expression comme dans ses tentatives mêmes, il se placera toujours à un point de vue collectif : celui du théâtre espagnol en général, des dramaturges qui exercent ensemble et solidairement leur métier, en liaison avec les
autres artisans du spectacle dramatique, et avec la société qui en est la source et
l'aboutissement.

Nul n'a senti alors plus vivement que Lorca, en Espagne, cette solidarité; il
l'éprouvait de même que sa solidarité profonde, non de droit mais de fait, avec
tous les autres hommes, quels qu'ils fussent, d'où qu'ils vinssent, considérés toujours avec une égale clarté et une tendresse sans défaillance. Voyez l'abominable
Don Cristobal, et les révélations clandestines que le personnage du Poète fait sur
lui dans *Le Petit Rétable* en l'absence d'un Directeur cupide et tyrannique : « Je
sais que Don Cristobal est un brave homme au fond, et qu'il pourrait même
être bon » (54). Et Federico, en effet, souhaitera même convertir, bon gré, mal
gré, les Don Cristobal de la bourgeoisie qui l'écoutent. Ce serait bien là un théâtre populaire; il toucherait toute la société, mais de la seule façon possible : de
façon dynamique, en l'entraînant, en l'arrachant à elle-même.

*
* *

La conception de Lorca apparaît en effet concrète et « temporelle » (55)
autant qu'il est possible. Partie de son expérience de dramaturge, elle vise à l'action par le théâtre; elle sera tout naturellement historique.

---

(53) La première concerne le théâtre aux Etats-Unis : « Le théâtre nouveau, avancé quant
aux formes et quant à la théorie, est ma préoccupation majeure. New-York est un endroit unique pour prendre le pouls du nouvel art théâtral... etc. « Estampa de García Lorca », *ibid.*, *B.
Hi.*, LVI, p. 264.

(54) *O.C.*, pp. 930-931; *Oe. C.*, III, pp. 38-39, traduction d'André Belamich.

(55) Par opposition à la pensée « atemporelle » qui est si souvent prêtée à Lorca, notamment par les critiques français, même de « gauche » (cf. par exemple Elena de la Souchère,
« Il y a vingt ans mourait Lorca », *France-Observateur*, Paris, 2 août 1956). Nous ne croyons
pas cet adjectif plus juste, ni plus éclairant, appliqué à l'œuvre poétique et théâtrale de Lorca :
c'est au sens que nous prendrions position dans la discussion esquissée sur ce point à Arras
après l'exposé de M. le Professeur Aubrun.

Historique est sa vision des maux qui frappent alors la production dramatique espagnole de relative stérilité et d'impuissance. Pour lui, ils ne tiennent pas à un manque accidentel d'individus créateurs. Ils sont le résultat et l'indice d'un mal social profond, le fruit même de cette société « cafarde », bigote et mercantile où se mourait le Cafardet-poète, et d'où s'évadait la Phalène blessée du *Maléfice*. Ce qui empêche aux yeux de Lorca la formation et l'épanouissement des poètes dramatiques, au moment où lui-même a, comme il dit, « frappé aux portes du théâtre », c'est que l'art théâtral est devenu commerce. Le théâtre commercial dont les sociétés d'amateurs ne sont alors qu'un triste prolongement, est le vrai coupable de la pauvreté des programmes espagnols.

C'est effrayant de voir la Société X ou Y, avec ses petits programmes faiblards qui, plutôt que d'offrir un spectacle de qualité, semble servir de prétexte aux filles à marier soucieuses de satisfaire plus sûrement leurs légitimes aspirations. N'importe quel auteur d'œuvrettes fignolées trouve aussitôt des admirateurs qui font de son nom la bannière d'une entité prête à perpétuer le style maniéré qu'ils ont su lancer contre le public, avec une ardeur aussi grande que fatale ! (56).

Deux ans plus tard, le diagnostic de Lorca se fait plus rigoureux.

On aura beau dire — s'écrie-t-il en décembre 1934 — le théâtre n'est pas en décadence. L'absurde, le décadent du théâtre, c'est son organisation. Qu'un Monsieur, tout simplement parce qu'il dispose de quelques millions, s'érige en censeur et en législateur du théâtre, voilà qui est une honte intolérable. C'est une tyrannie, qui, comme toutes les autres, ne conduit qu'à la catastrophe (57).

Nous sommes, ne l'oublions pas, deux mois après la répression aux Asturies. Et le plus grave, reconnaît-il, c'est que ce phénomène s'observe dans presque toutes les activités de son temps (58). Deux mois plus tard, il précise pour des critiques et des gens de théâtre réunis en l'honneur de Margarita Xirgu :

J'entends tous les jours, mes chers amis, parler de la crise du théâtre et toujours je pense que le mal n'est pas sous nos yeux, mais au plus obscur de son essence; ce mal ne réside pas dans la floraison actuelle, dans les œuvres; la racine en est profonde; c'est, en somme, un mal d'organisation (59).

Ayant mis le doigt sur la plaie, aussitôt Lorca suggère le remède :

Tant que les acteurs et les auteurs seront entre les mains d'entreprises purement

(56) « Una interesante iniciativa : el poeta Federico Garcia Lorca habla de los clubs teatrales », *El Sol*, Madrid, 5 avril 1933; *B. Hi.*, LVI, p. 274; *O.C.*, p. 1619; *T. P.*, p. 4.
(57) Alardo PRATS, « Los artistas en el ambiente de nuestro tiempo. El poeta Federico Garcia Lorca espera para el teatro la llegada de la luz de arriba, del paraíso. En cuanto los de arriba bajen al patio de butacas todo estará resuelto ». *El Sol*, Madrid, 15 déc. 1934; *B. Hi.*, LVI, p. 285; *O.C.*, pp. 1626-1631; *T.P.*, p. 11.
(58) « Los artistas... », *ibid*.
Le journaliste : « Ce phénomène s'observe dans presque toutes les activités de notre temps. Ne le croyez-vous pas ?
Mon interlocuteur riposte avec vivacité :
— C'est ce qu'il y a de grave dans cette situation. « Je sais bien peu... » etc. Voir la suite de ce paragraphe, citée ci-dessous, p. 295.
(59) « Charla sobre teatro ». *Ibid.*, *O.C.*, p. 34.

commerciales, libres et sans contrôle littéraire ni étatique d'aucune espèce, entreprises dépourvues de tout jugement et sans garantie d'aucune sorte, les acteurs, les auteurs, et le théâtre tout entier, sombreront chaque jour davantage, sans espoir de salut (59).

Mal social, donc, que celui dont souffre le dramaturge. Car, solidaire des acteurs, de toute l'organisation théâtrale et, on va le voir, du public, il se trouve dépendre d'intérêts financiers à courte vue. En fait, le bon théâtre finit par s'avérer rentable : soit commercialement, comme le montrent les constatations personnelles de Lorca dès avant *Yerma* (60), soit socialement, dans la mesure où en Espagne, comme il le dit au moment où se fonde La Barraca, le théâtre « est dans son essence même partie intégrante de la vie du peuple » (61). Loin de s'hypnotiser sur un gain ou un succès immédiat, de se raidir dans une aveugle et vaine concurrence avec ses coéquipiers du monde théâtral, le dramaturge se sauvera avec eux s'il « regarde sereinement, au loin, les premières lueurs de l'aube sur la campagne » (62). Une ascèse à tous s'impose, et une règle d'or :

Du théâtre le plus modeste au plus important, on doit écrire « Art » dans les salles et dans les loges des artistes, car sinon il nous faudra y mettre le mot « Commerce » ou quelque autre mot que je n'ose dire. Ordre, discipline, sacrifice, et amour : voilà ce qu'il faut (63).

Le premier sacrifice que s'imposera le dramaturge, s'il le peut, est de ne pas écrire pour l'argent, mais pour l'amour de son métier. Lorca a conscience du privilège que représente, à cet égard, la fortune familiale qui lui permet de se consacrer à sa guise au travail d'écrivain. Il le reconnaît avec franchise devant les journalistes argentins :

Non, par bonheur, je ne suis pas obligé de vivre de ma plume. Si je devais le faire, je serais moins heureux. Mais, grâce à Dieu, j'ai des parents; des parents qui me reprennent; mais ils sont très bons, et en définitive, ils paient toujours (64).

Ce ton désinvolte à l'égard de la famille est le revers d'une dépendance dont Lorca sait le poids. Il a eu naguère l'idée de s'en libérer en préparant le professorat, comme en témoignent ses lettres de 1926 à Jorge Guillén (65). Il a

---

(60) Déclarations du poète : « Federico García Lorca y la tragedia », *Ibid.*, *B. Hi.*, LVI, pp. 277-278 : « Là-bas (en Argentine), les gens ne tolèrent plus notre vieux répertoire théâtral. Ils veulent connaître nos jeunes auteurs, et ce sont eux qui remporteront là-bas les succès, y compris les succès d'argent, bien sûr ». De même, dans A. Prats : « Galería-Federico García Lorca... », *Ibid.*, *B. Hi.*, LIX, p. 68. Le journaliste : « Et pourtant, vous gagnez déjà, vous avez déjà beaucoup gagné avec vos œuvres. On a déjà édité maintes fois le *Romancero Gitan*. *Noces de Sang* et *La Savetière prodigieuse* ont été représentées des centaines de fois en Amérique par Lola Membrives. *Yerma* est à Madrid la pièce à succès de cette saison théâtrale... ». — « Eh bien, même le succès ne me fera pas m'enchaîner », répond Lorca. (Suite du paragraphe cité ci-dessous, p. 289).
(61) *Th.*, p. 238. *B. Hi.*,...
(62) « Charla sobre teatro », *Ibid.*, *O.C.*, p. 36.
(63) « Charla sobre teatro », *Ibid.*, *O.C.*, p. 35.
(64) « Llegó anoche Federico García Lorca... », *Ibid.*, *B. Hi.*, LVIII, p. 320.
(65) *O.C.*, Prologue de Jorge Guillén, lettres citées pp. LXI-LXVIII.

fini par l'accepter comme la sauvegarde de sa liberté de travail. C'est ce qu'il affirme, déjà en plein succès, dans une interview de 1935 :

Si je m'y tenais, j'écrirais toute la journée; mais je ne veux pas m'enchaîner. Je veux travailler comme jusqu'à présent, comme un fils de famille qui n'a pas à se préoccuper de gagner de l'argent avec sa littérature et qui écrit quand il veut, et ce qu'il veut. Jamais je ne pourrai rendre à mes parents ce bienfait que je leur dois.

Et comme le journaliste remarque qu'il a déjà retiré de gros bénéfices des nombreuses éditions du *Romancero Gitan,* des représentations de Buenos-Aires et déjà, à Madrid, de *Yerma,* il s'écrie :

Eh bien, même le succès ne me fera pas m'enchaîner. Je travaillerai toujours comme jusqu'à présent, de façon désintéressée. Pour ma satisfaction personnelle (66).

Mais il recherche aussi des armes collectives. Pour lutter contre le théâtre commercial et les sociétés d'amateurs, « aussi nuisibles que lui, car en définitive elles le continuent » (67) il préconise et encourage la formation de clubs théâtraux. En vérité, l'idée ne lui est pas particulière. Comme lui, tous les auteurs d'avant-garde ont souffert et souffrent toujours du monopole de fait que certaines sociétés commerciales concèdent à un petit nombre d'auteurs (en tête Benavente et les frères Quintero, sans parler de Pedro Múñoz Seca) dont le théâtre douillettement conformiste berce les vagues songes, le moralisme sentimental et les exhibitions de la bourgeoisie espagnole. Des critiques l'ont dénoncé, tel, dans ses comptes-rendus, le clairvoyant Enrique de Mesa (68). Les milieux éclairés, désireux de culture libre et d'art nouveau, ont ressenti comme une frustration la médiocrité des entreprises dites théâtrales, en fait associations d'intérêts familiaux comme le sont devenues, vers 1928, la Compagnie Guerrero-Mendoza ou la Compagnie Díaz de Artigas. En 1933, Pura de Ucelay, grande dame républicaine, transforme en club théâtral le groupe de culture et de solidarité féminine qu'elle avait d'abord fondé (69). Pour son premier spectacle, Lorca, « prêchant d'exemple », comme il dit, lui donne en reprise la première version de *La Savetière Prodigieuse,* et en première *Don Perlimplin* (70). Selon sa directrice, ce

---

(66) A. Prats, « Galería-Federico García Lorca », *Ibid., B. Hi.*
Précisons que Lorca n'admet par ailleurs ni complaisance ni privilège pour l'artiste, si grand soit-il. Celui-ci n'est à ses yeux qu'un travailleur comme les autres, particulièrement heureux et doué dans son métier. Cf. « Los artistas en el ambiente de nuestro tiempo », § « Una lección de Falla : los que tenemos este oficio de la música », *Ibid., B. Hi.,* LVI, pp. 283-284; *O.C.,* pp. 1628-29; *T.P.,* p. 11 : « Il y a des gens qui croient que, simplement parce qu'ils sont artistes, tout doit être fait à leur mesure ». « Tout est permis à l'artiste », etc... « Moi, je me rallie à Falla. La poésie est un don. Je fais mon métier et j'accomplis mon devoir, mais sans hâte, parce que, surtout lorsqu'on va terminer une œuvre, comme, disons, lorsqu'on pose le toit d'un édifice, c'est une énorme joie de travailler peu à peu ».
(67) « Una interesante iniciativa... », *Ibid., B. Hi.,* LVI, p. 274; *T.P.,* p. 4.
(68) Ce dernier dénonce, notamment dans ses comptes-rendus, l'équivoque de la satire de type boulevardier, en réalité conformiste. Voir ses *Apostillas a la escena, ibid.,* en particulier pp. 56-57, 69, 74, 143, 240, 323-324. Pour le théâtre commercial et ses effets sur la production dramatique espagnole à la fin du xixe et au début du xxe siècle, voir le remarquable exposé de M. Juan Ignacio Murcia qui précède.
(69) Déclarations de Mme Pura de Ucelay à Marie Laffranque, 25 sept. 1955.
(70) « Una interesante iniciativa... », *Ibid., B. Hi.,* LVI, p. 275; *T.P.,* p. 4.

« Club Théâtral de culture » demeurera le seul. Lorca lui apportera jusqu'à la fin la caution de son nom, ses conseils, parfois même un concours plus actif, comme pour *Peribáñez*, monté le 25 janvier 1935 dans le cadre de l'année Lope de Vega : il écrit une allocution pour présenter cette pièce, choisit et harmonise en partie la musique, s'intéresse à la mise en scène avec son ami le décorateur Fontanals (71). Enfin, c'est à ce club, rebaptisé Club Anfistora, qu'il confie l'année d'après *Lorsque cinq ans auront passé*. Mais à l'occasion de l'inauguration, il a signalé en outre au reporter de *El Sol* qui l'interviewe la création, par un rédacteur de ce grand quotidien, de la Société des « Auteurs et Artistes Réunis ». Son titre l'indique, ce groupement vise à supprimer, entre les premiers et les seconds, l'intermédiaire stérilisant d'une entreprise commerciale. Tel est aussi le but des Clubs Théâtraux pour lesquels Lorca mène campagne en 1933. « L'important — dit-il — est que ces Clubs Théâtraux commencent à jouer et à représenter des œuvres que n'acceptent pas les autres entreprises » (72). Il pense dès lors que l'avenir du théâtre est et doit être entre les mains de ceux qui y travaillent. Il le déclarera un an plus tard au journaliste qui lui demande ses pronostics sur la prochaine saison théâtrale :

Cela dépend des auteurs et des acteurs. Il existe des chemins nouveaux pour sauver le théâtre. L'essentiel est qu'on ose les emprunter (73).

Le Guignol, le théâtre de chambre, constituent pour le dramaturge une au-

---

(71) Déclarations orales de Mme Pura de Ucelay à Marie Laffranque (25 sept. 1955) et à Estelle Trépanier (1956; cf. E. Trépanier, *ibid*.) ; « Anfistora en el Capitol », *La Libertad*, Madrid, 24 janvier 1935, p. 4. « Peribáñez y el comendador de Ocaña » en el Capitol », *La Libertad*, Madrid, 26 janvier 1935, p. 7 ; *El Sol*, Madrid, même date.
(72) « Una interesante iniciativa... », *Ibid.*, *B. Hi.*, LVI, p. 276 ; *O.C.*, p. 1621 ; *T.P.*, pp. 5-6.
(73) J. Chabás, « Federico García Lorca y la tragedia », *Ibid.*, *B. Hi.*, LVI, p. 279 ; *O.C.*, p. 1624.
(74) José María Salaverría, « El carro de la Farándula », *Ibid.*; *B. Hi.*, LVIII, p. 310 :
— ... Et que disent les comédiens ?
— Que peuvent-ils dire ? Ils sont jeunes, étudiants, intelligents : cela suffit à tout expliquer. Ils ont pris la chose en main avec un dévouement admirable, à l'épreuve de tous les sacrifices. L'un termine ses études; l'autre doit partir pour le service militaire, un autre prépare un concours. Peu importe. Ce qui appelle leur enthousiasme, pour l'instant, c'est la gloire de l'acteur. Et il est certain qu'ils ont réalisé leur désir. Les voilà devenus des acteurs formidables. Vous ne les avez pas vus travailler ?... *Les comédiens de profession voudraient bien être comme eux.* C'est que pour restituer une œuvre de théâtre ancienne, il est besoin d'autre chose que du jeu maniéré et des trucs de métier des professionnels; il faut, outre le don, la culture littéraire et la profonde conscience professionnelle de ces jeunes universitaires.
— Et comment vous arrangez-vous pour la hiérarchie ?
— Oh ! fort bien ! Ici il n'y a ni premiers, ni seconds rôles; on n'accepte pas les vedettes. *Nous formons une espèce de phalanstère où nous sommes tous égaux*, et chacun met la main à l'ouvrage selon ses aptitudes. Si l'un est acteur, l'autre se charge de planter les décors, un autre se fait grand maître des effets lumineux, et celui qui a l'air de ne servir à rien fait pourtant à merveille l'office de conducteur de camion. Une démocratique et cordiale camaraderie fait régner l'ordre et nous anime tous. Et ainsi, nous allons notre chemin.
Cf., de même, J. Chabás, « Federico García Lorca y la tragedia », *Ibid.; B. Hi.*, LVI, p. 278 ; *O.C.*, pp. 1622-1624.
« Admirable, l'application, l'intelligence, l'unité avec lesquelles travaillent ces étudiants. *Une troupe professionnelle pourrait difficilement arriver aux résultats qu'ils atteignent.* C'est qu'en plus de l'intelligence, de la compréhension et de la discipline, ils apportent à leur travail un magnifique enthousiasme. Ils ne sont pas là pour gagner un salaire, mais pour faire de l'art ».

tre possibilité extra-commerciale, en même temps qu'une forme d'expression particulière et une école. On a vu Lorca les pratiquer. Mais il est à ses yeux un autre banc d'essai et un autre champ d'action pour les hommes de son métier. C'est le domaine rêvé, la voie royale du théâtre populaire, dont l'œuvre culturelle de la IIᵉ République Espagnole lui a permis de faire l'expérience; théâtre dont les interprètes échappent à la routine et aux contraintes financières, tels les acteurs-étudiants de La Barraca (74), et dont les spectateurs, eux aussi, sont autre chose que ce que Jacques Copeau appelait vers le même temps « un public professionnel » (75). Ce public snob, fortuné et superficiel, va au théâtre sans plaisir, sans intérêt réel, par une sorte de réflexe.

Ils viennent nous voir jouer — dit Lorca parlant de La Barraca — et puis ils sortent en déclarant : « Ce n'est pas si mal ». Ils ne se rendent même pas compte. Ils ne savent même pas ce qu'est le grand théâtre espagnol. Voilà des gens qui se disent catholiques et monarchistes et les voilà tranquilles.

De même, quelques mois après :

Ce qu'il y a de grave ici, c'est que les gens qui vont au théâtre ne veulent pas qu'on les fasse penser sur quelque sujet moral que ce soit. De plus, ils y vont comme à contre-cœur. Ils arrivent en retard, s'en vont avant la fin, entrent et sortent sans la moindre gêne.

Même plainte chez Copeau (77). Seul, le spectateur qui recherche le théâtre comme une nourriture est capable de répondre au dramaturge soucieux de communiquer avec lui. Par opposition au « public intermédiaire », à cette « bourgeoisie frivole et matérialiste » (78), dit Lorca,

les véritables récepteurs de l'art théâtral sont aux deux extrêmes : ce sont les classes cultivées, universitaires ou personnes de formation intellectuelle ou artistique spontanée, et le peuple, le peuple le plus pauvre et le plus rude, non contaminé, vierge, terrain fertile à tous les frissons de la douleur et à tous les volutes de la grâce (78).

Par opposition aux « fils à papa » désœuvrés, ce sont, précise-t-il six mois plus tard :

les ouvriers, les gens simples des bourgs et même des petits villages, les étudiants et les gens qui travaillent et qui étudient (79).

---

(75) Notes intimes de Jacques Copeau publiées dans *Copeau parle*, n° spécial d'*Art sacré*, janvier-février 1954, p. 6.

(76) J. CHABÁS, « Vacaciones de la Barraca », *Ibid.*; *B. Hi.*, LVI, p. 280; *O.C.*, p. 1625; *T.P.*, p. 7.

(77) A. PRATS, « Los artistas... », *Ibid.*; *B. Hi.*, LVI, p. 286; *O.C.*, pp. 1630-31; *T.P.*, p. 72. De même J. Copeau : « Un public blasé, qui va au théâtre avec indifférence, sans savoir pourquoi, sans en avoir besoin, sans amour ni respect, qui arrive en retard, fait du bruit en entrant, n'attend même pas la fin du dernier acte pour tourner le dos à la scène en mettant son pardessus, ce public-là n'est pas un public. Il nous méprise. Et nous le lui rendons ». Notes intimes de Jacques Copeau, *ibid.*, p. 6. (Voir la suite de ce texte ci-dessous, note 79).

(78) O. RAMÍREZ, « Teatro para el pueblo », *ibid.*, *B. Hi.*, LIX, p. 65.

(79) J. CHABÁS, « Vacaciones de la Barraca », *Ibid.*, *B. Hi.*, LVI, p. 280; *O.C.*, p. 1625; *T.P.*, p. 7. De même Copeau : « ... C'est pourquoi si souvent, nous ne trouvons notre récompense que dans la sympathie des *gens de la galerie*, qui ont réellement voulu venir au théâtre, qui n'y viennent pas tous les jours, qui ont fait un sacrifice pour y venir, qui y sont venus en métro ou à pied. Cette attente préalable, cette rareté de l'émotion, cette préparation par l'attente,

Comme de pain, ils sont affamés de la culture que peut leur apporter le théâtre.

Lorca voit dans cet immense réservoir de forces neuves la solution de la crise qui menace d'étouffer les dramaturges espagnols :

J'espère pour le théâtre la venue de la lumière d'en-haut, toujours, celle du « paradis ». Lorsque le public d'en haut descendra au parterre, tout sera résolu. La prétendue « décadence » du théâtre, c'est pour moi une stupidité. Ceux d'en haut sont ceux qui n'ont pas vu *Othello*, ni *Hamlet*, ni rien du tout, les pauvres ! Il y a des millions d'hommes qui n'ont pas vu de théâtre. Mais comme ils savent le voir, lorsqu'ils le voient ! J'ai pu voir, à Alicante, tout un peuple en transe devant le chef-d'œuvre du théâtre catholique espagnol : *La vie est un songe*. Qu'on ne vienne pas me dire que ces gens ne le sentaient pas. Pour le comprendre, toutes les lumières de la théologie sont nécessaires. Mais pour le sentir, le théâtre est le même pour la dame du monde que pour la servante. Molière ne se trompait pas lorsqu'il lisait ses œuvres à sa cuisinière. Bien sûr, — ajoute Lorca — il y a des gens irrémédiablement perdus pour le théâtre. Mais, naturellement, ce sont ceux « qui ont des yeux et ne voient pas, des oreilles et n'entendent pas ». Et ces gens-là sifflent lorsque, sur scène, une mère vend sa fille, comme c'est arrivé pour *Maison de Jeux* de Ugarte et López Rubio (80).

Deux tâches s'imposent à l'égard de ces deux sortes de spectateurs, et Lorca s'est attaqué à l'une comme à l'autre.

D'abord, que l'Etat, en subventionnant les théâtres, leur assure l'autonomie financière que les couches déshéritées ne peuvent lui donner. Que des voix compétentes, celles des critiques indépendants et des hommes de culture, imposent en Espagne par la persuasion et par les exemples (81), qu'elles soutiennent ce que Lorca appelle, à propos de Wedekind en Allemagne et de Pirandello en Italie, « un haut critère d'autorité, supérieur à celui du public courant » (82). Il n'y a pas à s'y tromper : c'est là ce qu'il entendait au paragraphe antérieur de son allocution par « contrôle littéraire et étatique » (82). A son avis, « on peut éduquer le public. « Et remarquez — spécifie-t-il — que je dis public et non peuple » (82). Les auteurs doivent s'imposer, tandis qu'ils se « laissent marcher sur les pieds par le public à force de le cajoler » (83). Dès 1930, l'auteur de *La Savetière Prodigieuse,* dans le prologue de cette pièce, prend délibérément l'attitude inverse :

L'auteur : Honorable public... (un temps). Honorable public ? non, public tout

---

cette fraîcheur et cette sincérité dans la sympathie, je les trouve à un degré plus vif encore chez mes *paysans français* quand ma petite troupe va célébrer au milieu d'eux, dans leurs villages, à l'occasion de telle ou telle solennité de la saison, leur terroir, leurs travaux, leurs coutumes ». (Notes intimes de Jacques Copeau, *ibid.*, p. 7; mots soulignés par nous).

(80) A. PRATS, « Los artistas... », *Ibid., B. Hi.*, LVI, p. 286; *O.C.*, p. 1631; *T.P.*, p. 12. Il s'agit de Manuel Ugarte, non du co-directeur de La Barraca. Pensons à propos de cet exemple choisi par le poète, à toutes les mal-mariées par intérêt du théâtre lorquien.

(81) « Una interesante iniciativa... », *Ibid.; B. Hi.*, LVI, pp. 274-275; *O.C.*, p. 1620; *T.P.*, p. 4.

(82) « Charla sobre teatro », *O.C.*, pp. 34-35; cf. ci-dessus, p. 20 et notes 56 et 74.

(83) A. PRATS, « Los artistas... », *Ibid.; B. Hi.*, LVI, p. 286; *O.C.*, p. 1631; *T.P.*, p. 12.

court. Ce n'est pas que l'auteur ne considère pas le public comme honorable, bien au contraire : mais il sent derrière cette formule comme un léger tremblement de crainte, une façon de quémander l'indulgence de la salle pour le jeu des acteurs et pour son œuvre. Ce n'est pas de l'*indulgence,* mais de l'*attention* que *réclame* le poète qui a sauté, voici pas mal de temps, par-dessus la *crainte,* cette barre épineuse qui *sépare l'auteur des spectateurs.* C'est cette crainte-là, et le fait que bien souvent le théâtre est une *affaire d'argent,* qui font que la poésie se retire de la scène, etc... (84).

Cinq ans après, il ne sera pas moins catégorique :

Le théâtre doit s'imposer au public, et non le public au théâtre (85).

Les auteurs et les gens de théâtre doivent imposer leur art, les couches cultivées de la société doivent imposer leurs critères aux spectateurs gâtés par le théâtre commercial. Lorca lui-même, une fois achevée sa trilogie *(Noces de Sang, Yerma, Destruction de Sodome),* va, dit-il,

aborder un autre genre de choses, y compris la comédie courante des temps actuels, et porter au théâtre des thèmes et des problèmes que les gens ont peur d'aborder (86).

Mais en outre, il convient, il est urgent d'ouvrir le grand théâtre classique et moderne à ce que les hommes de la République appellent « le peuple » espagnol, à ceux à qui donner la joie et l'instrument de la culture constitue pour ces hommes un devoir de simple justice (voir la déclaration de principe des Missions Pédagogiques (87). Or :

le théâtre s'adapte particulièrement bien à des buts éducatifs ici en Espagne. C'était autrefois le plus important véhicule de l'instruction populaire. Du temps de Lope de Rueda, c'était exactement le théâtre ambulant que nous projetons de faire maintenant.

C'est Lorca qui parle ainsi au moment de la fondation de La Barraca. Et il poursuit :

Hors de Madrid, le théâtre, qui est dans son essence même partie intégrante de la vie du peuple, est presque mort aujourd'hui, et le peuple en souffre comme s'il avait perdu la vue, l'ouïe, ou le sens du goût. Nous allons le lui rendre tel qu'il le connaissait, avec les pièces mêmes qu'il aimait. Nous lui donnerons aussi des pièces nouvelles, des pièces d'aujourd'hui dans le style moderne, précédées d'un commentaire très simple et présentées avec l'extrême simplification qui sera nécessaire au succès de notre plan et qui rend le théâtre expérimental si passionnant (88).

On le voit, production dramatique, mise en œuvre du théâtre d'essai et du théâtre populaire, tout est lié et fait partie, à ses yeux, du travail d'un dramaturge complet. C'est pourquoi il annonce dans la même interview qu'il écrira de nouvelles pièces pour La Barraca, et y donnera ses pièces déjà écrites. S'il s'en

---

(84) *O.C.,* p. 821; *Oe. C.,* III, p. 247, trad. André Bélamich.
(85) « Charla sobre teatro », *O.C.,* p. 35.
(86) A. PRATS, « Los artistas... », *Ibid.;* B. Hi., LVI, p. 286; *O.C.,* p. 1631; *T.P.,* p. 12.
(87) *Patronato de Misiones Pedagógicas, ibid.,* pp. IX-XXIV et pp. 3-4.
(88) *Th.,* p. 238.

est abstenu par la suite, c'est peut-être par discrétion, sans doute aussi faute de temps (89).

Mais son ambition et son enthousiasme, quand il parle ainsi, dépassent l'intérêt strictement professionnel, précisément parce que le métier de dramaturge est apparu dès ce moment à Lorca comme l'un des chaînons d'une vaste mission sociale : « Vous voyez que nous prenons vraiment la chose à cœur — dit-il encore au reporter New-Yorkais. —. Nous sommes convaincus que nous pouvons contribuer au grand idéal d'éduquer le peuple de notre République chérie en lui restituant son théâtre ». Et il concluait : « Voilà longtemps que nous avons fait ce rêve; maintenant, nous travaillons à le réaliser » (90). En 1935, son avis reste le même :

Le théâtre est un des instruments les plus significatifs et les plus utiles à l'édification d'un pays : il est le baromètre qui en marque la grandeur et la décadence. Un théâtre sensible et bien orienté dans toutes ses branches, de la tragédie au vaudeville, peut changer en peu d'années la sensibilité d'un peuple; un théâtre en piètre état, ayant des sabots au lieu d'ailes, peut abêtir et endormir une nation entière.

Et plus loin :

Un peuple qui n'aide pas, qui ne développe pas son théâtre, s'il n'est pas mort est moribond.

Je ne parle ce soir — a-t-il annoncé — ni comme auteur, ni comme poète, ni comme simple étudiant du riche panorama de la vie humaine, mais comme adepte ardent et passionné du théâtre d'action sociale (91).

Mais alors, pour Lorca comme, en juillet 1934, pour les volontaires des Missions Pédagogiques, pourtant partis vers la province de Zamora dans un but tout éducatif, un mur se dresse : la misère à son dernier degré; la faim. Pour les Missions, nous avons le témoignage imprimé de leurs participants (92); pour La Barraca, celui de P. Neruda : son hommage de 1937 à Lorca, qu'il avait accompagné au moins dans une tournée (93). Cette comédie qui, dit-il, ne res-

---

(89) L'exemple du groupe Nueva Escena, montant le *Guignol au gourdin* sur le front de Madrid, en 1937 (*Hora de España*, Valencia, n° 10, oct. 1937) et diverses expériences de représentations de Lorca par des troupes de théâtre populaire, évoquées au cours des discussions d'Arras semblent montrer que ce projet n'avait rien d'absurde (représentations de *Don Perlimplin*, Bordeaux, Pau, région bordelaise, 1952; témoignage de M. Robert Marrast; *La Savetière prodigieuse*, campagne bourguignonne, témoignage de M. André Villiers; festival de Sarlat, été 1954, témoignage de Mˡˡᵉ Rose-Marie Moudouès; *Yerma*, en espagnol, troupe « Tomás Méabe », Jeunesses socialistes espagnoles, Toulouse, hiver 1957, témoignage de Marie Laffranque).
(90) *Th.*, p. 239.
(91) « Charla sobre teatro », *O.C.*, p. 34.
(92) *Memoria de la misión pedagógica en Sanabria* (Zamora), *Ibid.*, pp. 13-51.
(93) Pablo NERUDA, « Federico García Lorca », *Homenaje a Federico García Lorca contra su muerte*, Valencia, 1937, pp. 42-49 : « Au milieu de la terrible, de la fantastique pauvreté du paysan espagnol, que j'ai vu, de mes yeux vu, vivre encore dans des cavernes et se nourrir d'herbes et de reptiles, ce tourbillon magique de poésie passait, apportant parmi les songes des vieux poètes les grains de poudre et d'insatisfaction de la culture (...). Il vit toujours, dans ces contrées à l'agonie, la misère incroyable dans laquelle les privilégiés maintenaient son peuple, il souffrit avec les paysans, l'hiver, sur les prairies et les collines desséchées, et cette tragédie fit trembler de bien des douleurs son cœur du Sud ».

semblera pas aux précédentes, Lorca l'a projetée, semble-t-il, fin 1934, puis annoncée fin 1935. Il l'écrit au début de 1936 (94). Mais la vue de la faim paralyse sa plume.

Le monde est immobilisé devant la faim qui ravage les peuples. Tant qu'il y aura déséquilibre économique, le monde ne pourra pas penser. Pour moi, c'est clair désormais. *(Yo lo tengo visto).*

Et il ajoute, après une parabole illustrant cette affirmation :

Le jour où la faim disparaîtra, il se produira dans le monde l'explosion spirituelle la plus grande que l'Humanité ait jamais connue. On ne pourra jamais se figurer la joie qui éclatera le jour de la Grande Révolution (94).

En attendant, quoi qu'il en soit, la misère, l'injustice, le tourmentent. Depuis un an et demi au moins, il l'a déclaré, c'est en fonction d'elles qu'il oriente ses efforts d'écrivain :

Parfois, quand je vois ce qui se passe dans le monde, je me demande : « Pourquoi est-ce que j'écris ? » Mais il faut travailler, travailler. Travailler et aider celui qui le mérite. Travailler, bien qu'on pense parfois qu'on fournit un effort inutile. Travailler comme une forme de protestation. Car le premier mouvement serait de crier chaque jour, quand on s'éveille dans un monde plein d'injustice et de misères de tous ordres : je proteste ! je proteste ! je proteste ! (95).

Telle est la position où son métier de dramaturge a conduit Lorca. Elle est tout sauf un conformisme. Elle engage sa vie, il le sait, et passionné de la vie, dès le lendemain de la révolte des Asturies, il en accepte les conséquences pour lui et ses pareils :

Je sais bien peu, si peu que rien (je me souviens de ces vers de Pablo Neruda) mais dans ce monde je suis et je serai toujours partisan des pauvres. Je serai toujours partisan de ceux qui n'ont rien et à qui on refuse même la tranquillité de ce rien. Nous autres — je parle des intellectuels représentatifs, élevés dans le milieu intermédiaire des classes qu'on peut appeler aisées — nous sommes appelés au sacrifice. Acceptons-le. Dans le monde, ce ne sont plus des forces humaines, mais des forces cosmiques qui sont en lutte. On me pose sur une balance le résultat de cette lutte : ici, ta douleur et ton sacrifice; là, la justice pour tous, même avec l'angoisse du passage à un avenir que l'on pressent mais qu'on ignore; eh bien, j'abats mon poing de toute ma force sur ce dernier plateau (96).

On voit comment Lorca résolvait pour lui-même, pour son temps et son pays, un des problèmes proposés par les organisateurs de nos Entretiens : « Le dramaturge doit-il payer d'un conformisme ou d'un autre un minimum de sécurité ? » (97).

---

(94) « Declaraciones... », *Ibid.; B. Hi.*, LVI, p. 292; *O.C.*, p. 1636; *T.P.*, p. 14. Voir ci-dessus, p. 283 et notes 37, 38, 39, 40, 41.
(95) Proel, « Galería-Federico García Lorca... », *Ibid.; B. Hi.*, LIX, p. 69.
(96) A. Prats, « Los artistas... », *Ibid.; B. Hi.*, LVI, p. 285; *O.C.*, p. 1630; *T.P.*, p. 11.
(97) Circulaire de fév. 1957, p. 1. Les conclusions de ce travail sont confirmées par une nouvelle série de textes lorquiens retrouvés par nous et dont nous n'avons pu utiliser ici que le premier.

SIGLES

— *O.C.* = Federico García LORCA, *Obras Completas : Recopilación y notas de Arturo del Hoyo. Prólogo de Jorge Guillén.* — *Epílogo de Vicente Aleixandre,* Madrid, Aguilar, Madrid, 1955 (2ᵉ éd.), LXXV + 1824 p.

— *B. Hi., LV* = Marie LAFFRANQUE, « Federico García Lorca. — Textes en prose tirés de l'oubli », *Bulletin Hispanique,* Bordeaux, T. LV, nᵒˢ 3-4, 1953, pp. 296-348.

— *B. Hi., LVI* = Marie LAFFRANQUE, « Federico García Lorca. — Nouveaux textes en prose », *Bulletin Hispanique,* Bordeaux, T. LVI, nᵒ 3, 1954, pp. 260-301.

— *B. Hi., LVIII* = Marie LAFFRANQUE, « Federico García Lorca. — Déclarations et interviews retrouvées », *Bulletin Hispanique,* Bordeaux, T. LVIII, nᵒ 3, juillet sept. 1956, pp. 301-344.

— *B. Hi., LIX* = Marie LAFFRANQUE, « Federico García Lorca. — Encore trois textes oubliés », *Bulletin Hispanique,* Bordeaux, T. LIX, nᵒ 1, 1957, pp. 62-72.

— *B. Hi.* = Marie LAFFRANQUE, « Federico García Lorca. — Conférences, déclarations et interviews oubliés », *Bulletin Hispanique,* Bordeaux (sous presse; T. LIX, nᵒ 4; ou T. LX).

— *Oe. C.* = Federico García Lorca, *Œuvres complètes,* Paris, Gallimard, 1954.

— *T.P.* = Federico García Lorca, « Quatre interviews sur le théâtre », traduits de l'espagnol par André Belamich, *Théâtre populaire,* Paris, nᵒ 13, mai-juin 1955, pp. 3-15.

— *T.* = Federico García Lorca, « Dialogue avec le caricaturiste Bagaria », traduit de l'espagnol par André Belamich, *Témoins,* Montreux, 4ᵉ année, nᵒ spécial « Fidélité à l'Espagne », 12-13, printemps-été 1956, pp. 8-12.

— *Th.* = « The theater in the spanish Republic », by Mildred ADAMS, *Theater Arts Monthly,* March, 1932, pp. 237-239.

— *D.G.* = *El Defensor de Grenada.*

— *N.* = *La Nación,* Buenos-Aires.

— *P.* = *La Prensa,* Buenos-Aires.

DISCUSSION

AUBRUN. — J'ai été surpris que vous sembliez adopter la position de Lorca à l'égard du théâtre espagnol, et qu'avec lui vous fassiez du capitalisme, c'est-à-dire de l'entrepreneur de spectacles dramatiques, le bouc émissaire de la décadence du théâtre en Espagne. Il me semble que cette explication ne rend pas compte de toute la complexité du problème.

Mˡˡᵉ LAFFRANQUE. — Je partage en grande partie les idées de Lorca que j'ai exposées. Je pense effectivement que la question du théâtre commercial était très grave en Espagne, même à l'époque de la République, ainsi que hors d'Espagne comme nous l'avons vu sur le plan européen. Il y a également un problème de culture dans la mesure où celle-ci est un privilège même au niveau de la simple lecture, des possibilités de communication orale, et j'ajouterais de l'expression orale proprement dite. Cela est bien net en Espagne, encore à présent. Et il y a le problème du désir et du goût de connaître, qui au-dessous d'un certain niveau général de vie n'est, on l'a vu et Lorca le dit, ni spontané, ni « normal ». Les Missions Pédagogiques l'ont constaté et signalé, il faut encore en revenir à leur expérience probe, étendue et lucide.

AUBRUN. — Je crois qu'on tombe trop souvent dans ce travers et cette facilité d'expliquer la décadence du théâtre par l'entrepreneur industriel, et aussi par l'inéducation des masses. C'est une simplification excessive.

Mlle LAFFRANQUE. — J'ai parlé du bas niveau culturel en pensant non seulement au public, mais encore à la condition de la production dramatique. Au temps de Lorca, les conditions de l'exploitation commerciale sont un obstacle capital, et très généralement dénoncé, à l'épanouissement de la production théâtrale; l'impossibilité matérielle d'accéder au spectacle théâtral, pour les seules couches numériquement importantes susceptibles de s'y intéresser, en est un autre; un troisième est constitué par la censure politique, religieuse et morale, sous toutes ses formes possibles. Ces trois sortes d'obstacles, dénoncés par Lorca, sont solidaires dans la société où s'insère son expérience de dramaturge.

AUBRUN. — On peut supposer un pays d'analphabètes vivant dans un régime non capitaliste ayant une magnifique floraison dramatique, lyrique ou épique. Voyez notre pays aux Xe et XIIe siècles. Et l'on constate une floraison lyrique et romanesque en Amérique latine où le public sachant lire forme une infime partie de la population. Je pense que la décadence d'un théâtre n'a rien à voir avec le niveau de la culture populaire ni avec son régime d'exploitation commerciale. En 1948, à Bordeaux, mes étudiants ont monté *La Casa de Bernarda* et quand il s'est agi de déterminer l'itinéraire de la troupe, on a choisi Bayonne, ville bourgeoise, Biarritz, ville bourgeoise, Pau, ville bourgeoise. Ces étudiants avaient également à leur répertoire une pièce du niveau de Labiche et ils ont choisi pour la donner, Périgueux, marché agricole, Villeneuve-sur-Lot, ville des pruneaux d'Agen. Et je crois que s'ils avaient fait le contraire cela aurait été un four dans les deux cas. Le problème de la liaison public-répertoire, et, par delà, public-qualité du théâtre n'admet pas de solution simpliste.

MARRAST. — En 1951, à Bordeaux, nous avons joué *Don Perlimplin* sur les terrasses du jardin public devant un public très mélangé qui n'a vu dans la pièce qu'une histoire de cocu. Nous avons joué ensuite à Bourg-sur-Gironde devant un public fruste, sans éducation dramatique, et nous avons rencontré un accueil beaucoup plus chaleureux. Une sympathie s'était établie entre le public et les acteurs, qui n'existait pas à Bordeaux.

Mlle LAFFRANQUE. — Même vingt ans après, il serait peut-être fort utile pour la question qui nous occupe, comme d'ailleurs à maints égards, d'enquêter auprès du public espagnol des spectacles de théâtre populaire montés par *La Barraca* et les autres compagnies universitaires, comme *El Buho* de Valence, ou le Théâtre Universitaire catalan, ainsi que par *La Carátula,* troupe des Missions Pédagogiques.

Quelqu'un sait-il ce qui s'est passé dans les expériences de théâtre populaire en France où l'on a monté des pièces de Lorca ?

MARRAST. — Les Compagnons du Jeudi de Bordeaux, compagnie d'instituteurs, ont joué *La Savetière Prodigieuse* dans de nombreuses fêtes scolaires dans la région bordelaise et jusqu'à la frontière espagnole. Selon le directeur de la troupe ce fut le plus grand succès de tous les spectacles qu'il a montés.

Mlle LAFFRANQUE. — Y avait-il une partie chantée importante ?

MARRAST. — Non, mais la séance de marionnettes avait été conservée et n'avait pas été l'un des moindres attraits de la pièce pour le public surtout paysan auquel elle était montrée.

VILLIERS. — J'ai vu jouer *La Savetière Prodigieuse* en Bourgogne dans un village de deux-cents habitants où le public a pris un plaisir plus grand à ce spectacle qu'au *Mariage Forcé* de Molière. Mais je suis prudent car il y a une sorte d'admiration pour la chose bien faite qui fait que l'on a admiré plus que l'on n'a vraiment compris *La Savetière,* car j'ai l'impression que le spectacle qui était valable pour ce public passait quelquefois au-dessus de lui.

MARRAST. — A Sarlat, Gabriel Monnet avait donné *Don Perlimplin* avec un gros succès, mais à l'origine, il y avait aussi cette sorte de respect pour le travail bien fait; d'autant plus que les répétitions pour la mise en place du spectacle, le travail de décoration, les recherches de costumes avaient été faites en public.

Mlle LAFFRANQUE. — Je sais bien que l'attention est un élément important, mais je me rappelle l'admiration que Copeau avait pour son public bourguignon.

VILLIERS. — Les spectacles de Copeau ne passaient pas au-dessus de son public. Il mettait en scène des œuvres difficiles à réaliser mais qui étaient au niveau de son auditoire. Il jouait avec masques, notamment des farces, des arrangements d'œuvres ou quelques textes de lui. Et c'est seulement à Dijon qu'il a fait certaines expériences qui demandaient un public plus averti.

MARRAST. — J'ai participé à un Stage National dirigé par Jean Rouvet, à Houlgate en 1949. Nous avons monté *Guillaume Tell* de Schiller que le public bourgeois en vacances a très mal reçu, tandis que le public ouvrier de Mondeville, près de Caen, participait vraiment au spectacle, conspuant le traître. Et dans une autre commune où passaient des tournées qui donnaient des mélodrames j'ai pu entendre le public faire une comparaison avantageuse pour Schiller.

Mlle MOUDOUÈS. — Dasté a donné un Nô japonais et le public de Saint-Etienne et des mines a mieux réagi que le public parisien. A Paris les gens étaient étonnés, n'osaient pas dire qu'ils ne comprenaient rien, tandis que le public de mineurs, sans comprendre tout absolument, était pris par cette poésie du Nô.

LA FORTUNE DU THÉÂTRE DE GARCÍA LORCA
EN ESPAGNE ET EN FRANCE

par Charles-V. AUBRUN
Professeur à la Sorbonne

Poète, García Lorca avait trouvé un écho dans un jeune cénacle, féru de dadaïsme et surtout de snobisme, dressé avec une véhémence toute verbale contre les tenants du symbolisme, mais surtout désireux d'esclandre. Son milieu, plutôt provincial (Málaga, Grenade, Murcie), fait de petits bourgeois, tenait la poésie pour un lieu d'évasion hors de la vulgarité paternelle, hors de l'ennui et de l'assoupissement de la petite ville, pour une échappatoire au puritanisme stérilisateur des libéraux et des cléricaux.

Ce conflit, surgi d'un drame intérieur, Lorca va s'en purger par le moyen du guignol. Là il s'en donne à cœur joie, sans danger, sur les têtes à massacre de la faune provinciale : le cocu, le garde civil, et son imagination d'adolescent s'enflamme pour la jolie savetière ou la petite gitane de la forge voisine. Les amateurs madrilènes de belles lettres, qui faisaient déjà un sort aux marionnettes plus ou moins politiques de Valle-Inclán et des Baroja, prêtent l'oreille au jeune Andalou.

En 1927, celui-ci cherche le contact avec le grand public. Il n'y parvient pas, en dépit des amis critiques, ni à Barcelone ni à Madrid. Seul, le drame en vers *Mariana Pineda,* fait son chemin auprès d'un auditoire patriote et républicain de gauche. Mais que de concessions au mauvais goût, à la fade tradition du théâtre poétique de Marquina, pour un bien mince résultat.

En 1929-1930, Lorca tente de faire violence aux foules rétives. C'est le drame : *El público,* où se déverse un surréalisme très superficiel.

Le pli est pris. Les grandes préoccupations de sa malheureuse génération, petite bourgeoise et provinciale hantent le poète. Adonné désormais au théâtre seul, il va exprimer et libérer du même coup ses tourments et ses aspirations. Alors surgissent les grands drames lyriques : *Bodas de sangre* en 1933, *Yerma* en 1935, *La casa de Bernarda Alba* en 1936. Comment ne pas y voir des jalons et des témoins sur la route de la révolution morale par où passe la nation espagnole au temps de la République (1931-1936) ? C'est la protestation, l'imprécation, la révolte de l'homme et de la femme contre la tyrannie domestique, les tabous de la vie sexuelle, les contraintes sociales. Les situations sont saisies au temps de leur rupture d'équilibre. Cœurs brisés, corps fendus s'effondrent dans un cri presque tragique. Je dis « presque » car Lorca hésite entre le drame, où les personnages assument leur destin, et la tragédie, où les dieux tout-puissants leur imposent leur volonté. Aussi bien le public espagnol rejette-t-il une interprétation tragique. Au moment de rompre avec ses origines puritaines et l'idéologie du XIXᵉ siècle, la bourgeoisie ne saurait s'abandonner au libertinage des masses prolétariennes. L'appel du chemineau maudit de *La Casa de Bernarda* retentit comme une invitation orgiaque au sein du stérile béguinage. Admirable transposition dramatique de la réalité sociale. L'ivresse des sens, l'ivresse des idées se sont emparées de l'Espagne républicaine. Lorca fait retentir trois grands cris d'angoisse. Il ne sait rien, il ne peut rien, il ne décide rien. Mais il a mal. Sa génération et sa classe, dans une immense majorité, se ressaisira et appellera Franco.

Aujourd'hui les drames si profondément engagés de Lorca se sont édulcorés à tel point qu'on les tient en Espagne et hors d'Espagne pour objets d'esthétique. Mais ne l'oublions pas, ils ont tordu sans pitié, sans rémission les entrailles de la jeunesse intellectuelle au temps de la République.

En France.

Comment des problèmes si typiquement espagnols peuvent-ils émouvoir le public français ? Sans doute l'attention des lettrés friands d'exotisme avait été attirée par le poète « gitan » (1). L'Andalousie connaissait une nouvelle interprétation poétique et, d'enthousiasme, on y voyait l'image moderne de l'Espagne. Est-il besoin de dire que le peuple andalou, cette nation profondément païenne, naturellement gaie, insoucieuse, bruyante, libertine, à la fois digne et vulgaire, folle et sage, n'a rien de commun avec la vision dramatique idéale qu'en projette Lorca ? D'ailleurs, que savait-il de la vie des ouvriers agricoles ? Quelle expérience avait-il des bas-quartiers ? Sa faim sexuelle, sa soif de liberté n'ont jamais tourmenté que les fils des petits propriétaires terriens de Fuente-Vaqueros et les calicots de Grenade.

Les Français n'y regardent pas de si près. Le besoin d'un exotisme haut en couleur, fait naître la vogue de Lorca, poète. Sa mort tragique en 1936 devient un symbole de l'Espagne ensanglantée. Et ce symbole, nous le définissons, nous le forgeons peu à peu, à notre usage, dans la gêne de leur guerre civile, de 1934 à 1936, et dans les transes de notre guerre mondiale, à partir de 1939. En 1945,

---

(1) Lorca, ni de près, ni de loin, n'est de race gitane.

c'en était fait, Lorca était devenu un martyr de la poésie, la victime élue du fascisme.

Encore fallait-il que la qualité de son théâtre soutînt cette soudaine réputation. Or loin de s'effondrer à la représentation, Lorca connut chez nous un immense succès, sinon auprès des foules, du moins auprès du vaste public des lettrés amateurs à qui les journalistes, les politiciens et les snobs n'en content pas. Plus encore, notre théâtre poétique, jusqu'ici intellectualisé sous l'influence de Giraudoux, en a été tout rafraîchi, tout renouvelé. Un jargon lyrique emprunté à Lorca encombre aujourd'hui encore un certain genre qui triomphe dans les salles moyennes, ni d'essais ni pour grand public. Le drame lyrique foisonne, à une sorte de carrefour entre le ballet et la tragédie classique, le spectacle en musique et la comédie de fauteuil.

Là est le miracle. Comment le théâtre de Lorca si circonscrit dans le temps et l'espace, comment cette littérature pour « señoritos » andalous de 1934 s'est-il soudain revêtu d'une signification transcendantale, dans notre France libérée de 1946 (2) et auprès d'un public français qui jugeait le refoulement sexuel ou hautement comique ou totalement démentiel ?

Sans doute convient-il d'alléguer notre endurance, nouvellement acquise, à la violence et à la démesure, notre nouvelle expérience de l'angoisse et du désespoir. Le théâtre français d'après-guerre, dans son ensemble, témoigne d'un approfondissement des thèmes, volontiers métaphysiques, en parfait contraste avec la frivolité de l'avant-guerre, celle de l'habile Bernstein comme celle de l'élégant Giraudoux. Lorca triomphe chez nous avec ses drames. Il échoue avec ses farces surannées, ses fantaisies mièvres ou puériles : *La Savetière prodigieuse, Les amours de don Perlimplin, Le Petit théâtre, Doña Rosita.*

Seule une analyse sociologique du public français aux différents moments de la présentation des pièces de Lorca pourrait rendre compte, partiellement du moins, de l'accueil qu'il leur fit. Il apparaît déjà que nous leur donnâmes un sens que l'auteur n'avait pas prévu.

Distinguons les concepts de puissance et de potentiel tragique. Ainsi l'interprétation largement espagnole de Lorca dramaturge dégage, au temps de la République (1931-36) une signification nationale de pièces conçues dans et pour un monde restreint. L'intention de l'auteur reste en deçà de la validité de son œuvre. Le *potentiel* tragique consiste précisément dans la faculté de susciter des interprétations vitales dans des mondes sans rapport avec celui où naquit la pièce. La *puissance* tragique est une simple armature qu'il faut bien solide : c'est aux mille et un publics de la revêtir de mille et une significations adaptées à ses urgences du moment.

La Maison de Bernarda atteint d'emblée plus de quatre cents représentations en 1945-46. Elle déborde du petit studio des Champs-Elysées, où l'a montée l'excellent Maurice Jacquemont et court les routes de province. Que signifie-t-elle

---

(2) *Noces de Sang*, qui fut représentée en 1938-39, n'eut qu'un maigre succès d'estime, et encore, auprès de critiques amis : une et vingt-cinq représentations.

donc de si poignant ? Le drame même de *notre* nation. Sept femmes séquestrées se mouraient d'envie et se tourmentaient de jalousie pour le chemineau Pepe el Romano. Dérisoire anecdote. Mais nous reconnaissions soudain la brûlure qui les tient aux entrailles, leurs haines inassouvies, leur désir commun et soupçonneux. Nous venions de pousser nous aussi sept cris de douleur et d'espoir et nos nuits avaient été hantées par l'image obsédante et consolante de la liberté. Nous comprenions mieux. Par un mouvement inconscient de l'esprit, au niveau des entrailles, sous l'impulsion brûlante du sexe, voilà que s'identifient le lancinant souvenir de notre séquestration entre 1940 et 1945 et la vision tragique des sept vertus contraintes, des sept vices rentrés, des sept folles au logis hantées par la vision des vastes horizons et de la route poudreuse où passe en chantant un mâle vagabond. Et cette assimilation, totalement inconsciente, donne à *La Maison de Bernarda* non seulement un sens vital nouveau, mais cette puissance de décharge, de catharsis en quoi consiste le génie du théâtre.

Yerma (3) en 1948 au Studio trouve une presse et un auditoire très divisés. M. Gabriel Marcel lui refuse la qualité tragique. Au départ, sans doute, quel thème spécifiquement littéraire et espagnol ! Une femme éprise, mais liée par les conventions autant que par une morale délibérément choisie, tue le mari qui ne sut point la rendre mère. Là encore le public français opère à son propre insu un transfert révélateur. Frustration génitale et frustration sociale sont ressenties de la même façon par les mêmes viscères en chacun de nos individus. L'appel incantatoire de Lorca aux ressorts de notre douleur, sa pression sur les points névralgiques de notre tourment faisaient de *Yerma* l'image transposée de notre mal, une transcription lyrique de notre drame de 1948 : l'échec de la libération, la division de nos sentiments, la conscience de notre impuissance, que nous refusions d'assumer, la sensation d'une diminution physique ou d'une trahison envers l'humanité (ou l'humanisme) dont nous rendions responsable injustement le « régime » ou la « constitution ».

Bodas de Sangre en Espagne n'était qu'une tragédie de famille : autour d'une vierge à vendre les mâles s'entretuent. Au dénouement, la mère, la fiancée et la rivale pleurent à la manière grecque ou juive leur éternel veuvage. Par contre, en 1938-39, à l'Atelier ou au Théâtre Charles de Rochefort (4), *Noces de sang* fleurait cette odeur âcre de sang où allait baigner le monde.

Premier bûcheron. — Ils se dupaient les uns les autres et à la fin le sang l'emporte.

Deuxième bûcheron. — Le sang.

Premier bûcheron. — Car il faut bien suivre la voie du sang.

Deuxième bûcheron. — Mais le sang qui coule, la terre l'absorbe.

Fin 1951, au Studio des Champs-Elysées (5), *Noces de sang* signifie la fin de nos rêves, la mort de nos illusions, la vanité de notre violence, l'échec de la

---

(3) Une centaine de représentations.
(4) Au total une quarantaine de représentations.
(5) Cent représentations.

guerre comme moyen de puissance, le désespoir et le grand dépassement dans une humanité accordée enfin à elle-même et souffrante à jamais.

— Mais que m'importe ton honneur ? Que m'importe ta mort ? Rien, rien m'importe. Béni soit le blé naissant de mes fils morts, bénie soit la pluie qui mouille le visage de mes morts, béni soit Dieu qui nous allonge ensemble en terre pour reposer.

* *
*

Une œuvre dramatique valable n'appartient pas à son auteur. Elle l'a délivré de ses propres fantômes. Il lui incombe désormais d'exorciser *hic et nunc* les fantômes du public.

Lorca s'est révélé plus riche de vertu dramatique et d'un potentiel affectif plus grand en France qu'en Espagne. Il a assouvi chez nous des besoins plus profonds, plus communs et d'ordres très différents. Sa poésie incantatoire relègue la technique dans les coulisses, éteint les feux de la rampe, d'un bond franchit la fosse, s'empare du public, assure la parfaite communion des acteurs et des auditeurs, par delà le texte, au-dessus de la littérature. Une nouvelle œuvre lorquienne se crée et se modèle chaque fois que l'une des pièces de la célèbre trilogie affronte un public nouveau. Sous la pression d'une commune urgence, comédiens et spectateurs inventent alors un sens neuf pour chaque parole. Le monde changeant de base change aussi bien le vocabulaire.

Cependant les nécrophages de l'histoire littéraire et les pompiers du Répertoire menacent de tuer une fois pour toutes le si vivant Lorca. En Europe et en Amérique, Lorca s'enlise dans un fatras de monographies formalistes et dans un succès tout académique assuré par des troupeaux de bien-pensants et des hordes de non-pensants.

Le public français, avait montré un si beau *talent* en 1945-1951 quand il interprétait le *génie* du *petit* poète de Grenade. N'aurait-il plus rien à dire ?

DISCUSSION

Mlle LAFFRANQUE. — Monsieur Aubrun a parlé de la radio comme moyen de contact avec le public, et je signale que Lorca a lu à diverses reprises des fragments de ses pièces à la radio. D'autres extraits ont été lus à la radio par Margarita Xirgu, en sa présence ou avec son assentiment : par exemple, en 1935, à Radio Barcelone. Enfin, certaines représentations de La Barraca ont été diffusées par Radio Madrid. Par exemple, une ou plusieurs représentations de *Fuente Ovejuna* et la première du *Caballero de Olmedo,* au début de décembre 1935.

VICTOROFF. — Vous avez insisté sur la lutte de Lorca contre les tabous de la famille et de la sexualité. Y a-t-il eu une influence directe de Gide sur Lorca ?

AUBRUN. — Je ne crois pas que l'on puisse parler d'une influence de Gide en Espagne, mais plutôt d'une influence de certaines thèses du symbolisme présentes dans les

Nourritures Terrestres : « le poète est d'autant plus grand qu'il est différent ». Et pendant vingt ans les écrivains espagnols se sont proposés d'être différents les uns des autres pour être d'autant plus grands, et cela sans se préoccuper du public. Lorca a été sensible à ce courant qui était celui des poètes qu'il fréquentait, avec lesquels il travaillait et qui étaient son public. Il cherche à être différent et pour cela il s'intéresse au folklore andalou, aux *coplas.* Il voulait en faire une intégration parallèle à celle qu'avait pratiquée Manuel de Falla pour la musique populaire andalouse, utilisant une technique très savante sur une matière très populaire. Conscient du caractère dramatique de sa révolte et de celle de ses amis contre leur milieu familial et social, il s'est mis à écrire des poèmes ayant une structure dramatique; c'est le *Romancero Gitan* où nous trouvons une division en scènes, une exposition, des décors, une action, un dénouement. Puis du court poème dramatique il est passé au drame lyrique. Mais je crois qu'il ne s'est jamais dégagé de ce souci d'originalité. Il y avait du snobisme chez lui.

Mlle LAFFRANQUE. — Je crois qu'il faut limiter ce snobisme à sa jeunesse, et surtout aux premières années de son séjour à Madrid, où l'affectation voisine d'ailleurs avec la plus grande sincérité. Je pense à ses premiers livres de poèmes. Il faut d'autre part distinguer avec le plus grand soin du snobisme ce qui est une première réaction salutaire, bien que négative, contre le conformisme régnant, qu'il soit esthétique, sentimental ou moral; des aînés de Lorca tels que Azorín, Gómez de la Serna ou Ramón del Valle-Inclán, et déjà Rubén Darío lui-même ont eu des réactions comparables. Il faut distinguer aussi du snobisme ce qui est recherche esthétique, ou enfin, simple jeu. Ceci est vrai pour les compagnons de Lorca autant que pour lui. L'intérêt qu'il manifeste pour le folklore andalou, et le chant andalou en particulier, vient simplement, avant tout, de son contact de toujours avec la vie populaire grenadine. Il tient aussi à ses connaissances musicales approfondies, dont on a d'innombrables témoignages; il a été renforcé et précisé par son amitié avec Falla et son admiration pour le *Cancionero* de Pedrell et les *Cancioneros* espagnols anciens, qu'il connaissait admirablement, au témoignage des spécialistes. Sur le plan littéraire, Lorca a eu des prédécesseurs, des aînés pour qui le folklore andalou était une véritable source, pas seulement un moyen de se singulariser : par exemple, quoi qu'on pense de leur œuvre théâtrale, les frères Álvarez Quintero, ou Benavente dans *La Malquerida,* aujourd'hui connu en France surtout par le film mexicain qui en est inspiré; ou encore Manuel et Antonio Machado dans leur pièce *La Lola va a los puertos;* ou Juan Ramón Jiménez. Plus près de lui encore, tout un courant d'inspiration andalouse traverse la jeune poésie espagnole; avant de devenir une mode (ce qu'il sera surtout après le *Romancero Gitano* et jusqu'à nos jours) il représente un effort d'enrichissement et une volonté, heureuse ou non, d'authenticité; une espèce de retour aux sources de la part d'écrivains eu-mêmes andalous.

Je crois d'autre part que vous avez trop méconnu les poètes qui venaient des provinces. Il y avait parmi eux Vicente Aleixandre qui est un très grand poète, Luis Cernuda, qui lui est comparable, José Bergamín, Gerardo Diego, Rafael Alberti et Manuel Altolaguirre, qui, s'ils ont eu une crise d'originalité, ont donné ensuite, et même déjà en même temps, une œuvre originale. Juan Ramón Jiménez l'estimait dès lors comme telle. Dans le même groupe, Pedro Salinas et Jorge Guillén venaient également de province; de même José Moreno Villa, qui se rattache à ces poètes plus par son œuvre que par son âge. Je ne crois pas que ce que vous avez dit puisse leur être appliqué.

Je pense aussi qu'il ne faut pas sous-estimer le milieu grenadin de Lorca. Falla était un intellectuel sérieux, et infiniment scrupuleux : il a laissé au groupe qui entourait Lorca le soin de rédiger, comme introduction à la connaissance du chant primitif andalou, un texte tiré de ses théories qui a été publié par le musicologue Adolfo Salazar en annexe aux écrits musicaux de Falla lui-même. Il y a ensuite Melchor Fernández Almagro, critique, historien, académicien; Antonio Gallego Burín, actuellement directeur général des Beaux-Arts en Espagne; plus près par l'âge, le célèbre arabisant Emilio García Gómez, José Montesinos, le critique pénétrant de Lope de Vega, José López de Toro, aujourd'hui directeur de la section des manuscrits de la Bibliothèque Nationale de Madrid, etc... De façon générale l'entourage de Falla et celui de Fernando de los Ríos était composé d'une majorité d'intellectuels et d'artistes estimables, jeunes ou vieux. La vie culturelle grenadine que Lorca a connue était quelque chose de sérieux, et même le milieu de Fuente Vaqueros, traditionnellement cultivé, où l'on trouvait d'excellentes bibliothèques.

AUBRUN. — Replaçons-nous à l'époque des tâtonnements. Les petits poètes d'alors sont devenus de grands poètes ensuite, lorsqu'ils ont assumé une expérience historique sérieuse, celle de la Guerre Civile.

NIEVA. — Tous ces jeunes poètes dont vous avez parlé s'appelaient les *Ultraístas*.

AUBRUN. — On voit bien là leur tendance à aller jusqu'au bout, et même au-delà. Il s'agissait de forcer l'attention par le scandale qu'ils pratiquaient à chaque instant, par l'excès dans l'expression, par le cri. C'est ce que les Français reprochent quelquefois à cette poésie de Lorca et d'Alberti.

Mlle LAFFRANQUE. — Est-ce que vous pensez à la lettre que le peuple andalou est « une nation gaie et insoucieuse » ? J'ai vu là-bas bien des gens qui naturellement seraient gais et insouciants, mais qui ne peuvent pas l'être ou qui ne le sont qu'à certains moments.

AUBRUN. — Parce qu'ils ont faim, mais le problème est très différent de celui qu'a traité Lorca dans sa trilogie qui n'est pas une trilogie de la faim, mais de l'appétit sexuel. Ce n'était pas une poésie qui répondait aux données d'ordre psychique et physiologique des masses andalouses, mais qui marquait la volonté d'en finir avec les tabous qui martyrisaient les fils de la petite bourgeoisie andalouse. Les péons ont toujours été très libres de mœurs. Mais il est de bon ton de n'en rien laisser voir; il est de bon ton de ne pas s'en apercevoir.

MURCIA. — Il y a dans Lorca l'exploitation de tout un aspect magique dont s'éloignent progressivement les jeunes générations théâtrales espagnoles qui sont plutôt attirées par un monde plus rationnel. Et le théâtre de Lorca pour nous commence à faire partie de l'histoire. Je me demande d'autre part si le succès de Lorca en France ne tient pas pour une part à ce que le public français voit dans les personnages de Lorca l'Espagnol tel qu'il le croit suivant un cliché qui a pris naissance à l'époque romantique, et qui donne une explication facile de ce qu'est l'Espagne.

AUBRUN. — Nous avions besoin d'exotisme et nous l'avons trouvé chez Lorca, nous l'avons fabriqué.

MARRAST. — Je crois que M. Aubrun a raison et que *La Casa de Bernarda* n'exprime que le problème d'une certaine bourgeoisie. Et dans *Le Repoussoir* d'Alberti nous n'avons plus une maison fermée, mais une maison où entre le mendiant Bion; nous voyons celui-ci préoccupé uniquement de la satisfaction de ses besoins alimentaires et de ses instincts sexuels, et prêt à toutes les félonies pour les satisfaire.

20

Cela nous permet de mesurer la distance qui existe entre le problème de la petite bourgeoisie représentée par la maison de Gorgo et celui de l'Andalou pauvre représenté par Bion et les mendiants. Alberti avait connu Bion dans sa propre famille, c'était le mendiant préféré de sa tante Josefa. Il y a donc une distinction fondamentale à faire entre les besoins des pauvres, et ceux de la petite bourgeoisie.

Mlle Laffranque. — C'est qu'il ne s'agit peut-être pas exactement du même milieu dans les deux pièces.

Marrast. — La position sociale et les données sociologiques sont les mêmes. S'il y a des différences, c'est dans la construction de la pièce.

Mlle Laffranque. — Il me semble que la maison du *Repoussoir,* qui est pratiquement celle d'Alberti comme vos recherches l'ont prouvé, est une maison en train de tomber, en état de ruine et de désagrégation; une maison autrefois riche, qui par ses origines et ses relations avec le village se rapproche plutôt de l'aristocratie campagnarde décadente que de la petite bourgeoisie. Bion et les mendiants représentent un sous-prolétariat dégradé, peut-être contaminé par cette dégénérescence. La maison de Bernarda ne tombe pas par abandon et appauvrissement, comme le feront, dans la vie citadine, les familles présentées dans *Doña Rosita la soltera.* Il s'agit d'une famille bourgeoise de village, dont la vie est aisée, mais sans faste de type patriarcal. L'aînée des filles est riche, les autres sont pauvres. Bernarda méprise la pauvreté et déteste les gens du peuple. Celui-ci est en général derrière les murs, derrière les portes closes, mais présent dans la pièce. Ses problèmes sont ceux des servantes (à différents échelons de la hiérarchie domestique) et des mendiants qui apparaissent au premier acte; celui de la fille-mère lapidée par la foule villageoise; celui des rapports entre les moissonneurs saisonniers et la prostituée, et de ce groupe avec le village. Ces problèmes ne sont pas purement alimentaires et sexuels, mais économiques, moraux, sexuels et sociaux, disons aussi de dignité humaine, faute de termes plus objectifs.

Mme Mercier-Campiche. — Je crois que l'on sous-estime en ce moment la valeur humaine générale de Lorca. Dans *Yerma* le désir de maternité déborde le milieu petit bourgeois que vous évoquez et exprime d'une façon stupéfiante un désir éternel. De ce fait le théâtre de Lorca a des chances d'atteindre tous les publics en dehors de l'actualité que ces pièces peuvent exprimer. Lorca exprime également l'amour, le sentiment de l'honneur d'une façon extrêmement vraie et poétiquement valable pour toutes sortes de publics.

Marrast. — N'est-ce pas parce que ces sentiments sont insérés dans un contexte exotique ? Car une des raisons du succès de Lorca en France c'est ce goût de l'exotisme. On est prêt à accepter sous la signature de Lorca tous les contre-sens des traducteurs.

Aubrun. — C'est dans Lorca que nous avons trouvé les éléments qui nous permettaient de construire une image de l'Espagne dont nous avions besoin. Et bien entendu cette image de l'Espagne c'est une image d'une Andalousie qui n'a rien à voir avec l'Andalousie authentique.

Jacquot. — Je crois qu'il y aurait intérêt à distinguer le besoin d'exotisme de la curiosité à l'égard de civilisations, de modes de vie qui nous sont étrangers. Si nous avons actuellement un Théâtre des Nations à Paris c'est parce que nous voulons connaître des modes de sensibilité, des expériences qui sont tout à fait différentes des nôtres, mais qui rejoignent l'humain.

MARRAST. — Lorsqu'à Mexico on veut monter une pièce espagnole, on joue *La Casa de Bernarda,* et non pas *Le Repoussoir,* qui me semble-t-il est une image de la réalité plus authentique. Et ce que je voulais dire c'est que sous la signature de Lorca *Le Repoussoir* aurait eu un succès assuré; il y a donc un snobisme de Lorca.

AUBRUN. — Bien sûr, les problèmes qu'il aborde sont humains, mais ils sont abordés dans un contexte pittoresque, et ce qui nous attire, c'est de savoir comment ils sont résolus dans ce contexte. C'est ce que j'ai voulu exprimer en essayant de montrer comment le public français avait projeté ses propres problèmes d'une certaine époque dans l'univers dramatique lorquien.

ENGAGEMENT ET DISPONIBILITÉ
DANS LE THÉATRE ITALIEN CONTEMPORAIN :
Betti et de Filippo

par Luciano LUCIGNANI

1) INTRODUCTION

Autour de 1900 la littérature italienne a désormais pratiquement épuisé la poussée qui l'avait conduite — à travers l'influence du naturalisme européen, français surtout — à la recherche du « vrai » ; poussée que notre bourgeoisie avait, tout d'abord, sollicitée mais qu'ensuite, lorsque le « vrai » parut trop menaçant pour l'ordre et les institutions, elle contribua consciemment à modérer.

Toutefois, même s'il ne réalisa pas ce renouveau qui était dans ses intentions, le vérisme italien, avec sa polémique ouverte du dialecte et d'une réalité sociale très différente de celle du noyau familial restreint du théâtre bourgeois, redonna une nouvelle énergie à ce courant de notre littérature que nous pouvons appeler « populaire », par opposition à l'autre, le courant cultivé, intellectuel, « littéraire », c'est-à-dire, celui qui l'accompagna toujours, depuis les premières lueurs de notre histoire littéraire (1).

Il faut observer que la crise du vérisme coïncide, sur le plan littéraire, avec la diffusion du décadentisme, et sur le plan social et politique, avec le mépris du provincialisme et l'ambition correspondante de faire de l'Italie une nation d'autorité internationale.

Avec toutes les réserves que l'on peut faire à cette schématisation comme aux autres, c'est là une contradiction à laquelle la classe dirigeante italienne — après deux guerres et vingt ans de dictature — n'a pas encore réussi à échapper. Les termes en sont clairs. D'un côté il y a la réalité objective : un pays

---

(1) Il faut voir, en général, sur ce sujet, les œuvres d'Antonio Gramsci dans *Letteratura e vita nazionale,* Turin, 1950, et plus particulièrement les chapitres II (pp. 57-99) et III (pp. 103-139).

pauvre, surpeuplé, uni dans ses lois mais non pas dans ses consciences, avec
une zone nord développée industriellement (mais privée de marché) et une zone
sud arriérée, organisée encore sur des structures presque féodales. De l'autre
côté les espoirs et les ambitions — même permis, même honnêtes — de dépasser
cet état de choses, de sortir de l'isolement, de devenir une nation « européenne ». Notre classe dirigeante s'est montrée jusqu'à présent incapable de résoudre cette contradiction dans un sens « historique », c'est-à-dire en regar-
dant les problèmes dans leurs aspects concrets — que l'on voie, par exemple,
l'abondante littérature qui porte sur la « question méridionale » (2) — pour ne
pas perdre certains privilèges ou abandonner certaines autres positions. Les solutions ont toujours été offertes par des aventures réactionnaires, de type fasciste, ou alors par des tentatives de créer artificiellement, à l'extérieur comme
à l'intérieur, l'image de cette nation moderne, pleine d'autorité, « européenne ».
Le fascisme, c'est-à-dire la dictature bourgeoise, est une nécessité sans équivoque pour réaliser et maintenir contre le libre jeu des idées, cette structure artificielle sur quoi faire reposer l'image dont nous avons parlé plus haut.

Sur le plan artistique et littéraire cela donne deux possibilités : l'hermétisme, autrement dit la recherche formelle, en laboratoire, dont les résultats sont
discutés et évalués par une « élite » restreinte; et le cosmopolitisme, autrement
dit, l'acceptation du goût qui correspond le mieux à l'idéal de la classe dirigeante. Cosmopolitisme et hermétisme sont, il est clair, deux formes d'évasion
de la réalité; ce sont, en effet, les deux voies suivies par la culture italienne
pendant la période qui vit la préparation et l'avènement de la dictature fasciste;
des années qui ont suivi immédiatement la première guerre mondiale jusqu'à la
fin de la seconde.

C'est pour cela que cette introduction était, en un certain sens, nécessaire.

2) LES LIMITES DU VÉRISME

D'Annunzio et Pirandello sont les deux noms avec lesquels s'identifie, non
seulement dans le domaine de la dramaturgie, mais aussi dans le domaine de la
littérature, la première moitié de ce siècle, en Italie. A peu près contemporains,
ils dominèrent dans la période qui s'étend entre les deux guerres, la scène italienne, et même non seulement la scène italienne. Autant pour d'Annunzio que
pour Pirandello on a parlé d'écrivains européens, c'est-à-dire d'intellectuels qui
auraient dépassé avec succès les limites du provincialisme national, autrement
dit du vérisme.

Ce n'est pas le cas de rouvrir une polémique qui n'est pas vraiment essentielle pour les fins de notre sujet. Mais nous devons cependant observer — en

---

(2) Cf. Antonio GRAMSCI, *La questione Meridionale*, Rome, 1949, et du même auteur, *Il Ri-
sorgimento*, Turin, 1949; en outre, Bruno CAIZZI, *Antologia della Questione Meridionale*, Milan,
1954, 2ᵉ éd.

opposition avec l'opinion d'une bonne partie de la critique officielle italienne — qu'à notre avis, au moment même où ils devinrent des écrivains « européens », aussi bien d'Annunzio que Pirandello (et le premier bien davantage que le second) cessèrent automatiquement d'être des écrivains « italiens ».

Les limites du vérisme sont connues. Nous voulons rapporter à ce sujet quelques lignes dédiées à la question par Antonio Gramsci dans ses *Cahiers de Prison,* où celle-ci nous paraît définie avec une grande précision :

... Le vérisme italien se distingue des courants réalistes des autres pays en ce qu'il se limite à décrire « l'animalité » de la prétendue nature humaine (un vérisme au sens pur), ou bien en ce qu'il tourne son attention vers la vie provinciale et régionale, vers ce qui était l'Italie réelle par opposition à l'Italie « moderne » officielle... Pour les intellectuels de la tendance vériste la préoccupation continuelle ne fut pas (comme en France) d'établir un contact avec les masses populaires déjà « nationalisées » au sens unitaire, mais de donner les éléments par lesquels il apparaissait que l'Italie réelle n'était pas encore unifiée : du reste, il y a une différence entre le vérisme des écrivains septentrionaux et celui des méridionaux.

Il manqua en somme au vérisme italien la perspective historique : la capacité d'insérer les problèmes particuliers dans le cadre plus ample d'une « question nationale », de voir, c'est-à-dire, en même temps que ces problèmes, quelle était la ligne de développement possible pour arriver à une solution. Cette absence contribua sans doute de façon déterminante à empêcher que l'apparition sur la scène littéraire de deux personnalités comme d'Annunzio et Pirandello agît, comme cela aurait dû arriver logiquement, dans un sens unitaire. Au lieu de dominer cette crise et de la dépasser, ils furent emportés par elle : ainsi l'œuvre de D'Annunzio et de Pirandello, écrivains partis tous les deux, de façon différente, d'intérêts de caractère provincial et dialectal et d'une production tout entière tendue à refléter la vie et le milieu qui les entouraient, selon justement la leçon donnée par les naturalistes et les véristes, finit par aborder à des rivages tout à fait opposés; elle consacra ce « détachement de la réalité » qui caractérisa la culture italienne de l'entre-deux-guerres : un formalisme exaspéré chez D'Annunzio, réduit à l'orphisme de la parole, à un chant qui est fin à soi-même; et une dialectique poussée à ses dernières possibilités, une sorte d'intellectualisme mystique, chez Pirandello, voilà les signes qui distinguent les dernières œuvres de ces deux écrivains.

3) D'Annunzio et Pirandello

Des dix-huit compositions, entre tragédies, songes et mistères — comme il se plut lui-même à les définir — qui sont réunies dans les deux volumes du *Théâtre* de Gabriele d'Annunzio, la seule pièce qu'il soit aujourd'hui possible d'écouter est *La fille de Jorio;* de tout son théâtre elle est, en effet, celle qui peut le mieux témoigner d'un tardif retour du poète aux origines de sa poésie.

Il s'agit naturellement d'un retour « sui generis », enrichi de toutes les élégan-ces du vers, raffinées, précieuses, sensuelles, dont il a désormais fait une large expérience (*La fille de Jorio* est de 1904, tandis que *La ville morte,* considérée comme le début du véritable théâtre, après les deux *Songes,* est de 1898). La qualité de cette tragédie, ne consiste pas tant dans le fait que cette fois la « poétique » dannunzienne — « Les figures de ma poésie apprennent la néces-sité de l'héroïsme », comme il est écrit dans le *Discours* qui sert de préface à *Plus que l'amour* — est appliquée avec un singulier bonheur d'invention, que dans ce qu'on y retrouve de primitif, de provincial (dialectal); à tel point que par moments on a l'impression d'entendre dans l'habile pastiche dannunzien des accents réels (véristes) qui donnent à la tragédie une certaine réverbération d'authenticité, d'humanité (3).

De la même façon, des quarante-quatre drames en un ou plusieurs actes, réunis dans les *Maschere Nude* de Luigi Pirandello, ce qui résiste et dépasse la mode du « pirandellisme » et des vaines polémiques avant-gardistes, ce sont les premiers drames, régionaux et dialectaux justement (traduits ensuite par l'au-teur lui-même en italien) : de *L'étau* à *Cédrats de Sicile,* de *Méfie-toi, Giacomi-no !* à *La jarre,* du *Bonnet de fou* au chef-d'œuvre *Liola* — bien que la critique officielle italienne s'enthousiasme beaucoup plus pour ce jeu de bravoure, cette girandole technique et dialectique que sont les *Six personnages en quête d'au-teur.* Si l'on réfléchit à la distance qui sépare une « comédie agreste » comme *Liola* d'un mythe comme *Les Géants de la Montagne,* on doit nécessairement re-connaître que depuis son Agrigente natale l'auteur a fait du chemin; ce qui sem-ble moins probable, c'est que le mythe inachevé des *Géants* soit un point d'arri-vée : mais cela c'est un problème que personne, à ce que l'on sache, n'a jusqu'à présent affronté de façon conséquente et du reste l'œuvre de Pirandello, vingt ans après la mort de celui-ci, attend encore l'étude critique qui en fera le point (4).

---

(3) *La fille de Jorio,* de Gabriele d'Annunzio a été représentée en 1957, à ciel ouvert, au théâtre du Vittoriale à Gardone, avec comme metteur en scène Luigi Squarzina et comme in-terprètes Anna Proclemer (Mila di Codro) et Giorgio Albertazzi (Aligi), avec commentaires mu-sicaux du maestro Angelo Musco, décors de Luciano Damiani, costumes d'Emma Calderini. Cette création, très applaudie à la première représentation, a subi, au contraire, à la reprise, en théâtre fermé (Teatro Quirino à Rome) des critiques sévères, surtout pour avoir cherché à mettre en relief, dans la tragédie, le fond « vériste » et les éléments « folkloristes » en re-nonçant au « chant » du vers dannunzien.

(4) La bibliographie pirandellienne en est encore aux jalons, importants, mais dépassés, marqués par Adriano Tilgher, dans les *Studi sul teatro contemporaneo,* Rome, 1928, par Be-nedetto Croce, dans *Letteratura della Nuova Italia,* vol. VI, Bari, 1940, et par Silvio d'Amico, *Ideologia di Pirandello,* dans *Comoedia,* nov. 1927 (article reproduit dans *Teatro Italiano,* Mi-lan, 1937). A part les écrits de Massimo Bontempelli (*Pirandello, Leopardi, D'Annunzio,* Milan, 1938), de Corrado Alvaro (*Appunti e ricordi su Luigi Pirandello,* dans *Arena,* n° 3, Rome, 1953), de Silvio d'Amico cité plus haut (Introduction au *Teatro,* Milan, 1955), de Giacomo Debenedetti (dans *Saggi Critici,* Nuova Serie, Rome, 1945), aucune nouveauté bien importante, depuis vingt ans que Pirandello est mort n'a été publiée. Pour une bibliographie pirandellienne, en plus des œuvres très connues de M. Lo Vecchio Musti, Milan, 1937 et 1940, il faut voir les *Appendices* II et III d'Eric Bentley, dans *Naked Masks, Five Plays* (Everyman's Library, New-York, 1952).

La génération littéraire qui a suivi immédiatement celle à laquelle appartinrent d'Annunzio et Pirandello a donc été privée de maîtres. Et nous n'entendons pas parler ici de maîtres au sens spirituel, social ou politique (ce qui serait vraiment prétendre trop); disons simplement maîtres au sens technique, artisanal, maîtres de style. De ce point de vue aussi d'Annunzio et Pirandello n'ont pas créé une école, n'ont pas ouvert une voie; tout au plus, leur expérience est exemplaire négativement puisqu'ils l'ont conduite à sa limite extrême. Qui aujourd'hui proposerait comme modèle le langage de *L'enfant de volupté* ou de *Plus que l'amour* ? Et qui écrirait des drames en s'inspirant du dialogue de *Six personnages en quête d'auteur* ou de *Diana et Tuda* ?

Les ferments que le vérisme avait suscités à la fin du siècle dernier dans la littérature italienne, les découvertes auxquelles avaient été conduits les meilleurs de nos écrivains, restent encore le seul point de départ « concret » pour les contemporains. Naturellement il reste difficile d'adapter cette leçon à notre temps, de distinguer notre époque de celle-là, et c'est une grande difficulté qui peut conduire loin sur la voie des équivoques et des compromis. Mais c'est cependant la seule route qui a permis à la littérature italienne d'avoir, malgré tout, des écrivains significatifs comme, pour nommer des personnes connues à l'étranger, Corrado Alvaro, Alberto Moravia, Vitaliano Brancati ou Elio Vittorini.

4) Le théâtre italien entre les deux guerres

Pour le théâtre, la question devient à la fois plus complexe et plus simple; plus complexe, parce que le théâtre italien de la période de l'entre-deux-guerres, une fois le terrain débarrassé de d'Annunzio et de Pirandello, n'a en réalité ni un écrivain ni une œuvre qui le représentent vraiment; et qu'en rendre claire la situation est évidemment une tâche qui demande beaucoup de définitions préalables; d'autre part plus simple, car c'est justement une situation de « table rase » qui nous oblige, en un certain sens, à nous débrouiller en deux mots. Les noms de Ugo Betti et de Eduardo de Filippo, auxquels notre sujet est spécifiquement lié, sont des noms, il est vrai, qui apparaissent déjà et s'affirment dans les années qui ont précédé immédiatement la déclaration de la seconde guerre mondiale; mais leur production la plus importante, celle qui compte, celle qui a défini leur physionomie artistique, appartient tout entière à l'après-guerre. Pratiquement, après d'Annunzio et Pirandello, ce sont les deux seuls noms à citer : il y a entre les dernières œuvres de ceux-ci et les premières de ceux-là une dizaine d'années d'intervalle : laissons aux historiens la tâche de décrire les détails de ce panorama et ses protagonistes; quant à nous, passons directement à ce qui nous intéresse, c'est-à-dire au théâtre italien contemporain dont Betti et de Filippo constituent, pour ainsi dire, les deux « leaders » opposés. Chez eux, en effet, non seulement les deux principales tendances de la dramaturgie italienne se manifestent assez bien, comme nous le verrons, mais aussi on trouve la répétition sous des apparences différentes qui, à notre avis, confirment une certaine identité substancielle, de ce dualisme de position qui existait déjà chez Pirandello et d'Annunzio.

5) UGO BETTI

Ugo Betti est né à Camerino, en 1892. Licencié en droit, il fut volontaire durant la première guerre mondiale; puis, tout en suivant la carrière juridique, il commença à écrire des poésies et des récits. En 1922 il publia une plaquette de vers, la première, et en 1927 il gagnait un prix théâtral avec un drame intitulé *La Maîtresse*. *La Maîtresse* fut représentée à Rome, par la compagnie que dirigeait Pirandello. Depuis lors, et à part les rares et peu heureuses exceptions de deux ou trois tentatives poétiques, de quelques recueils de nouvelles et d'un roman, le travail de Betti a été complètement dédié au théâtre, et il a même peu à peu abandonné sa profession juridique. Le résultat est qu'à sa mort, survenue en 1953, Betti laissait vingt-cinq pièces, tant drames que comédies.

En Italie, le succès est arrivé relativement tard, peu avant sa mort; et il s'agit toujours d'un succès limité au milieu intellectuel (même à une partie de ce milieu, au milieu théâtral, car les littéraires ne le jugèrent jamais avec trop de bienveillance). Le fait est que, de bonne ou de mauvaise foi — nous ne pourrons jamais le savoir — par choix intérieur, ou par disposition naturelle, Ugo Betti fut toujours un écrivain « officiel »; il le fut non pas au sens académique, mais bien avec une pointe de « fronde », tout en l'étant de façon représentative, accepté qu'il était par la classe dirigeante comme le dramaturge numéro un, soit pendant le fascisme, soit dans le climat de démocratie limitée qui, à quelques mois de la libération, fut « restauré » en Italie.

A ce caractère officiel correspond une indifférence déclarée et souvent injuste du public. Il faut remarquer au contraire, spécialement ces dernières années, la résonance que son œuvre a eue à l'étranger et particulièrement en Allemagne et en France (des représentations de ses drames ont été données aussi aux Etats-Unis, en Suède, en Espagne, etc.).

Quels sont les motifs de ce « caractère officiel » et de l'indifférence du public correspondante ?

Généralement une semblable position est caractéristique d'un artiste d'avant-guerre, au sens littéral du mot, qui en quelque sorte précède — dans la recherche des formes, comme dans celle des contenus — son époque et le goût de son époque. Pour nous expliquer par un exemple nous dirons qu'une attitude pareille ne nous étonne pas, par rapport, mettons, à l'œuvre d'écrivains comme Bertolt Brecht, George Bernard Shaw ou Henrik Ibsen. Mais il arrive aussi souvent qu'une telle divergence entre la critique et le public soit le fruit d'une équivoque et qu'en réalité on ne se rende pas compte de la façon dont un intellectuel peut représenter sa classe même avec une attitude qui va contre le courant, comme exemple de cette marge de liberté que toute idéologie doit consentir pour maintenir son pouvoir. C'est le cas d'une bonne partie d'un pseudo-art appelé « anti-bourgeois » et qui s'est avéré ensuite avec le passage des années beaucoup plus « bourgeois » que celui qui a été officiellement reconnu comme tel. Il faut en outre observer qu'il s'agit souvent d'une production « qui n'est pas commerciale » par opposition à une production « commerciale » et qu'il est facile de tomber dans l'erreur qui consiste à déplacer ces termes, en leur attribuant une signification plus large.

Tel fut justement le cas d'Ugo Betti. Le théâtre de Betti est-il donc alors un théâtre fasciste ? Celui qui croirait pouvoir trouver dans la production de cet écrivain un reflet direct de l'idéologie fasciste se tromperait largement. Le thème du théâtre de Betti — toujours identique, avec une cohérence émouvante du premier drame, *La Maîtresse*, de 1927, au dernier, *Eaux troubles*, de 1953 probablement — est par principe loin des questions sociales ou politiques; la fameuse formule avec laquelle les producteurs cinématographiques se défendent des ennuis éventuels : « toute référence à des faits ou à des personnes de la vie réelle doit être considérée comme purement fortuite », pourrait être placée comme devise en tête de chacun des drames de Betti; et même si dans les derniers temps cette prudence s'était quelque peu atténuée — que l'on voie, par exemple, *La Reine et les insurgés*, ou *Le parterre brûlé* ou les *Eaux troublées* — celà doit être considéré comme le plus discret des hommages dus, sinon aux idéaux de son pays, du moins au gouvernement de son pays.

Toutefois, si nous considérons les choses d'un point de vue moins superficiel, nous nous apercevons que le théâtre de Betti, avec son thème monotone et obsédant de la faute, générique, collective, impossible à racheter, qui contamine tout et détruit toute pureté, avec le refus de considérer, sur cette terre, la possibilité d'une lutte pour un avenir meilleur, a été un théâtre qui a « collaboré » avec l'idéologie bourgeoise et fasciste. L'évasion de Betti vers des hommes et des pays imprécis, abstraits, irréels, aux noms exotiques — que seule une critique myope (ou intéressée) pouvait trouver symboliques, puisque, jusqu'à preuve du contraire, n'est symbolique que ce qui, au lieu de se séparer de la réalité, l'exprime au plus haut point, en révèle les liens intérieurs et les développements futurs et en condense toutes les significations possibles — n'est pas l'évasion de l'intellectuel déçu par son époque et par sa société et qui rêve de fonder une « Nouvelle Atlantide ». C'est plutôt la prédication d'une doctrine conçue pour la répression de toute révolte, de toute violence (proclamées inutiles); d'une doctrine établie pour persuader qu'il est vain de rechercher les responsables du mal dont les hommes souffrent, puisque le mal est chez les hommes eux-mêmes, et que la souffrance est leur unique voie pour aspirer au salut; pour déclarer que la justice est impossible et que la corruption existe partout et que toutes les espérances doivent être reportées vers l'au-delà : bref d'une idéologie conservatrice, qui refuse la connaissance du monde car elle ne veut pas, en fin de compte, en changer la disposition actuelle.

Nous voyons bien que parler ainsi, c'est-à-dire si brièvement et en même temps avec tant de décision d'un écrivain qui indubitablement a son importance, peut sembler présomptueux et superficiel, mais il nous manque, malheureusement, l'espace suffisant pour donner, tout au moins ici, de plus amples démonstrations de notre thèse.

6) Engagement et disponibilité

Nous avons donc parlé d'Ugo Betti. Voyons maintenant quel est le rapport entre son œuvre et le thème de l' « engagement » et de la « disponibilité » qui est à l'origine de notre communication. C'est bien simple en un certain sens. S'il y a un auteur dramatique italien dont l'œuvre, bien ou mal, révèle une préoccupation spirituelle cohérente, c'est bien celle de Betti; il peut être considéré comme le dramaturge italien « engagé » par excellence. Du reste, son théâtre est apparemment au moins problématique, et a l'air de poser des questions importantes, définitives pour l'homme, la société et le monde; et la considération même de tout réduire en dernière analyse à des abstractions privées d'un sens réel est encore la « manière » dont il a satisfait son « engagement ».

C'est là l'opinion critique courante; pour notre compte nous sommes de l'avis opposé : nous croyons qu'est « engagé », non pas l'écrivain qui converse abstraitement sur les problèmes et les questions, mais celui qui enfonce son regard dans la réalité, qui en découvre les contradictions, ou, au moins qui s'efforce de les découvrir, avec une attitude cohérente dans la pratique plutôt que dans la théorie. L'engagement de Betti, par conséquent, ne nous intéresse pas ici, puisqu'il est en réalité exactement le contraire de ce qu'il veut apparaître, c'est-à-dire un renoncement.

Le nom d'Eduardo de Filippo est actuellement plus familier au public français, car le souvenir du succès que la représentation parisienne de *Sacrés fantômes !* a remporté l'hiver passé au Théâtre du Vieux-Colombier est encore vif. Mais familiarisation avec le nom de notre auteur-acteur, ne veut pas dire familiarisation avec son œuvre. A notre avis, au contraire, le jugement de la critique parisienne n'a pas été jusqu'à maintenant complètement exact; à juste titre ou non, il apparaît encore faussé par certaines considérations sur la « Commedia dell'Arte » qui ont, récemment encore, induit de nombreuses personnes à tomber dans l'équivoque qui consiste à retenir comme représentée « à l'italienne » une farce d'Eduardo Scarpetta, *Misère et Noblesse,* préparée au contraire dans un genre visiblement *amateur*. Il faut ajouter, il est vrai, que la réputation d'acteur a pesé et pèse encore beaucoup sur Eduardo de Filippo, même en Italie, où, de la part de certains intellectuels et de la critique la plus conservatrice, on nourrit encore quelque défiance à l'égard d'un écrivain qui s'est formé à la pratique de la scène, en faisant semblant d'oublier par là que l'histoire du théâtre a connu des exemples d'écrivains bien plus illustres nés de cette même pratique, dans le passé et le présent : de Molière à Shakespeare, et de notre Goldoni à Shaw ou Brecht.

7) EDUARDO DE FILIPPO

Eduardo de Filippo est né à Naples, en 1900. Enfant de la balle, comme son frère Peppino et sa sœur Titina, aussi fameux les uns que les autres comme acteurs, il a commencé très jeune sa carrière d'écrivain, à vingt-six ans. On sait que sa première activité en tant qu'auteur fut de fournir aux compagnies dans lesquelles il jouait de brèves pièces en un acte, quand ce n'étaient pas de véritables « sketchs » de revue; mais lorsque frères et sœur s'unirent en 1932 dans la troupe qui fut appelée « Les de Filippo », l'activité d'Eduardo écrivain commença à assumer une physionomie différente. Depuis lors, jusqu'aux années de guerre, Eduardo écrivit un nombre considérable de comédies, dans la ligne de la farce napolitaine, toujours avec l'intention de fournir à sa compagnie un répertoire qu'elle n'aurait pas trouvé ailleurs. Mais déjà dans cette période, des comédies comme *Noël chez Cupiello; Moi, l'héritier* et *Je ne te paie pas !* annoncent la grande production qui se développera dans l'après-guerre. C'est depuis 1945, en effet, qu'Eduardo commence ce que nous pouvons appeler à bon droit la série de ses chefs-d'œuvre, puisque des pièces comme *Naples millionnaire, Sacrés fantômes, Filumena Marturano, Les mensonges qui vont loin, Les voix du dedans, La grande magie, La peur numéro un, Mon trésor et mon cœur* et tout récemment *De Pretore Vincenzo*, avec les réserves que l'on doit faire à propos de l'une ou de l'autre, sont des œuvres qui maintiennent haut le niveau d'une littérature théâtrale et qui peuvent figurer dignement à côté de la production cinématographique, narrative, figurative, qui est comprise sous la définition de « néo-réalisme ».

Le théâtre d'Eduardo, pour lequel, depuis les premières tentatives, le succès du public n'a jamais diminué, a tardé, inversement, à obtenir la considération de la critique. Pour mettre en doute sa valeur littéraire divers arguments ont été développés; depuis l'hypothèse, spécieuse, que dans l'exécution interprétée et dirigée par Eduardo lui-même, acteur et metteur en scène parmi les plus remarquables de notre scène, il était difficile de séparer ce qui appartenait à l'acteur de ce qui appartenait à l'auteur et quelle était, par conséquent, la partie « impure » et la partie « pure »; depuis cette hypothèse jusqu'à l'observation, plus fondée, mais elle aussi privée de signification réelle, qu'un théâtre dialectal était toujours un théâtre d'intérêt limité et dont les horizons ne pouvaient forcément pas être très larges. Mais dans ce cas il s'agissait, répétons-le, d'observations valables dans un discours général, mais inapplicables à la réalité de la situation italienne : de la culture, de la société et du théâtre italiens.

Il est vrai, en effet, que le théâtre d'Eduardo de Filippo est écrit en dialecte napolitain, et que l'auteur se sert évidemment du dialecte pour atteindre une vérité qui autrement lui échapperait; mais cette constatation doit être suivie de l'autre, selon laquelle il est impossible aujourd'hui en Italie, de créer un théâtre réaliste en faisant abstraction du dialecte; car une langue nationale existe dans la vie littéraire (essais, études, recherches techniques, etc.), mais elle n'est pas pensable comme « langage » de personnages (il y a le cas tout récent du roman d'Alberto Moravia, *La Ciociara*, écrit à la première personne, avec une combinaison de la langue et du dialecte qui constitue une des qualités éminemment littéraires de l'œuvre), à moins que l'on ne mette cette langue dans la bouche de personnages absolument fantaisistes ou conventionnellement bourgeois (et même, un « réalisme bourgeois », si nous pouvons nous exprimer ainsi, n'est pas pensable dans cette langue). Il s'ensuit alors que ce qui, en un premier temps, se révélait à une observation superficielle comme un moyen limité, c'est-à-dire le dialecte, devient après plus mûre réflexion, la véritable clef d'une expression qui soit à la fois « populaire » et « nationale ». Pour ceux qui voudraient approfondir ultérieurement cette idée, nous conseillons une lecture attentive des œuvres d'Antonio Gramsci, qui a écrit sur ce sujet des pages fondamentales, riches de suggestions qui attendent encore d'être développées.

Celui qui aurait l'intention de lire sérieusement, loin de tout préjugé de ce genre, l'œuvre théâtrale d'Eduardo de Filippo, devrait justement la considérer du point de vue proposé par le thème de notre communication : « engagement et disponibilité ». De Filippo est-il un écrivain « engagé » ? Nous dirions, plutôt, le contraire. Est-il alors un écrivain « disponible », c'est-à-dire prêt à accueillir des voix et des expériences diverses ? Cette seconde hypothèse aussi paraît très discutable, en ce que cette « disponibilité » impliquerait une certaine participation à la vie intellectuelle, qui est, au contraire, tout à fait étrangère à notre écrivain. Cela démontrerait-il, alors, que l'opposition « engagement-disponibilité » est abstraite, et qu'elle ne peut pas servir pour regarder d'un point de vue neuf le panorama du théâtre italien contemporain ? Cela non plus n'est pas tout à fait vrai, car la seule critique sérieuse que l'on puisse adresser à de Filippo est justement l'absence d'un « engagement » (ou mieux l'incapacité d'observer « consciemment » le monde qui l'entoure). S'il existe un auteur « désintéressé » (au sens où l'on utilise ce terme à propos de Machiavel), c'est bien aujourd'hui en Italie Eduardo de Filippo. Son théâtre est le résultat de la perfection et de l'accord avec lesquels il a enregistré ce qu'il a observé; et son importance dérive justement de ce que cette observation est si aiguë, si pénétrante que parfois — bien souvent même — ses comédies atteignent un niveau inconnu pour lui-même et disent des choses qu'il n'a pas songé à dire, mais, par suite de l'honnêteté fondamentale qui le distingue et de l'attachement à la réalité qui est dans sa nature, qu'il a laissé dire aux choses à sa place.

La confiance avec laquelle, dans l'écroulement de toute structure, après la guerre, on regardait vers un pays que la longue privation de la liberté avait, supposait-on, rendu méfiant et suffisamment jaloux de sa démocratie conquise, c'est la sensation que laisse dans l'esprit une œuvre comme *Naples millionaire;* la force de l'illusion et l'attachement désespéré à cette illusion comme l'unique à laquelle on pouvait encore s'accrocher, est le *leit-motiv* déchirant d'une farce comme *Sacrés fantômes !* Et le sens de la famille — qui est le premier noyau social — trouve dans l'œuvre d'Eduardo une représentation qui en cherche et en découvre, sinon toutes, du moins bon nombre de contradictions, de conventions et d'hypocrisies (*Mon trésor et mon cœur* et *Ma famille* sont, à ce propos, deux œuvres significatives). Et tout récemment *De Pretore Vincenzo* (pour lequel il y a les gens qui ont parlé de décadence et ceux qui ont vu un nouvel essor) est une œuvre dans laquelle les rapports complexes qui s'établissent, dans les régions méridionales de notre pays, entre peuple et religion, sont étudiés et représentés avec une vigueur et une vivacité inaccoutumées. Certes, les thèmes du théâtre d'Eduardo pourraient être plus problématiques, plus idéologiques, plus riches, en somme, de pensée ; et c'est ce qui distingue un auteur de première grandeur comme De Filippo, d'autres auteurs de première grandeur comme Arthur Miller, ou comme Jean-Paul Sartre, ou comme Bertolt Brecht (toute distance nécessaire et logique entre ces noms et celui de l'écrivain italien mise à part). Mais il nous faut rappeler ce que nous avons dit à propos de l'évolution qui a conduit d'Annunzio et Pirandello à refuser leur origine dialectale et à se jeter dans les bras du « cosmopolitisme » ; parmi les autres résultats de ce détachement de la réalité, il y a aussi le fait que nos écrivains se sont trouvés partant de zéro et redescendant au niveau de terre des cîmes abstraites « internationales » où étaient arrivés leurs célèbres prédécesseurs. Le chemin aujourd'hui est plus fatigant, plus hérissé d'équivoques et de faux objectifs : résister est difficile, et nous devons au moins reconnaître ce mérite à Eduardo De Filippo : celui d'avoir choisi une voie privée de charme, peut-être, et moins brillante, mais plus sûre ; et d'avoir finalement refusé les invites de ceux qui voulaient l'atteler au char pirandellien, en définissant avec plus de précision encore les limites de son petit domaine propre, et en conservant, par là, intacte son inspiration naturelle et originale (5).

8) Conclusion

Nous en sommes à la conclusion ; nous y sommes arrivés péniblement, à travers mille digressions, en cherchant à éclaircir de nombreuses autres questions pour nous-mêmes, avant de les éclaircir pour nos lecteurs. La matière est en outre trop rapprochée dans le temps et trop peu élaborée pour qu'on puisse la considérer avec sérénité. Qu'on nous pardonne donc notre intransigeance polémique et une certaine absence de nuances dans nos jugements, dans nos accusations et dans nos absolutions ; mais nous avons cru juste et opportun, dans de semblables circonstances, de dire clairement notre pensée, pour qu'elle serve au moins de stimulant à ceux qui, informés dans un tout autre sens, désireraient maintenant se faire une opinion personnelle sur les questions actuelles du théâtre italien.

Et ce sera toujours là, pour nous, un résultat amplement positif.

(Traduit de l'italien par Paul Bedarida).

---

(5) Plus général, peut-être, que le présent article, mais en un certain sens contenant plus d'informations, est mon bref essai publié dans *La Revue Théâtrale*, n° 35 (L. L., *Le Théâtre italien d'aujourd'hui*).

Bibliographie

Gabriele d'ANNUNZIO, *Teatro*, 2 vol., Milan, 1940.
Luigi PIRANDELLO, *Maschere Nude*, 2 vol., Milan, 1955.
Ugo BETTI, *Teatro*, Bologne, 1955, et *Teatro postumo*, Bologna, 1955.
Eduardo de FILIPPO, *Cantata dei giorni dispari*, 2 vol., Turin, 1957.
　　　　　　Cantata dei giorni pari, Turin, en cours de publication.
Teatro Italiano del dopoguerra, édition de Vito Pandolfi, Modène, 1957.

SEAN O'CASEY

un épisode de la vie du théâtre irlandais

par René FRÉCHET
Professeur à l'Université de Lille

Sean O'Casey a soixante-treize ans. Il vit dans le Sud-Ouest de l'Angleterre. Tout récemment il a publié un nouveau volume d'une riche et très pittoresque autobiographie, et a fait représenter une nouvelle pièce. Lui-même est une figure pittoresque : un corps sec et nerveux, des traits expressifs, quelques poils blancs qui dépassent sous la casquette populaire, une mâchoire qui a de la force pour mordre — mais la physionomie n'est point agressive — et, derrière des lunettes, des yeux malades et pourtant pleins de vie, perçants et pourtant pleins de rêve.

O'Casey est né à Dublin en 1884, d'une famille protestante très modeste. Bien que simple ouvrier, son père était cultivé : c'était un grand liseur. En montant sur un escabeau pour prendre un livre, il fit une chute grave des suites de laquelle il mourut : Sean avait trois ans.

Sean était de beaucoup le plus jeune de six enfants vivants — d'autres étaient morts en bas âge. Il était plutôt malingre. Heureusement pour lui, il avait une mère admirable de courage et de foi. Peu après la mort de son père il commença à souffrir des yeux — comme Joyce, avec qui il présente de curieuses analogies. Du fait du milieu auquel il appartenait, de la pauvreté de sa famille, de l'absence du père, il ne fut longtemps soigné que par des remèdes de bonne femme qui ne lui firent aucun bien.

Très tôt il fut un révolté. Révolté contre la cruauté de la vie. Révolté contre l'injustice d'un Etat qui ne soignait pas pareillement riches et pauvres. Révolté aussi contre l'Eglise d'Irlande, église très minoritaire dans ce pays catholique, mais très puissante encore, bien qu'elle eût en 1871 perdu son caractère officiel, et qui plus ou moins consciemment se considérait comme chargée de former ou perpétuer une classe dirigeante. (J'ai encore la vision de l'évêque protestant de Dublin, en culotte et bas noirs fins, tapant du pied dans une librairie protestante de la capitale, de l'air de quelqu'un qui exige attention et obéissance — mais ces temps sont révolus.) D'après O'Casey, son pasteur et le directeur de l'école protestante voisine firent pression sur sa mère pour qu'elle l'envoyât à l'école et à l'école du dimanche en dépit de l'interdiction formelle du médecin. Sean fut très malheureux à l'école; il s'y sentit traité injustement du fait qu'il était pauvre. Il finit par se sauver après s'être vengé d'un de ses maîtres en lui donnant un coup de règle sur le crâne pendant la prière; et sa mère le garda chez elle. Désormais il se forma à peu près seul. Très tôt il dut gagner sa vie. Il fut garçon de courses, employé dans les docks, manœuvre dans la construction, dans les chemins de fer, casseur de pierres, etc., et connut le chômage et la faim. Malgré toutes les difficultés il lisait, découvrait avec enthousiasme Shakespeare, Ruskin, se cultivait peu à peu, adhérait à la Ligue Gaélique et apprenait l'ir-landais sous ses auspices, se passionnait pour le théâtre. En même temps il militait dans les mouvements ouvriers et s'intéressait au socialisme. Il soutint les grévistes dans la grande grève des transports de 1913, où les travailleurs eurent contre eux presque toutes les puissances de l'Irlande, puis il fut quelque temps secrétaire de la « Citizen Army » de Jim Larkin et James Connolly. Il se trouva au milieu de l'insurrection anti-britannique de Pâques 1916, par laquelle une poignée d'idéalistes et de socialistes nationalistes, qui avaient un moment compté sur une aide allemande qui leur fit défaut, réussirent finalement, aidés, si l'on peu dire, par la cruauté des autorités anglaises, à galvaniser une opinion jusque là assez molle : ils surprirent toute la population en se soulevant et en proclamant une République d'Irlande; leur sacrifice, leur exécution échelonnée devait faire d'eux des héros nationaux : trois ans plus tard, toute l'Irlande (moins le Nord protestant) réclamait son indépendance. O'Casey vécut ces journées tragiques intensément, et faillit être fusillé par des soldats anglais qui le prirent pour un franc-tireur; mais il ne fut pas au nombre des combattants. Il était profondément irlandais, mais ne croyait pas à la violence.

Et c'est ainsi que pendant des années, vivant seul avec son admirable mère au milieu du petit peuple de Dublin, il s'enrichit peu à peu d'une expérience que n'avaient eue avant lui ni Swift, ni Goldsmith, ni Yeats, ni Synge, ni même Joyce : il connaissait intimement, comme sa propre chair, les quartiers pauvres, et en particulier ces maisons aristocratiques ou bourgeoises, construites au temps de la splendeur de Dublin, avant l'Union avec l'Angleterre (1800), qui avaient progressivement baissé de rang, et avaient fini par abriter des familles entières dans chacune de leurs pièces. Et il connaissait les souffrances, les maladies, les vices, les tendresses, les dévouements, la religion, les évasions verbales et les chansons de leur population grouillante.

Il se mit à composer des pièces, à les envoyer à l'Abbey Theatre, point de mire de tous les artistes irlandais de ce temps. Un jour, une pièce lui fut retournée avec une note encourageante de Lady Gregory, un des directeurs : continuez, disait-elle, vous êtes sur la bonne voie. Et elle ajoutait : votre fort, c'est la peinture des caractères. O'Casey persévéra : en 1923 l'Abbey Theatre jouait avec beaucoup de succès une nouvelle pièce de lui intitulée *L'Ombre d'un franc-tireur.*

*
* *

L'Abbey Theatre était alors connu dans le monde entier, mais en Irlande il vivait toujours d'une existence menacée. C'était un foyer de culture profondément irlandais, mais beaucoup d'Irlandais le considéraient avec méfiance, comme une menace virtuelle contre leur pays, presque comme un corps étranger.

On sait combien l'Angleterre doit à l'Irlande pour son théâtre : la majorité des dramaturges de langue anglaise sont venus de l'Ile d'Emeraude. Cependant, chose curieuse, jusqu'à la fin du XIXᵉ siècle, il n'y avait jamais eu de théâtre à proprement parler irlandais. Dans la littérature ancienne en gaélique on peut seulement trouver un caractère dramatique à certains dialogues, en particulier aux dialogues où s'affrontent Saint Patrick, évangélisateur et patron de l'Irlande, et Usheen (Ossian), poète de la légende irlandaise et symbole de la civilisation païenne primitive. Congreve, Farquhar, Goldsmith, Sheridan avaient composé leurs pièces en Angleterre, pour un public anglais. Shaw avait suivi leur exemple.

La fin du XIXᵉ siècle vit une brusque renaissance de la littérature irlandaise. Celle-ci fut favorisée par la profonde déception politique que provoquèrent la déchéance puis la mort de Parnell, le « roi sans couronne », à la suite de son procès en adultère. Un grand nombre de jeunes intellectuels qui l'avaient suivi avec enthousiasme, et qui se sentaient maintenant désemparés, retrouvèrent une vocation en entendant les appels du jeune mais déjà grand poète Yeats, qui voulait faire revivre l'âme de l'Irlande en ranimant et en exaltant cette rare imagination qui avait inspiré ses contes et ses légendes populaires. Yeats se distinguait de presque tous les artistes de son temps par le sentiment profond qu'il avait de sa nationalité, et par son amour de sa terre natale. Mais d'autre part il appartenait à la grande famille symboliste : il se distinguait de la majorité des Irlandais par sa connaissance de l'Europe et par son refus absolu d'un insularisme étroit. Encore aujourd'hui trop souvent ses compatriotes se séparent et tiennent à se séparer du reste du monde pour garder leur pureté. C'est l'originalité de Yeats à la fin du XIXᵉ siècle, et c'est aussi sa grandeur d'avoir jalousement et dévotement conservé ses racines terrestres, mais de s'être en même temps ouvert à tous les souffles de l'esprit : d'avoir été largement européen et plus qu'européen.

Yeats n'était pas seulement poète : de très bonne heure il s'était intéressé au théâtre. Il composa et publia une première pièce en vers en 1892, *La Comtesse Cathleen*, une seconde en 1894, *Le Pays du désir du cœur*. Ces mêmes années Shaw faisait jouer ses deux premières pièces, *Maisons de veufs* et *La profession de Mrs Warren*. Ainsi, au moment même où, inspiré par les pièces sociales d'Ibsen, Shaw faisait revivre le théâtre anglais, Yeats ramenait le théâtre à la poésie, et préparait la naissance du théâtre irlandais. Mais il n'y avait pas de troupes irlandaises pour jouer ces pièces que seuls des Irlandais étaient vraiment capables de sentir, et les théâtres de Dublin ne donnaient que des pièces commerciales sans valeur artistique. En 1899, Yeats, Lady Gregory et Edward Martyn fondèrent sur le papier le « Théâtre littéraire irlandais » et, après avoir fait jouer *La Comtesse Cathleen* et une pièce de Martyn par une troupe anglaise, ils publièrent un manifeste, où ils disaient :

> Nous montrerons que l'Irlande n'est pas la patrie de la bouffonnerie et de la sensimentalité comme on l'a fait croire, mais celle d'un idéalisme ancien. Nous sommes sûrs de l'appui de tous les Irlandais qui sont las de se voir travestis.

C'était une allusion très claire pour tout le monde au visage de l'Irlande qu'offraient au public anglais d'une part ces pièces conventionnelles où un Paddy quelconque, souvent sympathique mais toujours ridicule, était chargé d'exciter un rire facile, et d'autre part les mélodies nostalgiques de Thomas Moore ou de ses pâles imitateurs.

La Comtesse Cathleen est une très belle pièce; elle s'imposa à la représentation, malgré son caractère plus lyrique que dramatique, mais elle avait failli ne pas être représentée : dès le premier jour on avait un avant-goût des difficultés perpétuelles que le théâtre irlandais allait rencontrer. La pièce montrait des paysans qui vendaient leur âme au diable contre des sacs de blé pendant une famine; dans un élan de pitié désespéré la comtesse lui vendait la sienne à son tour pour racheter ces pauvres gens. Mais Dieu n'acceptait pas cet abandon, et recevait Cathleen dans sa paix. Des catholiques avaient aussitôt protesté contre cette théologie hétérodoxe; le cardinal Logue, qui n'avait d'ailleurs lu que des bribes de la pièce, avait exprimé de graves réserves, et trente-trois membres de l'Université Royale (qui est maintenant le Collège universitaire de Dublin) avaient écrit une lettre pour dire qu'ils appuieraient avec chaleur un mouvement « sain » de réforme théâtrale, mais que des pièces comme *La Comtesse Cathleen* étaient très compromettantes.

Pour que le « Théâtre littéraire irlandais » devînt une réalité, il fallait encore qu'il eût une troupe irlandaise. Or il existait à Dublin une troupe d'amateurs dirigée par deux frères, William et Frank Fay, tous deux passionnés de théâtre, et las de n'avoir guère à jouer que des farces médiocres. Ils rencontrèrent un ami de Yeats, le poète A. E. (George Russell), qui avait commencé à écrire une pièce sur Deirdré, l'Hélène de la mythologie irlandaise. Cette rencontre fut décisive : quelques mois plus tard, au début de 1902, eut lieu la première représentation de ce qui devait devenir l'Abbey Theatre. Cette fois, ce fut un triomphe : on applaudit la *Deirdré* d'A. E., mais pour la nouvelle pièce en un acte de Yeats, *Cathleen ni Houlihan*, ce fut du délire, un délire qui devait se continuer dans la rue. Cependant la nature même de ce succès était inquiétante pour un artiste comme Yeats, qui ne mettait rien au-dessus de l'art. Yeats aimait (sans être aimé) une belle nationaliste révolutionnaire irlandaise, Maud Gonne; il voulait l'arracher à la politique, au goût qu'elle avait pour la violence et les déclamations démagogiques. Il voulait la gagner à l'art, mais c'était lui qui, sans s'en rendre bien compte, lui avait fait une concession en composant *Cathleen ni Houlihan,* puis en la lui donnant à jouer. Le titre de la pièce est un nom traditionnel de l'Irlande, vue sous les traits d'une femme jeune et belle. La scène était située en 1798, sur la côte ouest, à Killala, année et lieu du débarquement français du général Humbert. Une vieille inconnue entrait dans une humble chaumière, et se mettait à parler à un jeune fiancé, le fils de la ferme, de l'Irlande, des sacrifices qu'elle exigeait de ses enfants. Puis elle sortait, le laissant bouleversé, hésitant. Soudain une clameur se répandait : les Français ont débarqué; les jeunes se joignent à eux. Entendant la voix de la vieille au-dehors, le fiancé se précipitait à sa suite, abandonnant tout. « As-tu vu une vieille qui descendait le sentier ? » demande le fermier à son cadet, un garçon de douze ans, accouru pour apporter la nouvelle du débarquement. « Non, répond-il, mais j'ai vu une jeune fille, qui avait une démarche de reine ». Plus tard Yeats devait se demander si cette pièce n'avait pas envoyé à la mort les insurgés de 1916.

Il manquait encore à la « Société Dramatique Nationale Irlandaise » un théâtre à elle. Ce fut une riche Anglaise qui le lui donna, en 1904, à la suite de la première tournée à Londres de la troupe des frères Fay. Il prit le nom de la rue voisine; ce fut l'Abbey Theatre, qui, grâce d'abord à ses directeurs, Yeats et la vaillante Lady Gregory, allait bientôt acquérir une renommée mondiale.

Yeats et Lady Gregory avaient une idée très claire de ce qu'ils voulaient :

L'Abbey Theatre, écrivirent-ils à l'intention des auteurs dramatiques éventuels, est un théâtre subventionné qui a un but éducateur. Inutile en règle générale de lui envoyer des pièces qui ne visent qu'à amuser. Les pièces doivent comporter une critique de la vie, fondée sur l'expérience ou l'observation personnelle de l'auteur, ou une vision de la vie, de la vie irlandaise de préférence; et cette qualité intellectuelle n'est pas plus nécessaire à la tragédie qu'à la comédie la plus gaie.

Yeats lui-même écrivait essentiellement des pièces lyriques et musicales, mais l'Abbey Theatre ne tarda pas à susciter un grand auteur comique et tragique en la personne de Synge, qui lui fournit *L'Ombre de la Ravine* (1903), *A cheval vers la mer* (1904), *Le Puits des Saints* (1905), *Le Baladin du Monde Occidental* (1907) et *Deirdré des Douleurs* (1910). Ces pièces ont été jouées et applaudies partout dans le monde : en Irlande la plupart d'entre elles ont été accueillies avec beaucoup de réserves ou avec une franche et bruyante hostilité. Synge avait observé avec passion les paysans du Wicklow, les fermiers et les pêcheurs du Kerry ou des Iles Aran; il aimait l'élémentaire, le primitif, l'expression pittoresque et poétique, la passion libre et intense : il avait trouvé tout cela dans l'Irlande, et surtout dans l'Irlande gaélique; mais l'image admirable qu'il en donna était incomplète. Non seulement il était anticlérical, mais il semblait incapable de comprendre la religion chrétienne, dans un pays où le clergé romain est tout puissant, et où l'athéisme et l'agnosticisme sont pour ainsi dire inconnus; de plus il avait un goût naturel pour la liberté, sinon pour la révolte, dans un pays spirituellement docile et profondément puritain. L'héroïne de *L'Ombre de la ravine,* une jeune femme adultère qui partait sur les routes avec un chemineau; les héros du *Puits des Saints,* des aveugles mendiants qui préféraient finalement la liberté de la route et de l'imagination à la guérison miraculeuse que leur offrait un saint; le « baladin du monde occidental » surtout, ce jeune vagabond que son apparition insolite dans un milieu routinier et son discours parricide auréolaient de gloire aux yeux de toutes les femmes du pays, il y avait là de quoi scandaliser cette « Ile des Saints » que l'Irlande veut être. Une réplique du baladin, « Qu'est-ce que cela me ferait si vous m'ameniez un troupeau de femmes, et en chemise encore ? » (1) déchaîna un épouvantable tumulte qui continua tout le reste de la représentation. Yeats parut sur la scène : « Cette terre de saints... », commença-t-il. Violents applaudissements. « De saints en plâtre... », reprit-il. Le reste se perdit dans une clameur offensée. Il maintint la pièce à l'affiche pendant toute une semaine, mais pas un soir il ne fut possible de l'entendre. L'indignation avait gagné la rue et toute la ville.

Cette explosion qui peut paraître simplement burlesque était en fait significative d'un malentendu permanent. Yeats, Lady Gregory, Synge étaient protestants, au moins par leurs origines ou leur formation : ils appartenaient à cette minorité, privilégiée sous le rapport de la fortune et de l'éducation, qui avait longtemps dominé l'Irlande. Non qu'ils se sentissent le moins du monde étrangers dans ce pays : ils étaient profondément irlandais; mieux, l'Irlande populaire paysanne et catholique était un élément indispensable de leur inspiration, et ils le savaient. Mais ils n'étaient pas de cette Irlande là : c'étaient des Irlandais européens, et des artistes, pour qui l'art ne devait être au service de rien, sinon de la vérité et de la beauté.

Beaucoup d'historiens du théâtre irlandais jettent volontiers la pierre à son public, qui leur semble obscurantiste. Et pourtant ces obscurantistes étaient frères des paysans dont l'art de l'Abbey Theatre était nourri. Ce théâtre était vraiment un lieu d'affrontement, et si l'affrontement n'a pas toujours été heureux, la faute n'en est pas uniquement au public. On ne peut qu'admirer le noble idéal et le courage inflexible de Yeats, mais il y avait aussi chez lui une hauteur qui ne favorisait pas les contacts. Quant à Synge, son inconscience du sentiment chrétien pouvait paraître une sorte de provocation. D'autre part il ne faut pas donner une importance démesurée aux ombres du tableau : l'Abbey Theatre existait, si précaire que fût son existence, et ce n'était pas seulement le génie de Yeats et le talent de Lady Gregory, ou le courage de l'un et de l'autre qui le faisaient vivre, mais la venue à lui de nouveaux dramaturges, et la présence et l'argent de ce public même, qui écoutait mal, parfois, qui pouvait protester ou applaudir à tort, mais qui se sentait obligé de répondre à cette interpellation de l'art.

En 1919 Yeats écrivait à Lady Gregory :

---

(1) On croirait une amplification des mots « eighty mile o'females » que, dans les *Pickwick Papers,* Dickens met dans la bouche de Tony Weller (ch. LII).

Nos nouveaux auteurs se sont montrés excellents dans la mesure où ils sont devenus tout yeux et tout oreilles, dans la mesure où leur esprit est devenu un miroir
parfait. Nous avons été les premiers à créer un vrai théâtre du peuple, et nous avons
réussi parce que ce n'est pas une exploitation de la couleur locale, une forme dramatique limitée, n'ayant qu'une nouveauté temporaire, mais le premier acte d'un mouvement qui mûrit dans le monde. Nous faisons parler les classes muettes... [Notre
théâtre est] tout objectif, mais ce n'est pas là le théâtre que nous avions entrepris de
créer.

Dans les débuts, en partie sous l'influence de Lady Gregory elle-même, Yeats
avait déjà parlé d'un théâtre du peuple, mais le peuple irlandais n'avait que très
partiellement accepté l'image idéale que le poète avait de lui. Le peuple avait
bien montré le sens qu'il avait de la beauté verbale, et un accord unanime des
auteurs, des acteurs et du public avait fait de l'Abbey Theatre un temple du
Verbe, et un temple vraiment irlandais. Quand Lady Gregory se plaignait dans
son Journal, d'une certaine actrice anglaise en disant : « Elle n'a pas de respect
pour les mots », elle exprimait bien une exigence nationale. Mais le peuple
n'avait guère souscrit à la dénonciation par Yeats du travestissement de l'Irlandais dans la littérature et le théâtre du XIXe siècle, et il avait imposé un retour
à la comédie ou même à la farce. Il n'acceptait guère les pièces de Synge autres
que *A cheval vers la mer* et *Deirdré des douleurs* qu'à condition qu'elles fussent
jouées comme des farces, et il préférait aux belles pièces mythologiques et lyriques de Yeats les comédies d'ailleurs non dépourvues de valeur des « réalistes
de Cork » tels que Lennox Robinson.

*
* *

L'ombre d'un franc tireur (1923), *Junon et le paon* (1924) et *La charrue et
les étoiles* (1926) forment un bloc dans la production dramatique d'O'Casey, et
les deux dernières de ces pièces en sont sans doute le sommet. Elles furent toutes trois écrites en Irlande, et créées par l'Abbey Theatre; elles présentent toutes
le même milieu, celui où l'auteur avait grandi, où il vivait encore, le milieu des
pauvres de Dublin. C'était là leur grande nouveauté. Jusqu'alors l'Abbey Theatre n'avait guère connu que la terre et les paysans, ou la population des petites
villes provinciales. Prédilection naturelle : l'Irlande est un des pays les plus ru-
raux de l'Europe, et il faut avoir vu la campagne, ou plutôt marché sur la terre
irlandaise pour connaître vraiment l'Irlande. Jusqu'à ces dernières années en
tout cas ce peuple n'a jamais été bâtisseur de villes : la plupart des villes de l'île
sont petites, et les seules qui aient du caractère sont des créations scandinaves,
normandes ou anglaises : ainsi Dublin, Kilkenny, Westport. Mais Dublin est une
grande ville, et, chez elle, le caractère profondément terrien de l'Irlandais ajoute
une aliénation morale supplémentaire au drame universel des pauvres des villes.
De plus, en 1923, Dublin avait d'affreux taudis à côté de ses beaux quartiers, ou

même derrière ses belles façades. Michelet et beaucoup de voyageurs avaient été effrayés de ses misères; mais O'Casey fut le premier écrivain à s'emparer du thème des pauvres de Dublin, et à lui donner une grandeur humaine.

L'action de *L'ombre d'un franc tireur* se passe dans une de ces grandes maisons surpeuplées des quartiers pauvres de la ville, en 1920, c'est-à-dire pendant ce que les Irlandais appellent « les troubles », cette période agitée où l'administration britannique et une administration irlandaise issue des élections de 1918 se disputaient l'autorité, et où la population vivait sous la menace de deux forces armées opposées, à peu près indépendantes et irresponsables l'une et l'autre, la police militarisée britannique connue à cause de son uniforme sous le nom de « Black and Tans » et l' « Armée Républicaine Irlandaise ». Le bruit s'est répandu parmi les habitants de cette maison que l'un d'eux, Donal Davoren, qui est poète, est un franc tireur. Rien ne justifie cette rumeur, mais elle le flatte trop pour qu'il la démente, et le voilà aimé de la jeune et simple Minnie Powell, sa voisine, qui était déjà charmée par sa qualité de poète. Brusquement des soldats britanniques se précipitent dans la maison pour la fouiller. Juste à ce moment Davoren s'aperçoit qu'un sac qui a été déposé dans sa chambre est plein de bombes; Minnie le saisit et l'emporte dans sa chambre. Les soldats découvrent les bombes, arrêtent Minnie, qui est tuée en essayant de s'évader.

On voit que cette pièce n'est pas sans rappeler, dans le genre tragique, *Le Baladin du Monde Occidental*. Ces deux œuvres traitent deux thèmes celtiques et particulièrement irlandais : celui de la puissance des mots, et celui de l'attrait du rebelle. Pensons que pendant des siècles les pays celtiques ont été des pays de tradition orale et sans écriture, que l'Irlande, comme le Pays de Galles, a toujours été le pays de l'éloquence, et enfin que chez elle, rébellion a été longtemps synonyme de patriotisme. Mais il y a aussi beaucoup de différences entre *L'ombre d'un franc tireur* et *Le Baladin du Monde Occidental*. Dans le cas de la pièce de Synge le rideau tombait sur un Christy Mahon transformé, assuré, exalté par la conscience qu'il avait prise de sa puissance verbale, et de sa capacité de se faire une réputation. Il partait sur les routes, laissant le village retomber dans sa routine et sa médiocrité monotone; et Pegeen, la fille de l'auberge, qui s'était éprise de lui, éclatait en sanglots désespérés : « O douleur ! Pour sûr je l'ai perdu. J'ai perdu l'unique Baladin du Monde Occidental » (2). Selon son habitude Synge avait glorifié l'artiste et le rebelle. Au contraire, dans la pièce d'O' Casey, l'éloquence n'a pas suffi à faire de l'artiste un homme : Davoren n'est que « l'ombre d'un franc tireur », et ses dernières paroles sont des lamentations :

Ah, malheureux ! Douleur, douleur à jamais ! C'est terrible de penser que la petite Minnie est morte, mais c'est encore plus terrible de penser que Davoren et Shields sont en vie ! Ah, Donal Davoren, à toi la honte jusqu'à ce que la corde d'argent soit dé-

---

(2) On a critiqué cette traduction en disant que « the Western World » désignait simplement l'Ouest de l'Irlande. « The Western World » désigne bien l'Ouest de l'Irlande, mais magnifiquement et non simplement.

nouée, et brisée la coupe d'or. Ah, Davoren, Donal Davoren, poète et poltron, poltron et poète !

Synge était avant tout un artiste : O'Casey a été un pauvre, qui a vécu avec les pauvres; il a vu, touché du doigt la misère et le vice; il a vu, aussi, jour après jour, le simple et lumineux courage de sa mère, et jamais il n'oubliera que la lumière qui luit dans les ténèbres est une lumière morale. Le pittoresque de la rébellion ne le séduit pas : c'est la réalité qu'il cherche, la réalité de la faim, de la misère, de la santé et de la joie, et aussi celle du cœur. Il ne rabaisse Davoren pas plus qu'il ne l'exalte : il se moque de lui et des autres pauvres et des autres poltrons qu'il nous montre, mais c'est avec tendresse et compassion; il est poète en prose lui-même, mais de même qu'ironie et compassion sont inséparables chez lui, du moins à ce point de sa carrière, de même il veut que s'allient la poésie et le cœur.

Le milieu décrit dans la pièce suivante, *Junon et le Paon,* est le même. La scène se passe cette fois en 1922, c'est-à-dire au milieu de la guerre civile opposant les Irlandais qui acceptaient et ceux qui refusaient le traité, négocié en 1921 entre Arthur Griffith et Michael Collins d'une part et Lloyd George d'autre part, traité qui avait été ratifié par l'Assemblée de la Dail en janvier 1922. La pièce est une tragédie, et pourtant on ne cesse guère de rire en la voyant, tant O'Casey et « le paon » ont d'imagination et de faconde, tant l'auteur a de tendresse pour ce nouveau poète — poète en prose, en tout cas — tout en jetant une lumière implacable sur sa lâcheté et sa vanité, et sur les conséquences catastrophiques qu'elles ont pour sa famille. Son fils Johnny a été blessé à la hanche pendant l'insurrection de Pâques 1916 et a perdu un bras en luttant contre le gouvernement de l'Etat Libre dans les rangs de l' « Armée Républicaine Irlandaise ». C'est maintenant un homme sans ressort : il vend un de ses anciens camarades aux gouvernementaux, et ne cesse de trembler et de se blottir sous la protection de la Sainte Vierge. Un maître d'école beau parleur vient annoncer à Mr Boyle — le paon — qu'il est couché sur le testament d'un très riche cousin qui vient de mourir. La nouvelle est vraie, à cette réserve près qu'aucun nom ne figure sur ledit testament, et que Mr Boyle est héritier au même titre qu'une multitude de cousins. La vérité ne se découvrira que quand la ruine de la famille sera complète : le paon, qui était déjà en chômage, a multiplié les séances au café avec un parasite, et a acheté à crédit force meubles et un phonographe; pendant ce temps, sa fille, qui faisait grève par solidarité syndicale, s'est laissé séduire par le maître d'école : elle va avoir un enfant. A la fin de la pièce le séducteur disparaît, Johnny est exécuté, et l'on découvre à la fois la ruine de la famille et le déshonneur de Mary. Heureusement il y a Junon, la vaillante Mrs Boyle. C'est elle qui a soutenu toute la famille, mais voyant qu'il n'y a vraiment rien à espérer de son mari, elle décide de s'en aller chez une sœur avec sa fille pour que celle-ci puisse recommencer une nouvelle vie. Auparavant elles iront voir le corps de Johnny, dit-elle. Mais Mary a peur de ce spectacle.

Mrs Boyle. — J'oubliais, Mary, j'oubliais; ta pauvre vieille égoïste de mère ne pensait qu'à elle-même. Non, non, il ne faut pas que tu viennes — ça ne serait pas bon pour toi. Va chez ma sœur, et j'affronterai cette épreuve toute seule. Peut-être que je n'ai pas assez partagé la peine de Mrs Tancred quand on a trouvé son pauvre fils comme on a maintenant trouvé Johnny — parce qu'il était républicain ! Ah, pourquoi ne me suis-je pas rappelé qu'il n'était plus pour la République ou l'Etat Libre, mais qu'il n'était plus qu'un pauvre fils mort ! Je me rappelle bien tout ce qu'elle a dit — et c'est à mon tour de le dire maintenant : Qu'est-ce que la douleur que j'ai ressentie, Johnny, à te mettre au monde pour te porter au berceau auprès de la douleur que je vais ressentir à t'emporter hors de ce monde pour te mettre dans ta tombe ! Mère de Dieu, Mère de Dieu, ayez pitié de nous tous ! Sainte Vierge, où étiez-vous quand mon fils chéri a été criblé de balles ! Sacré cœur de Jésus, retirez-nous nos cœurs de pierre, et donnez-nous des cœurs de chair ! Otez cette haine meurtrière, et donnez-nous votre amour éternel !

Elles s'en vont, laissant la scène vide. Au bout d'un moment on voit entrer le paon et son parasite d'ami, complètement saoûls, et c'est sur de nouvelles déclarations ronflantes, coupées de hoquets, que le rideau tombe.

En entendant ces dernières paroles de Mrs Boyle, on ne peut s'empêcher de penser à celles que dans *A cheval vers la mer* la vieille Maurya prononce sur le corps du dernier de ses fils, que la mer lui a pris à son tour :

Ils sont tous partis maintenant, et la mer ne peut plus rien me faire... Je n'aurai plus de raison maintenant d'être debout à pleurer et prier quand le vent se déchaîne du midi, et qu'on entend les brisants de l'est et les brisants de l'ouest (3) faire de leurs deux bruits une grande rumeur en se frappant l'un contre l'autre. Je n'aurai plus de raison maintenant de descendre chercher de l'eau bénite par les nuits sombres d'après la Toussaint, et je ne me soucierai pas de l'état de la mer quand les autres femmes pleureront. Ce n'est pas que je n'aie prié le Dieu Tout-Puissant pour toi, Bartley. Ce n'est pas que je n'aie dit des prières dans la nuit sombre jusqu'à ne plus savoir ce que je pouvais dire; mais c'est un grand repos que je vais avoir maintenant, et il en est temps, grand temps. C'est un grand repos que je vais avoir maintenant, et de grandes heures de sommeil par les longues nuits d'après la Toussaint, quand même nous n'aurions à manger qu'un peu de farine mouillée, et peut-être un poisson qui sent mauvais.

Ils sont tous ensemble maintenant, et la fin est arrivée. Que le Dieu Tout-Puissant ait pitié de l'âme de Bartley, de l'âme de Michael, et de l'âme de Sheamus, Patch, Stephen et Shawn; et qu'Il ait pitié de mon âme, Nora, et de l'âme de tous ceux qui restent en vie dans le monde.

Michael est enterré comme il faut, loin dans le Nord, par la grâce du Dieu Tout-Puissant. Bartley aura un beau cercueil fait de ces planches bien blanches, et une tombe profonde, très profonde. Que pouvons-nous demander de plus ? Aucun homme ne peut vivre pour toujours, et il ne faut pas nous plaindre.

Evidemment la supériorité de Synge est ici incontestable. La comparaison des deux passages n'en est pas moins intéressante. Notons d'abord que la beauté des paroles de Maurya, fruit de l'art de son créateur, tient à la fois à la sim-

---

(3) La scène se passe dans une île de la côte ouest.

plicité de sa vocation artistique, et à la simplicité de la population élémentaire qui l'a inspirée. Les gens de l'Ouest dont la vie se passe au milieu d'une nature merveilleusement inhumaine ont une incomparable dignité d'imagination et d'expression. L'imperfection des paroles de Mrs Boyle, elle, révèle en son créateur un artiste imparfait, mais le va et vient de la pensée et des phrases dans ce passage convient bien à cette pauvresse de Dublin, si vaillante et humaine, sans cesse coudoyée et harcelée par sa famille et par une nuée de voisins. Sa prière rend un son plus étroitement irlandais que celle de Maurya.

La charrue et les étoiles se passe encore dans le même milieu, mais cette fois en 1915-1916. On y voit encore des hommes lâches qui se paient de mots et de gestes, et des femmes plus vaillantes, qui ont au moins le mérite de la simplicité et du naturel; on y entend aussi un nationaliste plein d'un noble idéal dont l'éloquence grisante rend un son incongru au seuil des quartiers populaires où la vie ne peut s'épanouir, et où rôdent la misère et la maladie. Ce nationaliste n'est qu'une ombre sans nom qu'on aperçoit par la fenêtre d'un bar mal fréquenté, mais les paroles qu'il prononce sont des passages d'un discours historique de Patrick Pearse, le chef et l'un des martyrs de l'insurrection de Pâques 1916. Ces paroles sont commentées par les clients du bar parmi lesquels une fille publique. Cette scène fait sentir d'une façon un peu déconcertante à quel point est limité le milieu sur lequel O'Casey concentre son attention : tous les habitants de la maison dont les autres actes montrent soit l'intérieur soit l'extérieur défilent tour à tour dans ce bar, incapables d'écouter jusqu'au bout le beau discours dont nous parviennent des bribes; mais personne d'autre n'entre, or on devine une foule attentive au-dehors et l'on se dit que le dramaturge laisse les neuf dixièmes de l'Irlande à la porte de son théâtre. C'est cependant le passage le plus saisissant d'une très forte pièce.

L'ombre d'un franc tireur et *Junon et le paon* avaient eu un très vif succès, et avaient même largement contribué à rendre vie à l'Abbey Theatre qui avait beaucoup souffert de la guerre civile, le public n'osant plus guère venir — en mars 1923 les théâtres de Dublin avaient reçu un ordre écrit émanant d'un prétendu « gouvernement de la République d'Irlande » leur enjoignant de fermer en signe de deuil national — ordre rapidement suivi d'un ordre contraire émanant du gouvernement de l'Etat Libre. Les subventions de Miss Hornimann avaient déjà cessé depuis des années, et en 1922 et 1923 la situation du théâtre avait été si critique qu'on avait sérieusement songé à le fermer, et que finalement Lady Gregory s'était décidée à négocier avec le gouvernement pour obtenir de lui une subvention régulière, mesure indispensable sans doute, mais dont elle n'avait peut-être pas bien mesuré les redoutables conséquences. Les deux premières pièces d'O'Casey rapportèrent beaucoup d'argent, mais on eut un premier signe des réticences traditionnelles de l'Irlande lorsqu'un directeur de Cork posa comme condition à la production de la seconde dans son théâtre la suppression de toute allusion à la religion, et l'escamotage de la séduction de Mary.

Pour *La charrue et les étoiles* ce fut bien autre chose. Michael Dolan, un des acteurs, fut le premier à faire des réserves, bientôt suivi par un économiste, Mr George O'Brien, qui venait d'entrer au comité de direction, où il représentait le gouvernement : il demanda la suppression d'une scène d'amour, du personnage de la fille publique et en tout cas d'une chanson de son rôle, ainsi que du mot « bitch » (catin) ; la pièce, écrivit-il à Yeats et Lady Gregory, risquait de scandaliser une partie de l'opinion publique et de rendre ainsi difficile le maintien de la subvention officielle. Yeats et Lady Gregory tinrent bon : « La prostituée, répondit Yeats, est certainement nécessaire à l'action d'ensemble et à l'idée générale... Eliminer des parties de cette scène pour des raisons qui n'ont rien à voir avec la littérature dramatique serait une négation de toutes nos traditions. » Aux répétitions les difficultés recommencèrent : après avoir pris l'avis de son confesseur, une des meilleures actrices, Eileen Crowe, refusa de dire la phrase : « Je n'ai jamais eu d'enfant qui ne soit né entre les limites des Dix Commandements ». Et le tragédien Mc Cormick suivit son exemple. A la première représentation il y eut un tumulte digne de celui qui avait accueilli *Le Baladin du Monde occidental :* des femmes, menées par Maud Gonne et les veuves de plusieurs des fusillés de Pâques 1916, Mrs Pearse entre autres, étaient là pour défendre ce qu'elles considéraient comme l'honneur de l'Irlande. Des protestations, des cris fusèrent de partout : « C'est une insulte à la mémoire de Pearse », cria-t-on pendant la scène du bar, puis, au moment où l'on voit deux officiers de l' « Armée des Citoyens », portant chacun leur drapeau, venir boire un verre à leur tour : « Ces drapeaux ne sont jamais entrés dans un bar ». « Il n'y a jamais eu de prostituées à Dublin », entendait-on encore. Enfin il y eut une ruée vers la scène où divers projectiles commencèrent à pleuvoir. Une fois de plus Yeats parut au milieu des acteurs pour faire face au public ; il fit, au milieu d'un bruit indescriptible un discours indigné, que seuls purent entendre quelques journalistes qui s'étaient approchés, mais dont il alla ensuite communiquer lui-même à la presse le texte, que voici :

Je croyais que vous vous étiez lassés de cela. Il y a quinze ans que cela a commencé. Vous vous êtes déshonorés une fois de plus. Est-ce ainsi que l'on célébrera toujours l'apparition du génie irlandais ? Vous venez une fois de plus de balancer le berceau de la gloire. La réputation d'O'Casey est née ce soir. C'est une apothéose.

O'Casey avait avec son intrépidité habituelle fait son métier de dramaturge, mais, comme Synge avant lui, il avait par maladresse provoqué le public, en utilisant des paroles historiques de Pearse. En Irlande tout tend à prendre un tour personnel, toute évocation dramatique risque de tourner à l'anecdote ; qui donc veut s'élever jusqu'à l'idée générale et traiter un thème universel doit faire un effort plus vigoureux qu'ailleurs pour se dépouiller.

Comme Yeats l'avait dit, O'Casey était maintenant célèbre. Mais peu à peu son indignation montait contre son pays. Et il n'était pas facile à vivre : ainsi, quand il voyait Yeats venir à l'Abbey en tenue de soirée, il faisait exprès de venir en casquette et en sweater ; en toute occasion et parfois hors de saison, il tenait à bien montrer ce qu'il était. Les recettes de ses trois pièces lui permirent d'aller en Angleterre, où il se mit à travailler à une quatrième, qui fut *La coupe d'argent* (*The Silver Tassie*).

Il essaya de s'y renouveler, en élargissant son horizon et en modifiant sa technique. L'action se passe pendant la première guerre mondiale; elle commence bien à Dublin, dans le milieu habituel, mais le second acte nous transporte en France, sur le front, et le troisième, dans un hôpital militaire. Le second acte est une sorte d'essai musical expressionniste, coupé de chœurs de brancardiers, de blessés et de combattants; on voit ces derniers adorer le canon. Le personnage principal, Harry Heegan, était un garçon plein de vitalité, un grand joueur de football, à qui l'on avait donné une coupe d'argent en récompense de ses exploits. Blessé à l'épine dorsale, condamné à se déplacer sur une petite voiture, il est abandonné par les deux jeunes filles qui se l'étaient disputé. Au dernier acte on assiste à une fête dans la salle du club auquel il appartenait; il est là, mais il n'y a plus qu'amertume pour lui, et tout le monde se détourne de lui.

Le thème, on le voit, est banal, et il est traité sans finesse ni subtilité. Le mélange des genres : comédie réaliste, sorte de fantaisie-ballet ou de parodie expressionniste, est assez déconcertant. Enfin la langue d'O'Casey perd une grande partie de sa saveur lorsqu'elle cesse d'être franchement irlandaise et dublinoise, et ses vers — car il y a de nombreux passages en vers — sont très quelconques. Cependant la pièce a certainement de la force, et ce qui fait son originalité, c'est la passion élémentaire qui l'anime, une passion bien irlandaise par sa naïveté, sa spontanéité, sa crudité, son insouciance de l'opinion et de la règle. Mais c'est peut-être une pièce curieuse plutôt qu'originale, et sa curiosité consiste dans la combinaison plus ou moins heureuse de cette passion irlandaise avec un zèle humanitaire et, pourrait-on dire, vitaliste, biblique d'expression, qui a suggéré à un critique un rapprochement avec les croisades de l'Armée du Salut, et qui est fort peu irlandais : certes, le zèle missionnaire de l'Irlande est immense, mais c'est un zèle très rigoureusement catholique et même clérical.

La Coupe d'argent était destinée à l'Abbey Theatre, mais ce fut en Angleterre qu'elle fut créée, car Lennox Robinson n'en voulut pas, Lady Gregory fut très réticente, et Yeats très sévère. O'Casey fut naturellement irrité par leur attitude négative, et particulièrement offensé par une proposition de Yeats qui lui parut d'une condescendance protectrice tout à fait déplacée. Il envoya toute la correspondance échangée au poète et journaliste A.E., qui la publia dans son *Irish Statesman*, au grand mécontentement de Yeats. Celui-ci reçut alors une lettre de Shaw, lui reprochant d'avoir mal compris la pièce incriminée, et surtout de l'avoir refusée, alors, disait-il, qu'O'Casey était désormais « hors-concours »; mais la brouille était consommée, pour le plus grand dommage, sans doute, des deux parties.

L'Abbey Theatre devait en 1935 faire un acte de contrition et de réparation en reprenant la pièce qu'il avait refusée en 1928, mais O'Casey est resté en

Angleterre, où, comme beaucoup d'autres artistes irlandais exilés, il ne cesse de penser à l'Irlande. Il a composé successivement *Within the Gates* (1933) qu'on a appelé une « allégorie panoramique du monde moderne », et dont les personnages sont le Rêveur, l'Athée, la Jeune Prostituée, l'Evêque, les Finis, etc.; *Purple dust* (1940), farce inopportune, où l'ironie de l'auteur s'exerce aux dépens de deux riches Anglais qui sont venus s'installer en Irlande; *The Star turns red* (1940), pièce communisante fort naïve et peu originale, dédiée « aux hommes... qui luttèrent dans le lock-out de Dublin de 1913 », et qui se termine par la victoire des travailleurs dont les soldats viennent grossir les rangs, par le chant de l'Internationale et l'invocation « Ah, Etoile Rouge, lève-toi, sur tout le vaste monde ! »; *Red Roses forme* (1943), pièce plus belle et plus humaine sur laquelle nous reviendrons tout à l'heure; *Oak Leaves and Lavender* (1946), pièce inspirée par la guerre, et dans laquelle O'Casey épouse la cause de l'Angleterre et de l'Union Soviétique contre « les ennemis de l'humanité »; *Cock-a-doodle Dandy* (1949), fantaisie dédiée au poète de la fantaisie, James Stephens, et qui nous ramène franchement en Irlande, mais seulement pour faire impitoyablement la critique d'un Etat clérical et d'un puritanisme étouffant, et pour inviter tous les Irlandais qui aiment la vie et la liberté à suivre l'héroïne « en un lieu où la vie ressemble plus qu'ici à la vie »; et enfin *The Bishop's Bonfire* (1955), où l'auteur reprend sa critique du cléricalisme et d'une religion puritaine et desséchante : dans une petite ville de province irlandaise on se prépare à accueillir magnifiquement l'évêque (catholique); le clou de la réception sera un feu de joie où seront consumés tous les mauvais livres et écrits dont la censure officielle n'a sans doute pas suffi à débarrasser la très catholique ville de Ballyoonagh.

La meilleure de ces pièces est sans aucun doute *Pour moi des roses rouges* (*Red Roses for me*). Les autres ne sont certes pas sans intérêt : ce sont toutes des pièces sincères, convaincues, et le dialogue en est souvent savoureux et piquant. Mais la brève analyse qui vient d'en être faite suffit à montrer qu'à partir du moment où il a définitivement rompu avec l'Irlande, où il avait le sentiment d'étouffer, O'Casey est devenu irrémédiablement un auteur à thèses. On ne songerait guère à lui reprocher d'avoir changé d'idées : il semblait opposé à la violence dans *La charrue et les étoiles,* tandis que dans *L'étoile devient rouge* (*The Star turns red*) et *Feuilles de chêne et lavande* (*Oak leaves and Lavender*) il exalte la révolte et une lutte dans laquelle « la justice et la guerre se son embrassées » : sans doute déclarerait-il que ces deux attitudes ne sont pas contradictoires : que la violence à laquelle il s'était opposé était au service d'une idée abstraite ou fausse, tandis que celle qu'il approuve est au service d'une réalité sociale et humaine. Ce qui est plus grave, c'est que son message spirituel n'est pas très clair, qu'il semble prendre un tempérament pour une doctrine, et qu'il parvient difficilement à s'élever du local et du particulier à l'universel et à l'humain. Il y a trop de rancune personnelle dans sa satire. Quant aux vertus qu'il prône, elles sont d'un vague inquiétant : on voit bien qu'il exalte la vie, la liberté, la couleur et la joie, mais ses personnages mêmes ne sont pas toujours faits pour nous convaincre que la vie et la liberté sont foncièrement bonnes. Et voilà le reproche le plus sérieux : c'est qu'il écrit des pièces à thèse alors qu'il était plutôt fait, semble-t-il, pour faire vivre des personnages, comme le lui avait dit Lady Gregory. Depuis 1928 ses pièces sont faites de ses rêves et de ses idées : il leur manque le contact quotidien avec la réalité, qui avait nourri et inspiré *Junon et le paon* et *La Charrue et les étoiles.*

Pour moi des roses rouges fait exception. Cette fois les vieux souvenirs de Dublin sont remontés à la surface avec une telle intensité, ont éveillé une si profonde tendresse, que tous les éléments de la pièce se sont plus heureusement fondus. Ce n'est plus, ce ne pouvait plus être une pièce réaliste comme *La Charrue et les Etoiles,* mais c'est une émouvante et dramatique profession de foi, en même temps qu'une sorte d'action de grâces.

L'indication du début concernant l'époque : « Un récent passé » (A little while ago) ne doit pas nous tromper : O' Casey a été inspiré par le lock-out et la grève des cheminots irlandais de 1913, ainsi d'ailleurs que par la belle figure d'un pasteur qu'il avait connu dans sa jeunesse, et, dans le personnage d'Ayamonn Breydon, jeune cheminot qui aime la vie et l'art, qui refuse de sacrifier la fraternité humaine à un amour égoïste, et qui meurt sans haine sous les balles de la police à la tête d'une manifestation de travailleurs, il s'est dépeint lui-même, tel qu'il avait été, et surtout tel qu'il aurait voulu être. Toujours il avait été hanté par le problème de la nécessaire alliance de la valeur esthétique et de la valeur morale : le gémissement de son Donal Davoren : « Poète et poltron, poltron et poète ! » traduisait un souci profond de tout son être. Son Ayamonn est une sorte de héros et de saint, et il est déjà poète en espérance, et cependant, malgré toutes les qualités qu'il lui a données, O'Casey a su en faire un personnage émouvant en mêlant en lui à la fois tous ses souvenirs et toutes ses aspirations.

Sans doute cette pièce vivra-t-elle, comme un émouvant symbole du difficile mais nécessaire dialogue de l'artiste et de la patrie qui l'inspire et qu'il veut recréer.

BIBLIOGRAPHIE

Sean O'CASEY, *Collected Plays,* 4 volumes, Macmillan, 1949, sq.

Sean O'CASEY, *The Bishop's Bonfire,* Macmillan, 1955.

Sean O'CASEY, *I knock at the door; Pictures in the Hallway; Drums under the Windows; Inishfallen, Fare Thee Well; Rose and Crown; Sunset and Evening Star,* 6 volumes d'autobiographie, Macmillan, 1939-1954.

Jules KOSLOW, *The Green and the Red, Sean O'Casey : the man and his plays,* Gold Griffin Books, New-York, 1950.

W. B. YEATS, *Collected Plays,* Macmillan.

W. B. YEATS, *Autobiographies,* Macmillan.

Lady GREGORY, *Seven short plays,* Putnam.

Lady GREGORY, *Our Irish Theatre,* 1913.

Lady Gregory's Journals, 1916-1930, edited by Lennox ROBINSON, Putnam, 1946.

J. M. SYNGE, *Plays*, Tauchnitz. *Collected Plays*, Penguin Books.

Dawson BYRNE, *The Story of Ireland's National Theatre, The Abbey Theatre*, Dublin, The Talbot Press, 1929.

Peter KAVANAGH, *The Story of the Abbey Theatre*, New-York, Devin Adair, 1950.

Lennox ROBINSON, *Ireland's Abbey Theatre*, Sidgwick et Jackson, 1951.

Una ELLIS-FERMOR, *The Irish Dramatic Movement*, 2nd edition, Methuen, 1954.

T. R. HENN, *The Harvest of Tragedy*, Methuen, 1956.

Paul Vincent CARROLL, « Can the Abbey Theatre be restored », *Theatre Arts*, January 1952.

Sean O'FAOLAIN, « Ireland after Yeats », *The Bell*, Summer 1953.

A. RIVOALLAN, *Littérature irlandaise contemporaine*, Hachette, 1939.

LE THÉATRE DANOIS D'AUJOURD'HUI

par Maurice GRAVIER
Professeur à la Sorbonne

Certains animateurs de théâtre nous déconcertent parfois. Ils se plaignent volontiers, on ne leur propose que des pièces médiocres. « Nous n'avons pas de bons textes » disent-ils. Indiquez-leur un auteur bien doué mais inconnu, une source presque vierge, à laquelle ils n'auront qu'à puiser, ils haussent discrètement les épaules, ils détournent la conversation. Récemment, en présence d'un directeur, je m'étonnais qu'en France on connût si mal le théâtre scandinave contemporain. La Scandinavie pour nous, c'est la *Danse de Mort* et les *Revenants*. Hors d'Ibsen et de Strindberg, point de salut. Cet aimable directeur m'interrompit d'un geste, il ajouta : « Si l'on ne joue rien d'autre, c'est qu'après Ibsen et Strindberg, il n'y a plus rien. » Pour un interlocuteur si sûr de son information, je ne pouvais rien. Je vais m'efforcer néanmoins de vous prouver que la vie dramatique est très active dans le Nord et plus particulièrement au Danemark, patrie de Kaj Munk, de Kjeld Abell et de Soya (1).

Le théâtre danois vit sur de très anciennes et très respectables traditions. Au Théâtre Royal (Det Kongelige Teater), les Français ne se sentent pas tout-à-fait dépaysés. Un comédien français, disciple indirect de Molière, Magnon de Montaigu, a contribué à fonder cette noble institution. L'œuvre comique de Molière a été traduite très tôt au Danemark et jouée sur la vieille scène de Grønne Gade. (Notons en passant que le Théâtre Royal est opéra en même temps que comédie, c'est un Français aussi, Bournonville, qui a créé ici une école de ballets, la plus vivace et la plus originale de toute l'Europe septentrionale) — de nos jours encore, le style du Théâtre Royal rappelle celui de la Comédie Française et un acteur comme Paul Reumert qui étudia quelque temps en France et triompha à Paris même en jouant dans notre langue *Tartuffe*, la *Danse de Mort*, *Professeur Klenow*, contribue puissamment à entretenir les liens traditionnels qui unissent Det Kongelige à notre théâtre français. Ajoutons que le répertoire da-

_____

(1) Cf. Indications bibliographiques et chronologiques à la fin de la communication.

nois ancien, fidèlement cultivé ici, n'a rien d'indiscret ni d'étouffant, il se compose de comédies classiques comme celle du grand Holberg, de tragédies nationales et romantiques, celle d'Œhlenschläger, ainsi que de comédies et de vaudevilles « Restauration » (un peu dans le style de Scribe, mais très scandinaves aussi par la peinture des mœurs et même par le choix des motifs musicaux), ce sont les œuvres de J. L. Heiberg, Hostrup ou Overskou, ou de comédies et de fantaisies dues à la plume du charmant H. C. Andersen. Les morts ici ne portent pas ombrage aux vivants. On laisse sur la scène du Théâtre Royal toutes leurs chances aux auteurs d'aujourd'hui, qu'ils soient danois ou étrangers (la France continue à occuper une place de choix). Ce théâtre bien subventionné jouit d'un excellent équipement scénique. On y travaille beaucoup, les créations succèdent aux créations et, si une œuvre est acceptée par le Censeur (2) et le Directeur, l'auteur est certain qu'on déploiera le plus grand zèle et que d'excellents acteurs et d'excellents praticiens mettront à son service toutes les ressources de leur art.

Mais à côté de ce théâtre officiel, il faut mentionner les scènes indépendantes, anciennes ou récentes, qui tantôt amusent les Danois en présentant des œuvres plaisantes et faciles, tantôt se montrent plus ambitieuses, tentent des expériences et mènent un véritable combat d'avant-garde. Notons aussi la survivance de formes très anciennes : les deux foires permanentes de Copenhague, le Tivoli, placé en plein centre de la capitale, et Dyrehavsbakken, charmant vieux parc d'attractions qui s'abrite sous les ombrages d'une sorte de Bois de Boulogne local, possèdent leurs tréteaux démontables et leurs théâtres et leurs parades en plein vent. A l'entrée de Tivoli des artistes danois, fidèles héritiers des maîtres italiens, continuent à incarner Pierrot, Pantalon et Colombine, selon la plus authentique tradition de la pantomime italienne; ils créent d'ailleurs aussi des pantomimes modernes qui ont pour cadre le Danemark d'aujourd'hui. Il n'est pas facile de dire quelle influence ce théâtre primitif, pur, dru, spontané et vivant exerce sur le goût et la formation artistique du public danois ou sur l'inspiration des auteurs contemporains. Néanmoins on constate que beaucoup d'auteurs danois ont situé quelques scènes pittoresques de leurs œuvres dans le cadre charmant et vieillot de Dyrehavsbakken, depuis Œhlenschläger, au début début du XIXᵉ siècle, jusqu'à notre contemporain Soya, en passant par J.L. Heiberg, vaudevilliste admirateur et rival de Scribe.

Si nous jetons maintenant un regard d'ensemble sur la littérature dramatique danoise à date récente, il nous semble possible de dégager quelques traits caractéristiques : d'abord les Danois, peuple sage, ironique et joyeux, sont peut-être plus portés vers le comique et l'idyllique que vers la pure tragédie, non pas

---

(2) Il existe encore une censure préalable au Danemark pour le théâtre. Il n'est que de lire les textes joués ou d'aller au théâtre à Copenhague pour se rendre compte qu'elle est très libérale. Le Censeur du Théâtre Royal, désigné par le Gouvernement, est en réalité le Conseiller littéraire de la Direction. Pour la période qui nous intéresse, le poste fut longtemps occupé par Hans BRIX (Professeur de l'Université de Copenhague). Cet homme intelligent et généreux appuya les efforts de Kaj MUNK et nous a laissé sur ce poète d'intéressants souvenirs.

que le sens du tragique leur fasse défaut : ils le possèdent, nous le verrons, mais, quand un dramaturge danois nous fait revivre une scène pathétique, il ne peut s'empêcher de noter le détail simple, concret, qui rapproche de nous le héros (on mange et on boit dans presque toutes les pièces danoises jusques et y compris dans une tragédie « nationale » comme *Hakon Jarl le puissant* de Œhlenschläger), il lui arrive de nous faire sourire, si l'occasion s'en présente, alors même que nous ne songerions qu'à pleurer, car il ne perd à aucun moment le sens de l'humour. Ainsi les auteurs danois échappent-ils le plus souvent à l'enflure et au ridicule. Ils ont découvert l'art de suggérer de grands sentiments et d'évoquer de grandes idées à l'aide d'images simples et expressives.

N'oublions pas que, si Ibsen est Norvégien par la naissance comme par l'inspiration, c'est à Copenhague qu'il a publié ses œuvres; elles sont d'ailleurs écrites dans le norvégien de 1870, c'est-à-dire une langue plus proche du danois actuel que du norvégien tel qu'il s'enseigne aujourd'hui dans les écoles de Norvège. On peut jouer encore de notre temps Ibsen à Copenhague sans le traduire. On doit transcrire son œuvre en orthographe moderne et parfois même la traduire en néo-norvégien pour la jouer à Oslo. C'est peut-être pour cela qu'Ibsen exerce encore une influence au Danemark et que le drame d'idées n'a jamais cessé d'y vivre et d'y prospérer. Les compatriotes de Grundtrig, de Kierkegaard et de Georg Brandes aiment le théâtre qui joue avec les problèmes actuels, problèmes moraux, sociaux, politiques et même religieux, les pièces qui posent des questions aux spectateurs, afin que ceux-ci puissent les méditer, une fois rentrés chez eux. Les auteurs danois sont souvent des hommes passionnés qui veulent passionner leur public. Dans ce pays qui longtemps fut neutre (et qui souvent supporta avec impatience sa neutralité), on aime le théâtre *engagé*.

Strindberg avait quelque temps résidé au Danemark, c'est même à Copenhague, dans un théâtre d'essai animé par les étudiants danois, que fut représenté pour la première fois son drame naturaliste le plus audacieux, repoussé par tous les directeurs suédois, *Mademoiselle Julie*. Strindberg avait formé un premier disciple dans la personne de l'amer humoriste Gustav Wied, misogyne de marque et auteur dramatique piquant que certains dramaturges modernes au Danemark, Soya en particulier, saluent comme leur maître. L'influence de Strindberg, se combinant avec celle de l'expressionnisme allemand qui lui-même prolonge les expériences dramaturgiques du maître suédois, domine les premières années qui suivirent la précédente guerre mondiale. Un Budtz-Müller, un Svend Borberg surtout (ce dernier auteur d'un très beau drame expressionniste intitulé *Ingen* [*Personne*] qui fut joué un peu partout dans les pays scandinaves, en Allemagne et en Europe centrale) ne se distinguent guère par leurs idées, les thèmes qu'ils exploitent, la subtilité de leurs jeux dramatiques, l'atmosphère de cauchemar qu'ils répandent autour de leurs héros — de leurs contemporains allemands Toller, Werfel ou encore Unruh. L'expérience expressionniste fut sans doute d'assez courte durée, mais elle rendit pratiquement impossible tout retour au naturalisme, voire même toute forme de réalisme plus modéré. Ici comme ailleurs, on avait pris goût à la désarticulation du drame, aux jeux raf-

finés avec le temps et l'espace, on retrouvait, en s'engageant sur la «voie royale » du rêve, les perspectives ouvertes par la science nouvelle, la « psychologie
des profondeurs ».

*
* *

Trois figures dominent le théâtre danois des vingt-cinq dernières années :
Kaj Munk, Kjeld Abell et Soya. Tous trois appartiennent sensiblement à la même
génération, car ils sont tous nés dans les cinq dernières années du XIXe siècle et
les premières du XXe siècle. L'œuvre de Kaj Munk a été brutalement interrompue par la mort, le pasteur-poète ayant été assassiné par les Allemands qui
supportaient mal l'ardeur patriotique et les prédications enflammées de cet orateur intrépide, tandis que Soya et Kjeld Abell sont certainement loin d'avoir
dit leur dernier mot, leur œuvre n'est pas terminée et leur inspiration se renouvelle encore sans cesse.

L'unanimité ne se fera sans doute jamais complètement parmi les Danois
sur la personne et l'œuvre de Kaj Munk. Nul ne songe probablement à contester
qu'il fut une sorte de génie, un véritable inspiré, nul non plus ne voudrait mettre en doute la sincérité de ses convictions, puisque cet homme fut courageux
devant l'ennemi, courageux jusqu'au martyre. Né de parents pauvres, orphelin
de bonne heure, recueilli par de braves gens à qui il conserva toute sa vie une
affection et une piété filiales, Kaj Munk fut au collège un élève prodige. Poète
né, il commence très tôt à écrire pour le théâtre (Dieu sait pourquoi, car il n'a,
pour ainsi dire, jamais assisté à une représentation dramatique dans son enfance) et *Pilatus,* la tragédie biblique qu'il a écrite vers l'âge de treize ans, a pu
être jouée de son vivant sans qu'on y ait apporté aucune modification importante. Sa vocation de poète était si évidente qu'on s'étonne de ne pas le voir se
consacrer entièrement aux lettres. Pourtant il se passionna de tout temps pour
les problèmes religieux et un beau jour (il avait fait des études de théologie), il
opta pour la carrière pastorale, il demanda et obtint une cure dans une contrée
fort pauvre, sur la côte occidentale du Jutland. Ses pièces de théâtre, il les compose en très peu de temps (telle d'entre elles fut écrite en cinq jours, telle autre
en quarante-huit heures), on peut le comparer à une sorte de médium écrivant,
l'inspiration vient, le poète s'enferme et écrit sa pièce, d'un seul jet, presque
sans ratures. Le texte primitif établi, le poète le retouche à peine, il l'envoie au
Théâtre Royal, sans se soucier de savoir si l'œuvre qu'il propose répond ou non
aux exigences de la scène. Il ne peut pas assister aux répétitions, ce pauvre pasteur de province, et les comédiens pratiquent à leur gré les coupures jugées par
eux indispensables. Le résultat de ces coupures n'est pas toujours très heureux
et la critique ne fait pas non plus de bien grands efforts, au début, pour accueillir ce nouveau venu dont les drames ne ressemblent guère à la production courante. Le public de Copenhague, en revanche, manifeste très généreusement son
enthousiasme. Kaj Munk écrit avec une grande facilité et rien ne l'oblige à se
cantonner dans un certain genre littéraire, rien ne lui interdit d'aborder les su-

jets les plus divers. Il passe de la tragédie historique (ou pseudo-historique) au drame paysan, du dialogue didactique à la fresque biblique. Il n'écrit guère pour charmer le public. Il prend position sur tous les problèmes contemporains qui lui tiennent à cœur, qu'il s'agisse de morale, de religion, de politique intérieure ou de relations internationales. Et il le fait avec une netteté que certains jugent bien imprudente et que beaucoup réprouvent. On ne lui pardonne guère, en politique, son admiration pour les fortes personnalités, sa sévérité à l'égard du régime démocratique. On s'étonne de le voir manifester si naïvement son admiration devant l'œuvre de Mussolini et le fascisme. On craint que ce chrétien qui, dans un drame aux allusions transparentes, critique durement le vieux maître à penser du Danemark moderne, Georg Brandes (qu'il admire par ailleurs), ne verse un jour dans l'antisémitisme et dans le nazisme. Mais Kaj Munk n'a jamais été raciste et ses yeux se sont ouverts à temps. On le verra, avec une sorte de soulagement, attaquer de front, à la veille même de la guerre, les amis de Hitler et critiquer systématiquement les doctrines hitlériennes dans un drame qui aura un grand retentissement. Ce Danois fidéiste plus encore que croyant, chrétien sincère et tourmenté, monarchiste à l'ancienne manière, patriote flamboyant, adversaire résolu de la démocratie, ne pouvait manquer d'étonner, de choquer beaucoup de Danois qui, par paresse ou par lassitude, ne cherchaient guère à le comprendre. Mais lui-même, ne prenait-il pas un malin plaisir à repousser les opinions généralement admises, voire même à se contredire lui-même à quelques mois d'intervalle ? Ne se croyait-il pas dans le vrai, comme jadis Kierkegaard, dès l'instant qu'il prenait le contre-pied des opinions admises par la majorité ? En tout cas, même ceux d'entre ses compatriotes qui ne réussissent pas à l'aimer, s'inclient avec respect devant cette imposante et courageuse personnalité et rendent hommage à l'immense talent de l'écrivain Kaj Munk.

A côté de Kaj Munk, qui fut à la fois l'*enfant-prodige* et l'*enfant-terrible* du Danemark (comme l'a dit un critique), à côté de cet auteur dramatique qui traita les problèmes techniques de la scène en inspiré, c'est-à-dire en amateur, Kjeld Abell fait figure de technicien du théâtre. En dehors de ses études universitaires, il a suivi à Copenhague l'enseignement de l'Ecole des Arts Décoratifs, il connaît l'art de créer des dispositifs scéniques transformables et de brosser des décors. Il a fait jouer certaines de ses pièces dans un cadre qu'il avait lui-même conçu et réalisé. Il a exercé cette profession de décorateur au Danemark et à l'étranger. Il est au courant de ce qui se joue au-delà des frontières danoises. Il a fait divers stages à l'étranger, il a vécu à Londres, en Italie, à Paris. Il a rencontré Louis Jouvet; il raconte aussi qu'il tint quelques rôles muets au Théâtre Pigalle, au temps de *Donogoo*. Bien qu'il ne se désintéresse nullement des luttes idéologiques — en politique, il doit se situer à l'extrême-gauche du dispositif — Kjeld Abell se complaît aux raffinements techniques, il imbrique les uns dans les autres les souvenirs, les événements du présent et les images du rêve, l'univers réel et le monde des symboles. S'il a débuté par un succès retentissant et durable — très « grand public » — la *Mélodie qui s'était évaporée*, une fantaisie musicale un peu dans le style de l'*Opéra de quat'sous* qui se jouait dans un théâtre très populaire (notons en passant que Kjeld Abell est actuellement un des directeurs du fameux Tivoli) —, ses dernières créations lui ont valu dans certains milieux la réputation d'être un auteur intellectuel, difficile, pour autant dire, un écrivain obscur. En tout cas, plusieurs de ses pièces, en particulier *Anne Sophie Hedvig,* montées puis reprises au Théâtre royal de Copenhague, étudiées dans les lycées de l'Etat, jouissent d'une popularité solide et durable et sont en passe de devenir classiques.

Quand on prononce le nom de Soya devant des interlocuteurs danois, on enregistre des réactions diverses. Ce non-conformiste possède le don de choquer parfois les plus placides parmi ses compatriotes. Dans ce royaume où la coutume impose que chacun fasse précéder son nom de deux prénoms ou de deux initiales tout au moins, il signe simplement Soya, il a renoncé à s'appeler Carl-Erik Soya, et cela déjà suffit à lui aliéner les sympathies des traditionnalistes. Il ne dissimule pas qu'il s'intéresse aussi à l'aspect pratique de sa profession et qu'il vit de sa plume. Ecrivez-lui, il vous répondra sans tarder sur un papier à lettre quasi commercial portant notamment la mention : Adresse télégraphique Soyadan. Mais plus que cette absence de préjugés dans l'exercice de son métier, on reproche à Soya la franchise déplaisante avec laquelle il aborde les questions les plus scabreuses, en particulier les problèmes touchant la sexualité. On fait donc grief à Soya de se montrer parfois brutal, de heurter volontairement, de déconcerter le spectateur naïf ou sensible. On pourrait encore articuler contre lui quelques autres reproches : il gâte parfois une œuvre, qui eût été sans cela excellente, par une note un peu trop criarde, par une scène un peu trop mélodramatique. Ne prêtons pas longtemps l'oreille aux récriminations des pudibonds et des jaloux. A l'occasion de son soixantième anniversaire, Soya vient de publier ses œuvres choisies, six forts volumes (il a écrit dans sa vie la valeur de soixante volumes et dans cette œuvre le théâtre tient la place essentielle, mais il a aussi publié un excellent roman, des confessions et de piquantes nouvelles), dans les six volumes on relève maintes pièces fort intéressantes et à coup sûr plusieurs chefs-d'œuvre. Citons parmi beaucoup d'autres *Les Parasites, La Vierge souriante,* pièces réalistes, âpres et pittoresques, *Qui suis-je ? Lord Nelson,* amusantes études psychanalytiques, l'imposante « tétralogie » *Blindebuk (Cache-cache),* ensemble de quatre pièces que ne relie pas entre elles le fil directeur d'une même intrigue, mais qui posent toutes les quatre le même problème : celui des rapports obscurs unissant les caprices du destin aux décisions dont l'homme est personnellement responsable. Il faut faire une place aussi à cette fantaisie aux images brutales parfois, émouvantes souvent, *Dans la nuit claire,* qui évoque la folie envahissant une petite cité scandinave, aux abords de la Saint-Jean, dans cette période où les ténèbres cessent pratiquement de tomber sur la ville. Et tout récemment Soya nous a fait don d'une sorte d'*Orphée* en costume moderne, *Pedersen aux enfers,* où retentit, avec une ferveur qui sent la confession personnelle, un hymne magnifique à l'amour conjugal. Voilà qui surprendra sans doute tous ceux qui classaient Soya parmi les auteurs à scandale. Mais un examen plus attentif de l'œuvre nous révèle que Soya, en dépit des apparences, n'est pas seulement un maître dans l'art de l'évocation pittoresque — son dialogue, toujours dru et authentique, nous éblouit sans cesse, il a découvert l'art d'écrire le « danois tel qu'on le parle » — mais c'est aussi, c'est peut-être au premier chef un moraliste qui, même s'il recourt un peu trop souvent au paradoxe, ne perd jamais le sens de ses responsabilités. Il veut nous faire réfléchir, il recourt pour cela à des moyens simples et naturels, et le plus souvent — il faut bien le dire — il y réussit.

*
* *

Il n'est certes pas facile de trouver quelques formules ou un schéma général qui puisse donner une idée suffisante à cette production dramatique à la fois ample et variée. Disons en tout cas que ces auteurs danois, le plus souvent, ne visent pas seulement à nous plaire, ils ne cherchent pas à nous distraire au sens où Pascal par exemple entendait la distraction. Tout au contraire, ils voudraient nous faire revenir à l'essentiel. Leur but, c'est avant tout de nous arracher à notre torpeur, à notre apathie, voire même à notre béate satisfaction: nous avons tort de nous croire les habitants d'un monde qui serait le meilleur des mondes possibles. Véritable héritier d'Ibsen, le dramaturge danois se consacre au « théâtre d'idées », dans le meilleur sens que l'on puisse donner à ce terme. Si le poète dramatique a vraiment réussi, à une bonne soirée devrait succéder une mauvaise nuit. Le drame doit réveiller l'âme endormie du spectateur, nous donner « mauvaise conscience », en étalant les données d'un problème angoissant. Là s'arrête la tâche du dramaturge, s'il écrit le vrai « drame d'idées ». Il ne doit pas proposer en plus les éléments d'une solution. Ici commencerait la « pièce à thèse », donc le mauvais théâtre.

Ainsi le théâtre danois contemporain pourrait, presque tout entier, être placé sous le signe — quasi religieux, car le terme est emprunté au vocabulaire piétiste — de « l'éveil » (3). La vie danoise, douce, calme, régulièrement rythmée par un ensemble de rites, de cérémonies, de formules convenues, de traditions immuables, apparaît à beaucoup de citoyens comme une idylle. Mais le Danemark n'est-il pas, vers 1936, comme un îlot dangereusement battu par la tempête extérieure, dans le temps même où, grisés par leur propre bonheur, les Danois se sont assoupis et n'entendent plus rien ? Ne convient-il pas d'éveiller ces somnambules qui, sans le voir, côtoient sans cesse l'abîme ? Le poète danois aime à évoquer l'existence douillette, facile et un peu étriquée que les Danois mènent dans leurs petites villes, au sein de leurs petits foyers bourgeois, dans le cadre de leur confortable petite démocratie. Le public supporte volontiers cette satire

---

(3) Voir la remarque de Sigbrit dans la *Femme-Dictateur* de Kaj MUNK : «Mais tout de même ce contraste entre le bleu et le vert — il est hardi, n'est-ce pas ? — donne un choc à l'âme et c'est bien là le but de tout art : nous tirer de notre torpeur, nous éveiller. » (*Cant og andre Skuespil, Mindeudgave*, Copenhague, 1948, p. 352).

attendrie et souriante, l'auteur raille presque doucement, jamais il ne fustige. Mais bientôt sonne l'heure de l'éveil. Eveil religieux, éveil politique, éveil moral, peu importe. Une circonstance inopinée le provoque : irruption du merveilleux dans le monde quotidien, ou choc produit par une rencontre naturelle mais inattendue. Prenons par exemple *Anne Sophie Hedvig,* de Kjeld Abell, que le Théâtre Royal de Copenhague a repris l'automne dernier : ce fut la dernière pièce représentée sur la scène officielle danoise avant l'invasion de 1940. L'auteur l'avait composée au temps de la guerre d'Espagne (on pourrait faire une étude fort intéressante sur les œuvres dramatiques inspirées par la guerre d'Espagne aux écrivains de la très neutre Scandinavie : je pense aux œuvres de Pär Lagerkvist en Suède et, en Norvège, aux drames politiques de Nordahl Grieg). La conscience des neutres se trouble. Il leur semble que la neutralité est une position moralement intolérable, politiquement, c'est une attitude aussi lâche que dangereuse. Il ne faut pas se cantonner dans l'inaction, subir passivement la crainte instinctive qu'inspire la guerre aux hommes « de gauche », il existe des situations où la force doit se manifester, où tuer devient même un devoir. Kjeld Abell nous fait assister à un dîner d'apparat dans une famille de la haute bourgeoisie d'affaires. Le ton est d'abord conventionnel et protocolaire à souhait. Mais la conversation s'anime quand le fils montre aux convives une photographie qui s'étale à la première page d'un quotidien : voici un jeune républicain espagnol qui va être exécuté demain. Au détour de la conversation, Anne Sophie Hedvig place un mot : tout le monde se regarde. Cette institutrice de province, chargée d'un vague enseignement dans un collège de second ordre, est cousine de la maîtresse de maison. Elle est arrivée inopinément quelques heures avant le dîner. On l'héberge, elle a dîné avec les hôtes de marque, on s'étonne cependant qu'elle ose intervenir dans le débat. Elle fait doucement remarquer que, parmi les personnes présentes, il en est une qui, déjà, a tué. Elle précise : il est des circonstances où tuer devient un devoir. Consternation générale. Mais Anne Sophie Hedvig passe très vite aux aveux. C'est elle qui, quelques heures auparavant, a osé affronter une collègue détestée qui devait sous peu prendre en mains la direction du collège et menaçait non seulement de tyranniser les collègues mais encore de faire régner dans tout l'établissement un régime moralement odieux. Dans le feu de la dispute, la vieille fille — en apparence bien insignifiante — s'est sentie appelée à libérer ses collègues d'un joug intolérable qui allait s'appesantir sur elles et sur le collège. Elle a étranglé cette femme horrible, ce tyran en herbe. Elle se présente aux convives, un peu effarée par sa propre aventure et par l'importance que celle-ci lui confère. Mais elle ignore, semble-t-il, le remords, car les tyrannicides ne renient pas facilement l'inspiration qui les a guidés. Les bourgeois rassemblés au salon à l'heure du café sont mal préparés à de telles révélations. Que va-t-on faire ? Faut-il livrer la coupable, faut-il au contraire faciliter la fuite de l'héroïne ? Les avis sont partagés. La discussion tourne à la bagarre, quelqu'un sort qui quérira la police. Anne Sophie Hedvig se livre sans résistance, au grand scandale du fils de la maison. Celui-ci rapproche le cas de cette femme simple et la tragique aventure que court, quelques deux mille kilomètres au sud, le républicain espagnol dont la photo figure à la première page du journal. Une dernière scène symbolique nous présente Anne Sophie Hedvig rejoignant le pauvre milicien au pied du mur fatal, lui tendant une cigarette, tandis qu'elle se réconforte elle-même avec une pastille de menthe. Et tous deux, impavides, essuient la salve du peloton d'exécution.

La politique n'est pas seule en cause : voyez le noble drame religieux de Kaj Munk, *Le Verbe (Ordet)* : il semblerait, à première vue, que la paroisse rurale qui nous est ici présentée vit presque toute entière sous le signe du zèle religieux. On dirait même volontiers que ce zèle est poussé trop loin; ne dégénère-t-il pas quelquefois en fanatisme ? Les sectaires luttent les uns contre les autres, grundtvigiens contre fidèles de la Mission intérieure; de leurs rivalités résultent des haines, découlent des drames de famille. Mais qui possède la vraie foi, en définitive ? Personne, ni le pasteur, fonctionnaire ponctuel, orateur onctueux, mais aussi rationaliste effrayé par tout incident qui risque de troubler l'ordre normal des choses, ni ses ouailles de l'Eglise officielle, ni les membres des sectes. La vraie foi, celle qui accepte et même qui provoque le miracle par la prière ardente, n'a pourtant pas tout à fait disparu, elle reparaît avec ce demi-fou qui avait quitté la ferme familiale, ce fils de paysans qui se prenait pour Jésus-Christ et dont tous se détournaient avec tristesse et avec effroi. Il sait, il croit que la Foi est capable de triompher de la Mort. Il prononce les paroles de l'Ecriture, il tire de son sommeil apparemment définitif la jeune mère, il la rend à toute une famille effrayée et ravie. On fera bien de confronter *Au-dessus des forces humaines* avec le *Verbe,* l'opposition est complète : d'un côté, chez le poète norvégien, au sein d'une société crédule, un faux miracle intervient né de douteux phénomènes pathologiques, résultat de plusieurs hallucinations individuelles et d'une psychose collective. De l'autre, au milieu d'une communauté qui n'est guère religieuse qu'en apparence mais que ses erreurs ont endurcie, un vrai miracle se produit, à la demande de celui que tous rejetaient et considéraient comme fou (mais le christianisme rejette à son tour la sagesse du monde et se targue volontiers d'être une folie) et nul n'est vraiment préparé à accueillir ce signe qui pourtant devrait produire l'*éveil* si nécessaire. Le poète croyant Kaj Munk a voulu répondre à Bjørnsterne Bjørnson, prophète du positivisme.

Dans la sphère morale, Soya place l'homme en présence de sa responsabilité. Voyez ce petit boutiquier qu'il soumet à une étrange expérience dans *Hvem er jeg ? (Qui suis-je ?).* Un baladin, Paprika, a décidé de renouveler ses méthodes et se livre à des études psychanalytiques sur le champ de foire. Il ne trouve pas de sujet et notre homme (Soya ne lui donne pas de nom, il l'appelle simplement « le Monsieur ») accepterait de se soumettre à l'épreuve, s'il n'était conscient de sa propre insignifiance. Il appartient à une catégorie de citoyens dont l'existence se déroule à l'abri de toutes les curiosités comme de toutes les indiscrétions, son cas, révélé à tous, n'intéresserait personne. « Erreur, lui dit Paprika, votre cas nous touchera tous ». « Mais qui suis-je ? » demande le Monsieur. Paprika lui répond : « Vous êtes une représentation théâtrale ». Et nous assistons en effet à un passionnant psychodrame. Nous voyons sur la scène du théâtre en plein vent dressé par le baladin, comment « le Monsieur » se représente lui-même en son rêve intérieur. Comment il se mime, il se joue son propre avenir et comment il envisage les perspectives diverses qui s'ouvrent devant lui, suivant qu'il épouse ou n'épouse pas la petite vendeuse de son magasin qui est aussi sa maîtresse et dont il attend un enfant. Bien plus, nous entendons les diverses voix qui parlent à l'intérieur de sa conscience, à l'heure où le débat devient décisif : faut-il se débarrasser, au besoin par un crime, de l'encombrante petite bonne femme ? Ces divers interlocuteurs du débat intime sont ici incarnés par des personnages traditionnels parlant un langage très coloré : le Diable, la Sainte Vierge, Barbe-Bleue, Don Juan, le Gorille, l'Homme en gris. Rassurez-vous, « le Monsieur » épousera. Cette nouvelle Marguerite sera sauvée. Le Diable (qui joue dans toute l'intrigue un rôle très actif) perdra la partie. Et ce Faust petit bourgeois ne sacrifiera pas la Femme à ses ambitions pourtant titanesques, toutes proportions gardées. Pour une fois, les spectateurs iront se coucher contents.

*
* *

Les auteurs dramatiques danois manifestent aussi le goût de l'expérience théâtrale. Ici, ce n'est pas vers Kaj Munk que nous nous tournerons de préférence. S'il étonne ou déroute parfois les spectateurs, c'est plutôt par un penchant très marqué à l'irrévérence, par un abus incroyable de l'anachronisme dans ses drames historiques (ses familiarités avec les grands de l'histoire font parfois penser à G. B. Shaw). Très bien doué, il se livre, sans le vouloir, à des exercices de pastiche : *Cant* fait songer au Schiller de *Don Carlos, Le Verbe* et *Amour* aux drames de Bj. Björnson. Quand, par sa technique, il s'écarte un peu des formes traditionnelles (la coupe de ses pièces en six et même sept actes surprend à juste titre), il marque simplement par là sa désinvolture ou encore il est victime de son ignorance, car les conditions réelles d'une représentation dramatique ne lui sont pas familières. Un Kjeld Abell ou un Soya, au contraire, conservent avec le monde du théâtre un contact vivant, ils assistent aux répétitions, jusqu'à la dernière minute ils repétrissent leur œuvre et la scène est pour eux comme un laboratoire. Ils aiment les structures dramatiques complexes et originales, ils combinent à leur guise les divers registres de l'émotion et du comique, ils disloquent comme à plaisir les éléments que devrait unir une succession chronologique directe, ils recourent à des enchaînements, à des types de séquences qu'ils empruntent au cinéma ou à la radio. Ils tirent de ces diverses combinaisons des effets parfois très heureux, parfois aussi ils jouent un peu cruellement avec la perspicacité ou la patience des spectateurs. On remarquera par exemple que *Anna Sophie Hedvig* de Kjeld Abell (ce drame sur la guerre d'Espagne dont nous parlions à l'instant) appartient essentiellement au théâtre d'idées (il faut bien entendu chercher un symbole derrière l'histoire de cette institutrice meurtrière) mais nous avons d'abord sous les yeux, au lever du rideau, une brève action de type « drame policier », puis quelques scènes — le début du dîner — qui se rattachent à ce qu'on est convenu d'appeler la « comédie de mœurs », nous retombons dans l'intrigue policière au moment où le récit de la criminelle se traduit pour nous en images. L'auteur nous ramène ensuite dans le salon de la famille bourgeoise. Trois actions s'emboîtent les unes dans les autres, selon la technique un peu surannée que les Allemands nomment volontiers « Rahmenerzählung »; il faut noter que l'ordre chronologique est deux fois interrompu par des retours en arrière. Certes on ne s'égare pas et, sur la scène tournante du Théâtre Royal, les divers éléments de l'action s'enchaînent rapidement et sans heurts. Néanmoins l'agencement technique de l'œuvre (qui s'achève sur la belle scène symbolique devant le peloton d'exécution) est, à notre sens, habile, raffiné même, mais un peu trop complexe. Quant au mélange des genres, il est peut-être poussé trop loin. Mais, après tout, nous ne vivons plus sous la férule de maître Boileau. Il faudrait s'arrêter aussi à une œuvre plus récente de cet auteur, *Le Pékinois bleu* (elle date de 1952) : on constaterait que la construction du premier acte rappelle d'assez près *L'Œuf* de Félicien Marceau.

Quant à Soya, il a expérimenté des formules nouvelles, croyons-nous, dont certaines méritent de retenir l'attention. Désireux de mettre en lumière les « séries » indépendantes dont la conjonction constitue le hasard ou le caprice du destin, il donne à son drame *To tråde* [*Deux fils*] (traduit en français sous le titre *Le fil et la trame*) le sous-titre « un drame en quatre drames »; chaque acte porte un titre propre et pourrait en somme se jouer à part, l'action, chaque fois se refermant sur elle-même, ce n'est que le dernier qui relie l'une à l'autre les deux actions indépendantes et révèle comment la conjonction purement fortuite, la rencontre des deux fils, provoque la catastrophe. De même *Trente ans de sursis* est « un drame en quatre drames » : les divers drames jouissent une fois encore d'une apparente autonomie, mais ils se présentent dans l'ordre chronologique inverse, le premier drame se situant trente ans plus tard que le quatrième. Chacun des drames serait en soi banal, s'il ne s'élucidait pas complètement; il subsiste chaque fois un petit résidu de mystère, et l'action ne progresse que dans la mesure où, remontant dans le temps, nous comprenons de mieux en mieux le déroulement des événements plus récents. Ici les partenaires sont les mêmes et toutes les catastrophes dérivent d'une seule et même faute initiale. Cette fois encore, c'est à notre sens de la responsabilité morale que veut faire appel Soya. « Nos fautes nous suivent », disait le romancier français. « Elles poursuivent aussi notre descendance », ajoute Soya, héritier, lui aussi, des grands tragiques grecs.

Par ailleurs, dans *Frit valg (A vous de choisir)*, il invite le spectateur à méditer activement sur le sujet (cette fois, Soya s'adresse à nous sur le mode ironique), il nous demande d'opter selon notre pente naturelle. Dans une première partie du spectacle, l'auteur pose une situation initiale : une femme richissime et mystérieuse va mourir, un notaire jeune, pauvre et sans expérience, recueille ses dernières volontés. Ses héritiers ne peuvent supposer qu'elle est riche, car elle leur a caché — et elle a même dissimulé au fisc — qu'elle a acheté dans des conditions fort avantageuses une quantité fabuleuse d'objets en or et de bijoux magnifiques. Le tout est enfermé dans un coffre qu'elle montre à l'homme de loi, en le priant de le remettre à ses neveux. Sur ces entrefaites, elle meurt. Le notaire s'interroge un instant, puis il décide de remplir son devoir : il transmet tout le trésor aux neveux de la vieille dame et ne garde rien par devers soi. Nous assistons dans le « premier drame » aux conséquences désastreuses de cette décision prise par le notaire. Chacun des héritiers suit l'inspiration de son vice ou de son caprice particulier. Non seulement tous se ruinent en un temps très bref, mais ils se dégradent tous moralement, ils sombrent dans la débauche ou dans la malhonnêteté, ils se disputent et ils ne trouvent le moyen de se réunir à nouveau que pour envahir en force le bureau du notaire et l'accuser d'avoir détourné plusieurs bijoux de grande valeur.

Dans la seconde partie du spectacle (le « second drame »), Soya nous ramène à la même situation initiale que précédemment. Mais cette fois, le notaire songe qu'il se trouve devant une occasion unique, qu'il a d'ailleurs lui-même sa position à assurer et ses propres dettes à payer. Il garde pour lui le trésor, ne remettant aux héritiers que des objets ou des sommes sans importance. Tout s'arrange alors fort bien pour ces braves gens. Chacun vaque courageusement à ses occupations, comme par le passé. Chacun progresse dans la voie où il est engagé. Chacun sait apprécier son propre bonheur. Et la famille envoie une délégation pour remercier le notaire du soin et de la diligence qu'il apporte à régler les affaires de la famille et plus particulièrement la fameuse succession de la tante. Finalement on offre même au cher maître un cadeau prélevé sur le maigre héritage. La nièce de la défunte que le notaire, en sa bonté d'âme, avait bien voulu admettre dans son secrétariat, épousera son patron, ainsi la fortune, en définitive, retournera quand même indirectement dans la famille et la morale sera sauve, si l'on peut dire. Il s'agit sans doute là d'un simple divertissement, mais il est de qualité. Non seulement le schéma est bien choisi, mais les scènes s'opposent naturellement deux à deux, avec une netteté de dessin et un humour dru dans le dialogue qui doivent mettre en joie lecteurs et spectateurs.

*
* *

En somme, la hardiesse expérimentale s'allie, chez les dramaturges danois d'aujourd'hui, avec le goût des grands problèmes, avec l'audace qui leur permet d'aborder n'importe quel sujet d'actualité, si grave et si brûlant soit-il. Même s'ils ne réussissent pas toujours complètement dans chacune de leurs tentatives, on ne peut que louer cette noble ambition, ces efforts constants pour quitter les sentiers battus, pour voir grand et faire nouveau.

Le théâtre danois, surtout si l'on tient compte de l'exiguïté du sol national et du petit nombre des Danois, se signale donc à notre attention par son extraordinaire vitalité, par la variété et la richesse de la production dramatique locale. Cette constatation nous remet en esprit la remarque de ce directeur de théâtre parisien dont nous parlions il y a quelques minutes. Pourquoi joue-t-on si rarement des œuvres danoises à l'étranger et plus spécialement en France ?

(Entre 1918 et nos jours, à en croire un vieux Parisien, le ministre Wamberg, Conseiller culturel de l'Ambassade du Danemark à Paris, une seule pièce danoise a connu le succès — mais un succès important et prolongé — il s'agissait du *Professeur Klenow* de Karen Bramsen (2). En fait, malgré quelques cas exceptionnels (le *Qui suis-je ?* de Soya qui connut des triomphes dans divers pays latins et fut joué plusieurs centaines de fois en Amérique du Sud, et le *Verbe (Ordet)* qui, dans la version filmée de Dreyer, a fait la conquête du public parisien), le drame danois est devenu très populaire certes dans l'ensemble des pays scandinaves, mais il ne s'est pas imposé au monde comme jadis le théâtre norvégien au temps d'Ibsen et de Bjørnson ou le théâtre suédois au temps de Strindberg.

Ce théâtre danois d'hier et d'aujourd'hui ne posséderait-il donc pas les vertus qui permettent de passer les frontières et de franchir sans dommage le dangereux mur de la traduction ? Peut-être nous faudra-t-il distinguer : certaines créations inspirées par l'actualité politique ou sociale doivent avoir déjà vieilli. D'autres œuvres, parmi les meilleures, — et au nombre de celles-ci nous craignons de devoir ranger *Ordet* — sont d'inspiration nettement danoise et supposent sans doute que le spectateur connaisse fort bien certains aspects de la civilisation danoise assez mystérieux pour les étrangers, par exemple la vie des sectes protestantes et le rôle qu'elles jouent dans la campagne, au Danemark. On peut les monter, certes, sur une scène d'avant-garde, mais celui qui osera les présenter au grand public courra d'assez gros risques. En revanche maint drame historique de Kaj Munk, presque toutes les fantaisies morales et dramatiques de Kj. Abell et de Soya supporteraient, croyons-nous, allègrement les feux de la rampe, aussi bien chez nous qu'en n'importe quel autre pays (la Suisse, les Etats-Unis leur ont fait bon accueil), même si quelques détails mineurs devaient être modifiés, avec le consentement de l'auteur.

On est en droit de se demander si ce ne sont pas surtout les circonstances historiques qui sont responsables de cette ignorance où nous nous trouvons au sujet du théâtre scandinave d'aujourd'hui. Traditionnellement en effet, c'était l'Allemagne qui servait de caisse de résonance aux harmonies nordiques. C'est bien grâce aux acteurs allemands et aux traducteurs allemands que notre XIXᵉ s. a fait connaissance avec le théâtre d'Ibsen et avec toute l'œuvre de Strindberg (sauf dans la courte période où Strindberg essayait d'écrire directement en français). Or, au temps où le théâtre danois a connu son premier épanouissement, c'est-à-dire vers les années 30, l'Allemagne, absorbée par ses propres difficultés intérieures, ne prêtait guère attention à ce qui se passait au dehors, surtout quand il s'agissait de littérateurs marquant peu de sympathie pour le régime nazi. Au moment décisif, l'Allemagne ne joua donc pas entre la Scandinavie et le monde ce rôle de relais nécessaire que la nature semblait lui avoir dévolu. Une occasion précieuse fut peut-être manquée pour nous. Mais nous avons appris

---

(2) Encore s'agit-il d'une œuvre écrite directement en français — à ce qu'il semble — par l'auteur qui était, de naissance, Danoise mais parfaitement bilingue.

à prendre directement contact avec les pays du Nord et en particulier avec le Danemark où la France a toujours compté beaucoup d'amis. Il n'est peut-être pas trop tard, après tout. Nous pourrions essayer de rattraper le temps perdu.

Indications bibliographiques et chronologiques

A. — *Ouvrages généraux*

Martin Ellehauge, *Det danske efter Verdenskrigen,* Copenhague, 1933.
Ragnar Josephson, *Skådeplatser,* Stockholm, 1938.
Alf Henriques, *Modern dansk dramatik* (Coll. Verdanji), Stockholm, 1942.
Fredrik Schyberg, *Ti års teater,* Copenhague, 1939.
Svend Møller-Christensen, *Dansk litteratur, 1918-1950,* Copenhague, 1951.
25 Teater Saesonger (Københavnske teatre i billede og repertoir) [Répertoire illustré des théâtres de Copenhague dans les 25 dernières années. Ouvrage rédigé par Sven Kragh-Jacobsen et Kaj Christensen, illustré par Mydtskov], Copenhague, 1957.
Ernest Rehben, *Aspects du théâtre danois,* Institut danois, Lyon, 1957.

B. — *Une Anthologie d'œuvres dramatiques danoises traduites en anglais :*

Contemporary Danish Plays, an Anthology, Gyldendal, Copenhague, 1955 [avec une introduction de Elias Bredsdorff, « Lecturer » de danois à l'Université de Cambridge].
Le présent exposé se limite volontairement aux « trois grands » du théâtre danois actuel. Au contraire, dans l'Anthologie de Bredsdorff sont représentés, outre les hommes de la génération précédente, comme Svend Claussen, les créations dramatiques — non négligeables certes — d'écrivains plus connus comme romanciers, tel H. C. Branner et la production des jeunes auteurs, dont certains promettent beaucoup, comme Knud Sønderby.

C. — *Monographies*

consacrées à Kaj Munk :

Voir ses souvenirs, *Foråret så sagte kimmer (Le Printemps vient doucement),* 1942.
Alf Henriques, *Kaj Munk,* Copenhague, 1945. [Il existe également une édition antérieure suédoise de cet ouvrage, d'abord destiné au public suédois].
J. K. Larsen, *Kaj Munk Som Dramatiker,* Copenhague, 1941.
Ebbe Neergaard, *Vildt afstedt over himmel og jord,* Copenhague, 1945.
Nils Nojgaard, *Ordets dyst og dåd,* Copenhague, 1946.
Kaj Munk paa teatret, En teaterbilled bog, intr. et présentation de Harold Mogensen, Copenhague, 1953.
Documentation iconographique sur les diverses représentations de l'œuvre dramatique de Munk, indications précises sur l'accueil que chaque drame a reçu de la critique et du public.

sur Soya :

Orla Lundbo, *Soya,* Copenhague, 1944.
Festskrift til Soya, Fredericia, 1946.

F. J. Billeskov Jansen, *Om Soya*. En Tale i Gustav Wied-Selskabet den 30. Oktober 1956.

Arne Hall Jenssen, *Soya, Denmark's leading Play wright*, Copenhague, 1957.

sur Kjeld Abell :

Voir ses propres souvenirs : *Profiler* et *Teaterstrejf ved Paasketid*.

D. — Kaj Munk

Né le 13 janvier 1898 à Maribo (s'appelait Kaj Harald Leninger Petersen, jusqu'au moment où il a été adopté par la famille Munk), mort assassiné par les Allemands le 4 janvier 1944.

Principales œuvres.

(Edition de l'œuvre théâtrale et journalistique : *Mindeudgave*, Copenhague, 1948-1951).

1917 : écrit *Pilatus* [tragédie évangélique].

1920 : *Operationen (L'Opération)* [pièce politique, fait allusion au traité de Versailles].

1924 : termine *En Idealist (Un idéaliste)* [titre ironique, pour un drame biblique dont Hérode est le héros principal].

1925 : écrit *Ordet (Le Verbe)* [dont le public français connaît la version cinématographique].

1927 : écrit *I Brœdingen (Le ressac)* [le personnage principal évoque très directement la figure de Georg Brandes].

1930 : rédige *Fugl Fønix (L'Oiseau Phénix)*.

1931 : *Cant*, joué et imprimé [la tragédie d'Henri VIII d'Angleterre].

1933 : *De Udvalgte (Les Elus)*, imprimé et représenté [drame biblique : David et Bethsabée].

1935 : *Kœlighed (Amour)*, représenté [le drame d'amour d'un pasteur dans une paroisse à la campagne assorti d'une sévère crise religieuse].

1936 : *Sejren (La Victoire)*, joué et imprimé, ainsi que les dialogues sur le mouvement d'Oxford *(10 Oxford Snapshot)*.

1937 : Ecrit *Diktatorinde (La femme dictateur)* [pièce historique].

1938 : *Han sidder ved Smeltediglen (Il est installé près du creuset)* [drame antinazi].

1940 : *Egelykke* [drame consacré au souvenir de Grundtvig].

De 1941 à 1943 : écrits patriotiques et religieux.

1943 : Représentation du *Pasteur de Vejby*.

1943 : *For Cannœ (Avant la bataille de Cannes)*.

Kaj Munk fut aussi un brillant chroniqueur et un infatigable journaliste. Son œuvre dramatique ne se sépare guère de ses chroniques. Voir *Himmel og Jord (Le ciel et la terre)*, recueil de chroniques. Copenhague, 1938.

Kaj Munk a en outre inspiré un certain nombre de films, il a laissé une assez abondante œuvre lyrique ainsi qu'un récit de voyage, *Vedersö-Jérusalem et retour* (Vedersö était le nom de sa paroisse).

La chronologie des œuvres de Munk est assez difficile à établir, on ignore dans beaucoup de cas la date de composition de ses pièces, on doit se contenter alors d'indiquer la date de publication ou de représentation. (Voir l'œuvre citée plus haut de Alf HENRIQUES et plus spécialement la chronologie, p. 190, de l'édition danoise). Voir la chronologie plus précise de REHBEN (brochure citée).

E. — Carl Erik SOYA

Né en 1896 à Copenhague. Principales œuvres dramatiques :

Parasitterne (Les Parasites), 1929 [œuvre d'un style néo-naturaliste et d'un comique un peu grinçant].

Den leen de Jomfru (La vierge souriante), 1930.

Hvem er jeg ? (Qui suis-je ?), 1932, 2ᵉ éd. corrigée 1948 [fantaisie psychanalytique sur le motif de la tragédie de Gretchen, avec dénouement heureux].

Umbabumba (1935) [satire anti-nazie].

Lord Nelson lægger figenbladet (Lord Nelson met la feuille de vigne), 1934.

La « tétralogie » *Blindebuk (Colin-Maillard)*, 1940-49, comprend :

   Brudstykker af et mønster (Fragments d'un motif), 1940.

   To trâde (Le fil et la trame), 1943, trad. française Gérard Arlberg, 1952.

   30 års henstand (Trente ans de sursis), 1944.

   Frit valg (A vous de choisir), 1948.

I den lyse nat (Dans la nuit claire), 1956 [variations sur la folie qui s'empare des Scandinaves au temps des nuits claires].

Pedersen i dødsriget (Pedersen aux enfers), 1957 [Orphée aux enfers en 1957, avec, à l'arrière-plan, une émouvante confession personnelle].

Afdøde Jonsen (Feu Jonsen), 1957.

SOYA a écrit en outre plusieurs recueils de nouvelles, en particulier : *Hvis tilvaerelsen keder Dem... (Si vous vous ennuyez dans la vie...)*, 1952; un roman fort curieux, *Min Farmors Hus (La Maison de ma Grand'mère)*, 1952, dont il existe une traduction française éditée en Belgique, ainsi que des « souvenirs et réflexions » intitulés *Sytten (Dix-sept ans)*, 2 vol., 1953-54, qui ont soulevé une assez vive émotion dans les milieux pédagogiques du Danemark : on pouvait se demander si ces souvenirs d'un jeune homme de dix-sept ans pouvaient être mis entre les mains des moins de seize ans et même des lecteurs un peu plus âgés.

Il faut noter l'attitude courageuse de SOYA pendant l'occupation de son pays. Son récit *En Gaest (Un invité)* lui valut de faire connaissance avec les geôles ennemies. Puis il passa quelques mois en Suède, craignant encore les représailles des « invités ».

F. — Kjeld ABELL

Né à Ribe, en 1901. Principales œuvres :

Enken i spejlet (La veuve devant le miroir), ballet, 1934.

Melodien der blev vaek (La Mélodie qui s'était évaporée) [comédie musicale avec lyrics de Svend MØLLER-CHRISTENSEN, 1935].

Eva aftjener sin barnepligt (Eva fait son service militaire d'enfant), 1936 [fantaisie un peu lourde sur l'éducation des enfants].

Anna Sophie Hedvig, 1939 [la critique de la neutralité danoise à la lueur des évènements d'Espagne].

Dronningen går igen (Le Fantôme de la Reine), 1943 [une comédienne en costume de scène — elle va jouer la Reine dans *Hamlet*, s'égare dans une petite ville du

Danemark... complications psychologiques et policières].

Judith, 1940 [la tragédie biblique en costumes modernes].

Silkeborg, 1946 [évocation des souvenirs de la résistance danoise].

Vetsera blomstrer ikke for enhver (Vetsera ne fleurit pas pour tout le monde), 1950, [drame de l'amour et de la décadence, avec, en filigrane, l'évocation de Marie Vetsera et du drame de Mayerling].

Den blå Pekingeser (Le Pékinois bleu), 1954 [œuvre complexe et parfois charmante, évocation du passé qui ressurgit, avec des variations capricieuses dans la mémoire du personnage principal].

DISCUSSION

FRÉCHET. — Y a-t-il un rapport entre ce théâtre et la poésie populaire ?

GRAVIER. — Parfois il est coupé de vers qui sont semblables à des vers de chansonniers ou des couplets d'opérette suivant une esthétique danoise très différente de celle de Brecht. C'est parfois une esthétique de théâtre de foire, un mélange de farce et de poésie. Le théâtre danois est essentiellement gai, et quand les Danois essaient d'être tragiques, le faux-col leur va mal.

Mlle MICHELSON. — Je voudrais savoir si ce théâtre fait partie de tout un mouvement littéraire, si par exemple ce malaise que l'on trouve dans l'œuvre de Kierkegaard se reflète dans la tradition de la littérature et du théâtre danois.

GRAVIER. — Il s'est créé une attitude kierkegaardienne, même chez des gens qui n'ont jamais lu Kierkegaard, et inversement ce dernier se rattache à un mouvement religieux danois.

DISCUSSION GÉNÉRALE

JACQUOT. — Qu'il s'agisse de la musique, des arts plastiques, ou du théâtre, nous entrons dans une période où, grâce au développement des moyens de diffusion, de transport et d'échange, les œuvres de tous les temps et de tous les pays deviennent accessibles aux hommes épris de culture. A cet égard le Théâtre des Nations est à la fois un instrument de connaissance et un symbole. Il nous permet d'accéder à une dramaturgie universelle vivante, et le mouvement qui porte vers lui la majorité des spectateurs ne me paraît inspiré ni par une simple curiosité archéologique, ni par un simple goût de l'exotisme, mais par un véritable besoin de communion.

Ceci pose tout de suite un problème, celui de la possibilité d'une transmission de la culture, autrement dit d'une continuité ou d'une discontinuité sur le plan de l'art et de la pensée, notamment dans l'art dramatique. La question a été discutée ici à propos d'œuvres bien différentes comme l'*Orestie* et les pièces de Lorca. Nous nous sommes demandé si les rapports familiaux, tels qu'ils sont représentés dans la tragédie grecque, concernaient encore l'homme d'aujourd'hui. De son côté M. Aubrun s'est demandé si nous pouvions vraiment pénétrer à l'intérieur du microcosme social évoqué par tel drame de Lorca, avec ses mœurs et ses tabous particuliers, et il nous a proposé d'assurer la continuité de l'œuvre au prix d'un contresens fécond. Cette solution se rapproche en somme assez de celle de Brecht qui prenait de grandes libertés avec les œuvres du passé.

Certes il n'est pas douteux que le metteur en scène et l'acteur doivent chaque fois penser et vivre l'œuvre en fonction d'un public nouveau. Mais y a-t-il pour cela malentendu ? Et faut-il nécessairement faire violence à l'œuvre ? Je pense aux réflexions de Hamlet, après qu'il a vu un acteur exprimer la plus vive douleur au récit des malheurs d'Hécube. Qu'a-t-il à voir, cet acteur, avec Hécube ? Et à nous qu'est-ce qu'Hécube, et qu'est-ce qu'Hamlet, peuvent bien nous faire ? Pourtant nous savons tous à quel point ils nous concernent, et nous empoignent. Car le fait est là, après le dépaysement du premier contact le public, que ce soit celui du Théâtre des Nations ou celui de Jean Dasté en pays minier, reconnaît dans des œuvres très éloignées dans le temps ou dans l'espace des situations humaines, des mythes, des légendes qui leur parlent des relations des hommes avec leurs semblables ou avec la nature.

A la lumière des expériences actuelles, il faut donc admettre qu'une dramaturgie universelle peut exister. Comme le disait Herman Teirlinck, c'est toujours la même rose qu'on cueille au rosier. Cependant, quand nous parlons d'universalité, il s'agit de tout autre chose que d'un humanisme creux, car chaque fois l'humain se manifeste dans une réalité concrète différente. A la distance dans le temps ou l'espace s'ajoute d'ailleurs une troisième distance qui résulte, à l'intérieur d'une société, des inégalités et des antagonismes sociaux. On a beaucoup discuté entre les deux guerres, et depuis, de l'attitude que devaient adopter écrivains et dramaturges, étant donné que la culture peut donner à une classe oppressive une bonne conscience, et que cette culture reste dans une certaine mesure un luxe. On a vu le remède dans la diffusion de la culture, à laquelle nous assistons en effet, et dans la promotion d'un public populaire.

Mais cette diffusion ne peut être obtenue sans lutte, et elle n'est pas tout, car la question du contenu des œuvres se pose. Il peut y avoir aussi — M. Marrast l'a évoqué à propos du théâtre à Madrid pendant la guerre civile — une question d'urgence. Des situations critiques peuvent se présenter qui ne permettent pas de raffiner beaucoup, et où l'important est de faire œuvre qui porte immédiatement. Mais quelle qu'ait pu être l'efficacité de ces pièces madrilènes, il faut noter leur faiblesse sur le plan artistique. Je pense à ce propos aux mélodrames humanitaires de Montehus, avant la guerre de 1914. Ils avaient intéressé Lénine pour leur valeur d'agitation, mais les biographes de Lénine rapportent que durant les périodes les plus difficiles de la Révolution russe, il lisait parfois pour se détendre *La Guerre et la Paix*. Ce qui semble indiquer qu'il ne confondait pas l'art et la propagande. Et l'expérience du théâtre aux armées sur le front de la Libération, décrite par M. Kumbatovič, qui, sans perdre de vue les nécessités du moment, faisait place aux grands dramaturges yougoslaves et aux classiques européens à côté des pièces d'actualité, me paraît plus convaincante que celle de Madrid. Même chez un dramaturge préoccupé d'efficacité immédiate comme Brecht, cette efficacité est liée à des innovations dans la technique de la scène, destinées à renouveler les rapports entre l'acteur et le public, c'est-à-dire à des solutions d'ordre artistique. Et je crois que les pièces de Brecht qui ont chance de durer, c'est-à-dire de demeurer vivantes pour des publics divers (grâce à cette rénovation qu'il préconisait de la mise en scène et de l'interprétation en fonction des publics) sont celles où il se préoccupe moins de justifier des mots d'ordre que de creuser le problème que pose la vie des hommes en société. Ceci rejoint, je crois, les conclusions de Mme Gourfinkel. Elle n'a pu faire son exposé (1) mais nous savons tout de même par un résumé assez ample, et par l'exposé qu'elle a fait au Théâtre Sarah Bernhardt, qu'elle était sa position. Elle montrait que le véritable génie du théâtre russe était le réalisme, mais

---

(1) On en trouvera le texte dans le corps de cet ouvrage.

que des décisions officielles de caractère impératif avaient vidé ce réalisme de sa substance au point qu'il ne pouvait plus aboutir qu'à des poncifs.

On parlait beaucoup dans les milieux de gauche et d'extrême-gauche au temps de la lutte contre le fascisme et l'hitlérisme, de la défense de la culture et du legs culturel du passé. Peut-être pour certains ces formules n'avaient-elles qu'une valeur tactique mais je crois que nous pouvons les reprendre à notre compte.

Il y a un legs à transmettre à ceux qui en ont véritablement *besoin*. Et il y a aussi une création de valeurs de culture qui doit se faire dans le même sens. On a évoqué au cours des débats la parole de Copeau sur ceux pour qui le théâtre est une nourriture et ceux pour qui il n'est qu'un divertissement. Je crois que c'est là la véritable ligne de partage. Il y a une faim spirituelle qui s'exprime d'une manière saisissante dans les photographies des Missions Pédagogiques espagnoles que Mlle Laffranque a fait circuler parmi nous. Ce sont bien ces regards émerveillés sur le monde de la culture et de l'art qu'il importe de protéger. Peut-être qu'à la longue, pour les protéger efficacement, est-il nécessaire de faire intervenir une pédagogie qui développe le sens critique, mais il importe aussi que cette pédagogie ne tue pas non plus cet appétit du merveilleux qui s'exprimait dans le regard des enfants espagnols.

Un dernier point. D'après ce que nous a dit M. Kumbatovič, il existe en Yougoslavie, dans le domaine du théâtre, un pluralisme fécond aux différents niveaux, celui de la production puisqu'il y a une tendance à décentraliser, à développer les initiatives locales, individuelles ou de petits groupes, celui de la critique, celui de la création. Et M. Kumbatovič insistait justement sur la possibilité de diverses solutions aux problèmes artistiques, et de solutions en faveur d'un réalisme pris non dans le sens restreint et gris du terme, mais d'un réalisme *plus* quelque chose, ce plus représentant un autre aspect de la réalité humaine, qu'on l'appelle rêve, imagination ou poésie, et qui est la somme de nos aspirations.

Je terminerai donc en rappelant que les grands noms que nous avons évoqués sont ceux de dramaturges qui dans notre siècle ont essayé de dépasser les routines scéniques et l'étroitesse d'un pseudo-réalisme, qu'il s'agisse de Strindberg, de Yeats, de Claudel, de Pirandello, d'O'Neill, de T.S. Eliot, de Cankar, de Brecht. Si différents que soient leur horizon et leur création, et quel que soit le jugement qu'on puisse porter sur le contenu de leur œuvre, ils ont ceci de commun que le monde artistique qu'ils nous lèguent est un monde *ouvert* où il y a place pour les solutions les plus diverses. Et ce que nous venons d'apprendre par l'exposé de M. Gravier sur le théâtre danois prouve que là aussi est préservée cette liberté des solutions dramatiques, et cette possibilité de jeu sans laquelle il ne peut y avoir de vrai théâtre.

AUBRUN. — Il faudrait tenir compte également de l'excellent exposé de M. Teirlinck sur le rôle de l'acteur dans la prise de conscience des contradictions d'une société, et de l'interprétation que doit donner l'acteur d'un texte qui doit être mis sans réticence à sa disposition. Une fois la pièce écrite elle est domaine public, et c'est à l'acteur, par son intelligence, son contact avec la foule, son intuition des aspirations contradictoires des masses, du public, de loger dans le schéma offert par l'auteur, tout le drame que vit une société, une collectivité, une nation ou une classe, à un certain moment de l'histoire. Et quand je dis acteur, cela signifie aussi bien metteur en scène, décorateur, costumier, électricien, etc...

VILLIERS. — Les grands législateurs de l'art dramatique, Appia, Copeau, Craig... qui vont dans le sens que précisait M. Jacquot, se mettent en quelque sorte à la disposition de l'acteur, médiateur entre le public et le dramaturge.

Mᵐᵉ MERCIER-CAMPICHE. — Il me semble qu'un équilibre doit s'établir entre la participation de l'écrivain dramatique et celle des acteurs. Giraudoux a très bien vu cela, quand il a dit que les grandes œuvres théâtrales, comme les cathédrales devraient ne pas être signées. Il estimait qu'elles étaient le fruit d'une collaboration très vaste ou personne ne cherchait à tirer la couverture à soi.

Mˡˡᵉ LAFFRANQUE. — Copeau n'a-t-il pas souhaité qu'il y ait des auteurs qui soient en même temps acteurs ?

VILLIERS. — Copeau, Craig, Appia souhaitaient le retour du maître d'œuvre absolu, à la fois auteur, metteur en scène et acteur, du type Eschyle. Mais étant donné la complexité actuelle de l'art dramatique, ils voyaient bien, sauf cas exceptionnels, l'impossibilité de ce rêve, et la nécessité d'une collaboration des divers artisans du spectacle, mais ils souhaitaient tout de même une connaissance approfondie de l'art dramatique chez le dramaturge.

AUBRUN. — Ce que l'on demande au dramaturge c'est d'offrir une pièce riche de potentiel qui soit valable dans les circonstances imprévisibles pour lui-même. Quant à la critique dramatique, elle doit se vouloir utile, « collaborante ». Or elle se fourvoie si elle recherche les sources psychologiques de la construction dramatique dans la vie psychique de l'auteur, si elle se propose sa psychanalyse. Elle se fourvoie encore si elle recherche les conditions sociologiques de l'œuvre. Une méthode est aussi fausse que l'autre. Sociologie et psychologie sont des sciences auxiliaires de la philologie, c'est-à-dire de l'art d'extraire du verbe tout ce qu'il contient à la mesure de nos besoins présents. Et ce verbe a aujourd'hui une valeur différente de celle qu'il avait pour l'auteur. Je revendique pour l'acteur une liberté totale d'interprétation.

VILLIERS. — C'est pour la naissance de l'œuvre que nous souhaitons chez l'auteur cette connaissance de l'art dramatique, car lorsque l'œuvre est écrite elle a son existence propre au gré de l'histoire et des civilisations, et c'est à l'acteur de lui restituer sa valeur en fonction de cette histoire et de ces civilisations.

Mme MERCIER-CAMPICHE. — Ce qui doit d'abord entrer en ligne de compte c'est une compréhension de l'auteur, et l'on ne peut donner à l'acteur le droit de trahir l'auteur.

AUBRUN. — L'auteur a résolu un problème qui était à la fois le sien et celui de son public, c'est-à-dire de la collectivité dans laquelle il a vécu. Comme nous vivons un problème différent sa solution n'est pas valable pour nous. Mais l'acteur doit retrouver la méthode d'approche du problème, propre au dramaturge, la façon dont il a organisé tous les facteurs qui contribuent à l'œuvre. Les facteurs ont changé, la façon est encore valable. A propos d'une œuvre, faire de la psychologie c'est trahir l'œuvre, faire de la sociologie, c'est également la trahir, faire les deux à la fois c'est déjà préparer une bonne interprétation actuelle, qui doit mettre en valeur non les facteurs psychologiques et sociaux en soi, mais leur fonction et la façon dont ils s'imbriquent les uns dans les autres. Analyser, démonter l'œuvre, mettre bout à bout ses éléments, cela ne rend pas compte du phénomène, seul le jeu mutuel de ces éléments nous éclaire et sur la pièce et sur nous mêmes.

GRAVIER. — Tous les éléments n'ont pas la même importance, et cette importance respective varie avec les œuvres. Il y a par exemple des textes qui ont une valeur formelle très grande, et d'autres textes qui s'enrichissent du fait d'adaptations successives.

AUBRUN. — Il ne faut pas trahir, mais le meilleur moyen de ne pas trahir est encore de s'appliquer au texte. Il s'agit de savoir comment se lit ce texte dans des circonstances historiques précises, celles de l'époque où il a été écrit, il y a une reconstitution archéologique et historique absolument nécessaire, mais si aujourd'hui on reprend cette pièce il faut donner aux mêmes mots une résonance différente. Comme il y a une évolution du mot, il y a une évolution de l'interprétation de l'ouvrage, et nous ne pouvons lui donner une valeur vitale aujourd'hui que si nous savons comment elle a été imbriquée dans un complexe donné. Mais cette étude archéologique est un préalable et seulement un préalable.

Mme MERCIER-CAMPICHE. — Si on fait l'étude des œuvres récentes de ce point de vue il n'y a plus de critique littéraire possible.

AUBRUN. — La critique doit être philologique, car c'est le verbe qui importe, la façon dont la phrase est organisée. C'est le cheminement de pensée qui importe. Et si nous parvenons à retrouver le chemin de pensée (qui a eu lieu certes dans des conditions psychologiques, sociologiques, etc., données) et à l'exprimer dans notre vocabulaire présent, nous aurons traduit parfaitement l'ouvrage sans le trahir. Ce qu'il faudrait donner aujourd'hui c'est le *Hamlet* tel que Shakespeare l'aurait compris s'il avait vécu notre vie en cette année de 1957.

VILLIERS. — Pratiquement c'est le point de vue de l'homme de théâtre qui a subitement la responsabilité de la pièce à monter. Je crois que c'est un problème d'honnêteté et de culture dramatique profonde. Lorsque Copeau rajeunit Molière, il ne touche pas à un mot du texte et pourtant il restitue à la farce de Molière sa force comique qui avait disparue dans les interprétations solennelles de la Comédie Française. Quand Jouvet disait qu'il fallait faire table rase, et se moquait de tout ce qui avait été écrit sur Molière, je crois qu'il avait tout lu sur Molière. Car le difficile pour l'interprète, après avoir fait ce travail de culture de façon à rendre ses connaissances consubstantielles, c'est de retrouver la naïveté nécessaire pour créer une œuvre neuve. C'est pourquoi il y a de véritables trahisons au nom d'une interprétation de l'œuvre, pourquoi l'on voit retrancher ou ajouter du texte et toutes sortes d'inventions inutiles. Copeau au contraire faisait des mises en scène extraordinaires qui rajeunissaient Molière sans toucher à un mot du texte.

CHRONIQUE

Conférences du Théâtre des Nations (février-juillet 1958)

Réalisme, poésie et réalité au théâtre

Le projet d'un cycle de conférences au Théâtre des Nations, que nous annoncions dans notre Avant-Propos, est en cours de réalisation. Ces conférences, organisées par M. Jean Lescure, Directeur Littéraire du théâtre, en collaboration avec les membres d'un groupe d'études qui s'est constitué à l'occasion des Entretiens d'Arras, ont été inaugurées en Février dernier par un exposé de M. Pierre-Aimé Touchard, Inspecteur Général des Spectacles.

Le problème choisi pour ce cycle est l'un de ceux dont l'étude avait été abordée à Arras au cours des Entretiens de 1957. C'est ainsi que Mme Gourfinkel avait expliqué, comme on a pu le lire, les sens donnés au mot « réalisme » par les dramaturges, les metteurs en scène, les esthéticiens, les hommes politiques en Russie, à divers moments de son histoire, indiquant ainsi que les termes du problème devaient toujours être définis par rapport à un milieu social et pour une époque donnée. De son côté M. Kumbatovič, parlant de la création dramatique et de la mise en scène en Slovénie, avait insisté sur l'effort fait pour embrasser « le macrocosme des problèmes sociaux et le microcosme de la psychologie individuelle » et pour représenter « la somme indivisible des phénomènes de la vie consciente et subconsciente, de la veille et du rêve, du réel et de l'imaginaire ».

Il nous a donc paru utile de creuser ce problème, en nous référant notamment aux œuvres et aux mises en scène présentées durant la saison du Théâtre des Nations. Comme nous l'écrivions dans l'exposé du projet de cette série de conférences :

« Nous ne prétendons pas fournir tout d'abord une définition générale abstraite de la notion de « réalisme » au théâtre. Nous souhaitons au contraire que le « réalisme » soit précisément la question. Disons provisoirement que s'il se donne généralement comme une intention de présenter une image fidèle de la vie, il apparaît souvent comme une tendance à en fixer de préférence les aspects concrets, ou à préciser les tenants et les aboutissants d'une action par rapport à un milieu scrupuleusement reconstitué. Est-il légitime de croire que, même si cette tendance est en soi valable, elle risque de déborder, par ses excès du moins, dans une sorte de passivité à l'égard de la réalité et de se borner à une reproduction dont l'ambition photographique serait aussi dérisoire qu'en seraient ternes et plats les résultats ?

« Il semble que les dramaturges et les metteurs en scène de ce demi-siècle aient réagi contre cet excès. Leur effort, comme ils le souhaitaient, a-t-il rendu au spectacle sa valeur de jeu ? En substituant aux conventions paralysantes d'un pseudo-réalisme d'autres conventions scéniques (inspirées parfois des élizabéthains ou du théâtre d'Orient) ont-ils intensifié les échanges entre l'acteur et le public ? Ont-ils pu poursuivre cette entreprise sans renoncer à introduire dans la structure du drame des éléments de réalité manifeste ? »

Quant à la « poésie », nous la définissons comme « l'activité créatrice qui organise les données du réel en vue du jeu dramatique et se refuse à donner de la réalité humaine une image appauvrie dont seraient absentes la vie intérieure, l'imagination et le rêve ».

Depuis février ont eu lieu des conférences de MM. André Bonnard, Professeur honoraire à l'Université de Lausanne : *Réalisme et poésie dans « Médée »*; Marcel Bataillon, de l'Institut, Administrateur du Collège de France : *La Célestine*, André Sieffert, Professeur à l'Ecole des Langues Orientales: *Introduction historique au théâtre japonais;* Robert Ruhlmann, Professeur à l'Ecole des Langues Orientales : *Commentaire de deux pièces chinoises;* Maurice Gravier, Professeur à la Sorbonne : *Le théâtre naturaliste de Strindberg;* Mme Nina Gourfinkel : *Tchekhov*.

Entretiens d'Arras (21-23 juin 1958)

Cette rencontre aura lieu, une fois de plus, à l'occasion du Festival dramatique où André Reybaz présentera, cette année, des mises en scène de *Hamlet* et de *On ne badine pas avec l'amour*. Des communications sur divers aspects du thème « réalisme et poésie » permettront de faire le point après une première série de conférences au Théâtre des Nations. Mentionnons, parmi les communications déjà annoncées, celles de M. André-Paul Antoine : *Antoine et le théâtre libre;* André Veinstein : *La réaction contre le naturalisme : Craig et Appia;* André Villiers : *La réalité scénique;* Maurice Gravier : *Théâtre d'idées et réalité;* Charles V. Aubrun, Professeur à la Sorbonne : *L'insertion de la réalité contemporaine dans les drames lyriques de Calderón;* André Sieffert : *Un sujet de pièce japonaise tel qu'il est traité dans le style du Nô, du Kabouki et du théâtre de poupées;* Jeanne Cuisinier : *La fonction sociale du théâtre en Indonésie et au Vietnam*.

Journée élizabéthaine (3 juillet 1958)

Cette rencontre aura lieu au Théâtre des Nations, quelques jours avant les représentations de Shakespeare par la troupe du « Old Vic' Theatre ». Y prendront part des anglicistes spécialisés dans l'étude du théâtre élizabéthain, des metteurs en scène et des acteurs connus pour leurs interprétations de Shakespeare.

Conférences du Théâtre des Nations (novembre 1958 - juillet 1959)

Une nouvelle série de conférences est prévue pour 1958-1959. Le thème « réalisme et poésie » sera repris. Nous nous sommes déjà efforcés, dans ce cycle, de tenir compte des techniques et des pouvoirs des théâtres d'Asie, si souvent évoqués depuis un demi-siècle par ceux qui se soucient de rendre à notre scène son efficacité. Mais le sujet est si vaste et si important qu'il paraît souhaitable d'y consacrer une série de conférences, parallèlement à celles qui sont déjà prévues, avec la participation des meilleurs spécialistes. Il n'y aura pas, bien entendu, de séparation rigoureuse entre ces deux groupes de conférences, qui présentent au contraire à nos yeux un caractère complémentaire. Cependant nous prévoyons la publication de deux recueils ayant respectivement pour titre *Poésie et réalité au théâtre*, et *Les théâtres d'Asie*. Précisons déjà que le premier comprendra, outre le texte des conférences, celui des communications d'Arras. Quant à la « Journée élizabéthaine » ses travaux seront reproduits, pour une part, dans le volume en question, et pour l'autre dans le Numéro spécial de la revue *Etudes anglaises* sur Shakespeare et le théâtre élizabéthain en France, qui doit paraître en 1959 (1).

J. J.

(1) Signalons à cette occasion le Numéro spécial très attachant et très substantiel sur « Le théâtre contemporain en Grande-Bretagne et aux Etats-Unis » (*Etudes anglaises*, oct.-déc. 1957, publié par la Librairie Didier avec le concours du C.N.R.S.).

INDEX ALPHABÉTIQUE

D

E

F

G

NORDAN Max, 249.
NUŠIČ Branislav, 211-14, 217-20, 273.

O

OBEY André, 33.
OBREGON Antonio de, 282 n. 35.
O'BRIEN George, 332.
O'CASEY Sean, 321-36.
ODETS Clifford, 159.
ŒHLENSCHLAGER, 338, 339.
O'FAOLAIN Sean, 336.
OKHLOPKOV, 63.
OLIVIER Laurence, 59.
OLMEDILLA, 276 n. 6.
O'NEILL Eugene, 94-98, 103, 105, 114, 115, 128, 149-63, 270, 357.
ONTANON Santiago, 258, 259, 260 n. 12, 265, 266, 270.
OSTROVSKI Alexandre, 196-200, 207, 208.
OVESKOU, 338.

P

PAGNOL Marcel, 20, 37, 39, 44.
PARIGOT Guy, 29 n. 6, 35.
PASCAL Blaise, 158, 343.
PASSEUR Stève, 51, 52.
PEDRELL Felipe, 304.
PELLERIN Jean-Victor, 20, 51, 118 n. 4.
PEMAN José María, 282 n. 35.
PÉREZ INFANTE, 258.
PICASSO Pablo, 116.
PIGNOL Jean, 7.
PILLEMENT Georges, 53.
PIRANDELLO Luigi, 118, 123, 128, 155, 168, 219, 220, 292, 310-14, 319, 320, 357.
PISCATOR Erwin, 59, 166, 172, 277.
PITOËFF Georges, 20, 50, 51, 58, 78.
PLANCHON Roger, 34, 55.
PLATON, 76.
PLAUTE, 260.
POPOV, 209 n. 10.
PORTO-RICHE Georges de, 19.
POUCHKINE Alexandre, 193.
POUND Ezra, 154.
PRADAL Gabriel, 277 n. 8.
PRATS Alardo, 287 n. 57, 288 n. 60, 289 n. 66, 291 n. 76, 292 n. 80, 293 n. 86, 295 n. 96.
PRÉVERT Jacques, 264.
PRÉVOST Marcel, 19.
PRIETO Miguel, 258.
PROCLEMER Anna, 312 n. 3.

Q

QUEIROZ Eça de, 225 n. 2.
QUEVEDO, 227 n. 4, 236.
QUINTERO Alvarez, 260, 289, 304.

R

RACHEL, 49.
RACINE Jean, 35, 90, 115, 116.
RADISTCHEV, 193.
RAMIREZ Octavio, 284 n. 45, 291 n. 78.
RAMUZ, 279 n. 17.
RANSOME John Crowe, 154.
RÉ Michel de, 75.
REGOYOS, 235.
REHBEN Ernest, 350, 352.
REINHARDT Max, 63, 277.
RENARD Jules, 19.
RENOIR Pierre, 77.
REUMERT Paul, 337.
REYBAZ André, 6.
REYNAL Paul, 20.
RICHEPIN Jean, 19, 248.
RILKE Rainer Maria, 80.
RIMSKI-KORSAKOV, 198.
RIVAS CHERIF Cipriano, 255, 276 n. 6, 282 n 34.
RIVOALLAN A., 336.
ROBERT Yves, 74.
ROBINSON Lennox, 327, 333, 336.
RODIN Auguste, 157.
ROJAS Soto de, 279 n. 16.
ROLLAN Henri, 68.
ROLLAND Romain, 51, 160.
ROMAINS Jules, 50, 52, 341.
ROSSETTI D.G., 161.
ROSTAND Edmond, 19, 245.
ROULEAU Raymond, 75.
ROUSSEL Raymond, 50.
ROUSSIN André, 28.
ROUVET Jean, 298.
RUBIO López, 292.
RÜHLE Jürgen, 208 n. 9.
RUSKIN John, 322.
RUSSELL George, 324, 333.

S

SABBATTINI Nicola, 33 n. 12.
SACHER MASOCH, 249.
SADE, 249.
SADOVSKI Prov, 196.

TABLE DES MATIÈRES

Imprimerie LOUIS-JEAN — GAP   Dépôt Légal n° 90